2009~2014년

일본 가족법(친족상속법) 주요 판례 개관:

판례 전문 번역 및 해설

2009~2014년

일본 가족법(친족상속법) 주요 판례 개관

| 홍남희 편역 |

판례전문번역 및 해설

도서출판 동인

들어가는 말

나쓰메 소세키(夏目漱石)가 젊은 아쿠타가와 류노스케(芥川竜之介)에게 보낸 편지에는 '서두르지 마세요. 그냥 소처럼 뻔뻔스럽게 나아가는 것이 중요합니다. 끈기로 나오세요. 세상이 끈기 앞에 굴복하는 것을 알고 있지만 불꽃 앞에는 순간의 기억밖에 주지 않습니다. 끙끙 죽을 때까지 힘쓰는 것입니다. 그것뿐입니다.'라고 적혀 있다고 한다.•

나쓰메 소세키가 1867년생이고 아쿠타가와 류노스케는 1892년생이니 두 사람의 나이차는 스물다섯 살 정도이다. 늙은 천재가 자식뻘인 젊은 천재에게 하는 조언치고는 특별한 이야기가 없어 실망스럽기까지 하다. 전달하는 내용이 진부할 뿐만 아니라 표현에서도 일본 대문호의 면모를 느끼기 어렵다. 문학 분야의 천재라고 인정받는 사람의 입에서 나오는 이야기가 결국 "별 수 없어. 열심히 살게."라니 말이다.

나는 나쓰메 소세키의 위 일화를 접하고 한편으로는 "다행이다."하고 안도감이 들었다. 나쓰메 소세키도 끈기를 가지고 성실하게 사는 것 말고는 방도가 없다고 하니 나 같은 인물은 더 말해 무엇 하겠는가. 군말 말고 더더욱 성실하게 사는 것이 마땅할 터이다. 좋지도 않은 머리로 이리 재고 저리 재고 할 필요 없이 묵묵히 꾸준히 쉼 없이 노력하면서 살아가면 되는 것이라 믿기로 했다.

이 책은 지인이 내게 박사과정에서 민법을 전공하게 되었으니 열심히 공부를 하라는 뜻에다 장난도 곁들여 '민법계의 초신성'이라는 별명을 지어 주어 그에 대한 보답의 차원에서 번역하여 엮게 된 것이다. '민법계의 초신성'이라는 별명이 부끄럽지 않도록 무엇인가 성과물을 내 놓아야 할 텐데 하고 줄곧 생각하다가 일본의 가족법(친족상속법) 관련 최근(2009~2014년) 판례를 번역하여 정리하기로 하였다.

가족법(친족상속법)은 가족 및 친족의 공동생활과 공동생활에 기초한 재산의 승계관계를 규율하는 법이다. 가족법제는 각 나라마다 특성이 있지만 가족과 친족이 인류의 생활관계에서 근본이 되는 집단이라는 점에서 기본적인 부분에서는 동일하거나 유사한 점도 많다. 가깝고도 먼 나라 일본에서 2009~

• 원문(文春文庫版『こころ 坊っちゃん』巻末、江藤淳「夏目漱石伝」에서 인용)은 아래와 같다.
「あせってはいけません。ただ牛のように図々しく進んで行くのが大事です。」「根気ずくでお出でなさい。世の中は根気の前に頭を下げる事を知っていますが、火花の前には一瞬の記憶しか与えてくれません。うんうん死ぬまで押すのです。それだけです。」

2014년에 나온 가족법 관련 판례 중 일부를 선별하여 전문을 번역하고 해설을 덧붙여 비교법학을 하는 분들의 이해를 돕고자 하였다. 부족함이 많은 번역과 해설이지만 다른 능력 있는 분들이 이 책을 이용하여 다양하고 심도 있는 연구를 많이 해주셨으면 하는 바람이다.

나는 결단을 내리면 실행까지는 일사천리인 인물인데 겨울방학이었던 몇 달 동안 일본 판례만 신물나게 번역하며 지냈다. 나는 대학원 박사과정(민법 전공)에 재학 중인데 2014년 12월부터 겨울방학을 맞아 퇴근 후, 그리고 휴일에, 사람이 되고자 제 발로 동굴에 들어간 곰 마냥 주야장천 방에 틀어 박혀 일본 판례를 번역하였다. 그 과정에서 일본 판례를 공부하고 일본어 번역 연습을 하는 셈도 되고 하여 자신에게 유익한 시간이었다고 생각한다. 부작용으로 때때로 스스로가 사회생활을 하는 은둔형 외톨이라는 느낌이 들기도 하였다.

실무를 하고 있는 내가 학문에의 끈을 놓지 않게 격려해 주시는 신권철 교수님과 강릉에 계시는 부모님께 감사의 말씀을 드린다. 그리고 이름을 일일이 열거하지 못하지만 내가 학문에 정진하도록 많은 자극을 주었던 학우(동기, 선후배) 여러분께도 고맙다는 말을 전한다.

김태완 작가의 『율곡문답』이라는 책에 "성실함은 그 쓰임이 커서 천지를 감격하게 하고 귀신을 감동하게 하며 인심이 모두 복종하게 하는 효과를 이룬다."라는 문장이 있는데 내가 좋아하는 문장이다. 내용인 즉 성실하면 사람은 물론이고 천지신명까지 감동한다는 것이다.

성실하게 일본을 비롯한 여러 나라의 귀한 법학 자료를 번역하고 실무를 하면서 느끼는 문제에 대해 고민하며 '민법계의 초신성'으로서 살아갈 생각이고 이 책이 그 다짐의 표시이다.

2015년 4월

홍남희

차례

일러두기

1. 본문에 나오는 모든 법은 일본의 법을 의미한다.
2. 판례 번역문은 Westlaw Japan이 제공하는 일본 판례를 번역한 것이다.
3. 해설문과 판례 번역문의 각주는 모두 필자가 작성한 것이다.
4. 판례 본문 내 글상자 안에 기재된 주석은 판례 원본에 있는 것으로 번역한 것이다.
5. 판례 번역문의 밑줄은 Westlaw Japan이 제공하는 일본 판례의 밑줄을 따랐다.
6. 일본에서는 법원을 '재판소'라고 하고 검사를 '검찰관'이라고 하는 등 우리나라와는 용어가 다소 다른데 되도록 일본에서 사용하는 용어를 그대로 사용하려고 하였다. 다만 항소의 경우 일본에서는 '控訴'라고 써서 한문 그대로 읽으면 '공소'가 되는데 검사(검찰관)가 제기하는 공소(公訴)와 혼동되므로 이 경우에는 '항소'라고 번역하였다. 그 밖에 혼동을 피하기 위해서 혹은 그 단어의 정확한 의미를 표현하기 위해서 극히 일부 단어만 우리 실정에 맞추어 번역하였다.
7. 明治(1868~1912), 大正(1912~1926), 昭和(1926~1989), 平成(1989~)는 일본의 연호이다.

제1장

성 동일성 장해자 관련사건

일본은 2003년 '성 동일성 장해자의 성별 취급의 특례에 관한 법률[1]'(이하 '특례법'으로 약칭한다)을 제정하여 시행함으로써 생물학적인 성별과 심리적인 성별이 다른 사람들 중 일정한 요건을 충족하는 사람들이 심판을 받아 성별을 변경할 수 있도록 하고 있다.

〈성 동일성 장해자의 성별 취급의 특례에 관한 법률〉

(취지)

제1조 이 법률은 성 동일성 장해자에 관한 법령상의 성별 취급의 특례에 대해서 정한다.

(정의)

제2조 이 법률에서 '성 동일성 장해자'란 생물학적으로는 성별이 명백함에도 불구하고 심리적으로

1) 원문은 '性同一性障害者の性別の取扱いの特例に関する法律'이다. 장해자(障害者)를 장애자(障碍者)라고 번역하기도 하는데 국어사전에 의하면 장애자는 '신체 기관이 충분히 제 기능을 발휘하지 못하는 사람'이라고 정의되는 반면 성 동일성 장해자는 신체 기관의 기능에는 문제가 없는 사람들이므로 장애자라고 번역하는 것은 타당하지 않다고 생각하여 우리나라에는 없는 용어이지만 원문의 한자 그대로 '장해자'로 번역하기로 한다.

는 그것과는 별개의 성별(이하 '다른 성별'이라 한다)이라는 지속적인 확신을 갖고 자신을 신체적 및 사회적으로 다른 성별에 적합하게 하려고 하는 의지를 가진 사람이며, 그것에 대해서 진단을 정확하게 실시하기 위해 필요한 지식과 경험을 가진 두 명 이상의 의사가 일반적으로 인정된 의학적 지식에 근거하여 실시하는 진단이 일치하는 사람을 말한다.

(성별 취급 변경의 심판)

제3조 가정재판소는 성 동일성 장해자로서 다음 각 호의 모두에 해당하는 사람에 대해서 그 사람의 청구에 의해 성별 취급 변경의 심판을 할 수 있다.

① 20세 이상일 것

② 현재 혼인하고 있지 않을 것

③ 현재 미성년의 자녀가 없을 것

④ 생식선이 없을 것 또는 생식선의 기능을 영속적으로 상실한 상태에 있을 것

⑤ 신체와 관련하여 다른 성별의 신체의 성기에 관한 부분과 유사한 외관을 갖추고 있을 것

2 전항의 청구를 하려면 전항의 성 동일성 장해자와 관련된 전조의 진단 결과, 치료의 경과 및 결과 기타 후생노동성령으로 정하는 사항이 기재된 의사의 진단서를 제출해야 한다.

(성별 취급 변경의 심판을 받은 사람에 관한 법령상의 취급)

제4조 성별 취급 변경의 심판을 받은 사람은 민법(1895년 법률 제89호) 기타 법령의 규정 적용에 대해서는 법률에 특별한 규정이 있는 경우를 제외하고 그 성별에 대해서 다른 성별로 변한 것으로 본다.

2 전항의 규정은 법률에 특별한 규정이 있는 경우를 제외하고 성별 취급 변경의 심판 전에 생긴 신분 관계 및 권리 의무에 영향을 미치는 것은 아니다.

1. 성별 취급 변경의 심판을 받은 사람의 아내가 출산한 자녀의 적출(嫡出) 추정[2)]

특례법에 의해 심판을 받아 성별이 변경된 사람들은 이 법률 제4조 제1항에 따라 법률에 특별한 규정이 있는 경우를 제외하고는 변경된 성별로 인정받게 된다.

한편 민법 제772조에 따라 아내가 혼인 중에 임신한 자녀는 남편의 자녀로 추정하고 혼인 성립일

2) 이 사안에 대한 판례 평석으로 '김상헌, 성전환자의 부자관계에 관한 소고 : 일본 最高裁判所 第三小法廷 2013年(許)第5決定의 평석을 중심으로, 아주법학, 제8권 제1호, 아주대학교 법학연구소, 2014, 255~279면'을 참고하라.

로부터 200일을 경과한 후 또는 혼인 해소일 혹은 취소일로부터 300일 이내에 태어난 자녀는 혼인 중에 임신한 것으로 추정한다.

〈민법〉

(적출의 추정)
제772**조** 아내가 혼인 중에 임신한 자녀는 남편의 자녀로 추정한다.
2 혼인 성립일로부터 200일을 경과한 후 또는 혼인 해소일 혹은 취소일로부터 300일 이내에 태어난 자녀는 혼인 중에 임신한 것으로 추정한다.

본 사안은 특례법에서 정한 심판을 받아 여성에서 남성으로 성별이 변경된 사람인 X1이 다른 여성 X2와 혼인하였는데 X2가 다른 남성의 정자를 제공 받아 인공수정에 의해 출산한 자녀 A가 민법 772조에 의해 적출 추정을 받는지 여부가 다투어진 사례이다.

X1 부부는 A의 아버지 란을 공란으로 하고 A를 X2의 비적출자녀로 하여 호적 기재가 되자 A의 아버지 란에 'X1'이라고 기재하여 A를 이들 부부의 적출자녀로 호적 기재를 정정하는 것을 허가해 달라고 도쿄 가정재판소에 신청하였다.

도쿄 가정재판소(1심)는 "X1이 남성으로서의 생식 능력이 없는 것이 호적에 기재된 내용으로부터 객관적으로 분명하여 A를 신청인들 부부의 적출자녀로 추정할 수 없다."고 판시하여 이 신청을 각하하였다.

이들은 도쿄 고등재판소(항고심)에 항고하였는데 고등재판소는 "호적의 기재상 생리적인 혈연이 존재하지 않는 것이 분명한 경우에는 이 조항(민법 772조) 적용의 전제를 결여한 것이라고 해야 한다."고 판시하여 항고를 기각하였다.

이에 이들은 최고재판소에 허가항고를 하였는데 최고재판소는 "특례법 3조 1항의 규정에 근거하여 남성으로의 성별 취급 변경의 심판을 받은 사람은 이후 법령 규정의 적용에서 남성으로 간주되기 때문에 민법의 규정에 근거하여 남편으로서 혼인할 수 있을 뿐만 아니라 혼인 중에 그 아내가 자녀를 임신한 때에는 민법 772조의 규정에 의해 당해 자녀는 당해 남편의 자녀로 추정된다."고 판시하였다. 그 근거로 "성별 취급 변경의 심판을 받은 사람이 아내와의 성관계에 의해 자녀를 가지는 것은 전혀 상정할 수 없지만 한편으로 그러한 사람에게 혼인하는 것을 인정하면서 다른 한편으로 그 주요한 효과인 이 조항에 의한 적출 추정에 대한 규정의 적용을, 아내와의 성관계의 결과 태어난 자녀일 수 없다는 것을 이유로 인정하지 않는다는 것은 상당하지 않다."고 하였다.

1심 판결

재판연월일	平成24年[3] 10月 31日	**재판소명**	도쿄(東京) 가정재판소
재판번호	平24(家)3027号	**재판구분**	심판
사건명	호적 정정 허가 신청사건		
재판결과	각하	**상소등**	항고

주 문

본건 신청을 모두 각하한다.

이 유

제1 신청

본적 도쿄도 a구 <이하 생략> 필두자[4](筆頭者) X1의 호적 중 A(2009년 O월 O일생)의 '아버지'의 란에 'X1'이라고 기재하고, 출생의 란의 '허가일 2012년 2월 O일' 및 '입적일 2012년 3월 O일'이라는 기재를 삭제하며 '신고일 2012년 1월 O일', '신고인 아버지'라고 기재하는 취지로 정정하는 것을 허가한다.

제2 사안의 개요

본건은 신청인 X2(이하 '신청인 X2'라 한다)가 출산한 아이 A(이하 'A'라 한다)에 대해서 비적출자녀로 표기된 호적 기재는 '법률상 허용되지 않는 것임 또는 그 기재에 착오 혹은 누락이 있음'에 해당

---

3) 2012년

4) '호적의 맨 앞에 이름이 적힌 사람'을 의미한다. 구민법에서 호주(戶主) · 가장(家長)이라고 하였다.

하여 신청인 X1(이하 '신청인 X1'이라 한다) 및 신청인 X2 사이에 출생한 적출자녀로서 호적에 기재되어야 한다고 하여 호적법 113조에 근거한 호적 정정 허가를 요구한 사안이다.

본건 기록에 의하면 다음의 사실이 인정된다.

1 신청인 X1은 여성으로 출생했지만 2004년에 성 동일성 장해라는 진단을 받아 성별 적합 수술을 받고 2008년 3월 O일 성 동일성 장해자의 성별 취급의 특례에 관한 법률 3조에 따라 남성으로의 성별 취급 변경 심판을 받았다.

2 신청인 X1과 신청인 X2는 2008년 4월 O일 혼인 신고를 했다.

3 신청인 X2는 2009년 O월 O일 A를 출산했다. 신청인 X2는 신청인 X1의 동의를 받은 후 다른 남성의 정자를 제공 받아 인공 수정으로 A를 임신하여 A와 신청인 X1 사이에는 생물학적인 친자 관계는 없다.

4 신청인 X1은 당초 효고현(兵庫県) b시장에게 A를 적출자녀로 (기재한) 출생 신고서를 제출했지만 기재 사항에 미비가 있다는 등 하여 수리되지 않았으므로 이 출생 신고를 취하하고 2011년 12월 현재의 호적으로 전적한 후 2012년 1월 O일 A를 신청인 부부의 적출자녀로 하는 출생 신고서를 도쿄도 a구청장에게 제출했다.

5 그러나 a구청장은 출생 신고서의 '부모와의 (혈연) 관계'란 등에 미비가 있다고 하여 보완하도록 최고하였는데 신청인 X1이 이에 따르지 않았으므로 2012년 2월 O일, 도쿄 법무국장의 허가를 얻어 A의 아버지 란을 공란으로 하여 A를 신청인 X2의 비적출자녀로 하는 호적 기재(이하 '본건 호적 기재'라 한다)를 했다.

제3 본 재판소의 판단

1 A는 신청인 X2가 신청인 X1과의 혼인 중에 임신한 자녀이지만 남편인 신청인 X1은 성 동일성 장해자의 성별 취급의 특례에 관한 법률 3조에 따라 남성으로의 성별 취급 변경 심판을 받은 것으로 남성으로서의 생식 능력이 없는 것이 호적에 기재된 내용으로부터 객관적으로 분명하여 A를 신청인들 부부의 적출자녀로 추정할 수 없다.

2 일반적으로 적출 추정이 미치지 않는 자녀라고 해도 형식적으로 아내가 남편과의 혼인 중에 임신한 자녀에 대해서 적출자녀로서 출생 신고가 되는 경우 호적 사무를 담당하는 시정촌장은 친자 관계 부존재 확인의 확정 판결 등에 의해 적출 추정이 미치지 않는 것이 확인되지 않는 한 적출자녀로서의 출생 신고를 수리하지 않을 수 없다. 그러나 이는 호적 사무 심사의 한계에 의한 사실상의 결과에 불과하고 당해 자녀에 대해서 적출 추정이 미치지 않는 이상 적출자녀로서의 법적 보호가 미치지 않는 것은 분명하여 적출자녀로서 취급해야 한다고 민법상 요구되는 것은 아니다.

3 본건에서는 위 1과 같이 호적에 기재된 내용 자체에서 A가 적출자녀로 추정될 수 없다는 것이 객관적으로 분명하기 때문에 호적 사무를 담당하는 시정촌장이 비적출자녀로서 호적에 기재한 것은 시정촌장의 심사권의 범위 내이고 객관적인 사실에도 합치하므로 본건 호적 기재는 '법률상 허용되지 않는 것임 또는 그 기재에 착오 혹은 누락이 있음'에 해당하는 사유라고는 인정되지 않는다.

4 이상의 호적상의 처리는 어디까지나 A가 객관적이고 외관적으로 신청인들의 적출자녀로서 추정되는지 여부의 객관적인 사실 인정의 문제이며, 신청인 X1을 성 동일성 장해자의 성별 취급의 특례에 관한 법률에 따라 남성으로서 취급해야 한다는 법률상의 요청에 반하는 것은 아니며 이러한 취급은 헌법 14조에서 금지된 차별에 해당하지 않는다. 덧붙여 본건처럼 비배우자 간 인공수정에 의해 아내가 임신한 자녀에 대해서 남편의 동의가 있을 것을 요건으로 남편의 자녀로 한다는 입법론이 있을 수 있지만 그러한 법률이 제정된다면 또 몰라도 일본에서는 아직 그러한 입법이 되지 않았으므로 신청인 X1이 인공수정에 동의했다는 것을 가지고 A와의 부자 관계를 인정할 수도 없다. 현재 상황에서는 본건과 같은 경우에는 특별입양을 하는 것으로 대응하는데 절차가 번거롭기는 하지만 그로 인해 특별 양친자 관계가 성립하면 자녀의 법적 보호에는 흠결이 없다.

5 따라서 본건 신청은 모두 이유가 없으므로 각하한다.

◇ 가사심판관 松谷佳樹

항고심 판결

재판연월일 平成24年[5] 12月 26日	**재판소명** 도쿄(東京) 고등재판소
사건번호 平24(ラ)2637号	**재판구분** 결정
사 건 명 호적 정정 허가 신청 각하 심판에 대한 항고 사건	
재판결과 항고기각	**상 소 등** 허가상고, 특별상고

주 문

본건 항고를 모두 기각한다.

이 유

제1 항고의 취지와 이유

별지 '즉시 항고장'(사본)에 기재된 대로이다.

제2 본 재판소의 판단

1 본 재판소도 호적 정정 허가를 요구하는 항고인들의 본건 신청은 모두 이유가 없다고 판단한다. 그 이유는 아래 2에 항고인들이 본 심에서 한 주장에 대한 판단을 보충하는 외에는 원심판의 '이유'란의 제2의 1항부터 5항까지 및 제3의 1항부터 4항까지에 기재된 대로이므로 이를 인용한다.

2 항고인들이 본 심에서 한 주장에 대한 판단(약칭은 원심판의 것을 사용한다)

---

5) 2012년

항고인들은 적출 추정은 혼인과 아내의 임신이라는 사실에 의해서 생기는 법률상의 부자 관계로 부자 사이의 생리적인 혈연이라는 명문에 없는 요건을 마련해서는 안 되는 점, 혼인 자체가 갖는 강력한 효과에 의해 추정이 미치지 않는 자녀는 적출자녀로 취급되어 부자 관계를 부정하기 위해서는 친자 관계 부존재 확인 소송을 거쳐야 하며 행정기관이 이를 부정할 수 있는 것은 아니고 추정이 미치지 않는 자녀의 범위에 관한 외관설에 의해서도 호적상의 기재는 사회 생활상의 부부 관계의 외관에는 해당하지 않는다는 점, 성 동일성 장해자의 성별 취급의 특례에 관한 법률(이하 '특례법'이라 한다) 4조가 "다른 성별로 변한 것으로 본다."고 규정하고 심사 · 판단 과정에서 생식 능력의 유무를 고려해서는 안 된다고 하고 있는 점 등의 사정에 의하면, 호적에 기재된 내용으로부터 A를 비적출자녀로 호적에 기재하는 것이 시구정촌장의 심사권의 범위 내에 있다고는 할 수 없는 점 그리고 본건 호적 기재는 사회적 신분, 성별, 장해에 의한 차별로서 헌법 14조에 위반하고 자신이 원하는 '아버지인 것'을 인정하지 않는 것은 개인의 존엄을 부정하고 행복추구권을 침해하는 것으로서 헌법 13조에 위반한다고 주장한다.

그러나 적출 친자 관계는 생리적인 혈연을 기초로 하고 혼인을 기반으로 하여 판정되는 것이며, 부자관계의 적출성의 추정에 관하여 민법 772조는 아내가 혼인 중에 임신한 자녀를 남편의 자녀로 추정하고 혼인 중의 임신을 자녀의 출생 시기에 의해 추정함으로써 가정의 평화를 유지하고 부부관계의 비밀을 공개하는 것을 방지함과 동시에 부자관계의 조기 안정을 도모한 것에서 보면 호적 기재상 생리적인 혈연이 존재하지 않는 것이 분명한 경우에는 이 조항 적용의 전제를 결여하였다고 해야 하고 이러한 경우에 가정의 평화를 유지하고, 부부관계의 비밀을 공개하는 것을 방지할 필요가 있다고 할 수는 없다. 또한 항고인들이 주장하는 특례법 4조 규정도 같은 법 3조 1항 4호에 규정하는 경우를 전제로 하는 것이기 때문에 그 경우의 민법 규정 적용에 변경을 가하는 것은 아니다. 그리고 본건 호적 기재는 A의 아버지의 란을 공란으로 하는 것으로 위에서 인용한 원심판의 '이유' 란의 제3의 4항과 같이 호적상의 처리는 어디까지나 A가 객관적이고 외관적으로 항고인들의 적출자녀로서 추정되지 않고 적출이 아닌 자녀라는 객관적 사실을 인정한 것을 기재한 것이므로 항고인들의 주장을 고려해도 본건 호적 기재가 헌법 14조 또는 13조에 반한다고 할 수 없다.

3 따라서 원심판은 상당하고 본건 항고는 이유가 없으므로 이를 기각하여 주문과 같이 결정한다.

◇ 재판장 재판관 下田文男 재판관 脇由紀 재판관 鈴木昭洋

별지 '즉시 항고장'(사본) <생략>

상고심 판결

재판연월일	平成25年[6] 12月 10日	**재판소명**	최고재판소 제3소법정
사건번호	平25(許)5号	**재판구분**	결정
사 건 명	호적 정정 허가 신청 각하 심판에 대한 항고 기각 결정에 대한 허가항고 사건		
재판결과	파기 자판		

주 문

원결정을 파기하고 원원심판을 취소한다.

본적 도쿄도(東京都) 신주쿠구(新宿区), 필두자 X1의 호적 중, A(생년월일 2009년 11월 O일)의 '아버지'의 란에 'X1'로 기재하고 출생의 란의 '허가일 2012년 2월 O일' 및 '입적일 2012년 3월 O일'의 기재를 삭제하고 '신고일 2012년 1월 O일', '신고인 아버지'라고 기재하는 취지의 호적 정정을 하는 것을 허가한다.

이 유

항고대리인 야마시타 도시마사(山下敏雅) 등의 항고 이유에 대해서

1 본건은 성 동일성 장해자의 성별 취급의 특례에 관한 법률(이하 '특례법'이라 한다) 3조 1항의 규정에 근거하여 남성으로의 성별 취급 변경의 심판을 받은 항고인 X1 및 그 후 항고인 X1과 혼인을 한 여성인 항고인 X2가, 항고인 X2가 혼인 중에 임신하여 출산한 남아인 A의, 아버지의 란을 공란으로 하는 등의 호적 기재에 대해서 호적법 113조의 규정에 근거한 호적 정정 허가를 요구하는 사안이다.

---

6) 2013년

2 기록에 따르면 본건의 경위 등은 다음과 같다.

(1) 항고인 X1은 생물학적으로는 여성인 것이 분명했지만 특례법 2조에 규정하는 성 동일성 장해자였는데 2004년에 성별 적합 수술을 받아 2008년 특례법 3조 1항의 규정에 따라 남성으로의 성별 취급 변경의 심판을 받은 사람이다. 항고인 X1의 호적에는 호적법 13조 8호 및 호적법 시행규칙 35조 16호에 따라 이 심판 발효일을 기재했다.

항고인 X1은 2008년 4월 O일 여성인 항고인 X2와 혼인했다.

(2) 항고인 X2는 남편인 항고인 X1의 동의를 받아 항고인 X1 이외의 남성의 정자를 제공받아 인공수정에 의해 임신하여 2009년 11월 O일에 A를 출산했다.

(3) 항고인 X1은 2012년 1월 O일 A를 항고인들 부부의 적출자녀로 하는 출생 신고서를 도쿄도 신주쿠구청장에게 제출했다. 이에 대해 호적 사무 관장자인 이 구청장은 A가 민법 772조에 의한 적출 추정을 받지 않는 것을 전제로, 출생 신고서의 '부모와의 관계'란 등에 미비가 있다고 하여 보완을 하도록 최고하였지만 항고인 X1이 이에 따르지 않았으므로, 2012년 2월 O일, 도쿄 법무국장의 허가를 얻어 같은 해 3월 O일, A의 '아버지'의 란을 공란으로 하고 항고인 X2의 장남으로 하여 '허가일 2012년 2월 O일', '입적일 2012년 3월 O일'로 하는 호적의 기재(이하 '본건 호적기재'라 한다)를 했다(호적법 45조, 44조 3항, 24조 2항).

(4) 항고인들은, A는 민법 772조에 의한 적출 추정을 받으므로 본건 호적 기재는 법률상 허용되지 않는다고 주장하여 필두자 항고인 X1의 호적 중, A의 '아버지'의 란에 'X1'로 기재하고 출생의 란의 '허가일 2012년 2월 O일' 및 '입적일 2012년 3월 O일'의 기재를 삭제하고 '신고일 2012년 1월 O일', '신고인 아버지'로 기재하는 호적 정정 허가를 요구하고 있다.

3 원심은 다음과 같이 판단하여 본건 신청을 각하해야 한다고 했다.

적출 친자 관계는 혈연을 기초로 하면서 혼인을 기반으로 하여 판정되는 것이며, 민법 772조는 아내가 혼인 중에 임신한 자녀를 남편의 자녀로 추정하고 혼인 중의 임신을 자녀의 출생 시기에 의해 추정함으로써 가정의 평화를 유지하고, 부부 관계의 비밀이 공개되는 것을 방지하여 부자관계의 조기 안정을 도모하는 것임에서 보면, 호적의 기재상, 남편이 특례법 3조 1항의 규정에 따라 남성으로의 성별 취급 변경의 심판을 받은 사람으로서 당해 남편과 자녀 사이에 혈연관계가 존재하지 않는 것이 분명한 경우에는 민법 772조를 적용하는 전제를 결여하였다고 하여야 한다.

4 그러나 원심의 위 판단은 옳다고 인정할 수 없다. 그 이유는 다음과 같다.

(1) 특례법 4조 1항은 성별 취급 변경의 심판을 받은 사람은 민법 기타 법령의 규정을 적용함에 있어서는 법률에 특별한 규정이 있는 경우를 제외하고, 그 성별에 대해서 다른 성별로 바뀐 것으로 본다고 규정하고 있다. 따라서 특례법 3조 1항의 규정에 근거하여 남성으로의 성별 취급 변경의 심판을 받은 사람은 이후 법령 규정의 적용에서 남성으로 간주되기 때문에 민법의 규정에 근거하여 남편으로서 혼인할 수 있을 뿐 아니라 혼인 중에 그 아내가 자녀를 임신한 때에는 같은 법 772조의 규정에 의해 당해 자녀는 당해 남편의 자녀로 추정된다고 하여야 한다. 다만 민법 772조 2항 소정 기간 내에 아내가 출산한 자녀에 대해서 아내가 그 자녀를 임신하였을 시기에 이미 부부가 사실상 이혼을 하여 부부의 실태를 잃어버리거나 원격지에 거주하여 부부 사이에 성관계를 가질 기회가 없었던 것이 분명하다는 등의 사정이 존재하는 경우에는 그 자녀는 실질적으로는 이 조항의 추정을 받지 않는 것은 본 심의 판례이다[최고재판소 昭和43年(オ)第1184号 昭和44年 5月 29日 제1소법정 판결 · 민집 23권 6호 1064쪽, 최고재판소 平成8年(オ)第380号 平成12年 3月 14日 제3소법정 판결 · 재판집 민사 189호 497쪽 참조]. 그런데 성별 취급 변경의 심판을 받은 사람이 아내와의 성관계에 의해 자녀를 가지는 것은 전혀 상정할 수 없지만 한편으로 그러한 사람에게 혼인하는 것을 인정하면서 다른 한편으로 그 주요한 효과인 이 조항에 의한 적출 추정에 대한 규정의 적용을, 아내와의 성관계의 결과 태어난 자녀일 수 없다는 것을 이유로 인정하지 않는다고 하는 것은 상당하지 않다고 하여야 한다.

그렇다면 아내가 남편과의 혼인 중에 임신한 자녀에 대해서 적출자녀라고 출생 신고가 된 경우에는 호적 사무 관장자가, 호적에 기재된 내용으로부터 남편이 특례법 3조 1항의 규정에 근거하여 성별 취급 변경의 심판을 받은 사람으로서 당해 남편과 당해 자녀와의 사이에 혈연관계가 존재하지 않는 것이 분명하다고 하여 당해 자녀가 민법 772조에 의한 적출 추정을 받지 않는다고 판단하여 이것을 이유로 아버지의 란을 공란으로 하는 등의 호적 기재를 하는 것은 법률상 허용되지 않는다고 하여야 한다.

(2) 이를 본건에 대해서 보면, A는 아내인 항고인 X2가 혼인 중에 임신한 자녀이기 때문에, 남편인 항고인 X1이 특례법 3조 1항의 규정에 근거하여 성별 취급 변경의 심판을 받은 사람이라 하더라도 민법 772조의 규정에 의해 항고인 X1의 자녀라고 추정되고 또한 A가 실질적으로 이 조항의 추정을 받지 않는 사정, 즉 부부의 실태를 잃은 것이 분명한 것 기타 사정도 엿볼 수 없다. 따라서 A에 대해서 민법 772조의 규정에 따른 적출자녀로서의 호적 신고를 하는 것은 인정되어야 하고 A가 이 조항에 의한 적출 추정을 받지 않는 것을 이유로 하는 본건 호적 기재는 법률상 허용되지 않는 것으로 호적 정정을 허가해야 한다.

5 위와 다른 원심의 판단에는 재판에 영향을 미치는 것이 분명한 법령 위반이 있다. 논지는 이 취지를 말하는 것으로서 이유가 있고 원결정은 파기를 면치 못한다. 그리고 전술한 설명에 의하면 항고인들의 본건 호적 기재의 정정 허가 신청은 이유가 있으므로 이를 각하한 원원심판을 취소하고 이 신청을 인용하기로 한다.

따라서 재판관 오카베 기요코(岡部喜代子), 오타니 다케히코(大谷剛彦)의 각 반대의견이 있는 외에 재판관 전원 일치 의견으로 주문과 같이 결정한다. 또한 재판관 데라다 이쓰로(寺田逸郎), 기우치 미치요시(木内道祥)의 각 보충의견이 있다.

재판관 데라다 이쓰로의 보충의견은 다음과 같다.

1 현행 민법에서는 '부부'를 성립하게 하는 혼인은 단순한 남녀 커플의 공인에 그치지 않고 부부 사이에 태어난 자녀를 그 적출자녀로 하는 구조와 강하게 결부되어 있는 것으로 그 존재를 통해서 다음 세대로의 승계를 예정한 가족 관계를 만들려는 취지를 중심에 둔 제도라고 해석된다. 적출자녀, 그 중에서도 적출 부인(否認)을 포함한 의미에서의 적출 추정 구조야말로 혼인 제도를 떠받치는 기둥이며 혼인한 부부의 관계를 기초로 하는 가족 관계의 형성ㆍ계승에 실질적인 배려를 하고 있다고 생각되는 것이다(주 1). 호적상 여성으로 되어 있던 성 동일성 장해자의 성별을 남성으로 변경하는 것을 인정하는 특례법이 혼인하여 남편이 되는 것을 인정하는 선에서의 적용에 한정하지 않고, 민법의 적용 전반에서 남성이 된 것으로 간주하고(4조), 적출 추정에 관한 규정을 포함한 적출자녀 규정의 적용을 구태여 배제하지 않는 것도 이렇게 혼인과 강하게 결부되는 적출자녀 구조의 존재에 입각한 것이라고 해석된다.

특례법 3조의 규정에 의해 호적상 여성으로 되어 있던 성 동일성 장해자가 성별을 남성으로 변경하는 것이 인정되어 같은 법 4조의 규정에 의해 남편이 되는 자격을 얻는 경우에도 그 부부의 경우에는 남편의 직접적인 혈연관계에 의해 아내와의 사이에서 적출자녀를 얻어 그 존재를 통해서 다음 세대로의 승계를 예정한 가족 관계를 만드는 것은 전혀 기대할 수 없다. 그러한 입장에 있는 사람에게도 굳이 남편으로서의 혼인을 인정한다는 것은, 그대로 두었다가는 위에서 보인 전제를 아주 결여한 부부관계를 인정하는 것이나 다름없다. 그러한 의미 부여를 피하려면(주 2), 당해 부부가 혈연관계와는 분리된 형태로 적출자녀를 얻어 가족 관계를 형성하는 것을 막지 않기로 했다고 생각할 수밖에 없다. 즉, '혈연관계에 의한 자녀를 가질 수 없는 일정한 범주의 남녀에게 특례를 마련하면서까지 혼인을 인정한 이상은 혈연관계가 없다는 이유로 적출자녀를 가질 가능성을 배제하지는 않는다'고 해석하는 것이 상당하다(주 3). 그리고 민법이 적출 추정의 구조를 가지고 혈연적 요소를 후퇴시키고 아버지의 의사를 앞세워 부자 관계, 적출자녀 관계를 정한다고 하여 이를 일반적인 남편에게 적용해 온 이상은 성별을 남성으로 변경하여 남편이 된 사람에 대해서도 특별 취급을 하지 않고 동등한 위상이 되도록 위와 같은 배려를 하면서 그 적용을 인정하는 것이야말로 입법 취지에 따른 것이라고 생각된다(주 4).

| 주 1 | 혼인하여 부부가 되는 것의 기본적인 법적 효과는 그 사이에서 출생한 자녀가 적출자녀가 되는 것을 제외하면 상호 협력 · 원조를 하여야 하는 것, 그 재산 관계가 특별한 취급을 받는 것 및 서로의 상속에서 상속인이 되는 지위, 그 비율이 있지만(민법 752조, 755조 이하, 768조, 890조, 900조) 이들은 본질적으로는 유난히 강하게 맺어진 공동생활자이기 때문에 둔 재산관계의 규정이고 부양의 필요성을 반영한 것이라고 해석된다(혼인하지 않은 커플 등에게도 사정에 따라서 부부에 준한 취급을 적용해야 한다는 해석론이 있는 것이 이 점을 뒷받침한다). 남녀 커플에게 인정되는 제도로서의 혼인을 특징짓는 것은 적출자녀의 구조밖에 없고 그 중에서도 적출 추정에는 부자 관계를 정하는 기능까지 주어져 있는 점에서도 중심적인 위치를 차지한다. 또한 적출자녀가 됨으로써 미성년인 동안에는 자동적으로 부부 공동 친권에 복종하게 되는 것(같은 법 818조 1항, 3항)은 확실히 혼인과 적출자녀의 결부를 분명하게 하는 것이고 적출자녀는 부부의 성을 칭하는 것으로 되어 있고(같은 법 790조 1항 본문), 부부에게 같은 성을 칭하도록 요구되는 구조(같은 법 750조) 아래에서 어느 쪽의 성을 선택하는 것은 실질적으로는 적출자녀의 성을 정하는 의미를 갖는 점도 놓칠 수 없다.

덧붙여 본문을 포함한 위의 설명은 적출자녀와 그 근원이 되는 혼인과의 관계에 대한 현행법의 이해를 나타낸 것이고 다른 제도를 채택하는 것을 입법론으로서 부정하는 것은 아니며 이를 유지할지 수정할지 등은 기본적으로 모두 헌법의 틀 내에서 국회가 결정하여야 할 것임은 말할 필요도 없다.

| 주 2 | 예전부터 상속인의 지위를 부여하기 위해서만 혼인신고가 된 경우를 비롯하여, 혼인의 형식을 밟고는 있지만 일부 효과만을 목적으로 이루어진 행위에 대해서 법이 정하는 혼인제도의 틀 안에서 개개 당사자의 의사를 어디까지 존중하고 혼인으로서의 효과를 어디까지 주어야할지가 논의되고 있으며, 이들의 일부를 유형화하고 혼인에 준한 취급을 하는 것을 배제하지 않는 방향으로의 견해가 제시되거나 하고 있다. 다른 차원의 논의라고 할 수 있고 특례법 같은 입법이 이러한 논의에 힘입고 있는 부분이 있음을 부정할 수 없다. 그 관점에서 보면 '생래적(生来的) 적출자녀는 전혀 생각할 수 없고 아내가 임신하여 자녀를 낳았다고 해도 그 자녀가 적출이 아닌 자녀가 되는 수밖에 없는 범주의 커플에게는 혼인의 효과를 주지 않는다'고 하는 점에서 탈피한 생각에 선 입법도 있을 수 있다고 할 수 있다. 그러나 그러한 생각에 선 입법이라면 결혼의 직 · 간접적인 효과를 일괄하여 준다는 것은 아니고 보다 엄밀한 형태로 개별적인 효과를 줄지 여부를 검토한 다음에 규율이 되어야 할 것이다. 또한 만일 혼인에 의하여 출생한 자녀가 전혀 있을 수 없는 경우에도 혼인 자체의 효과를 한정적으로 주는 것을 인정하는 취지라고 특례법을 해석한다면 왜 거기에서 인정된 대상 커플에 한해서 그러한 관계를 인정할 수 있는가 하는 다른 차원의 논의에 직면하게 될 것이다.

| 주 3 | 특례법에 의해 여성으로 간주되게 된 사람이 하는 혼인에 대해서도 적출자녀를 갖는 것을 전면적으로 부정하는 것은 마찬가지로 원리적으로는 상당하지 않다. 단, 이 경우에는 남성의 경우의 적출 추정에 의한 규율과 달리 일반적인 여성과의 관계에서 적출 이전의 모자 관계 자체가 혼인의 효과와 결부됨이 없이 출산(분만)이라는 사실관계에 의해 발생한다는 원칙이 현재 채택되어 있다는 제약을 받을 수밖에 없다. 특례법은 민법의 적용상 그 대상자라는 이유로 불리한 취급을 받는 것을 피하려고 하는데 그치고 일반적인 남녀에게 인정되는 것을 넘어선 특별한 우대 정책을 베푸는 것은 아니라고 해석된다. 특례법에 의해 남성으로 간주되게 된 사람이 혼인 중에 출생한 자녀에 대해서도 다수의견 4(1)에 인용되는 본 심판례로 제시된 것처럼 사실상의 이혼을 하여 부부의 실체를 잃어버리고 있는 등의 사정이 존재하는 경우에는 민법 772조의 규정에 의한 추정이 미치는 것은 아니다.

| 주 4 | 본건의 사례와는 떨어진 일반론이지만 특례법에 의해 남성으로 간주되게 된 결과 (이전에) 한 혼인이 해소

된 후에는 상대방인 여성에 대해서 재혼금지기간의 규정(민법 733조)이 적용되는 점에 대해서도 적출 추정에 관한 규정의 적용이 있다고 해야 이해하기 쉽다고 할 수 있을 것이다.

2 1과 같은 결론에 대해서는 '남편이 바로 아버지'[7]라는 의사를 존중하는 점에서 적출자녀가 되어 버리는 것에 대한 자녀 복지의 관점에서 비판이 있을 수 있고 이러한 비판은 경청할 만하다. 그러나 그것은 본건과 같은 입장에 있는 자녀의 상황에 한정되지 않고 적출 추정을 적용시키는 것에 상응하는 의문이 있음에도 불구하고 이 규정의 적용으로 남편의 자녀로 되는 다른 경우에도 생기는 문제이고 법이 적출 부인의 소를 제기할 수 있는 사람을 아버지로 제한하는 것(민법 774조)에서 유래하는 바가 크며 그 구조를 고치거나 어찌하거나 하여 널리 논의를 해야 할 것이다. 단, 위 1의 해석은 특수한 경우에 입각해서 '남편이 바로 아버지'(부차적으로는 '아내가 바로 어머니')라는 의사에 비중을 둔 결과로서 가족의 형성을 인정하는 특례법의 생각에서 초래된 것이며, 이 특례법에 의한 구조에서도 자녀의 입장에 서면 부모의 뜻에 구속될 까닭이 없다고 생각할 여지는 있을 것이다. 그러므로 법 정비가 될 때까지의 동안에는 민법 774조 규정에서 상정하는 외의 관계로서 자녀에 한하여 친자 관계 부존재 확인 청구를 할 수 있다고 하는 해석도 있을 수 있다고 생각된다.

재판관 기우치 미치요시의 보충 의견은 다음과 같다.

1 나는 다수 의견에 찬성하지만 다음과 같이 나의 의견을 보충하여 말한다.

2 민법 772조의 추정 취지

모자 관계는 혼인 유무에 관계없이 분만에 의해 정해진다는 것이 판례상 확정된 해석이다. 분만은 외형적으로도 제3자에게도 분명한 사실이며, 그로 인해 일의적으로 명확한 기준에 의해 일률적으로 모자 관계가 확정된다. 부자 관계는 분만에 해당하는 것과 같은 외형적으로도 제3자에게도 분명한 사실이 존재하지 않으므로 민법 772조라는 혼인에 의한 추정 제도가 마련되어 있다. 이러한 추정은 적출 부인의 소에 의하지 않으면 뒤집을 수 없는 것이며, 증거 법칙상의 추정에 머무르는 것은 아니다.

민법 772조가 출생한 때의 어머니의 남편을 아버지라고 하지 않고 혼인 성립으로부터 200일 후, 혼인의 해소 등으로부터 300일 이내의 출생을 혼인 중의 임신으로 추정하고, 혼인 중의 임신에 (의해 태어난 아이를) 남편의 자녀로 추정하는 것은, 친자 관계가 혈연을 기초에 두는 것과 자녀의 신분 관계에서 법적 안정의 요청을 조정한 것으로 풀이된다. 부부 사이에서 자녀의 부자 관계에 대해서는

7) 판례 원문은 '남편=아버지'로 되어 있다.

같은 조의 규정에 의한 출생에 해당하는지 여부를 가지고 부자 관계의 성립을 추정함으로써 혈연관계와 괴리될 가능성이 있어도 혼인을 부자 관계를 발생시키는 그릇으로 제도화한 것이라고 할 수 있다.

이러한 적출 추정 제도에 따라 적출 부인의 소 말고는 부부 사이의 가정 내의 사정, 제3자가 살필 수 없는 사정을 들어 부자 관계가 부정되는 일이 없음을 보장하는 것이다.

3 추정이 미치지 않는 적출자녀

민법 772조의 해석으로서 혼인 성립으로부터 200일 후, 혼인의 해소 등으로부터 300일 이내에 출생한 자녀라도 적출 추정이 미치지 않게 되는 경우가 있는 것은 기존 판례가 인정하는 바이다.

'실질적으로는 이 조항의 추정을 받지 않는 사정'과 다수 의견이 총칭하는 사정이란 다수 의견은 부부의 실체를 잃어버리거나 원격지에 거주하고 있던 것이 분명한 경우이고, 반대 의견은 부부 사이에 성관계를 가질 기회가 없음이 분명한 경우로 되어 있다. 두 의견이 서로 다른 것은 부자의 혈연관계를 한쪽 극단에 두면서, 혈연관계의 부존재가 무엇을 근거로 분명하면 적출 추정이 미치지 않는 사유가 되느냐 하는 점에 놓여 있다.

혈연의 부존재에 대한 확정적인 증명이 있으면 적출 추정이 미치지 않는다고 하는 견해가 있는데, 이는 결국 혈연에 의해서만 부자 관계를 정한다는 것이며, 민법 772조의 추정의 취지에 반하여 동의할 수 없다.

본건은 남편이 특례법의 심판에 의해 남성으로 간주되는 사람이기 때문에 적출 추정이 미치지 않는다고 하는 것이 반대 의견이고 이는 특례법의 심판(또는 그 심판이 인정한 사실)이 존재하여 혈연의 부존재가 분명하다는 점을 적출 추정을 배제하는 사유로 하는 것이다(덧붙여 이 심판이 호적에 기재된 것은 호적법 시행규칙의 규정에 의한 것이며, 호적 기재를 가지고 분명하다는 점을 민법 772조에 의한 추정 배제의 이유로 하여야 하는 것은 아니다).

특례법은 원래의 성별의 생식선이 없는 것 등을 요건으로 하고 있지만, 이것은 객관적으로 확실하다 해도 제3자에게 분명한 것은 아니다. 특례법으로 성별 변경을 한 사람의 이전 성별도 반드시 제3자에게 분명한 것은 아니다.

전술한 것처럼 민법 772조에 의한 추정의 취지는 적출 부인의 소에 의하는 외에는 부부 사이의 가정 내의 사정, 제3자가 살필 수 없는 사정을 들어 부자 관계가 부정되는 경우가 없다고 하는 데 있기 때문에 혈연관계의 부존재가 분명하다는 것은 제3자에게 명확할 필요가 있지만 남편이 특례법의 심판을 받았다는 사정은 제3자에게 분명한 것은 아니고 적출 추정을 배제하는 이유에는 해당하지 않는다. 기존 판례에서 적출 추정이 미치지 않는다고 한 것은 사실상 이혼을 하여 별거하고 그 후 아주 교제를 끊은 사안[최고재판소 昭和43年(才)第1184号 昭和44年 5月 29日 제1소법정 판결 · 민집 23권

6호 1064쪽], 임신 당시 남편이 출정하고 있던 사안[최고재판소 平成7年(オ)第2178号 平成10年 8月 31日 제2소법정 판결 · 재판집 민사 189호 497쪽]이며, 모두 제3자에게 분명하다는 점을 적출 추정을 배제하는 이유로 하였다.

4 자녀의 이익의 관점에서

자녀의 이익이라고 하는 경우, 항고인들의 자녀의 이익뿐만 아니라 앞으로 태어날 자녀의 이익을 생각할 필요가 있다. "실제 친자 관계는 공익 및 자녀의 복지에 깊이 관련된 것이며, 일의적으로 명확한 기준에 따라 일률적으로 결정되어야 한다."[최고재판소 平成18年(許)第47号 平成19年 3月 23日 제2소법정 결정 · 민집 61권 2호 619쪽 참조]는 것도 그 취지라고 해석된다.

자녀의 입장에서 보면 민법 772조에 의한 적출 추정은 아버지를 확보하는 것이며 자녀의 이익에 맞는 것이다. 적출 추정이 인정되지 않는 것은 혈연상의 아버지가 판명되지 않는 한 아버지를 영원히 불명으로 하는 것이다. 남편이 그 자녀를 특별입양했다고 해도 그것은 변하지 않고 출생 후에 부부 사이에 불화가 있다면 자녀가 특별입양 되는 것도 기대할 수 없다.

자녀에게 혈연상의 아버지를 법률상의 아버지로 하는 방법이 없는 것이 자녀의 이익에 불리하게 작용할 수 있지만 이점은 아버지를 확보하는 것과의 균형을 제도 위에 어떻게 반영하느냐 하는 문제이며 향후 입법 과제이다.

또한 혈연관계가 없는 남편이 자녀의 법률상의 아버지로 되는 것으로부터 혈액형 · DNA 검사 등에 의해 우연히 자녀가 아버지와 혈연이 없음을 알게 되는 사태가 발생하여 자녀에게 본의 아닌 갈등을 줄 수 있는데, 이는 특례법에 의한 부부의 등장에 따라 생긴 것이 아니라 민법 772조의 추정으로부터 불가피하게 발생하는 것이고 생식 보조 의료의 발달로 인해 다양한 상황에서 나타난 것이기도 하다. 호적 기재를 현행 제도에서 개선한다고 해도 요즈음의 혈연관계 판정 방법의 발달 보급을 고려하면(혈연관계의 판정을 법률상 금지할 수 있으면 별론으로 하고), 의도하지 않은 판명 가능성은 높아질 뿐이며 이 점에 대한 자녀의 이익은 자녀의 성장 발육 상태와의 관계에서 적절한 시기, 적절한 방법을 선택하여 부모가 그 자녀의 출생에 대해서 가르쳐 줌으로써 해결될 것이라고 하는 수밖에 없다.

5 특례법과 민법의 관계

특례법은 성별 취급 변경의 심판에 의해 민법상으로도 성별이 변경된 것으로 간주한다는 것인데 민법이 상정하는 혼인 · 친자, 특례법이 상정하는 혼인 · 친자가 어떤 것인지에 대해서 의견이 나뉘는 것은 본건의 각 의견에 나타나고 있는 대로이다.

특례법의 상정 범위는 어쨌든 민법에 대해서 말하면 고도화하는 생식 보조 의료 등 입법 당시에 상정하지 않은 현상이 생기고 있는 것은 말할 필요도 없다. 거기에 대비하여 치밀하게 최선을 다한 노력을 담을 수 있는 것은 입법에 의해 해결하는 것이지만, 그러한 해결의 공정을 예측할 수 없는 현상에서는 특례법 및 민법에 대해서 해석상 가능한 한, 그러한 현상도 현행 법제도의 구조에 짜 넣고 보다 타당한 해결을 도모해야 한다고 생각한다.

재판관 오카베 기요코의 반대 의견은 다음과 같다.

나는 다수 의견과 결론을 달리하는데 아래에서 이유를 말한다.

항고인 X1은 특례법 3조 1항에 의한 심판을 받은 사람으로서 이 법 4조 1항에 의해 남성으로 간주되어 그 결과 법령의 적용에서 남성으로 취급된다. 따라서 항고인 X1은 민법의 규정에 따라 혼인할 수 있고 또한 아버지가 될 수 있다. 그러나 현실로 친자 관계를 맺을 수 있는지 여부는 친자 관계 성립에 관한 요건을 충족하느냐의 여부에 따라 결정되어야 할 사항이다. 특례법은 친자 관계의 성립 여부에 관해서 아무런 언급이 없는데 이는 친자 관계의 성립 여부에 대해서는 그것에 관한 법령이 정하는 바에 의한다는 취지라고 해석하는 수밖에 없다. 본건에서 아내가 출산한 자녀의 아버지가 아내의 남편인지 여부는 적출 친자 관계의 성립 요건을 충족하는지 여부에 따르는 것이고 자녀를 낳을 가능성이 없는 혼인을 인정함으로써 당연히 적출 친자 관계가 성립한다고 하는 것은 아니다.

적출자녀란 본래 부부 간의 혼인에서 성적 교섭을 하여 아내가 남편에 의해 임신한 결과 태어난 자녀인데 당해 자녀가 남편에 의해 임신되었는지 여부가 명확하지 않으므로, 민법은 772조 1항, 2항의 이중의 추정에 의해 남편의 자녀임을 강력하게 추정하고 있는 것이다. 그런데 특례법 3조 1항의 규정에 근거하여 남성으로의 성별 취급 변경의 심판을 받은 사람은 종전의 여성으로서의 생식선은 영속적으로 상실되어 있지만(같은 항 4호), 생물학상으로는 여성임이 분명한 사람이며, 성별 변경이 인정되더라도 변경 후 남성으로서의 생식 기능을 현재의 의학에서는 가질 수 없는 이상 남편으로서 아내를 자연 생식으로 임신시키는 일은 있을 수 없는 것이다. 그러한 의미에서 특례법은 이 법에 근거하여 남성으로의 성별 변경 심판을 받은 사람과 여성의 혼인에서 유전상의 친자녀를 가지는 것을 예정하지 않았다고 할 수 있다. 항고인들은 특례법 4조 1항의 '간주한다'라는 문언에 의해 변경 후의 성별인 남성으로서의 생식 능력이 없는 것의 증명을 금지하고 있다고 주장하지만 특례법 자체가 생물학적으로는 여성인 것을 요건으로 하고 있기 때문에 증명 문제가 아니라 특례법의 적용을 받은 것 자체에 의해 남성으로서의 생식 능력이 없는 것이 분명한 것이다.

위에서 말한 바에서 보면, 본건은 원래 추정을 논할 것까지도 없이 실제 친자 관계를 맺을 수 없다고 해석하는 것도 불가능하지는 않지만 민법은 부성의 추정과 적출성의 부여를 구분 하지 않고 같은 법 772조에서 자녀의 아버지가 아내의 남편인지 여부를 적출 추정의 존부에 걸리게 하고 있으므로 남편이 특례법에 근거하여 성별 변경 심판을 받은 사람인 경우에도 민법 772조에 의해 적출의 추정이 미치는지 여부에 따라 남편의 자녀라고 할 수 있는지 여부를 검토해야 할 것이다.

적출 추정이 미치지 않는 경우로서 본 심이 종전부터 인정하고 있는 것은 다수의견이 말하는 대로 사실상의 이혼, 원격지 거주 등 부부 사이에 성관계를 가질 기회가 없었던 것이 분명하다는 등의 사정이 있는 경우인데 본건도 또한 부부 사이에 성관계를 가질 기회가 없었던 것이 분명한 사정이 있는 경우이며, 위 판례가 나타내는 바에 반하는 것이 아니다. 항고인들은 남편이 특례법에 근거하여 성별 변경 심판을 받은 사람인지 여부는 사회 생활상의 외관에서는 불명한 것이라고 하지만, 특례법에 근거하여 성별 변경 심판을 받은 사람이라는 것 자체는 분명한 사실이며, 그 사람은 아내를 임신시킬 기회가 없는 것도 또한 분명하다. 적출성의 추정은 보통 부부 사이에만 성적 교섭이 이루어진다고 하는 개연성과 부부 사이에서만 이루어져야 한다고 하는 당위에 의해 근거 지워진다. 그렇다면 부부 사이에 성적 교섭이 이루어질 기회가 없는 것, 남편에 의한 임신의 기회가 없는 것이 이미 분명하게 되어 있는 본건과 같은 경우에는 사회 생활상의 외관 이상으로 성관계를 가질 기회가 없는 것이 분명한 경우라고 할 수 있는 사정이다. 더욱이 그 사정은 특례법 2조에 의해 분명하게 되어 있는 것이다. 그것이 호적에 기재되어 있는지 여부는 결론에 관련되지 않는다. 다수의견은 혼인하는 것을 인정하면서 그 주요한 효과인 민법 772조에 의한 적출 추정 규정의 적용을 인정하지 않는 것은 상당하지 않다고 말한다. 그러나 민법 772조의 추정은 아내가 남편에 의해 임신할 기회가 있음을 근거로 하는 것이므로 그 기회가 없는 것이 생물학상으로 분명하고 그 사정이 법령상 명확하게 되어 있는 사람에 대해서는 추정이 미치는 근거가 존재하지 않는다고 하지 않을 수 없다. 항고인들이 지적하는 것처럼 혈연관계는 존재하지 않지만 민법 772조에 의해 아버지로 추정되는 경우도 있는데 그것은 부부 사이에 위와 같은 의미의 성관계의 기회가 있는 경우 즉 추정하는 근거를 가지는 경우의 예외적인 현상이라고 할 수 있고 본건의 경우와 동일하게 논할 수는 없다. 이상의 해석은 원칙적으로 혈연이 있는 곳에는 실제 친자 관계를 인정한다고 하는 민법의 원칙에 따르는 것이며 또한 전술한 특례법의 취지에 따른 것이다.

이상과 같이 실체법상 항고인 X1은 A의 아버지가 아니고 항고인 X1이 특례법 3조 1항의 규정에 근거하여 남성으로의 성별 취급 변경의 심판을 받은 사람인 것이 호적에 기재되어 있는 본건에서는 형식적 심사권 아래에서도 호적 사무 관장자가 한 본건 호적 기재는 위법이라고 할 수 없다.

덧붙여 본 반대의견은 배우자가 아닌 관계에서 인공수정에 의해 태어난 자녀, 배우자가 생식불능임에도 불구하고 아내가 출산한 자녀, 산모의 남편과의 사이에 혈액형 등 유전상 분명한 엇갈림이 있는 자녀 등의 적출 추정이 가능한지 여부에 대해서는 아무 언급도 없는 것임을 만약을 위해 부언한다.

재판관 오타니 다케히코의 반대의견은 다음과 같다.

1 특례법 4조 1항은 성별 취급의 변경을 받은 사람은 민법 기타 법령의 규정 적용에 대해서는, 법률에 특별한 규정이 없는 한 다른 성별로 바뀐 것으로 간주한다고 규정하지만 그 민법의 규정에 대해서 해석상의 문제가 있다면, 그 점에 대해서는 특례법의 제도 목적이나 제도 설계의 이해 위에 선 민법의 해석에 따라 적용을 도모하는 취지로 해석된다.

그리고 특례법 2조의 성 동일성 장해자의 정의 규정이나 특례법 3조 1항 4호의 성별 취급의 변경에 대해서 생식선이 없는 것 등의 요건 규정 및 현재의 생식 의료 기술을 고려하면 특례법의 제도 설계에서는 성별 취급의 변경을 받은 사람이 유전적인 자녀를 낳는 것이 상정되지 않은 것은 부정할 수 없다고 생각된다.

또한 성별 취급의 변경은 가사 심판 절차에 의해 인정되어 호적법 13조 8호, 같은 법 시행규칙 35조 16호는 성별 취급의 변경에 관한 사항을 호적에 기재하는 사항으로 하는 것을 규정하고 있다.

이러한 특례법의 제도 설계를 전제로 하여 현재의 민법을 해석하면 본건 항고인들의 자녀의 지위는 부자 관계의 추정이 미치지 않는, 이른바 '추정이 미치지 않는 적출자녀'의 범주에 있다고 생각하지 않을 수 없으므로 나는 오카베 재판관의 반대의견에 찬성하고 그 이유에 대해서는 오카베 재판관이 의견으로 말하고 있는 대로라고 생각된다.

2 약간 부연하면 민법은 제4편 친족 편에서 제2장으로 혼인 법제를 정하고 제3장으로 친자 법제(친생자제도와 양자제도)를 정하여 각각 그 성립, 해소, 권리 의무 관계를 규정하고, 부부 관계와 친자 관계를 가족 법제의 핵심에 두고 있다. 특례법에 의한 성별 취급의 변경이 양성의 신분적 결합의 법제인 혼인관계에 직접적으로 미쳐 그 주요한 효과인 부부 간의 상호 부조, 재산 관계, 상속 관계 등에 적용되는 것은 분명하다. 한편 민법의 친자에 관한 법제는 친생자 관계와 양친자 관계로 나뉘어 친생자 관계는 혈연에 기초를 두고 그 중 모자 관계에 대해서는 객관적으로 명백한 임신, 출산이라는 사실에 의해 법률상의 모자 관계를 성립시키며, 한편 부자 관계에 대해서는 기존의 객관적 또는 외형적인 사실로부터 판정이 어려운 점에서 혼인이라는 제도적 사실을 근거로 민법 772조 이하의 부성 추정 규정 및 부인권의 제한 규정에 의해 강력한 추정 효과를 가지고 법률상의 부자 관계(이 경우 적출 부자 관계)의 성립을 인정한다. 그러나 부부가 혼인관계에 있어도 분명히 객관적이고 외형적으로 혈연적인 친자 관계가 발생하지 않는 사정이 있는 경우, 즉 성관계의 기회를 가질 수 없다는 등 유전적인 자녀를 낳을 수 없는 사정이 있는 경우에는 자녀가 실질적으로는 민법 772조의 부자 관계의 추정을 받지 않게 되는 것이 본 심의 판례이며[다수 의견 4(1)], 강학상 '추정이 미치지 않는 적출자녀'로 된다. 이렇게 친자 법제에서는, 혼인은 그 자체가 친생자 관계를 성립시키는 것이 아니라 법률상의 친자 관계 형성의 추정 근거로서 자리매김하고 있다.

위 1에서 말한 대로 특례법의 제도 설계에서 성별 취급의 변경을 받은 사람이 유전적인 자녀를 낳는 것은 상정되어 있지 않고, 이것은 절차적 제도와도 맞물려 객관적이고 외형적으로 명백하다고 할 것이며 위 민법의 해석에서 보면 실질적으로 부자 관계, 친생자 관계의 추정이 미치지 않는 경우라고 해석할 수밖에 없다고 생각된다.

3 생물학적으로 성별이 분명한 사람이 자신의 의사로 성별 취급의 변경을 받았다고 해도 여전히 변경 후의 성별에서 자신의 자녀를 갖고 싶다는 소망을 갖는 것은 이해할 수 있다. 부부 사이에서 유전적인 자녀를 낳을 수 없다고 해도 생식 보조 의료의 일환으로서 부부 이외의 사람의 정자 또는 난자를 이용해 부부 일방의 유전적인 자녀를 생기게 하는 것이 가능하며 실제로도 상당히 널리 이루어지고 있는 것은 공지의 사실이라고 할 수 있다. 특례법에 의한 부부 사이에도 부부 일방의 유전적인 자녀를 생기게 하는 것은(그것이 상정되고 있었는지 여부는 차치하고) 이 생식 보조 의료로 가능하다. 이 중 남성이었던 사람이 성별 변경의 취급을 받아 여성이 되어 아내가 된 경우는 남편에게 생식 능력이 있다고 하더라도 아내의 임신 · 분만이 있을 수 없고, 민법 772조의 해석 및 대리 임신에 관한 최고재판소 판례[8]에서 보면 역시 법률상의 모자 관계를 성립시킬 수 없다고 해석된다. 성별 취급의 변경을 받은 사람끼리의 혼인에 있어서도 마찬가지다. 한편 여성이었던 사람이 성별 취급의 변경을 받아 남성이 되어 남편이 된 경우에는 생식 능력이 있는 아내가 남편 이외의 (남성의) 정자를 제공받아 임신 · 분만함으로써 모자 관계의 성립은 물론 민법 772조를 문언대로 적용하면 법률상의 부자 관계(적출자녀 관계)도 그 추정에 의해 성립한다고 해석할 수 있다.

이 경우 생식 보조 의료에 의한 법률상의 친자 관계 형성의 문제가 되기도 하는데 이 문제는 본래적으로는 생명 윤리나 자녀의 복지를 포함하여 다각적으로 검토를 한 후 친자 관계를 인정할지 여부, 인정하는 경우의 요건과 효과, 그 때의 제도 정비 등에 대해서 입법에 의해 해결되어야 한다는 것은 판례가 벌써부터 지적해 왔지만 또한 입법을 위한 논의는 충분하게 해결에 접근해 있지 않은 것으로 생각한다.

4 이러한 상황 아래, 본건 신청은 호적법 113조에 근거하여 구청장의 전술한 다수의견 2(3)의 취급이 법률상 허용되지 않는 것인지 여부를 묻고 있는데, 이를 허용하지 않는다고 하는 경우 현재의 호적법제를 전제로 하면 자녀가 등재되는 호적의 자녀의 란에 '아버지'로서 기재되는 사람(생부, 같은 법

---

8) 최고재판소 제2소법정 平18(許)47号 平成19年 3月 23日 결정; 여성이 자신 이외의 여성의 난자를 이용한 생식 보조 의료에 의해 자녀를 임신하여 출산한 경우 출생한 자녀의 어머니는 현행 민법의 해석으로는 그 자녀를 임신하여 출산한 여성이라고 해석할 수밖에 없고 난자를 제공한 여성과의 사이에서 모자관계의 성립을 인정할 수 없다고 판시하였다.

13조 4호)에 대해서 같은 호적의 아버지로 되는 사람의 란에는 그 당부는 그렇다 해도 위 1과 같이 특례법에 의한 사람으로 기재되게 되어 얼핏 보면 특례법의 제도 설계에서는 일치하지 않는 기재가 되는 것이며, 신분 관계를 공증하는 호적 사무를 관장하는 사람으로서는 그러한 취급을 용인하기 어렵고 또한 묵인하기 어려운 점도 이해할 수 있다.

5 또한 민법 772조 이하의 부성 추정 규정은 부자의 혈연관계를 객관적 또는 외형적으로 판정하기가 어렵다는 것이 전제가 되어 위 2와 같은 취지에서 마련된 것이지만, 유전적인 친자 판정 수단에 현저한 진보가 보이고 또한 가족관에도 변화가 보이는 가운데에서 적출 추정의 규정과 추정이 미치지 않는 적출자녀에 관한 해석과 그 적용에 대해서 다시 본질적인 의논이 제기되고 있다.

특례법은 확실히 민법의 특례를 규정하지만 그 적용은 특례법의 제도 취지와 제도 설계를 토대로 한 민법의 해석에 맡겨져 있는데, 위와 같은 제도 설계의 이해에서 보면, 특례법에 의한 혼인관계에서 성별 취급의 변경을 받은 남편의 아내가 남편 이외의 정자 제공형 생식 보조 의료에 의해 임신하여 출산한 자녀에 대해서 법률상의 부자 관계를 재판상 인정하는 것은 현재 민법의 위 해석 구조와 관련하여 한 걸음 내딛는 것이다. 또한 본래적으로는 입법에 의해 해결되어야 할 생식 보조 의료에 의한 자녀와 그 아버지의 법률상의 친자 관계의 형성 문제에 그 수단이나 제도 정비도 없는 상황에서 발을 디디게 되었다고 생각한다. 다수 의견의 견해는 특례법의 제도 취지를 강행하여 성별 취급의 변경을 받은 사람의 소망에 부응할 수 있는 것으로서 이해할 수 있지만 이 특례법의 제도 설계 아래에서 자녀에게 법률상의 친생자 관계를 인정하는 것으로 이어지는 것이 우려되어 나는 현재 단계에서 이러한 해석을 취하는 것에 여전히 주저하는 바이다. 민법 772조를 둘러싼 추가 논의와 또한 생식 보조 의료에 대한 법 정비의 진전을 기대하고 싶다.

◇ 재판장 재판관 大谷剛彦　재판관 岡部喜代子　재판관 寺田逸郎　재판관 大橋正春　재판관 木内道祥

2. 성 동일성 장해자의 이름 변경 허가 신청

항고인은 남성으로 태어났으나 심리적으로는 여성이라는 지속적인 확신을 갖고 자신을 신체적 및 사회적으로 여성에 적합하게 하려고 하는 의지를 가지고 있다. 항고인의 이름인 'A'는 남성임을 표시하는 이름으로 항고인은 'B'라는 이름으로 변경하는 것을 허가하여 달라는 신청을 하였으나 각하 심판을 받아 이에 불복하여 항고하였다.

호적법 제107조의2는 "정당한 사유"가 있는 경우에만 이름의 변경을 허가하여야 한다는 취지를 규정하고 있다. 이는 이름을 함부로 변경하는 것을 허용하지 않음으로써 호칭 질서의 안정을 확보하는 동시에, 당해 사람에게 당해 이름을 사용함으로써 사회 생활상 현저한 지장이 있어 당해 이름의 사용을 강제하는 것이 사회 관념상 부당하다거나 영업상이나 기예상의 선대의 이름을 계승한 이름처럼 변경 후의 이름을 사용하는 것이 당해 사람의 사회생활상 필요하고 합당하다고 하는 경우 등에는 이름을 변경하는 것을 인정하도록 하여 공익과 개인의 이익을 조화롭게 하려는 것이 그 법의(法意)라고 해석된다.

〈호적법〉

제107조의2 정당한 사유에 의해서 이름을 변경하려는 사람은 가정재판소의 허가를 얻어 그 취지를 신고해야 한다.

항고심은 "항고인은 성 동일성 장해를 겪고 있으며 사회생활상 자기가 인식하고 있는 성과는 다른 남성으로서 처신해야 한다는 것에 정신적 고통을 느끼고 항고인의 호적상의 'A'라는 이름은 남성임을 표시하고 있으므로, 'A'라는 이름을 사용하는 것에도 정신적 고통을 느끼고 있다고 인정된다. 그런데 항고인에게 책임을 돌려야 할 사정이 있는 등 그러한 정신적 고통을 감수하는 것이 상당하다고 할 수 있는 사정은 인정되지 않기 때문에 '당해 이름의 사용을 강제하는 것이 사회관념상 부당한' 경우에 해당한다고 할 수 있다."고 판단하였다.

다만 이름을 변경하는 것은 당사자만의 문제가 아니라 일반 사회에 대해서도 영향을 미칠 것이기 때문에 이 점에 대해 검토하였는데 이름 변경으로 인해 즉시 항고인의 직장, 항고인의 사회생활에 혼란을 발생시킨다거나 일반 사회에 영향을 미친다고는 인정할 수 없다고 판시하였다.

재판연월일 平成21年[9] 11月 10日	**재판소명** 오사카(大阪) 고등재판소
사건번호 平21(ラ)1005号	**재판구분** 결정
사 건 명 이름 변경 허가 신청 각하 심판에 대한 항고 사건	
재판결과 원심판 취소, 인용	**상 소 등** 확정

주 문

1 원심판을 취소한다.

2 항고인의 이름을 'A'에서 'B'로 변경하는 것을 허가한다.

이 유

제1 항고의 취지와 이유

1 항고인은 원심이, 2009년 ×월 ×일자로 항고인의 이름인 'A'를 'B'로 변경한다는 내용의 허가를 요구하는 신청을 각하하는 심판을 해서 항고인이 이에 불복하여 즉시항고하여 원심판을 취소하고 본건을 원심으로 환송할 것을 요구한 사안이다.

2 항고 이유의 요지는 다음과 같다.

(1) 항고인은 남성 이름을 사용해야 하는 것으로 많은 정신적 고통을 받고 있다.

(2) 항고인은 2006년 ×월 ×일에 성 동일성 장해라는 진단을 받은 이후 여성으로서 생활하기 위해 정신적 및 신체적 치료(호르몬 요법, 정소 적출)를 받고 장래에는 성별 적합 수술을 받을 예정이다.

(3) 변경 후의 이름인 'B'를 사용한 실적은 적지만 사용 실적의 유무 · 정도를 고려하는 것은 상당하지 않은데 항고인은 'B'로의 변경이 허가되고 나서부터 사용할 예정이었기 때문에 인터넷 상에서 핸들네임[10]으로 'B1'이라는 이름을 사용하고 현상 응모 등에서 'B'라는 이름을 사용하고 있었지만, 그 이외의 사회생활에서는 사용 실적이 적다. 그러나 원심에서 사용 실적이 있었던 편이 좋다고 들어서 올 여름, 친척, 지인에게 'B'로 개명한 것을 통지하고, 공공요금의 청구서 수신인명도 'B'로 하여 (청구

9) 2009년
10) handle과 name을 합성한 일본의 조어. PC통신에서 쓰는 본명과는 전혀 다른 이름.

서를) 받고 있으며, 최근에는 'B' 앞으로의 우편물도 늘고 있다.

(4) 항고인은 혼인했고 또한 교직에 종사하고 있지만, 그러한 경우에도 이름의 변경이 허가되는 사례가 있다.

(5) 이상에 의하면 항고인의 이름 변경에는 '정당한 사유'가 있고 변경을 허가하지 않은 원심판은 부당하다.

제2 본 재판소의 판단

1 본건 기록에 의하면 아래의 사실이 인정된다.

(1) 항고인은 1957년 ×월 ×일에 아버지 D와 어머니 E의 장남으로 출생했다.

(2) 항고인은 철이 들었을 때부터 자신의 생물학적 성별(남성)에 대해서 위화감을 느끼고 손톱에 매니큐어를 칠한다거나 누나의 옷을 입고 누나의 신발을 신거나 한 적도 있었지만 대학에 입학하고부터는 여성적인 취향을 숨기고 남성으로 행동하려고 노력하여, 대학 졸업 후 교원으로서 일하게 되고부터는 그 편이 원활한 사회생활을 하는 것이라고 생각하여 자신 속의 여성적인 면을 숨기고 남성으로서 생활해 왔다.

(3) 항고인은 1983년 ×월 ×일 C와 혼인신고를 하고 현재까지 동거하고 있는데 두 사람 사이에 자녀는 없다.

덧붙여 본 재판소의 질문에 대한 답변서에 의하면 혼인의 점에 대해서 항고인은 당시에는 사회생활을 원활하게 하기 위해서 자신이 여성임을 봉인하고 있던 시절이며 아내와는 친한 친구여서 혼인관계를 맺는 것으로 남성임을 확립할 수 있다고 생각하여 혼인했다. 아내와는 혼인 초기에는 성관계가 있었지만 점차 줄어 요 20년간은 성관계가 없었고 그동안 성 동일성 장해가 사회적으로도 인지되어서 아내도 항고인의 마음을 이해해 주게 되어 때로는 서로의 옷을 교환하기도 했고 본건 신청에 대해서도 (아내가) 지원해 주고 있다는 것이다.

(4) 항고인은 성 동일성 장해라는 것이 의학적으로도 인정되어 수치스럽게 여겨야 할 것은 아니라고 알고 2005년 ×월 ×일에 a병원에서 성 동일성 장해(의심)라는 진단을, 2006년 ×월 ×일에는 b병원에서 이 장해라는 취지의 확정 진단을 각각 받아 2007년 ×월부터 2009년 ×월 ×일까지 c병원에서 호르몬 치료를 받고 있다. 게다가 병행하여 e시 소재의 d병원에서 상담을 받은 후 2007년 ×월 ×일에 호르몬 균형을 위해 고환을 제거하는 수술을 받았다.

(5) 2009년 ×월 ×일자 b병원 의사의 진단서에는 '염색체 검사에서는 정상 남성 핵형, 심리 검사에서는 여성에 대한 동일화가 지적되고 있다. 앞으로도 여성으로서 생활해 나가려는 의지는 강하고

현재 호르몬 요법도 하고 있기 때문에 개명은 필요하다고 생각한다.'라고 기재되어 있다.

(6) 항고인은 여성용 옷밖에 가지고 있지 않지만 근무처인 학교에서는 근무의 성질상으로 추리닝 등을 오로지 착용하고(단, 색은 빨간색이나 분홍색이 많다) 특별히 여성임을 나타내는 모습을 하고 있는 것은 아니지만 항고인은 사생활과 구별하여 직장에서는 남성으로서 행세하기가 점점 어려워지고 있다. 또한 호르몬 요법 등의 영향도 있어 자연스럽게 여성적인 면이 나오고 있다고 인식하고 있다.

근무처의 교장, 교감 등의 상사에게는 설명하였고 동료 · 직원에게도 설명하였으며 보호자 등에게는 성 동일성 장해라는 취지의 설명은 하지 않았지만 본건이 허가되면 관리직과 항고인이 보호자에게 설명을 할 예정이다.

(7) 항고인이 신청한 변경 후의 이름인 'B'에 대해서는 항고인은 자신이 운영하는 블로그의 핸들네임 등에 'B'나 'B1'이라는 이름을 사용한다거나 친한 친구 사이에서 'B'라는 이름을 사용한 적은 있으나 개명 허가를 받고부터 정식으로 사용할 생각을 하고 있었다. 그러나 본건 신청 후 지인 등에게 'B'라는 성명으로 우편물을 보냈고 'B' 앞으로 답장이 왔으며 또한 공공요금 청구서의 당사자 성명도 'B'로 변경하게 하였다.

2 위 인정 사실에 근거하여 본건 신청의 허가 여부에 대해서 검토한다.

(1) 호적법 107조의2는 이름의 변경에는 정당한 사유가 있을 것이 필요하다는 취지를 정하고 있는데 이것은 이름은 성과 함께 사람의 동일성을 분명하게 하는 것이고 이름을 변경하는 것은 일반 사회에 대해서 큰 영향을 미칠 것이기 때문에, 이것을 함부로 변경하는 것을 허용하지 않음으로써 호칭질서의 안정을 확보하려는 것이다. 이와 동시에 당해 사람에게 당해 이름을 사용함으로써 사회 생활상 현저한 지장이 있어 당해 이름의 사용을 강제하는 것이 사회 관념상 부당하다거나 영업상이나 기예상의 선대의 이름을 계승한 이름처럼 변경 후의 이름을 사용하는 것이 당해 사람의 사회생활상 필요하고 합당하다고 하는 경우 등에는 이름을 변경하는 것을 인정하여 공익과 개인의 이익의 조화를 꾀하려는 것이 그 법의(法意)라고 해석된다.

(2) 본건에서 항고인은 성 동일성 장해를 겪고 있으며 사회생활상 자기가 인식하고 있는 성별과는 다른 남성으로서 처신해야 한다는 것에 정신적 고통을 느끼고 항고인의 호적상의 'A'라는 이름은 남성임을 표시하고 있으므로, 'A'라는 이름을 사용하는 것에도 정신적 고통을 느끼고 있다고 인정된다. 그런데 항고인에게 책임을 돌려야 할 사정이 있는 등 그러한 정신적 고통을 감수하는 것이 상당하다고 할 수 있는 사정은 인정되지 않기 때문에 위 (1)의 '당해 이름의 사용을 강제하는 것이 사회관념상 부당한' 경우에 해당한다고 할 수 있다.

그렇다고는 하지만 이름을 변경하는 것은 당사자만의 문제가 아니라 일반 사회에 대해서도 영향을 미칠 것이기 때문에, 이 점에 대해 검토하면 항고인은 학교에 근무하고 있는데, 상사와 동료는 항고인이 성 동일성 장해를 겪고 있는 사실을 알고 있으며 이름 변경에 의해 즉시 직장 질서에 혼란을 발생시킨다고는 인정되지 않는다. 또한 보호자 등에 대해서는 원래 항고인은 학교 내에서도 여성다움이 밖으로 나타나 있었다고 인정되는 점도 고려하면 교장이나 교감 등이 적절한 방법에 의해 설명하면, A교사와 B교사 사이에 오인 혼동이 생길 우려도 적고 교육 현장이 혼란스러울 것이라고는 즉각 인정되지 않는다. 또한 이름 변경으로 인해 직장 이외의 항고인의 사회생활에 대해 혼란이 발생하는 사정도 인정되지 않는다. 또한 항고인은 혼인하고 있는데 요즈음 언뜻 일독(一読)한 것만으로는 성별이 분명하지 않은 이름도 늘고 있는 것은 분명하고 'B'라는 이름이 여성의 이름이라고 단정할 수 없기 때문에 'B'로 이름을 변경함으로 인해 즉시 동성(同性) 결혼의 외관을 나타낸다고 할 수 있을지 의문인데, 호적상의 성별이 남성인 사실은 변함이 없고 그와 같은 외관을 나타냄으로 인해서 일반 사회에 영향을 미친다고는 할 수 없다.

(3) 위 (2)에 의하면 본건에 대해서는 변경 후의 이름인 'B'를 사용한 실적이 적다고 해도 항고인의 이름을 'A'에서 'B'로 변경하는 것에는 정당한 사유가 있다고 할 수 있다.

3 이상에 의하면 본건 신청은 허가해야 하고 이를 각하한 원심판은 상당하지 않으므로 원심판을 취소하고 가사심판규칙 19조 2항에 의해 주문과 같이 결정한다.

◇ 재판장 재판관 松本哲弘 재판관 田中義則 岡口基一

3. 성별 취급 변경 심판 신청의 신청권 남용

성별 취급 변경의 심판을 받으려면 특례법 제3조 제1항에서 규정하는 다섯 가지 조건을 충족하여야 한다. 심판을 받으려는 사람이 20세 이상이어야 하고 혼인을 하고 있지 않아야 하며 미성년의 자녀가 없어야 한다. 그리고 기존 성별에 관한 생식선이 없거나 생식선의 기능을 영속적으로 상실한 상태에 있어야 하고 변경하고자 하는 성별과 관련한 성기 관련 유사 외관을 갖추고 있어야 한다.

〈성 동일성 장해자의 성별 취급의 특례에 관한 법률〉

(성별 취급 변경의 심판)

제3조 가정재판소는 성 동일성 장해자로서 다음 각 호의 모두에 해당하는 사람에 대해서 그 사람의 청구에 의해 성별 취급 변경의 심판을 할 수 있다.

① 20세 이상일 것

② 현재 혼인하고 있지 않을 것

③ 현재 미성년의 자녀가 없을 것

④ 생식선이 없을 것 또는 생식선의 기능을 영속적으로 상실한 상태에 있을 것

⑤ 신체와 관련하여 다른 성별의 신체의 성기에 관한 부분과 유사한 외관을 갖추고 있을 것

2 전항의 청구를 하려면 전항의 성 동일성 장해자와 관련된 전조의 진단 결과, 치료의 경과 및 결과 기타 후생노동성령으로 정하는 사항이 기재된 의사의 진단서를 제출해야 한다.

본 사안에서는 성별 취급 변경의 심판을 받고자 하는 신청인에게 미성년의 딸(17세)이 있어 특례법 제3조 제1항 제3호를 충족하지 못하는 상황이었다.

한편 민법 제753조는 혼인으로 인한 미성년자의 성년 의제를 규정하고 있다.

〈민법〉

(혼인으로 인한 성년 의제)

제753조 미성년자가 혼인을 한 때에는 이에 따라 성년에 이른 것으로 간주한다.

신청인의 딸이 12세인 무렵부터 신청인, 신청인이 교제하는 남성인 F, 딸 이렇게 세 사람이 동거하여 왔다. 그런데 딸이 16세가 된 때 딸과 F의 혼인 신고가 있었고 혼인 신고가 있은 날로부터 11일

만에 이혼 신고가 이루어졌다.

도쿄 가정재판소는 신청인이 딸과 F 사이에 혼인 의사가 없음에도 불구하고 혼인 신고를 하면 딸에게 성년 의제가 되는 것을 이용하여 성별 취급 변경의 신청을 한 것으로 특례법에 의해 인정되는 신청권을 남용하였다고 하면서 그 신청(성별 취급 변경 심판 신청)을 각하하였다.

재판연월일	平成21年[11] 3月 30日	**재판소명**	도쿄 가정재판소
사건번호	平20(家)11399号	**재판구분**	심판
사 건 명	성별 취급 변경 신청사건		
재판결과	각하	**상 소 등**	확정

주 문

본건 신청을 각하한다.

이 유

제1 신청

신청인의 성별 취급을 남성에서 여성으로 변경한다.

제2 인정되는 사실

호적 및 제적 각 등본, 호적 및 제적 각 기록 전부 사항 증명서, 다시 작성한 원호적 등본, 각 진단서, 염색체 검사 보고서, 증명서, 진술서에 의하면 아래의 사실이 인정된다.

1 신청인의 신분 관계 등에 관계하는 사실

(1) 신청인은 쇼와[12](昭和) O년생의 남성이다.

(2) 신청인은 1988년 ×월에 B와 혼인하여 1990년 ×월에 B와 협의 이혼했다.

(3) 그 후 C가 신청인의 아이를 임신하고 1991년 ×월에 C와 혼인하여 장녀 D[헤이세이[13](平成) O년 O월 O일 출생]를 출산했다. 그러나 1994년 ×월에는 C와 협의 이혼했다.

(4) 게다가 신청인은 1994년 ×월에 E와 혼인하여 1999년 ×월에 E와 협의 이혼하고 현재는 혼인하지 않고 있다.

---

11) 2009년
12) 1926~1989년
13) 1989년 이후

(5) 장녀 D는 2008년 6월 23일, F(쇼와 O년 O월 O일 출생)와 혼인하여 같은 해 7월 4일 협의 이혼했다.

2 성 동일성 장해 등에 관계하는 사실

(1) 신청인은 늦어도 C와의 이혼, E와의 혼인 무렵에는 성별 위화(違和)가 지속하게 되었는데, 아내 E에게 그러한 사실을 털어놓은 다음 그 이해를 얻어 1997년부터 호르몬 요법을 시작하여 1998년 얼굴의 여성화 수술을 받았다.

(2) 나아가 1999년 ×월 타이의 병원에서 2단계 성별 적합 수술을 받았다. 그 결과 신청인의 생식선의 기능은 영속적으로 상실되고 성기에 관한 부분은 여성의 성기에 관한 부분으로 된 상태이다.

(3) 신청인은 2000년 ×월에 이름을 'OO'에서 현재의 이름으로 변경했다. 또한 같은 해에 목소리를 여성화하는 성대 수술을 받았다.

(4) 신청인은 2008년 ×월 및 2009년 ×월, OO클리닉 OO의사 및 □□클리닉 □□의사로부터 일치하여 성 동일성 장해자라는 진단을 받았다.

제3 본 재판소의 판단

제2의 사실들을 전제로 판단한다. 덧붙여 본건은 2008년 12월 18일 제기된 것으로 같은 날 시행된 성 동일성 장해자의 성별 취급의 특례에 관한 법률의 일부를 개정하는 법률(같은 해 법률 제70호)에 의한 개정 후의 성 동일성 장해자의 성별 취급의 특례에 관한 법률(이하 단순히 '법'이라 한다)이 적용된다.

1 법 2조에 대해서

(1) 신청인의 진술서 중의 진술에 의해서도 신청인이 심리적으로는 여성이라는 확신을 품은 시기는 분명하지 않지만 전술한 인정의 신청인의 혼인사 및 치료사를 종합해서 판단하면 늦어도 1997년 호르몬 요법을 시작했을 때 이후부터 현재에 이르기까지 심리적으로는 여성이라는 지속적인 확신을 갖고 자신을 신체적 및 사회적으로 여성에 적합하도록 하려고 하는 의사를 가지고 있는 것으로 인정된다.

(2) 그리고 전술한 제2, 2(4)의 진단 중 2009년 ×월의 것에서는 신청인의 혼인사를 감안하더라도 신청인에게는 위 지속적 확신 및 성별 적합 의사가 있다는 진단이 일치하고 있다.

(3) 따라서 신청인은 법 2조가 규정하는 성 동일성 장해자이다.

2 법 3조 1항 1호, 2호, 4호 및 5호에 대해서

전술한 인정 사실에 의하면 신청인은 법 3조 1항 1호, 2호, 4호 및 5호의 각 요건에 해당한다.

3 법 3조 1항 3호에 대해서

(1) 전술한 제2, 1(3) 및 (5)의 인정과 같이 신청인의 장녀 D는 헤이세이 O년 O월 O일에 출생(17세)했는데 2008년 6월 23일의 혼인 신고에 의해 성년이 된 것으로 간주되기 때문에(민법 753조), 신청인은 형식적으로는 현재 미성년의 자녀가 없다는 요건(법 3조 1항 3호)에 해당한다.

(2) 그러나 전술한 각 자료 및 직권으로 한 사실의 조사(관계인 D 신문 및 신청인 신문의 각 결과)에 의하면 위 혼인에 대해서는 그 위에 아래의 사실이 인정된다.

장녀 D는 혼인 신고 시 16세(고교 1학년), 남편 F는 51세였는데 D는, F는 D가 12세 정도 무렵부터 신청인과 D의 집에서 동거하고 있다고 하고 신청인도 F는 신청인과 D 양측의 친구이지만 연령적으로도 가까운 신청인이 먼저 알게 되었다고 말하고 있다. D는 가사심판관의 질문에 F의 나이에 대해서는 "50 정도"라고, 직업에 대해서는 "알지 못한다."고, 결혼한 이유에 대해서는 "결혼하고 싶었기 때문이 아니었을까", "좋아했던 것 아니었을까"라고 밖에 대답하지 않았다.

더욱이 D와 F에 대해서는 혼인 신고 11일 후인 2008년 7월 4일에 이혼 신고서가 제출되었다. D는 가사심판관의 질문에 이혼한 것은 "7월 4일[14]이니까 독립하는 느낌이었다.", "이혼하고 싶었으니까 이혼했다는 느낌입니다."라고 대답하였고 이혼 후에도 혼인 전, 혼인 중과 마찬가지로 신청인, D, F 세 사람이 동거 생활을 계속하고 있다.

(3) 위 (2)의 사실들 및 본건에 나타난 일체의 사정을 종합적으로 고려하면 신청서의 신청의 실정란 및 제2, 2(4)의 진단서의 가정환경 등의 란에 "신청인은 2003년부터 교제하고 있는 남성 및 장녀와 함께 동거하고 있다."라고 기재되어 있는 그 남성이 F이며, D와 F는 2008년 6월 18일에 같은 해 법률 제70호가 공포되자 이 법이 시행되면 신청인이 성별 취급 변경의 신청을 할 수 있도록 D와 F 사이에는 실질적인 혼인 의사가 없었는데 D에 대해서 혼인에 의한 성년 의제를 받는 것을 목적으로 같은 달 23일에 혼인 신고를 한 것으로 강하게 추인된다.

그리고 신청인은 신청인과 F의 관계, D의 생활 실태 등으로부터 D의 혼인이 혼인 의사를 결여한 것이었음을 아는 입장에 있으면서 아버지로서 이에 동의한 후에(민법 737조 1항), 이 혼인에 의해 호적상으로 D에 대해서 성년 의제가 되는 것을 이용하여 D가 만 20세에 이르기를 기다리지 않고 2008년 법률 제70호의 시행 당일에 본건의 신청을 한 것으로 본건 신청은 법의 취지에 반하고 법에 의해

14) 미국의 독립기념일이 7월 4일이다.

인정되는 신청권을 남용한 것으로 인정해야 한다.

또한 신청인은 심문에서 D와 F의 혼인, 이혼에 대해서는 신청인의 신청과는 관계가 없고 그 모든 경위는 알 수 없다는 등으로 진술하고 또한 F도 혼인은 당사자 사이의 의사에 의한 것이라는 취지의 의견서를 제출했지만 모두 채용할 수 없다.

제4 결론

따라서 신청인의 신청은 부적법하기 때문에 이를 각하하는 것으로 하여 주문과 같이 심판한다.

◇ 가사심판관 松村徹

제2장

부부별성제도를 제정하지 않은 입법 부작위에 대한 국가배상 청구

〈민법〉

(부부의 성)

제750**조** 부부는 혼인하는 때에 정하는 바에 따라 남편 또는 아내의 성(姓)을 칭한다.

(생존배우자의 성 복귀 등)

제751**조** 부부의 일방이 사망한 때에는 생존배우자는 혼인 전의 성으로 돌아갈 수 있다.

2 제769조의 규정은 전항 및 제728조 제2항의 경우에 대해서 준용한다.

(이혼에 의한 성 복귀 시의 권리 승계)

제769**조** 혼인에 의해 성을 변경한 남편 또는 아내가 제897조 제1항의 권리[15]를 승계한 후 협의상 이혼을 한 때에는 당사자 기타 관계인의 협의로 그 권리를 승계할 사람을 정해야 한다.

2 전항의 협의가 성립되지 않는 때 또는 협의를 할 수 없는 때에는 가정재판소가 전항의 권리를 승계해야 할 사람을 정한다.

미나토 가나에(湊かなえ)의 동명 소설을 원작으로 하여 2014년 하반기에 방영된 'N을 위하여'라는 드라마에는 한자는 다르게 쓰지만 '노조미'라는 이름의 남녀 두 사람이 등장한다. 여성인 스기시타 노조미(杉下希美)와 남성인 안도 노조미(安藤望)가 그들이다.

스기시타는 자신에게 청혼하는 안도에게 "내가 너랑 결혼하면 한 집에 '안도 노조미'가 두 사람이 되는 건데 그런 성가신 부부는 별로잖아."라고 말하며 청혼을 거절한다. 일본에서는 남녀가 결혼하면 부부 중 한 사람이 상대방의 성을 따르게 되므로(민법 제750조) 부부가 같은 성을 쓰게 되고 일반적으로는 아내가 남편의 성을 따른다. 이 때문에 위 두 사람이 결혼하면 스기시타 노조미는 안도 노조미(安藤希美)가 되어 한자는 다르지만 읽기는 남편인 안도 노조미(安藤望)와 똑같게 된다는 말이다.

한편 일본의 여성 시인인 다와라 마치(俵万智)의 '샐러드기념일(サラダ記念日)'이라는 제목의 단가집에는 다음과 같은 단가가 수록되어 있다.

> 異星人のようなそうでもないような前田から石井となりし友人
> 외계인 같기도 하고 아닌 것 같기도 한, 마에다(前田)에서 이시이(石井)가 된 친구

결혼할 때 성을 바꾸는 쪽이 주로 여성임을 감안할 때 다와라 마치는 성이 마에다(前田)인 친구와 오랫동안 우정을 쌓아 왔는데 이 친구가 성이 이시이(石井)인 남성과 결혼을 하면서 성이 바뀌어 앞으로는 친구를 '마에다'가 아닌 '이시이'로 불러야 한다는 사실에 대해서 상당한 위화감을 느끼고 이러한 단가를 지은 것이 아닌가 싶다.

본 사안은 남녀가 혼인하는 때에 부부의 일방에게 혼인 전의 성을 변경하도록 강제하는 민법 제750조가 헌법 제13조에 의해 보장되고 있는 '성의 변경을 강제당하지 않을 권리' 및 헌법 제24조에 의해 보장되고 있는 '혼인의 자유'를 침해하고 '여성차별철폐조약'에도 위반되는 것이 명백하므로 국회는 민법 제750조를 개정하여 부부동성제도에 덧붙여 부부별성제도라고 하는 선택지를 새로 마련해야 함에도 불구하고 이를 하지 않은 입법 부작위가 국가배상법 제1조 제1항의 위법한 행위에 해당한다고 주장하여 국가배상 청구를 한 것이다.

도쿄 고등재판소는 "'성의 변경을 강제당하지 않을 권리'는 헌법 13조에 의해 보장된 구체적 권리라고는 할 수 없으며 항소인들이 주장하는 것과 같은 아무런 제약을 받지 않는 '혼인의 자유'는 헌법 24조에 의해 보장되고 있는 권리라고는 할 수 없다. 항소인들이 주장하는 '성의 변경을 강제당하지 않을 권리' 및 '혼인의 자유'가 '국민에게 헌법상 보장되는 권리'라고는 할 수 없는 것이므로 국회의원들이 민법 750조를 개정하여 선택적 부부별성제도를 도입하지 않은 입법 부작위가 국가배상법 1조

---

15) 제사에 관한 권리

1항의 규정 적용상 위법하다는 평가를 받는 것은 아니다."라고 판시하였다.

또한 여성차별철폐조약은 일정한 권리를 확보하는 것으로 언급하고 있으나 무엇이든 체결국이 그 권리를 확보하도록 적당한 조치를 할 필요가 있고 체결국 국민에게 직접 권리를 부여하는 것과 같은 문구로 되어 있지 않으며 국내법의 정비를 통해서 권리를 확보하는 것이 예정되어 있으므로 직접 적용 가능성 내지 자동 집행력이 있다고는 인정할 수 없어서 여성차별철폐조약의 규정이 일본 국민에게 직접 권리를 부여하는 것이라고는 할 수 없고 여성차별철폐조약에 의해 항소인들이 주장하는 권리가 일본 국민에게 보장되고 있다고는 할 수 없다고 판시하였다.

재판연월일 平成26年[16] 3月 28日	**재판소명** 도쿄 고등재판소
사건번호 平25(ネ)3821号	**사 건 명** 손해배상 청구 항소사건
재판구분 판결	**재판결과** 항소 기각

주 문

1. 본건 항소를 모두 기각한다.
2. 항소비용은 항소인들이 부담한다.

사실과 이유

제1 항소 취지

1. 원판결을 취소한다.

2. 피항소인은 항소인 히노에타니(丙谷)와 히노토자와(丁沢)에게 각각 150만 엔 및 그 중 50만 엔에 대하여 2011년 1월 4일부터 그리고 그 중 100만 엔에 대하여 같은 해 3월 12일부터 다 갚는 날까지 연 5%의 비율에 의한 돈을 지불하라.

3. 피항소인은 항소인 가부토야마(甲山), 보노(戊野)와 가노에자키(庚崎)에게 각각 100만 엔 및 이에 대하여 2011년 3월 12일부터 다 갚는 날까지 연 5%의 비율에 의한 돈을 지불하라.

4. 소송비용은 제1, 2심 모두 피항소인이 부담한다.

제2 사안의 개요 등

1. 사안의 개요

(1) 본건은 항소인들이 혼인하는 때에 부부의 일방에게 혼인 전의 성(姓)을 변경하도록 강제하는 민법 750조는 헌법 13조에 의해 보장되고 있는 '성의 변경을 강제당하지 않을 권리, 자유 또는 이익' (덧붙여 항소인들은 소장에서는 이 권리를 '성명 보유권'이라고 부르고 있지만 이하 이 권리, 자유 또

16) 2014년

는 이익을 총칭하여, '성의 변경을 강제당하지 않을 권리'라 한다) 및 헌법 24조에 의해 보장되고 있는 '혼인의 자유'를 침해하고 여성에 대한 모든 형태의 차별의 철폐에 관한 조약(1985년 조약 제7호. 이하 '여성차별철폐조약'이라 한다) 16조 1항 (b) 및 (g)에도 위반되는 것이 명백하므로, 국회는 민법 750조를 개정하여 부부동성제도에 덧붙여 부부별성제도라고 하는 선택지를 새로 마련하는 것이 필요 불가결함에도 불구하고 정당한 이유도 없이 장기에 걸쳐 입법조치를 게을리 해 온 것이므로 당해 입법부작위는 국가배상법 1조 1항의 위법한 행위에 해당한다고 주장하여 피항소인에게 항소인 히노에타니와 히노토자와에게는 위자료 각 150만원의 지불을, 항소인 가부토야마, 보노와 가노에자키에게는 위자료 각 100만 엔의 지불을 각각 요구한 사안이다.

(2) 원판결이 항소인들의 청구를 모두 기각하여 항소인들이 이에 불복하여 본건 항소를 제기했다.

2. 전제가 되는 사실 등 및 쟁점[17]

'전제가 되는 사실 등' 및 '쟁점'은 원판결 '사실과 이유'의 제2의 1 및 2에 기재된 대로이므로 이를 인용한다(따라서 원판결의 약칭은 본 판결에서도 마찬가지로 사용하기로 한다).

3. 본 심에서의 항소인들 주장의 요지

(1) 국가배상법상의 위법성 판단의 구조에 대해서

국가배상법상의 위법성 판단의 구조는 平成17年[18] 판결의 판단 기준에 따라야하고 昭和60年[19] 판결의 판단 기준('입법 내용이 헌법의 일의적인 문언에 위반하는' 경우)으로 후퇴해서는 안 된다.

원판결은 昭和60年 판결의 판단 기준으로 후퇴하여 부당하다.

(2) 민법 750조의 합헌성 심사의 필요성에 대해서

그 위에 국가배상 청구 소송에서 입법 또는 입법 부작위의 위법성을 다투는 경우에는 다수의 판례 등[平成17年 판결, 최고재판소 平成18年[20] 7月 13日 제1소법정 판결에서의 이즈미 도쿠지(泉德治) 재판관의 보충의견 · 판례시보 1946호 41쪽, 최고재판소 平成25年[21] 9月 26日 제1소법정 판결 · 판례시보 2207호 34쪽 및 오사카 고등재판소 平成25年 9月 27日 판결]과 마찬가지로 국가배상법상의 위법성 판단의 전제로서 우선 당해 법률의 합헌성 심사를 해야 하기 때문에 민법 750조의 합헌성에 대해서

17) 필자가 추가한 차례이다.
18) 2005년
19) 1985년
20) 2006년
21) 2013년

판단할 필요가 있는데 이 조항은 아래와 같이 헌법 13조 및 24조에 위반된다.

이에 대해서 원판결은 민법 750조의 합헌성 심사를 회피하고 중요한 쟁점에 대한 판단을 유탈하고 있다.

(3) 헌법 13조와 '성의 변경을 강제당하지 않을 권리'에 대해서

개인이 그 의사에 반하여 성을 빼앗기지 않는 것, 즉 '성의 변경을 강제당하지 않을 권리'가 인격권의 한 내용인 성명권의 핵심적인 권리 내지 자유로서 헌법 13조에 의해 보장되는 것은 지금까지의 재판례에서 개인의 인격권의 관점에서 성에 관한 권리성이 다양한 형태로 인정되고 또한 그 법적 보호가 확충되어 온 것에 비추어 의심의 여지가 없다.

그런데 원판결은 항소인들이 주장한 '성의 변경을 강제당하지 않을 권리'가 아니라 항소인들이 주장하지 않은 '혼인한 때에 혼인 당사자 쌍방이 혼인 전의 성을 칭하는 권리'의 헌법상의 보장 유무를 심리하고 이를 부정하였는데 이는 국가배상법상 위법이 될 수 있는 헌법상의 권리 침해의 대상을 부당하게 제한하는 것으로 부당하다.

(4) 헌법 24조와 '혼인의 자유'에 대해서

혼인은 개인 및 사회 양쪽에 대해서 중요한 의의 및 기능을 가지는 것이므로 혼인을 하거나 하지 않는 것에 대해서 국가로부터 간섭을 받지 않는 자유인 '혼인의 자유'가 헌법 24조에 따라 헌법상의 인권으로서 보장되는 것은 분명하다.

원판결은 항소인들의 위 주장에 대해서 검토를 하지 않고 있어 부당하다.

(5) 민법 750조의 합헌성 및 국가배상법상의 위법성에 대해서

위와 같이 '성의 변경을 강제당하지 않을 권리' 및 '혼인의 자유'는 헌법에 의해 보장되는 인권인데 민법 750조는 혼인하려는 남녀에게 혼인하여 '성의 변경을 강제당하지 않을 권리'를 방기(放棄)하거나 쌍방의 성을 보유하여 '혼인의 자유'를 방기하거나 하는 양자택일을 강제하는 규정으로 정당한 이유도 없이 위 두 가지의 기본적 인권을 침해하는 것이므로 이 조항의 제정 시부터 위헌이었다고 해야 하지만 1975년 이후 이 조항의 개정에 관한 청원이 제출되고 있는 것, 1985년에는 일본이 여성차별철폐조약을 비준한 것, 1996년에는 법제심의회가 법률안 요강을 공표한 것 등의 국내적 및 국제적 상황에서 국회의원들은 늦어도 그 해에는 이 조항의 위헌성을 인식하거나 이를 쉽게 인식할 수 있었다고 할 것이므로 국회의원들이 이 조항을 개폐(改廢)하지 않은 입법 부작위는 국회의원의 직무상의 의무에 위반하여 국가배상법상 위법이라는 평가를 면할 수 없다.

또한 적출이 아닌 자녀의 법정 상속분에 관한 민법 900조 4호 단서 전단의 규정은 늦어도 2011년 7월 당시의 헌법 14조 1항에 위반한다고 판시한 최고재판소의 결정(최고재판소 平成25年[22] 9月 4日 대법정 결정 · 판례시보 2197호 10쪽)은 혼인 및 가족 형태의 현저한 다양화, 이에 따른 혼인 및 가족의 모습에 대한 국민 의식의 다양화, 여러 외국의 법 개정 상황, 일본의 관련 조약에 대한 비준, 국제연합 관련 위원회에 의한 권고, 일본의 법 개정을 둘러싼 논의 등을 지적했으나 이들 가족을 둘러싼 국내적 및 국제적 상황의 현저한 변화는 이미 부부동성 강제를 지탱할 입법사실이 상실되었다는 항소인들의 주장과 똑바로 겹쳐지는 것이다.

(6) 여성차별철폐조약에 대해서

여성차별철폐조약 2조 (c)에 의하면, 여성차별철폐조약 체결국 국민은 차별에 의해 그 권리가 침해된 경우에는 사법적 구제를 요구할 수 있으므로 여성차별철폐조약에 따라 '성의 변경을 강제당하지 않을 권리'가 보장되고 있는지 여부를 검토할 필요는 없다.

또한 재판소가 항소인들의 청구가 옳고 그른지를 판단할 때에 적용하는 것은 국내법인 국가배상법이며 여성차별철폐조약 그 자체는 아니므로 여성차별철폐조약 16조 1항 (b) 및 (g)에 대해서 직접 적용 가능성 내지 자동 집행성 유무를 문제로 할 필요는 없다.

일본은 여성차별철폐조약의 비준으로 차별적 규정을 개폐하는 국제법상의 의무를 부담하는데 이 의무는 헌법 98조 2항에 의해 여성차별철폐조약에 국내법적 효력이 부여되어 국내법상의 의무로 전환하고 국회의원이 국민 개인에 대해서 부담하는 법적 의무가 되었다고 하여야 한다.

제3 본 재판소의 판단

1 본 재판소도 항소인들의 청구는 모두 이유가 없다고 판단한다. 그 이유는 다음과 같다.

2(1) 국가배상법상의 위법성 판단의 구조에 대해서

본건 소송은 국가배상법 1조 1항에 의거한 손해배상의 지불을 요구하는 것이므로 항소인들이 주장하는 입법 부작위가 어떠한 요건 하에서 이 조항 규정의 적용상 위법으로 평가를 받게 되는지를 검토한다(덧붙여 항소인들은 국가배상 청구 소송에서 입법 또는 입법 부작위의 위법성을 다투는 경우에는 다수의 판례 등과 마찬가지로 국가배상법상의 위법성 심사에 앞서 우선 당해 법률의 합헌성 심사가 이루어져야 한다고 주장한다. 그러나 항소인들이 인용하는 판례 등 중 앞의 최고재판소 平成25

22) 2013년

年[23] 9月 26日 제1소법정 판결 이외의 것은 모두 명문을 가지고 국민에게 헌법상의 권리로서 명확하게 보장되는 선거권에 관련된 사안이며, 앞의 최고재판소 平成25年 9月 26日 제1소법정 판결은 상고인의 상고 이유인 헌법 14조 1항 위반 주장에 대응한 것이므로 모두 본건과 사안을 달리하는 것이며 본건에 적절하다고는 할 수 없다).

국가배상법 1조 1항은 국가 또는 공공단체의 공권력의 행사에 해당하는 공무원이 개별 국민에 대해서 부담하는 직무상의 법적 의무에 위배하여 당해 국민에게 손해를 끼친 때에 국가 또는 공공단체가 이를 배상할 책임을 지는 것을 규정하는 것이다. 따라서 국회의원의 입법행위 또는 입법 부작위가 이 조항의 적용상 위법이 되는지 여부는 국회의원의 입법과정에서의 행동이 개별 국민에게 부담하는 직무상의 법적 의무에 위배하였는지 여부의 문제이고 당해 입법 내용 또는 입법 부작위의 위헌성 문제와는 구별되어야 한다. 만일 당해 입법 내용 또는 입법 부작위가 헌법의 규정에 위반하는 것이라고 해도 그 때문에 국회의원의 입법 행위 또는 입법 부작위가 즉시 위법하다는 평가를 받는 것은 아니다. 그렇지만 입법 내용 또는 입법 부작위가 국민에게 헌법상 보장되는 권리를 위법하게 침해하는 것임이 명백한 경우나 국민에게 헌법상 보장되는 권리 행사 기회를 확보하기 위해 필요한 입법 조치를 하는 것이 반드시 필요하며 그것이 명백함에도 불구하고 국회가 정당한 이유 없이 장기간에 걸쳐 이를 게을리 하는 경우 등에는 예외적으로 국회의원의 입법 행위 또는 입법 부작위는 국가배상법 1조 1항 규정의 적용상 위법하다는 평가를 받는 것이라고 해야 한다(平成17年[24] 판결).

이와 같이 平成17年 판결에 따르면 국회의원의 입법 행위 또는 입법 부작위에 대해서 국가배상법 1조 1항에 근거한 국가의 손해배상 책임을 인정하기 위해서는 '국민에게 헌법상 보장되는 권리'의 존재가 불가결한 전제가 되므로 아래에서 항소인들이 주장하는 '성의 변경을 강제당하지 않을 권리'가 헌법 13조에 의해 '국민에게 헌법상 보장되는 권리'인지 여부[후술하는 (2)] 또한 '혼인의 자유'가 헌법 24조에 의해 '국민에게 헌법상 보장되는 권리'인지 여부[후술하는 (3)] 그리고 平成17年 판결의 취지에 비추어 여성차별철폐조약에 의해 '국민에게 조약상 보장되는 권리'인지 여부[후술하는 (5)]에 대해서 아래에서 순차적으로 검토한다.

(2) 헌법 13조와 '성의 변경을 강제당하지 않을 권리'에 대해서

① 항소인들은 개인이 그 의사에 반하여 성을 빼앗기지 않는 것, 즉 '성의 변경을 강제당하지 않을 권리'가 인격권의 한 내용인 성명권의 핵심적인 권리 내지 자유로서 헌법 13조에 의해 보장되는 것은 지금까지의 재판례에서 개인의 인격권의 관점에서 성에 관한 권리성이 다양한 형태로 인정되었고 또

23) 2013년

24) 2005년

한 그 법적 보호가 확충되어 온 것에 비추어 의심의 여지가 없다고 주장한다.

② 성명은 사회적으로 보면 개인을 타인으로부터 식별하여 특정하는 기능을 가지는 것이지만, 동시에 그 개인으로부터 보면 사람이 개인으로서 존중되는 기초이며, 그 개인의 인격의 상징이고, 인격권의 한 내용을 구성하는 것이라고 해야 하므로 사람은 타인이 그 성명을 정확히 호칭하는 것에 대해서 불법행위법상의 보호를 받을 수 있는 인격적인 이익을 가진다고 해야 한다(최고재판소 昭和63年[25] 2月 16日 제3소법정 판결 · 민집 42권 2호 27쪽 참조). 또한 사람은 그 성명을 타인에게 모용당하지 않을 권리를 가지는데 이것이 위법하게 침해된 사람은 가해자에게 손해배상을 요구할 수 있고 지금 이루어지고 있는 침해행위를 배제하거나 또는 장래 발생할 침해를 예방하기 위해 침해행위의 중지를 요구할 수도 있는 것으로 해석해야 한다(최고재판소 平成18年[26] 1月 20日 제2소법정 판결 · 민집 60권 1호 137쪽 참조). 그리고 사람은 그 성명이 함부로 이용되지 않을 권리를 가지는 것으로 해석해야 한다(최고재판소 平成24年[27] 2月 2日 제1소법정 판결 · 민집 66권 2호 89쪽 참조).

이처럼 사람의 성에 대해서는 그 법적 근거를 헌법의 인권 보장 규정에서 구하는지 민법 기타 법률 규정에서 구하는지와 상관없이 판례에 의해 여러 형태로 법적 보호가 계획되어 그 범위를 점차 확충해 온 것은 항소인들이 지적하는 대로이다. 이러한 관점에서 보면 예를 들면 국가가 국민에게 어떠한 신분 관계의 변동도 없는 상황에서 정당한 이유가 없는데도 성의 변경을 강요하는 것이 법적 보호의 가치가 있는 국민의 권리 또는 인격적 이익을 해치는 것은 분명하다(무엇보다도 이러한 상황에서의 국민의 권리 등의 보호방식은 그 법적 근거도 포함하여 개개의 소송에서 검토되어야 할 사항으로 본건 소송에서의 문제와는 국면을 달리하므로 여기에서는 거론하지 않는다).

그러나 사람의 성은 출생 등에 따라 당해 개인의 의사와 전혀 관계없이 민법 기타 법률의 규정에 따라 부여되는 것이고[민법 790조. 덧붙여 기아(棄児)에 대해서 호적법 57조 및 59조 참조] 그 후 당해 개인의 의사만으로 변경하는 것은 기본적으로 허용되지 않고(가정재판소의 허가가 필요한 경우가 적지 않다. 민법 791조 1항, 호적법 107조 1항 및 4항), 그 후 다양한 신분 관계의 변동(본건 소송에서 문제가 되고 있는 혼인에 그치지 않고 이혼, 혼인 취소, 입양, 파양, 부모의 성 변경 등도 있다. 민법 750조, 767조, 771조, 808조 2항, 810조, 816조)에 따라 변동하는 것, 또한 한번 변동한 성이 신분 관계의 변동에 따라 원래의 성으로 복귀하는 것도 상정되고 있는 것으로 법률상 평생 불변인 것으로 보장되는 것은 아니고 오히려 변동 가능성이 있는 것으로서 제도 설계되어 있다. 그 위에 성의 부여 및 변동은 법률의 규정에 따라 실체적으로 결정된 것만으로는 충분하지 않고 호적법 기타 법률의 규정에

25) 1988년
26) 2006년
27) 2012년

따른 적법한 방식의 신고를 하지 않는 경우에는 그 효력이 법적으로 승인되지 않는 것으로 되어 있다.

이러한 의미에서 사람의 성은 당해 개인이 출생한 후 오랜 세월에 걸친 사회생활에 따라 개인의 인격의 상징으로서 인격권의 한 내용을 구성하여 법적 보호의 대상이 되는 측면을 가지는 것은 분명하지만 성 자체는 민법 기타 법령에 의한 규율을 받는 제도라고 해야 하기 때문에 성에 관한 다양한 권리나 이익은 법 제도를 떠난 생래적, 자연권적인 자유권으로서 헌법에서 보장되는 것은 아니라고 하여야 한다. 따라서 항소인들이 주장하는 '성의 변경을 강제당하지 않을 권리'도 또한 법 제도를 떠난 생래적, 자연권적인 자유권으로서 헌법에서 보장되는 것은 아니라고 하지 않을 수 없다.

이러한 해석은 혼인을 비롯한 신분 관계의 변동에 따른 성의 변경을 포함한 성의 본연의 모습이 결코 세계적으로 보편적인 것이 아니고 각국의 오랜 세월에 걸친 역사, 전통 및 문화, 국민 의식이나 가치관 등을 기초로 하는 법 제도(관습법을 포함한다)에 의해 다양한 것(갑 8의 18쪽부터 24쪽까지. 덧붙여 애당초 성을 가지지 않는 나라도 존재한다)에 비추어 보아도 분명하다고 하여야 한다.

③ 그렇지만 성이 법 제도에 입각한 것으로 항소인들이 주장하는 '성의 변경을 강제당하지 않을 권리'가 법 제도를 떠난 생래적, 자연권적인 자유권으로서 헌법에서 보장되는 권리라고는 할 수 없다고 해도 시대의 추이에 따라 헌법 13조가 정하는 행복추구권 내지 포괄적 인격권에서 파생하는 구체적인 권리로서 새롭게 보장되는 것으로 인정될 여지도 있다. 그리고 그러한 권리로서 승인되는지 여부에 대해서는 그것이 개인의 인격적 생존에 불가결한 것에 덧붙여 그 권리가 장기간 국민 생활에 기본적인 것이었는지, 타인의 기본권을 침해할 우려가 없는지 등의 여러 요소를 고려하여 신중히 판단하여야 한다고 생각된다.

④ 그래서 항소인들이 주장하는 '성의 변경을 강제당하지 않을 권리'가 개인의 인격적 생존을 위해 불가결한지, 그 권리가 장기간 국민 생활에 기본적인 것이었는지 등에 대해서 검토한다.

그러기 위해서는 우선, 일본 사회에서 이 권리가 어떻게 인식되어 자리매김 되어 있는지를 검토할 필요가 있는데 성의 변경에 관하여 지금까지 현실적으로 논의되는 상황은 사실상 민법이 규정하는 혼인이나 이혼 등 신분 관계의 변동에 따른 상황에 한정된다고 하지 않을 수 없다(항소인들이 주장하는 '성의 변경을 강제당하지 않을 권리'를 대상으로 하여 검토한다고 해도 국민의 인식이나 사회에서의 자리매김을 검토하는 이상, 구체적인 문제를 떠나 일반적, 추상적인 상황을 상정하여 검토하는 것은 상당하다고 할 수 없다. 실제로 항소인들도 혼인을 하는 때에 같은 성으로 할 것을 요구하는 민법 750조의 합헌성을 문제 삼고 있다).

그리고 신분 관계의 변동에 따른 성의 모습을 둘러싼, 일본에서 지금까지 이루어진 논의나 민법 개정 흐름 등을 살펴보면 1947년에 민법 750조가 제정된 이후 자주 혼인을 하는 때에 부부별성을 인정해야 하지 않느냐는 의견이 나와서 논의되어 1976년에는 혼인 중의 성으로 오랫동안 사회적 활동을 해 온 사람의 불이익 등에 대한 배려에서 이혼하는 때에 혼인 중의 성으로 계속 칭하는 것을 인정하는 규정(민법 767조 2항)이 신설되어 그러한 흐름을 수용하였다. 그리고 1996년에는 법무성(민사국 참사관실)에서 선택적 부부별성제도를 제안하는 내용을 포함하는 법률안 요강이 공표되어 이 제도의 도입에 찬성하는 의견도 많이 제시되고 그 후로도 남녀 공동 참여 기본 계획 등에서 이 제도의 도입이 제언되었으며(자세한 것은 원판결 28쪽 6줄부터 29쪽 19줄까지에 기재된 대로이다), 여성차별철폐조약의 관점에서도 부부동성제도가 문제시되어 여성차별철폐위원회가 민법 750조의 개정을 권고하고 있는 상황이다(갑 8의 84쪽 및 85쪽).

다음으로 선택적 부부별성제도에 대한 국민 의식의 최근 동향에 대해서 검토한다. 2012년 12월에 내각부가 실시한 가족법제에 관한 여론조사(조사원에 의한 개별 면접 조사 방법으로 실시되어 20대부터 70대 이상의 일본 국적을 가지는 남녀 3041명이 응답한 것이다. 이하 '2012년 조사'라 한다)를 보면, 이른바 선택적 부부별성제도(부부가 희망하는 경우에는 같은 성이 아니라 각자의 혼인 전 성을 따를 수 있는 제도)에 대해서 찬성한 사람은 전체의 35.5%이며 반대한 사람은 전체의 36.4%인데, 찬성한 사람의 비율은 2006년에 내각부가 실시한 같은 여론 조사(이하 '2006년 조사'라 한다)에 비해 1.1% 감소한 한편, 반대한 사람의 비율은 2006년 조사에 비해 1.4% 증가하였다. 그렇지만 이 점에 대한 조사 결과의 변천을 보면 1996년에 내각부가 실시한 같은 여론조사 이전에는 반대한 사람의 비율이 찬성한 사람의 비율을 상회하고 있었는데, 점차 찬성한 사람의 비율이 증가하고 2001년에는 반대한 사람의 비율을 상당한 정도로 상회하기에 이르렀지만 그 후 다시 찬성한 사람의 비율이 감소하는 경향을 엿볼 수 있고(변론의 전체 취지), 항소인들이 지적하는 대로 청년층일수록 찬성한 사람의 비율이 높고 노년층일수록 찬성한 사람의 비율이 낮다는 등 응답자의 연령대별 차이를 볼 수 있지만 전체적으로 보면 최근의 경향은 찬반이 팽팽히 맞서고 있는 상황에 있다고 평가할 수 있다.

또한 2012년 조사에 의하면 선택적 부부별성제도를 도입해도 상관없다고 응답한 사람에 대해서 이 제도가 도입된 경우에 부부가 각자의 혼인 전 성을 칭하기를 희망하는지 여부를 조사했는데 이를 희망하는 사람의 비율은 23.5%에 그친 한편, 이를 희망하지 않는 사람의 비율은 49.0%에 달하는 것, 이 경향은 2006년 조사에 비해 큰 변화를 보이지 않는 점이 인정되고(변론의 전체 취지), 이러한 사실에 비추어 보면 일반론으로서 선택적 부부별성제도의 도입에 찬성하거나 이를 허용한다고 해도, 자기 자신이 혼인 전 성을 칭하는 것에 대해서는 약 절반의 사람이 소극적이라고 인정된다.

나아가 2006년 조사에 의하면 혼인에 의해 자신의 성이 상대(배우자)의 성으로 변했다고 했을 경우, 그것에 대해서 어떠한 느낌이냐는 질문에 대해서 "성이 바뀐 것에 위화감을 갖는다."고 응답한 사람의 비율은 23.9%이며 또한 "지금까지의 자신을 잃은 것 같은 느낌"이라고 응답한 사람의 비율은 9.9%에 그치는 한편, "새로운 인생이 시작되는 것 같은 기쁨"이라고 응답한 사람의 비율은 47.1%로 가장 높고, "상대와 일체가 된 기쁨"이라고 응답한 사람의 비율도 30.2%에 이르는 것이 인정된다(변론의 전체 취지). 이러한 사실에 비추어 보면 혼인에 의해 부부가 같은 성을 칭하는 것에 대해서 이를 소극적으로 파악하는 것이 아니라 오히려 적극적인 의의를 찾아내는 국민이 현대사회에서도 여전히 상당한 정도 존재하는 것을 엿볼 수 있다.

덧붙여 신문사 등이 실시한 의식조사(갑 8의 28쪽에서 32쪽까지)에서도 역시 선택적 부부별성제도의 도입에 대해서는 찬반이 나뉘고 있는 상황인 것, 부부가 별개의 성을 따르면 가족의 일체감이나 유대가 약화된다고 생각하는 사람이 상당한 정도 존재하는 것이 인정된다.

⑤ 이 문제를 둘러싼 현재 상황은 한편에서 항소인들이 주장하듯이 결혼하는 때에 어느 한쪽이 어쩔 수 없이 성을 변경하는 것에 큰 고통을 느끼는 국민이 일정 정도 존재하며 선택적 부부별성제도의 도입을 요구하는 국민 의식이 상당한 정도 높아지고 있는 것은 부정할 수 없는 상황에 있다고 할 것이며 여러 외국에서 혼인하는 때의 성에 관한 방식의 동향을 보아도 많은 나라에서 선택적 부부별성제 또는 선택적 결합성제가 채용되어 일본과 같이 부부동성으로 하는 법제는 극소수인 것이 인정된다(갑 8의 18쪽부터 24쪽까지).

그러나 위 ④의 여론 조사 등의 결과에서 보는 한, 최근의 국민 의식으로서 반드시 선택적 부부별성제도 도입에 찬성하는 사람이 대세를 차지하기에 이른 것은 아니고 오히려 결혼하는 때에 성을 변경하여 같은 성으로 되는 것에 적극적인 의의를 찾는 국민이 상당 정도 존재하는 것은 경시할 수 없는 요소라고 할 수 있다. 그러한 국민 의식의 근저에는 현재의 부부동성제도가 가족의 일체감 조성에 기여하고 있으며, 이를 유지해야 한다는 의식이 있는 것으로 추측된다[갑 8의 30쪽의 시사통신(時事通信)의 여론 조사 결과 및 32쪽의 NHK 방송 문화 연구소의 조사 결과를 참조]. 또한 부부별성제도로 이행한 경우에는 당해 부부 사이에 태어난 자녀와 한쪽 부모가 성을 달리하는 것에 대해서 가족의 일체감에서 보아 사회가 수용할 수 있겠느냐는 문제도 있을 것으로 생각된다.

⑥ 위와 같이 검토하면 적출이 아닌 자녀의 법정 상속분에 관한 민법 900조 4호 단서의 합헌성이 다투어진 전술한 최고재판소 平成25年[28] 9月 4日 대법정 결정이 지적한 가족을 둘러싼 국내적 및 국제적 상황의 두드러진 변화를 감안하더라도 적어도 현 시점에서는 항소인들이 주장하는 '성의 변경을 강제당하지 않을 권리'(구체적으로는 부부가 혼인 후에도 혼인 전에 칭하고 있던 성을 법률상의 성으로서 칭하는 것을 요구하는 권리)가 아직 개인의 인격적 생존에 불가결하다고까지는 할 수 없으며 또한 장기간 국민 생활에 기본적인 것이었다고 할 수는 없다고 하여야 한다.

따라서 '성의 변경을 강제당하지 않을 권리'는 아직 헌법 13조에 의해 보장되는 구체적인 권리로서 승인해야 할 것이라고는 할 수 없다.

---

28) 2013년

그렇다면 헌법 13조에 근거하여 위 권리가 보장되고 있다고 하여 민법 750조가 위헌이라고 하는 항소인들의 위 ①의 주장은 채용할 수 없다.

(3) 헌법 24조와 '혼인의 자유'에 대해서

① 항소인들은, 결혼은 개인 및 사회 양쪽에 대해서 중요한 의의 및 기능을 갖는 것이므로 혼인을 하는 것 또는 하지 않는 것에 대해서 국가로부터 간섭을 받지 않는 자유인 '혼인의 자유'가 헌법 24조에 의해 헌법상의 인권으로서 보장되는 것은 분명하다고 주장한다.

② 항소인들이 주장하는 대로 혼인은 개인에게 자기실현 및 행복 추구의 기반으로서 매우 중요한 의의를 가지고 있으며, 국가 내지 사회에서도 그 근간을 이루는 필수적인 것으로 어떠한 사람도 자기의 의사에 반하여 혼인을 강제당한다거나 혼인이 당사자 이외의 제3자의 의사에 의해 방해되어서는 안 되는 것은 말할 필요도 없다.

그러나 헌법 24조는 민주주의의 기본 원리인 개인의 존엄과 양성의 본질적 평등의 원칙을 혼인 및 가족 관계에 대해서 정한 것이며, 남녀 양성은 본질적으로 평등하기 때문에, 남편과 아내 사이에, 남편이라거나 아내임을 이유로 권리의 향유에 불평등한 취급을 하는 것을 금지한 것이며, 결국 계속적인 부부 관계를 전체적으로 관찰한 후에 혼인관계에서 남편과 아내가 실질적으로 동등한 권리를 향유하기를 기대하는 취지의 규정으로 해석해야 하고 개별 구체적인 법률관계에서 항상 반드시 동일한 권리를 가져야 한다는 것까지 요청하는 내용을 포함하는 것은 아니라고 해석하는 것이 상당하다(최고재판소 昭和36年[29] 9月 6日 대법정 판결 · 민집 15권 8호 2047쪽 참조). 결국 가족에 관한 제반 사항에 대해서 헌법 14조의 평등 원칙이 침투하지 않으면 안 되는 것을 입법상의 지침으로 제시하고, 그 실현을 법률에 위임하고 있는 규정이라고 해석해야 한다.

따라서 구체적인 입법이 헌법 24조의 취지에 비추어 합리성을 가지는지는 검증할 필요가 있다고 해도 이 조항에 의해 직접, 아무런 제약을 받지 않는 '혼인의 자유'가 보장되어 있다고 해석할 수는 없다(실제로 민법상 혼인 적령, 중혼 금지, 근친 간 혼인 금지 등의 제약이나 신고가 필요한 것 등의 제약이 있다).

그렇다면 민법 750조가 헌법 24조에 의해 보장되고 있는 위와 같은 의미에서의 '혼인의 자유'에 위배된다고 하는 항소인들의 주장도 채용할 수 없다.

③ 그런데 위와 같이 헌법 24조를, 가족에 관한 제반 사항에 대해서 헌법 14조의 평등 원칙이 침투하지 않으면 안 되는 것을 입법상의 지침으로서 제시하고, 그 실현을 법률에 위임하고 있는 규정이라고 해석하는 경우에는 민법 750조가 위 지침을 실현하고 있는 것으로 평가할 수 있는지 여부가

---

29) 1981년

문제된다. 사람의 성이 위 '가족에 관한 제반 사항'임은 말할 필요도 없고 위 (2)②에서 설시한 대로 민법 기타 법령에 의한 규율을 받는 것이라고 해도 성에 관한 민법 기타 법령에 의한 제도는 어떠한 내용이라도 허용되는 것이 아님은 당연하고 헌법 24조에 비추어 목적의 정당성 및 목적 달성을 위한 수단의 상당성이 인정되는 합리적인 것이 아니면 안 되기 때문이다.

그래서 검토하면 민법 750조는 혼인하려는 남녀에 대해서 혼인 후에 어느 한쪽의 혼인 전의 성을 칭하는 것을 당해 남녀 사이의 자유롭고 평등한 의사에 기반을 둔 협의 결과에 근거하여 신고하도록 정한 규정에 불과한 것(즉, 남편과 아내 사이에 남편이라거나 아내라는 이유로 권리의 향유에 불평등한 취급을 하는 규정이라고는 할 수 없다), 이 조항의 입법 목적은 성에 의한 공동생활 실태의 표현이라는 습속의 지속이나 가족의 일체감 조성 내지 확보에 있다고 해석해야 하는데 이러한 입법 목적에는 정당성이 인정되고 이를 일정 한도에서 촉진하는 효과가 인정되는 것, 이 조항에 근거하여 혼인하려는 남녀가 혼인 후에 어느 한쪽의 혼인 전의 성을 칭하는 것은 예전부터 사회적으로 수용되어 왔으며, 현 시점에서도 여전히 국민의 지지를 잃지 않았다고 할 수 있는 것 등(이에 대해 전술한 (2)④ 및 ⑤의 여론 조사 등의 결과 및 갑 106의1)에 비추어 보면 위 입법 목적을 달성하기 위한 수단의 상당성도 인정할 수 있다[덧붙여 성을 포함한 부부 및 가족에 관한 법제는 사회의 근간을 이루는 중요한 제도임에 비추어 국민의 대표자인 국회가 일본의 역사, 전통, 문화, 국민의 의식 내지 가치관을 신중하게 확인하면서 국민의 공감을 얻어 정해 나가야할 사항(입법 정책에 속하는 사항)이므로 입법 목적의 정당성 및 목적 달성을 위한 수단의 상당성에 대해서는 국회의 합리적인 재량을 인정하는 것이 상당하다]. 따라서 민법 750조는 헌법 24조가 보이고 있는 위 지침을 실현한 것으로 평가할 수 있으므로 이러한 관점에서도 이 조항에 위반한다고는 할 수 없다.

(4) 민법 750조의 합헌성 및 국가배상법상의 위법성에 대해서

항소인들은 '성의 변경을 강제당하지 않을 권리' 및 '혼인의 자유'는 헌법에 의해 보장되는 인권인데 민법 750조는 혼인하려는 남녀에 대해서 혼인하여 '성의 변경을 강제당하지 않을 권리'를 방기하든가 쌍방의 성을 보유하여 '혼인의 자유'를 방기하든가 하는 양자택일을 강제하는 규정으로, 정당한 이유 없이 위 두 가지 기본적 인권을 침해하는 것이므로 이 조항의 제정 시부터 위헌이라고 해야 하지만 그 후의 국내적 및 국제적 상황 가운데에서 국회의원들은 늦어도 1996년에는 이 조항의 위헌성을 인식하였거나 이것을 쉽게 인식할 수 있었다고 해야 하므로 국회의원들이 이 조항을 개폐하지 않은 입법 부작위는 국회의원의 직무상의 의무에 위반한다고 주장한다.

그러나 위 (2)에서 설명한 대로 '성의 변경을 강제당하지 않을 권리'는 헌법 13조에 의해 보장된 구체적 권리라고는 할 수 없으며 또한 위 (3)에서 설명한 대로 항소인들이 주장하는 것과 같은 아무런

제약을 받지 않는 '혼인의 자유'는 헌법 24조에 의해 보장되고 있는 권리라고는 할 수 없다. 이와 같이 항소인들이 주장하는 '성의 변경을 강제당하지 않을 권리' 및 '혼인의 자유'가 '국민에게 헌법상 보장되는 권리'라고는 할 수 없는 것이므로 平成17年 판결이 제시한 국가배상법상의 위법성 판단의 틀에 의하면 국회의원들이 민법 750조를 개정하여 선택적 부부별성제도를 도입하지 않은 입법 부작위가 국가배상법 1조 1항의 규정 적용상 위법하다는 평가를 받는 것은 아니다.

따라서 항소인들의 위 주장은 채용할 수 없다.

(5) 여성차별철폐조약에 대해서

① 항소인들은 ㉮ 여성차별철폐조약 2조 (c)에 의하면 여성차별철폐조약 체결국 국민은 차별에 의해 그 권리를 침해당한 경우에는 사법적 구제를 요구할 수 있으므로 여성차별철폐조약에 의해 '성의 변경을 강제당하지 않을 권리'가 보장되고 있는지 여부를 검토할 필요는 없고 ㉯ 재판소가 항소인들의 청구에 대한 가부를 판단할 때에 적용하는 것은 국내법인 국가배상법이며, 여성차별철폐조약 그 자체는 아니므로 여성차별철폐조약 16조 1항 (b) 및 (g)에 대해서 직접 적용 가능성 내지 자동 집행성 유무를 문제로 할 필요는 없고, ㉰ 일본은 여성차별철폐조약을 비준하여 차별적 규정을 개폐하는 국제법상의 의무를 부담하는데 이 의무는 헌법 98조 2항에 의해 여성차별철폐조약에 국내법적 효력이 부여되어 국내법상의 의무로 전환하고 국회의원이 국민 개인에게 부담하는 법적 의무가 되었다고 해야 한다고 주장한다.

② 그러나 ㉮ 平成17年 판결의 취지에 비추어 보면 조약이 직접 당해 조약 체약국 국민에게 구체적인 권리로서 '성의 변경을 강제당하지 않을 권리'를 보장하는 경우에 그 권리 행사 기회를 확보하기 위해 필요한 입법 조치를 하는 것(이것을 본건 소송에 입각해서 구체적으로 말하면 민법 750조를 개정하여 선택적 부부별성제도를 도입하는 것)이 필요불가결하며, 그것이 명백한데도 불구하고 국회가 정당한 이유 없이 장기간에 걸쳐 이를 게을리 하는 때 등에는 예외적으로 국회의원의 입법 부작위가 국가배상법 1조 1항의 적용상 위법하다는 평가를 받는 것으로 해석할 여지가 있는 것 ㉯ 여성차별철폐조약이 일본 국민에게 구체적 권리로서 '성의 변경을 강제당하지 않을 권리'를 보장하고 있으며, 여성차별철폐조약의 내용이 국가와 국민 사이의 법률관계에 적용되는 규범으로서 재판소를 구속하기 위해서는 여성차별철폐조약에 직접 적용 가능성 내지 자동 집행력이 있을 것이 필요한 것 ㉰ 그런데 여성차별철폐조약은 일정한 권리를 확보하는 것으로 언급하고 있으나 무엇이든 체결국이 그 권리를 확보하도록 적당한 조치를 할 필요가 있고 체결국 국민에게 직접 권리를 부여하는 것과 같은 문구로 되어 있지 않으며 국내법의 정비를 통해서 권리를 확보하는 것이 예정되어 있으므로 직접 적용 가능성 내지 자동 집행력이 있다고는 인정할 수 없는 것 따라서 여성차별철폐조약의 규정이 일본의 국민

에게 직접 권리를 부여하는 것이라고는 할 수 없는 것 ㉣ 여성차별철폐조약 선택 의정서에 따른 이른바 개인통고제도의 도입 및 여성차별철폐위원회에 의한 민법 750조의 개폐 권고도 위 ㉢의 결론을 좌우하지 않는 것은 원판결이 설명하는(31쪽 8줄부터 35쪽 19줄까지) 대로이므로 이를 인용한다(단, 원판결의 32쪽 6줄부터 7줄, 같은 쪽 13줄 및 35쪽 12줄 및 16줄의 '혼인하는 때에 혼인 당사자 쌍방이 혼인 전의 성을 칭하는 권리'를 모두 '성의 변경을 강제당하지 않을 권리'로 고친다).

따라서 여성차별철폐조약에 의해 항소인들이 주장하는 권리가 일본 국민에게 보장되고 있다고는 할 수 없으며, 항소인들의 위 주장도 채용할 수 없다.

3 따라서 항소인들의 청구는 모두 이유가 없고 이와 결론에서 같은 취지인 원판결은 상당하며 본건 항소는 모두 이유가 없기 때문에 이들을 기각하는 것으로 하여 주문과 같이 판결한다.

◇ 재판장 재판관 荒井勉 재판관 森英明 재판관 本田能久

제3장

NHK 방송 수신 계약의 일상 가사 해당 여부

민법 제761조는 부부 중 한쪽이 일상 가사에 관해서 제3자와 법률행위를 한 경우 법률행위를 하지 않은 다른 한쪽도 (그 제3자에게 책임을 지지 않는다고 예고하지 않는 한) 이 법률행위로 인한 채무를 연대하여 책임을 진다고 규정하고 있다.

일본에서는 아래와 같이 NHK 방송 수신 계약이 일상 가사에 해당하는지가 문제되었다.

1. 사례 1

원고(일본방송협회, NHK)는 피고에게 연체 수신료를 지불하라는 소송을 제기했는데 피고는 원고와의 사이에 방송 수신 계약을 체결한 사실이 없고 피고의 처가 피고의 동의를 받지 않고 피고 명의로 방송 수신 계약서에 서명을 했을 뿐이라고 반박하였다. 그러자 원고는 처의 행위가 일상 가사 채무(민법 761조)에 포함되므로 남편인 피고는 연대책임을 부담하는 것, 피고는 처에게 대리권을 수여한 것, 표현대리(민법 110조)가 성립하는 것, 피고가 처의 행위를 추인한 것 등의 어느 하나에 의해 방송 수신 계약의 효력이 피고에게 미친다고 주장하였다.

1심(삿포로 지방재판소)은 민법 761조는 쌍무 계약의 일방 당사자가 부부의 일방과 계약한 경우에 적용되는데 계약 당사자 사이에 대가 관계가 없는 편무 계약인 방송 수신 계약에 민법 761조의 적용은 없다고 판단하였다. 그리고 피고가 피고의 처에게 대리권을 수여했다거나 표현대리가 성립한다거나 피고가 처의 행위를 추인했다는 원고의 주장을 모두 인정하지 않고 원고의 청구를 기각하는 판결을 하였다.

항소심(삿포로 고등재판소)은 방송 수신 계약을 항소인(원고, NHK)과 체결하는 것은 일반적 객관적으로 보아 부부 공동생활을 하는 데 통상 필요한 법률 행위였다고 해석하는 것이 상당하다고 하면서 B[피항소인(피고)의 처]에 의한 본건 계약의 체결은 민법 761조의 일상 가사 행위에 포함되어 B는 피항소인(피고)을 대리하는 법정 대리권을 가지고 있었다고 인정하여 1심 판결을 취소하고 항소인(원고, NHK)의 청구를 인용하는 판결을 하였다.

2. 사례 2

위 사례 1과 유사한 다른 사안에서 도쿄 고등재판소는 "방송 수신 계약의 체결은 민법 761조 본문의 일상 가사에 관한 법률 행위의 범위에 속한다고 할 수 있고 항소인 Y2의 처는 이 사건 방송 수신 계약 체결 당시, 이 계약의 체결에 관한 대리권을 가지고 있던 것으로 인정된다."고 하여 같은 취지로 판시한 1심 판결을 긍정하였다.

〈민법〉

(일상 가사에 관한 채무의 연대책임)

제761조 부부 중 한쪽이 일상 가사에 관해서 제3자와 법률행위를 한 때에는 다른 한쪽은 이에 따라 생긴 채무에 대해서 연대하여 그 책임을 진다. 단, 제3자에게 책임을 지지 않는다는 취지를 예고한 경우에는 그러하지 아니하다.

사례 1의 1심 판결

재판연월일 平成22年[30] 3月 19日	**재판소명** 삿포로(札幌) 지방재판소
사건번호 平20(ワ)1499号	**재판구분** 판결
사 건 명 방송 수신료 청구사건	**재판결과** 청구기각
상 소 등 항소(제1심 취소)	

주 문

1. 원고의 청구를 기각한다.
2. 소송비용은 원고가 부담한다.

사 실

제1 당사자가 요구한 재판

1. 청구취지

(1) 피고는 원고에게 12만 1,680엔 및 이에 대한 2008년 6월 1일부터 다 갚는 날이 홀수 달에 속하는 때에는 그 달의 전전월 말일까지, 다 갚는 날이 짝수 달에 속하는 때에는 그 달의 전월 말일까지 2개월당 2%의 비율에 의한 돈을 지불하라.

(2) 소송비용은 피고가 부담한다.

(3) 가집행 선언

30) 2010년

2. 청구취지에 대한 답변

주문과 같은 취지

제2 당사자의 주장

1. 사안의 개요

방송 수신 계약을 체결했는데 수신료를 연체하고 있다고 주장하는 원고가 피고에게 연체 수신료 12만 1,680엔 및 이에 대한 약정이율에 의한 지연손해금의 지불을 요구한 사안이다.

이에 대해서 피고는 원고와의 사이에 방송 수신 계약을 체결한 사실이 없고 처가 피고의 동의를 받지 않고 피고 명의로 방송 수신 계약서에 서명을 했을 뿐이라고 반박하고 있다. 그런데 원고는 처의 행위가 일상 가사 채무(민법 761조)에 포함되므로 남편인 피고는 연대책임을 부담하는 것, 피고는 처에게 대리권을 수여한 것, 표현대리(민법 110조)가 성립하는 것, 피고가 처의 행위를 추인한 것 등의 어느 하나에 의해 방송 수신 계약의 효력이 피고에게 미친다고 주장하고 있다.

2. 청구원인

(1) 법 및 규약

원고는 방송법에 근거하여 설치된 법인으로 방송법 32조 3항에 근거하여 총무대신의 인가를 받아 별지 '일본방송협회 방송수신 규약 개요'의 기재대로 방송 수신 계약의 내용을 정한 일본방송협회 방송수신 규약(이하 '규약'이라 한다)을 정하고 있다.

덧붙여 '기'란 규약 6조에서 정하는 2개월마다의 지불 기간을 말하고 4월과 5월을 제1기로 하고 이후 제6기까지 마찬가지이다.

(2) 계약 체결

① 일상 가사 채무의 연대 책임

원고는 2003년 2월 7일, 피고와의 사이에서 방송 수신 계약(이하 원고와 피고 사이에 체결된 방송 수신 계약을 '본건 계약'이라고 하여 일반적인 방송 수신 계약과는 구별한다)을 체결했다. 그 때 피고의 처인 B(이하 'B'라 한다)가 피고 이름으로 방송 수신 계약서에 서명 날인하고 피고 명의로 2003년 2월 및 3월의 수신료 4,680엔을 지불했다.

본건 계약 체결은 민법 761조(일상 가사에 관한 채무의 연대책임)의 일상 가사에 관한 법률행위에 포함되므로 그 법률 효과는 피고에게 귀속한다. 즉, 방송 수신 계약 체결은 현재의 일상생활에 불가결한 TV 방송에 관한 계약인 점, 원고의 방송을 수신할 수 있는 수신 설비를 설치한 사람은 방송법 32조 1항에 의해 방송 수신 계약을 체결해야 할 법적 의무를 지고 있는 점, 방송 수신 계약을 체결한 경우 1개월당 부담액도 2,400엔인 점 등에서 보면 '일상 가사'에 포함되는 것은 명백하다.

② 대리권

B는 본건 계약 당시 본건 계약 체결에 대해서 대리권이 있었다. 즉 피고는 B에게 부부에게 어떠한 방침 결정이 필요한 법률 행위를 제외한 일상생활에 따른 법률 행위 등에 대해서 그 필요 여부의 판단을 맡기고 대리권을 수여하고 있었던 것으로 본건 계약의 체결은 부부에게 어떠한 방침 결정이 필요한 법률 행위는 아니고 일상생활에 따른 법률 행위이므로 B가 피고로부터 부여 받은 대리권의 범위에 포함된다.

③ 표현 대리

만일 본건 계약의 체결이 B의 대리권의 범위에 속하지 않는다고 해도 표현 대리가 성립하여 본건 계약은 유효하게 피고에게 귀속된다. 즉 피고는 부부에게 어떠한 방침 결정이 필요한 법률 행위를 제외한 공공요금에 관한 것 등 피고의 가정에 있어 일상생활에 따른 법률 행위 등에 대해서 B에게 필요 여부의 판단을 맡기고 대리권을 수여하고 있었던 것이다(기본 대리권의 수여). 그리고 본건 계약의 체결이 B의 대리권에 속하지 않는 경우 본건 계약 체결은 기본 대리권을 초과하여 체결된 것이 된다. 그러나 B는 본건 계약 체결이 자신의 대리권 범위 내에 있다고 믿고 있으며 또한 B가 본건 계약을 체결할 때의 태도에 부자연스럽거나 신뢰할 수 없는 점은 없고, 'Y'라는 도장을 사용하여 날인하고 2개월분의 방송 수신료 4,680엔을 지불했다. 한편 원고의 계약 중개인은 매뉴얼에 따라 적절하게 본건 계약을 체결했다. 또한 원고의 계약 중개인은 B와 면담할 때 계약자 이름을 부부 중 어느 쪽으로 할지에 대해서는 누구 이름으로 계약해 달라고 부탁하지 않고 B의 판단을 존중하고 있었다. 따라서 본건 계약 체결 시 방송 수신 계약 체결이 B의 대리권의 범위에 속하지 않는다는 것에 대해서 원고의 선의 무과실은 분명하다.

④ 추인

만일 본건 계약 체결이 B의 대리권의 범위에 속하지 않는다고 해도 피고가 본건 계약을 추인하였다. 즉 피고는 원고와 방송 수신 계약을 체결하고 싶지 않다고 생각하고 있었지만, 그럼에도 불구하고 B는 방송 수신 계약 체결이 B의 대리권의 범위에 속한다고 믿고, 본건 계약 체결에 대해서 피고에게 보고할 필요는 없다고 생각했다. 이러한 사실을 감안하면 피고 부부 사이에는 방송 수신 계약 체결에 대해서 결정적인 어긋남이 발생하고 있었다는 것이다. 그런데 B는 약 10개월에 걸쳐 방송 수신료를 계속 지불하였고 이 정도로 긴 세월에 걸쳐 부부 사이의 어긋남이 표면화하지 않았다고 생각하기는 어렵다. 그렇다면 4회에 걸쳐 피고 명의로 방송 수신료를 지불하는 중에 어느 한 회부터는 본건 계약의 존재를 피고가 알게 되어 피고의 양해 하에 방송 수신료 지불이 이루어진 것으로 해석하는 것이 자연스럽다. 따라서 만일 본건 계약 체결이 B의 대리권의 범위에 속하지 않는다고 해도 본건 계약은 피고에 의해 추인된 것으로 생각된다.

⑶ 연체

피고는 2003년 12월 1일부터 2008년 3월 31일까지(2003년도 제5기부터 2007년도 제6기까지) 52개월분의 방송 수신료 합계 12만 1,680엔을 지불하지 않았다.

⑷ 따라서 원고는 피고에게 본건 계약에 따라 12만 1,680엔 및 이에 대한 청구의 변경 신청서 송달일이 속하는 기의 다음 기의 첫날인 2008년 6월 1일부터 다 갚는 날이 속하는 기의 전 기의 말일까지 약정 이율인 2개월당 2%의 비율에 의한 지연손해금 지불을 요구한다.

3 청구원인에 대한 인정 여부 및 주장

(1) 청구원인 (1)은 알지 못한다.

(2) 청구원인 (2) ① 중 B가 피고 이름으로 방송 수신 계약서에 서명 날인하고 피고 이름으로 수신료 4,680엔을 지불한 것은 인정하고 피고가 B에게 방송 수신 계약 체결의 대리권을 수여한 것은 부인하며 원고와 피고 사이에서 본건 계약이 체결됐다는 주장은 다툰다.

②의 주장은 다툰다.

③의 주장은 다툰다. 표현 대리는 성립하지 않는다.

④의 주장은 다툰다.

(3) 청구원인 (3)은 인정한다.

(4) 피고의 주장(일상 가사 채무에 대해서)

① 민법 761조는 실질적으로 부부는 서로 일상 가사에 관한 법률 행위에 대해서 다른 쪽을 대리하는 권한을 가진다고 규정하고 있다. 그리고 '일상 가사'란 부부 공동생활에 필요한 일체의 사무이고 그 구체적인 범위는 부부의 사회적 지위, 직업, 자산, 수입, 부부가 생활하는 지역 사회의 관습 등의 개별 사정 외에 당해 법률행위의 종류, 성질 등의 객관적 사정을 고려하여 정해야 할 것이다.

일상 가사란 의식주라는 부부 공동생활의 기본적 부분과 관련된 것을 말하고 이러한 부부의 기본적인 부분에 대해서 부부의 생활 상황에 비추어 필요하고 상당한 지출을 수반하는 계약의 체결이 일상 가사의 범위가 된다고 할 것이다.

이에 대해서 부부 공동생활의 기본적 부분과 관계없는 것이나 부부의 생활 상황에 비추어 불필요하거나 상당하지 않은 지출을 수반하는 계약의 체결은 일상 가사의 범위에서 제외되어야 한다. 그리고 계약 목적물의 필요성 판단과 지출의 상당성 판단에는 개별 부부의 의사나 사정도 고려되어야 한다.

② 피고들 부부는 또래의 일반 가정과 동등한 생활수준에 있다. 그리고 본건 계약에 따른 수신료는 월 2,340엔으로 월 단위로 보면 그 정도를 고액이라고 하기는 어렵지만 본건 계약은 계속적으로 지불 의무가 생기는 계약이며, 1년 동안에도 2만 8,080엔, 거주 연수에 따라서는 그것을 훌쩍 넘는 돈의 지불을 요구하는 계약이다. 원고는 (수신료를) 12개월 선불 방식으로도 받고 있고 이 경우 12개월의 수신료는 2만 6,100엔이다.

방송 수신 계약은 방송의 수신에 관한 계약인데 방송에 관해서는 그 정보가 시청자 개개인의 사상 신념의 형성에 큰 영향을 주며 그 정보의 입수원의 선택도 개개인의 판단에 맡겨야 할 필요성이 높다. 따라서 수신 계약 체결이 부부 공동생활에 필요하다고 하여 부부 사이에 대리권을 인정하거나 연대책임을 지우거나 하는 것은 수신하고 싶지 않은 방송을 수신하고 그 대가를 지불하여 수신하고 싶지 않은 방송의 제작에 조력하는 것을 강제하는 것이 될 수 있어 개인으로서의 사상 신념의 보호를 결여하게 된다. 즉 방송 수신 계약은 원래 그 성질상, 부부라고 해서 일방에게 대리권을 주어도 괜찮은 성질의 법률 행위는 아니다. 또한 피고는 최근 원고에게 거듭되는 불상사[31]가 생기고 있던 것도 있어 원고가 방송하는 프로그램을 시청하는 일은 없었고 방송 수신 계약을 체결하는 것에도 반대했다.

게다가 요즈음 인터넷의 보급이나 다른 TV 방송망의 확충으로 공영 방송에서 정보를 얻어야 할 필요성은 없게 되었다.

③ 이상과 같이 방송 수신 계약은 의식주에 관한 계약이 아닌 점, 피고 부부에게 장기간에 걸쳐 상당한 금전적 부담을 강제하는 것인 점, 개인의 사상 신념에 관계되는 부분이 큰 점의 사정을 고려하면 부부 사이에 대리권을 인정하기에 적합하지 않은 성질의 계약이라고 할 수 있다. 더구나 피고는 방송 수신 계약의 체결을 희망하지 않아 실제로 원고가 방송하는 프로그램을 시청하지 않고, 본건 계약을 체결하지 않아도 피고 부부의 생활에는 지장이 없어 방송 수신 계약을 체결할 필요성이 부족하고 방송 수신 계약 체결이 일상 가사의 범위에 포함된다고 할 수 없다.

원고의 계약 담당자는 본건 계약의 체결이 일상 가사의 범위 내에 속하는 것인지 여부 즉 피고의

---

31) 2004년 7월 NHK의 간판 예능 프로그램인 가요홍백전의 프로듀서가 제작비를 부정하게 지출한 것이 발각된 후 다섯 달 동안 아홉 건의 부정행위가 연이어 발각되었다. 특히 가요홍백전의 프로듀서는 유령작가 이름으로 외주회사에 제작비를 지불한 뒤 이를 다시 되돌려 받는 이른바 킥백이란 수법으로 제작비를 횡령한 것으로 드러나 충격을 주었다.

아내에게 대리권이 있는지에 대해서 의구심을 품을 여지가 있었다고 할 수 있음에도 불구하고 계약서에 피고의 아내가 피고의 이름을 서명 날인해도 이러한 의구심을 불식할 만한 조치를 아무것도 강구하지 않은 것이므로 본건 계약 체결이 일상 가사의 범위 안에 있다고 믿은 것에 정당한 이유가 있었다고 할 수 없다.

④ 원래 수신료 지불 채무는 법률에서 수신 장치를 설치한 사람에 대해서 필연적으로 계약을 시켜서 발생하는 채무이고 게다가 편무적으로 발생하는 것이다(수신 장치의 설치에 대해서 발생하고 대가로서 징수하는 것은 아니다). 민법 761조가 상정하는 것은 원칙적으로는 쌍무 계약의 상대방이어야 하고 판례, 재판례로 일상 가사 채무가 인정된 것도 그렇다.

⑤ 방송 수신 계약의 체결에 민법 761조는 적용되지 않기 때문에 본건 계약의 효력이 피고에게 귀속하는 것은 아니다.

4 피고의 주장에 대한 원고의 반론

(1) 민법 761조는 일상 가사의 범위 내에서 부부의 일방과 거래 관계에 선 제3자를 보호하는 것을 목적으로 하는 규정이라고 해석해야 하므로 문제가 되는 특정한 법률 행위가 당해 부부의 일상 가사에 관한 법률 행위에 속하는지 여부를 그 부부의 입장에만 서서 판정하는 것은 상당하지 않고 그 부부와 거래 관계에 있는 제3자의 입장에도 서서 이를 객관적으로 판정해야 한다. 따라서 사회 통념상 생활필수품이 되는 식량, 의류, 연료의 매입, 부부 공동생활에 불가결한 집세, 지대(地代), 전기 수도 요금의 지불 등 법률 행위와 상당한 범위 내에서의 가족의 보건, 오락, 의료, 미성숙한 자녀의 양육, 교육 등에 관한 법률행위는 그 행위를 하는 부부의 주관적 의사에 관계없이 민법 761조 소정의 일상 가사에 관한 법률행위라고 해석해야 한다. 한편, 일상의 생활비로서는 객관적으로 타당한 범위를 넘는 돈을 빌린다거나 부부의 특유재산인 부동산을 담보로 제공하거나 이를 매각하는 것과 같은 행위는 일상 가사에 관한 법률행위에 속하지 않는 것으로 해석해야 한다.

TV 방송이나 원고와의 사이의 본건 계약의 체결은 상당한 범위 내에서의 가족의 오락에 관한 법률행위라고 할 수 있고 또한 TV 뉴스 등에 의해 일상생활과 관련된 정보나 주권 행사에 관한 정보를 신속하고 간단하게 취득하는 것은 일상생활에 불가결하다고 해야 하므로 방송 수신 계약을 체결하는 행위는 민법 761조의 일상 가사의 범위 내의 법률행위라고 할 수 있다.

(2) 예를 들면 식량, 의류, 연료에 대해서는 이를 지속적으로 구입하도록 계약을 체결하는 경우, 개개의 구입이 사회 통념상 상당하다고 할 수 있는 것이면 일상 가사의 범위 내라고 할 수 있으므로 계약의 지속성을 가지고 일상 가사에 해당하지 않는다고 할 것은 아니다.

피고는 수신료에 대해서 1년 동안에는 2만 8,080엔이라고 지적하지만 이러한 사정은 식량, 의류, 연료를 지속적으로 구입하는 경우에도 마찬가지이며 장기간의 수신료 금액을 통산하는 것에는 아무런 의미가 없다.

(3) 방송 수신 계약은 수신 설비를 폐기(폐지)하면 즉시 해약이 인정되고 가령 방송 수신 계약이 체결되어 있어도 시청 자체를 강제하는 것은 아닌 이상 여하한 개인의 사상 신념의 보호를 박탈하는 것은 아니다. 오히려 수신기를 설치한 경우에 원고와의 사이에서 방송 수신 계약을 체결하여야 하는 것은 법률로 정해져 있는 것이고(방송법 32조 1항), 일반 가정에서 일상적으로 이루어지는 것이다. 남편 대신 그 배우자가 계약하는 것도 드물지 않다. 이를 인정하지 않으면 남편이 부재가 잦은 가정에서는 방송 수신 계약 체결이라는 법률상의 의무를 다할 기회가 제한되게 된다.

(4) 피고는 본건 계약의 체결을 원하지 않고 또한 본건 계약을 체결하지 않아도 부부 생활에 지장은 없으며 본건 계약을 체결하고자 하는 마음으로부터의 필요성이 없었다고 주장한다.

그러나 민법 761조는 위와 같이 부부의 일방과 거래 관계에 있는 제3자를 보호하는 것을 목적으로 하는 규정이라고 해석해야 하므로 일상 가사의 범위에 대해서는 그 부부의 입장에만 서서 판정하는 것은 상당하지 않고 그 부부와 거래 관계에 있는 제3자의 입장에도 서서 이를 객관적으로 판정해야 한다. 피고의 주장은 민법 761조의 취지를 몰각하는 것으로 타당하지 않다.

또한 피고가 방송을 시청하고 있는지 여부는 수신료 지불 의무가 성립하는지 여부와는 직접 관계가 없다. 즉, 방송법 32조 1항을 받은 규약 제5조는 수신료 지불 의무의 발생 요건에 대해서 수신기 설치를 요건으로 하는 것이지 방송 프로그램의 유무를 요건으로 하지는 않는다.

(5) 방송 수신 계약은 공법상의 계약이 아니라 사법상의 계약이며 방송법에 특별한 규정이 없는 때에는 민법이 적용된다. 또한 방송 수신 계약은 쌍무 계약이 아니라 편무 계약이다. 게다가 방송 수신 계약의 성립일은 규약에서는 수신기 설치일로 되어 있으나 운용상 방송 수신 계약 체결 시로 하고 있다.

제3 증거

증거 관계는 본안 소송 기록 중의 서면 증거 목록 및 증인 등 목록 기재와 같으므로 이를 인용한다.

이 유

1 인정 사실

청구원인 (2) ① 중 B가 피고 이름으로 방송 수신 계약서에 서명 날인하고 피고 이름으로 수신료 4,680엔을 지급한 것, 청구원인 (3)의 사실은 당사자 사이에 다툼이 없어 다툼이 없는 사실에 추가하고 ≪증거 생략≫에 따르면 다음의 사실이 인정되고 이 인정 사실에 반하는 증거는 채용하지 않는다. 사실 인정에 제공한 주요 증거는 다시 기재한다.

또한 원고는 방송 수신 계약서(갑 1)를 제출하여 작성자로서 피고, 입증 취지로서 방송 수신 계약의 성립을 주장하고 있다. 그런데 피고가 피고 작성 부분의 성립을 다투며 피고의 서명은 B가 한 것이고 인장도 B의 것이라고 주장한 것을 받아 원고는 원고와 피고가 직접 본건 계약을 체결했다는 주장을 철회하고 B에 의한 대리행위 등에 의해 원고와 피고 사이에 본건 계약이 체결되었다는 주장에 한정하므로 방송 수신 계약서(갑 1)의 피고 작성 부분은 B가 피고 명의로 서명 날인한 것으로 취급한다.

(1) 중개자

C는 2000년 12월부터 2006년 11월까지 원고(삿포로 방송국)의 계약 중개 업무에 종사했다. 이 기간 중 2000년 12월부터 2002년 3월까지는 주식회사 하이 스태프(Highstaff)에, 2002년 4월부터 2003년 3월까지는 주식회사 액티스(Actis)에 파견 사원으로 소속되어 있었으나 이 두 회사는 모두 원고로부터 계약 중개 업무를 법인 수탁 받아 5명 안팎의 직원이 일하고 있었다.

C는 2003년 2월 7일 당시 원고로부터 업무 위탁을 받은 주식회사 액티스에 소속되어 2개월 동안 약 800건의 미계약자 집을 배정 받은 뒤 하루에 100채에서 200채의 집을 방문하여 약 20명의 주택 사람들과 면담하였다. C는 이처럼 다수의 취급 건수를 맡고 있으며 개개 구체적인 사례에 대한 기억은 없지만 피고가 거주하는 지역을 담당한 것이 2003년 2월, 3월인 데다 피고가 거주하는 아파트가 고급 아파트여서 피고 측을 방문한 것만은 기억하고 있다.

C는 원고의 매뉴얼에 따라 세대주의 아내라도 방송 수신 계약을 체결할 수 있다고 생각했다.

원고와 방송 수신 계약을 체결하고 있는 세대는 전국적으로는 70% 정도이지만 도호쿠(東北)지방[32]에서는 90%를 넘어선 곳이 있는 한편 삿포로 시내에서는 세대의 교체가 많아서 전국 평균보다 낮다.

---

32) 일본 혼슈 동북부에 있는 아오모리(青森), 이와테(岩手), 미야기(宮城), 아키타(秋田), 야마가타(山形), 후쿠시마(福島)의 여섯 개 현을 말한다.

(2) 방문

C는 2003년 2월 7일 피고 측을 방문하여 B와 면담했다. C는 B에게 방송 수신 계약서『수신 계약자』란의 '후리가나[33]', '이름', '주소', '전화', '계좌 통장 명의', '지정 계좌' 란에 스스로 분홍색의 마커(marker)로 착색한 방송 수신 계약서를 제시하고 기입을 요구했다.

C는 방송 수신 계약서의 오른쪽 절반에 있는 '가옥 코드'란에 '○○', '성명' 란에 'Y', '수납 금액' 란에 '4680', '기간' 란에 '2003년 2월~2003년 3월', '계약 · 전입 · 변경 연월' 란에 '1502'라고 기재했다.

B는 C로부터 설명을 듣고 방송 수신 계약서『수신 계약자』란의 '후리가나' 란에 'ワイ', '이름' 란에 'Y', '주소' 란에 '≪생략≫', '전화' 란에 '≪생략≫',『지불은 편리하고 저렴한 계좌 이체로 하세요』의 란의 '후리가나' 란에 'ワイ', '계좌 통장 명의' 란에 'Y' , '지정 계좌'의 '은행 등' 란에 '홋카이도'라고 기재하고, '이름' 란의 'Y' 옆에 있는 <인> 란에 'Y' 도장을 날인했다. B가 피고의 이름을 기재한 것은 피고가 세대주이기 때문이다.

덧붙여 B는 방송 수신 계약서의 모두(冒頭)의 날짜란에 '平成14년[34] 2월 7일'이라고 기재했지만 이는 오기이다.

(3) 지불

B는 2003년 2월 7일 C에게 같은 해 2~3월분 수신료로 4,680엔을 지불했다(다툼이 없다).

B는 2003년 4~5월분, 6~7월분, 8~9월분, 10~11월분으로 각 4,680엔씩 지불했다. 그 뒤 B는 주위 사람들과 친구 등 적어도 10명 이상에게 수신료를 내고 있는지에 대해서 질문하였는데 대부분이 수신료를 내지 않았다. 그래서 B는 원고에게 전화로 수신료 징수가 불공평하지 않느냐고 문의했다. 원고의 담당자는 수신료를 지불하고 있는 쪽이 많다고 답했지만 B는 지불하고 있지 않은 사람도 있다는 사실을 확인하여 불공평하다고 생각해 이후 원고에 대한 수신료 지불을 그만두었다.

B는 원고로부터 수신료의 청구서가 우송되어 와도 피고에게 보여주지 않고 버리고 있었다.

피고는 2003년 12월 1일부터 2008년 3월 31일까지 52개월분의 방송 수신료 12만 1,680엔을 지불하지 않았다(다툼이 없다).

(4) 방침

피고는 1995년경 주소지의 아파트로 이사했다. 피고는 1999년경 원고의 중개자가 방문하여 방송

---

33) 요미가나(読み仮名)라고도 하며 일본어 표기에 있어서 어떤 단어나 글자(보통 한자)의 읽는 법을 주위에 작게 써 놓은 것을 뜻한다.

34) 2002년

수신 계약을 체결한 후 수신료를 지불하도록 요청 받았지만 이를 거절했다.

피고는 1999년 12월 B와 혼인했다. 피고 부부는 둘 다 직장에 다니고 있다. B는 혼인하기 조금 전부터 주소지의 아파트에서 피고와 살고 있다. 전기, 가스, 수도 등은 B가 동거하기 이전부터 피고 명의였다.

B는 헤이세이(平成) ○년 ○월 ○일 출산하여 3개월 전부터 출산 휴가를 얻었고 2004년 1월경까지 육아 휴직을 얻었으며 같은 해 2월부터 직장에 복귀했다.

피고는 주소지의 아파트로 이사하기 이전부터 TV를 구입하여 B와 혼인하기 전부터 주로 영화를 보기 위해 제이콤(J:COM)에 가입하여 월 5,880엔의 시청료를 지불함과 동시에 제이콤을 통해 방송을 시청하고 있다. 현재의 TV는 1~2년 전에 구입한 것이다. 피고 부부는 모두 그다지 TV를 시청하지 않고 원고의 프로그램도 구태여 시청하려고 하지 않았다.

피고 부부는 삿포로 간이재판소에서 피고에게 지불 독촉 신청서가 송달될 때까지 원고와의 계약, 원고로부터의 수신료 청구에 대해서 화제로 삼은 적이 없었다.

⑸ 제소

원고는 2008년 3월 7일, 삿포로 간이재판소에 지불 독촉 신청서를 제출했다(현저한 사실).

피고는 같은 달 25일, 삿포로 간이재판소에 지불 독촉 이의 신청서를 제출했다. 피고는 이 신청서에 이의 사항으로서 과거 수차례에 걸쳐 NHK로부터 지불 독촉 전화 및 방문을 받았지만 그때마다 다음 내용을 전했다. ① 원래 NHK는 보지 않은 것, ② 일반 기업의 가입 안내 등과 비교하여 NHK에서 소비자의 의사를 무시한 무리하게 과도한 영업을 받았으며 정신적으로 고통을 입고 있는 것, ③ 수신 계약의 기억이 없는데 계약서의 제시를 요구한 것, ④ BS의 수신 설비도 없고 제이콤과의 계약이 있어 NHK와 직접 계약을 할 이유가 없는 것, ⑤ NHK의 거듭되는 불상사를 이해하지 못 하여 NHK의 수신 의사가 없는 것

삿포로 간이재판소는 같은 해 5월 16일 제1회 구두 변론 기일에서 사건을 민사소송법 18조에 따라 삿포로 지방재판소로 이송했다(현저한 사실).

삿포로 지방재판소는 같은 해 7월 18일 제2회 구두 변론 기일에서 피고에게 변호사에게 위임하는 것을 검토하도록 지시하였고 피고는 같은 달 23일, 나카무라 세이야(中村誠也) 변호사 및 아사마쓰 지히로(浅松千寿) 변호사를 소송대리인으로 하는 위임장을 제출했다(현저한 사실).

삿포로 지방재판소는 2008년 10월 22일 양측 대리인을 통해 원고 및 피고에게 피고가 원고와의 사이에서 새롭게 방송 수신(위성) 계약을 체결하여 본안 소송을 종국적으로 해결할 것을 권고하였는데 피고는 재판소의 화해 권고를 받아들였지만 원고는 같은 해 11월 13일자 상신서에 의하여 재판소의

화해 권고에 응하지 않았다.

삿포로 지방재판소는 2009년 7월 13일의 제4회 구두 변론 기일에서 변론을 종결하고 같은 해 9월 18일을 판결 선고 기일로 지정했지만 원고는 그 해 8월 21일 변론 재개 신청을 했다. 원고의 이 날 '변론 재개 상신서'에는 재개의 이유로 같은 해 7월 28일에 선고된 도쿄 지방재판소의 판결서 및 방송 수신 계약 체결은 일상 가사 채무에 관한 것이라는 법률학자의 의견서의 조사 외에 피고에 대한 청구와는 별도로 B에 대한 청구를 추가로 하고 있다(현저한 사실).

⑹ 방송법

① 당시의 전파감리장관인 아미시마 쓰요시(網島毅) 정부위원은 중의원 전기통신위원회에서 방송법의 특색 및 수신료에 대해서 다음과 같이 답변하고 있다.

첫째로 일본의 방송 사업의 사업 형태를 전국 방방곡곡에 이르기까지 두루 방송을 청취할 수 있도록 방송 설비를 시설하여 전 국민의 요망을 만족시키는 방송 프로그램을 방송하는 임무를 가집니다. 국민적이고 공공적인 방송 기업체와 개인의 창의와 연구에 의해 자유롭고 활달하게 방송 문화를 건설하며 고양하는 자유로운 사업으로서의 문화 방송 기업체, 이른바 일반 방송국 또는 민간 방송국이라는 것인데 그들 두 개 기둥이 각각 그 장점을 발휘함과 동시에 서로 다른 것을 계몽하고 각자 그 결점을 보완하여 방송을 통해 국민들이 충분히 복지를 누리도록 도모하고 있습니다(1950년 1월 24일 개최한 제7회 국회 중의원 전기통신위원 회의록 제1호 20쪽).

앞으로 일본에 있는 일반 방송을 수신할 수 있는 수신기를 설치한 국민은 몇 명이든 관계없이 모두 이 방송협회와 계약을 맺고 청취료를 방송협회에 내지 않으면 안 되게 되어 있습니다. 이것은 향후 민간 방송이 나오는 때에 방송협회의 사업을 계속합니다. 더구나 방송협회가 돈을 벌든 벌지 않든 관계없이 전국적으로 전파를 내보내야 한다는 사명을 부담하였던 방송협회로서도 청취료를 징수하지 못할 경우에는 협회 사업이 불가능한 것은 분명하여 따라서 반드시 이러한 청취료를 강제적으로 징수할 필요가 있게 되고 있습니다. 그런데 이를 입장을 바꾸어 국민의 측에서 보는 때에는 만일 일본방송협회의 방송을 듣지 않고 오로지 민간 방송만을 듣고 있는 경우에도 청취료를 내지 않으면 안 되는 것으로서 이른바 이것은 방송 수신기를 갖고 있다는 것으로 인한 일종의 세금 같은 것이 아니냐는 의견도 나오고 있습니다(1950년 2월 2일 개최한 제7회 국회 중의원 전기통신위원 회의록 제4호 3쪽).

② 방송법 축조 해설[가나자와 가오루(金沢薫) 지음 · 재단법인 전기통신진흥회 2006년 4월 1일 발행]은 수신료에 대해서 다음과 같이 설명하고 있다.

수신료의 법적 성격은 임시 방송 관계 법제 조사회의 보고에서 분명하게 되어 있는 생각이 일반적으로 받아들여지고 있다. 그 보고에서는 "수신료는 협회의 업무를 하기 위한 일종의 국민적인 부담으로 법률에 의해 국가가 협회에 징수권을 인정한 것이다. 국가가 일반적인 지출에 충당하기 위해 징수하는 조세는 아니고 국가가 징수하는 이른바 목적세도 아니다. 국가 기관이 아닌 독특한 법인으로 인정된 협회에 징수권이 인정된, 유지 운영을 위한 수신료라는 이름의 특수한 부담금으로 해석해야 한다."고 하고 있다. 이 때문에 협회의 방송을 수신할 수 있는 수신 설비를 설치한 사람은 실제로 방송을 수신하고 시청하고 있는지 여부에 관계없이 협회와 계약하고 수신료를 지불해야 한다. 이러한 의미에서 수신료는 방송의 시청에 대한 대가가 아니다. 협회의 재정적 기초를 수신료에 지게 한 것은 협회가 널리 전국에 풍부하고 좋은 방송 프로그램을 제공하기 위해 설립된 공공기관이고 언론 보도 기관이므로 그 재원은 널리 전국에 방송하는 것을 가능하게 하는 것임과 동시에 국가, 광고주 등의 영향을 가급적 피하고 자율적으로 프로그램 편집을 할 수 있도록 할 필요가 있고 이를 실현하기 위해 세금이나 광고 수입이 아니라 특수한 부담금인 수신료 제도에 의하는 것이 바람직하다고 판단한 것이다(149쪽).

수신 계약은 공법상의 계약이 아니라 사법상의 계약이다. 수신료의 지불을 지체하는 등의 사태가 생긴 경우에는 민사소송법이 정하는 절차를 따르게 된다(153쪽).

덧붙여 저자인 가나자와 가오루는 2002년부터 총무성 사무차관에 취임하여 2006년 현재 일본 전신 전화 주식회사 고문이다(저자 소개).

2 방송 수신 계약에 대해서 검토한다.

(1) 방송법은 다음과 같이 규정한다. 덧붙여 방송법에서 말하는 협회는 일본방송협회(본건의 원고)를 가리킨다(2조2의2의2, 제2장).

① 협회의 방송을 수신할 수 있는 수신 설비를 설치한 사람은 협회와 그 방송의 수신에 대한 계약을 해야 한다(32조 1항 본문).

② 협회는 미리 총무대신의 인가를 받은 기준에 의하지 않으면 전항의 규정에 의해 계약을 체결한 사람으로부터 징수하는 수신료를 면제해서는 안 된다(32조 2항).

③ 협회는 제1항의 계약 조항에 대해서는 사전에 총무대신의 인가를 받아야 한다. 이를 변경사용으로 하는 때에도 마찬가지로 한다(32조 3항).

(2) 방송법 시행규칙 6조는 방송법 32조 3항의 계약 조항에는 적어도 다음에 제시하는 사항을 정하는 것으로 한다고 규정한다.

① 수신 계약의 체결 방법

② 수신 계약의 단위

③ 수신료의 징수 방법

④ 수신 계약자의 표시에 관한 것

⑤ 수신 계약의 해약 및 수신 계약자 명의 혹은 주소 변경 절차

⑥ 수신료 면제에 관한 것

⑦ 수신 계약 체결을 게을리 한 경우 및 수신료 지불을 연체한 경우의 수신료의 추징방법

⑧ 협회의 면책 사항 및 책임 사항

⑨ 계약 조항의 주지 방법

(3) 규약(1968년 4월 1일 전부 개정판)은 다음과 같이 규정한다.

① 방송 수신 계약은 세대마다 한다. 단, 동일한 세대에 속하는 2 이상의 주거에 설치하는 수신기에 대해서는 그 수신기를 설치하는 주거별로 한다(2조 1항).

② 수신기를 설치한 사람은 지체 없이 다음 사항을 기재한 방송 수신 계약서를 방송국에 제출해야 한다. 단, 신규로 계약할 필요가 없는 경우를 제외한다(3조 1항).

㉮ 수신기 설치자의 성명과 주소

㉯ 수신기 설치일

㉰ 방송 수신 계약의 종별

㉱ 수신할 수 있는 방송의 종류 및 수신기의 수

㉲ 수신기를 주소 이외의 장소에 설치한 경우에는 그 장소

③ 방송 수신 계약은 수신기 설치일에 성립한다(4조 1항).

(4) 방송법의 규정, 방송법 시행규칙의 규정, 규약의 규정에서 보면 방송 수신 계약은 다음의 특징을 가진 공법적 색채가 강한 단체주의가 가미된 특수한 계약이라고 할 수 있다.

① 원고의 방송을 수신할 수 있는 수신 설비를 설치한 국민은 원고와 방송 수신 계약을 체결해야 한다.

② 방송 수신 계약은 수신 설비를 설치한 날에 성립한다.

③ 수신 설비(수신기)를 설치한 국민은 수신 계약서를 방송국에 제출해야 한다.

④ 방송 수신 계약은 세대마다 한다.

⑤ 수신료 면제는 미리 총무대신의 허가를 얻은 기준에 의한다.

(5) 방송법의 입법 담당자의 설명, 방송법 축조 해설(방송법의 유권 해석을 할 수 있는 사람에 의한 해설로 풀이된다)에 의한 설명 및 원고의 본안 소송의 주장에 따르면 방송 수신 계약은 다음과 같이 해석, 운용되고 있는 개인주의를 기조로 하는 사법상의 계약이라고 할 수 있다.

① 수신료는 국민의 특수한 부담금이지 청취에 대한 대가가 아니다. 원고는 방송법에 따라 특수한 부담금을 국민[35]으로부터 징수할 권능을 부여 받고 있다.

② 방송 수신 계약은 계약 당사자 사이에 대가 관계가 없는 편무 계약이다.

③ 방송 수신 계약의 성립은 수신 설비를 설치한 날이 아니라 방송 수신 계약을 체결한 날부터이다.

④ 방송 수신 계약에는 해제라는 개념이 없어 수신료 지불 의무를 소멸시키려면 설치된 수신 장치를 철거하거나 수신료를 원고로부터 면제받아야 한다.

⑤ 원고는 특수한 부담금의 징수 수단으로 특별한 징수 방법이 인정되지 않고 민사소송법에 의해야 하는 것으로 되어 있다.

3 1에서 인정한 사실에 따라 2에서 검토한 방송 수신 계약을 전제로 하여 본건에 대해서 판단한다.

(1) 원고는 방송 수신 계약 체결이 민법 761조(일상 가사 채무의 연대 책임)의 일상 가사에 관한 법률 행위에 포함되므로 그 법률 효과는 피고에게 귀속한다고 주장한다.

그런데 민법 761조는 쌍무 계약의 일방 당사자가 부부의 일방과 계약한 경우 그 행위가 일상 가사에 관한 법률행위에 포함되는 경우에는 부부 각자에게 연대 책임을 지우고, 부부와 거래를 한 제3자를 보호하고자 하는 규정이다. 그렇다면 계약 당사자 사이에 대가 관계가 없는 편무 계약인 방송 수신 계약에 민법 761조의 적용이 없다고 해석하는 것이 상당하다. 따라서 민법 761조의 적용이 있음을 전제로 하는 원고의 주장은 채용할 수 없다.

(2) 원고는 그 동안의 재판례나 법률학자의 감정서 또는 의견서에서 방송 수신 계약에는 민법 761조가 적용되는 것으로 인정되고 있다고 주장하므로 만약을 위해 검토한다.

확실히 재판례(갑 7의1, 7의2, 8, 13, 15) 중에는 원고의 주장을 인정한 것이 있다. 하지만 이들 재판례에서는 방송 수신 계약의 성질에 대해서 당사자 양측의 주장이 없고 수소(受訴) 재판소도 방송 수신 계약의 성질에 대해서 검토한 흔적이 인정되지 않는다. 특히 원고가 변론 재개의 이유로서 제출하겠다고 예정한 도쿄 지방재판소의 사안은 방송법 32조 및 규약이 헌법 19조에 위배되는지, 헌법 21조 1항 및 시민적 및 정치적 권리에 관한 국제규약 19조 1항에 위배되는지, 헌법 13조에 위배되는지 하는 헌법상의 문제점이 주된 쟁점인 사안이다. 본건처럼 방송 수신 계약의 성질이 주된 쟁점인

35) 원문은 '国民'으로 되어 있으나 '국민'의 오기가 분명하다.

사안은 아니므로 선례로서는 적절하지 못하다고 해야 한다.

또한 법률학자의 감정서(갑 21), 의견서(갑 22, 23)에 의하면 방송 수신 계약에 민법 761조의 적용이 있다고 되어 있다. 확실히 이들 감정서 및 의견서에는 경청할 만한 의견이 기재되어 있지만 방송 수신 계약의 성질, 특히 수신료가 특수한 부담금인 것, 방송 수신 계약이 편무 계약인 것에 대해서 언급되어 있지 않으므로 본 재판소는 어느 견해도 채용하지 않는다.

(3) 원고는 B가 본건 계약 당시 방송 수신 계약 체결에 대해서 대리권을 부여 받고 있었다고 주장한다.

하지만 피고가 B에게 대리권을 수여했다는 사실은 인정되지 않는데다 피고는 앞에서 인정한 것처럼 B와 혼인하기 전부터 TV를 설치하면서 수차례에 걸친 원고로부터의 방송 수신 계약 체결 요청을 거절하고 있던 사람이며 피고, B 모두 NHK를 거의 시청하지 않았던 것이므로 피고가 B에게 부부에게 있어서 어떠한 방침 결정이 필요한 법률행위를 제외한 일상생활에 따른 법률행위 등에 대해서 그 필요 여부의 판단을 위임했다고 하여 방송 수신 계약 체결의 대리권이 포함되어 있었다고 해석하는 것은 상당하지 않다. B에게는 방송 수신 계약 체결의 대리권이 수여되어 있었다고 하는 원고의 주장은 채용할 수 없다.

(4) 원고는 만일 방송 수신 계약의 체결이 B의 대리권의 범위에 속하지 않는다고 해도 표현 대리가 성립하여 본건 계약은 유효하게 피고에게 귀속한다고 주장한다.

그러나 방송 수신 계약은 계약 당사자 사이에 대가 관계가 없는 편무 계약이므로 거래의 제3자를 보호하기 위한 표현 대리 규정의 적용은 없다고 해석하는 것이 상당하다. 따라서 표현 대리 규정의 적용이 있는 것을 전제로 하는 원고의 주장은 채용할 수 없다.

(5) 원고는 만일 방송 수신 계약의 체결이 B의 대리권의 범위에 속하지 않는다고 해도 본건 계약은 피고에 의해 추인되었다고 주장한다.

원고 주장의 세부 사항은 다음과 같다. 피고는 원고와 방송 수신 계약을 체결하고 싶지 않다고 생각하고 있었지만 그럼에도 불구하고 B는 방송 수신 계약의 체결이 B의 대리권의 범위에 속한다고 믿고, 본건 계약의 체결에 대해서 피고에게 보고할 필요는 없다고 생각했다. 이들 사실을 감안하면 피고 부부 사이에는 방송 수신 계약 체결에 대해서 결정적인 엇갈림이 발생하고 있었다는 것이다. 그런데 B는 약 10개월에 걸쳐 방송 수신료를 계속 지불한 것이고 이렇게 긴 세월에 걸쳐 부부 사이의 엇갈림이 표면화하지 않았다고 생각하기는 어렵다. 그렇다면 네 번의 피고 명의로의 방송 수신료 지불 중 한 번에서는 본건 계약의 존재를 피고가 알게 되면서 피고의 양해 하에 방송 수신료를 지불한 것으로 해석하는 것이 자연스럽다.

그러나 원고의 주장은 추측에 불과하여 본 재판소는 채용하지 않는다.

4 방송 수신 계약의 성질 및 본건 소송 경과에 비추어 부언한다.

(1) 방송 수신 계약은 2에서 검토한 대로 방송법의 규정, 방송법 시행규칙의 규정, 규약의 규정에서 보면 수신 설비(TV)를 설치한 날에 성립함과 동시에 세대마다 하는 것이다. 그리고 원고도 계약 중개자에 대한 매뉴얼에도 세대주이든 배우자이든 서명 날인을 받으면 충분하다고 되어 있고, 본건에서도 원고의 계약 중개자인 C가 매뉴얼에 따라 세대주이든 배우자이든 상관없으니 서명 날인하게 하였다고 증언한 대로이다. 따라서 피고의 아내가 자신의 이름으로 서명 날인하면 피고의 세대가 방송 수신 계약을 체결한 것으로 해석된다. 또한 피고의 아내가 피고의 이름으로 서명 날인하여도 방송 수신 계약의 주체가 개인이 아닌 세대라는 단체로 되어 있는 이상 방송 수신 계약을 체결한 것이라고 해석된다. 원고도 앞에서 인정한 것과 같이 변론 재개 신청서에는 재개 이유로서 피고에 대한 본건 청구 외 피고의 아내에 대한 청구를 추가하고 있는 것은 이러한 취지에 따른 것이라고 할 수 있다.

(2) 그러나 방송법은 2에서 검토한 대로 원고에게 수신료라는 특수한 부담금의 징수 수단으로 조세와 같은 취급을 한다거나 전기 요금에 추가한다거나 하는 특별한 징수 방법을 인정하지 않고 일반 채권과 같이 민사소송법에 따라야 하는 것으로 했다. 그 결과, 원고가 본건 소송에서 주장하는 방송 수신 계약은 개인주의를 기조로 하는 민법 기타의 사법에 따라 수정되면서 방송 수신 계약의 성립은 수신 설비(TV)를 설치한 날이 아니라 방송 수신 계약을 체결한 날로부터 인 것, 계약 주체도 세대가 아니라 수신 설비(TV) 설치자로 한정되게 된 것으로 생각된다. 그리고 수신료라는 특수한 부담금을 국민으로부터 징수한다는 방송 수신 계약은 국민의 측에서 보면 수신 설비(TV)를 설치한 경우에 수신료라는 특수한 부담금을 원고에게 납부하겠다는 민법상의 증여 계약에 준하는 계약으로 해석할 수 있다.

그래서 원고와 피고 사이에 본건 계약이 성립되었다고 하기 위해서는 피고가 아내에게 대리권을 수여하고 있거나 아내의 행위를 추인하거나 거래의 제3자를 보호하는 민법상의 규정(민법 761조의 일상 가사 채무의 연대 책임, 민법 110조의 표현대리)이 없으면 안 된다. 본건에 제출된 증거에 따르면 이들을 인정할 만한 사실은 인정할 수 없다.

(3) 그런데 본 재판소는 원고가 '널리 전국에 풍부하고 좋은 방송 프로그램을 제공하기 위해 설립된 공공기관'이고 '언론 보도 기관'인데도 전국적으로는 70%의 세대밖에 원고와 방송 수신 계약을 체

결하지 않은 사정에 비추어, 최대한 많은 국민이 원고와 방송 수신 계약을 체결하는 것이 바람직하다는 점에서 원고와 피고 양측에 대해 피고가 원고와의 사이에서 새롭게 방송 수신(위성) 계약을 체결한다는 화해 권고를 했다. 그러나 합의에는 이르지 못 했다.

원고의 설립 목적에 비추어 TV를 구입한 국민 대다수가 원고와의 사이에서 방송 수신 계약을 체결하는 것이 바람직하다.

5 따라서 본건 청구는 이유가 없으므로 이를 기각하기로 하고 소송비용의 부담에 대해서 민사소송법 61조를 적용하여 주문과 같이 판결한다.

◇ 재판관 杉浦徳宏

별지 일본방송협회 방송수신규약 개요 ≪생략≫

사례 1의 항소심 판결

재판연월일 平成22年36) 11月 5日	**재판소명** 삿포로(札幌) 고등재판소
사건번호 平22(ネ)188号	**재판구분** 판결
사 건 명 방송 수신료 청구 항소 사건	**재판결과** 원판결 취소, 자판
상 소 등 상고 · 상고 수리 신청	

주 문

1 본건 항소에 따라 원판결을 취소한다.

2 본건 항소 및 본 심에서의 항소인에 의한 청구의 확장에 따라 피항소인은 항소인에게 17만 6,940엔 및 이 중 12만 1,680엔에 대한 2008년 6월 1일부터, 이 중 5만 5,260엔에 대한 2010년 6월 1일부터, 각각 다 갚는 날이 홀수 달에 속하는 때에는 그 달의 전전월 말일까지, 다 갚는 날이 짝수 달에 속하는 때에는 그 달의 전월 말일까지 2개월당 2%의 비율에 의한 돈을 지불하라.

3 소송비용은 1, 2심 모두 피항소인이 부담한다.

4 이 판결은 제2항에 한하여 가집행할 수 있다.

사실과 이유

제1 항소 취지(본 심에서의 청구 확장 후)

주문과 같은 취지

---

36) 2010년

제2 사안의 개요

1. 소송의 경위[37)]

본건은 방송 수신 계약을 체결했는데 수신료의 연체가 있다고 주장하는 항소인이 피항소인에게 원심에서는 2003년 12월 1일부터 2008년 3월 31일까지의 미지불 수신료 12만 1,680엔 및 이에 대한 약정 이율에 의한 지연손해금의 지불을 요구한 사안이다.

원심은 항소인의 청구를 기각했기 때문에 항소인이 항소했다.

덧붙여 항소인은 본 심에서 청구를 확장하였으며 2008년 4월 1일부터 2010년 3월 31일까지의 미지불 수신료 5만 5,260엔 및 이에 대한 약정 이율에 의한 지연손해금의 지불을 요구했다.

2 청구원인

(1) 법 및 규약

항소인은 방송법에 따라 설립된 법인이고 같은 법 32조 3항에 근거하여 총무대신의 인가를 받아 별지 'X협회 방송 수신 규약 개요'의 기재대로 방송 수신 계약의 내용을 정한 X협회 방송 수신 규약(이하 '규약')을 정하고 있다.

(2) 계약 체결

피항소인의 아내인 가부토야마(甲山)B(이하 'B'라고 한다)는 2003년 2월 7일 피항소인의 이름으로 방송 수신 계약서에 서명 날인하여 항소인에게 교부하고 항소인과의 사이에서 피항소인 명의의 방송 수신 계약(위성 컬러 계약)을 체결했다(이하 '본건 계약'이라 한다).

(3) 피항소인에의 본건 계약 효과의 귀속

(가) 일상 가사 채무

본건 계약의 체결은 다음의 ① 내지 ⑦과 같은 객관적이고 유형적인 사정 및 ⑧ 내지 ⑭와 같은 피항소인들 부부에 관한 구체적인 사정에 비추어 보면 민법 761조의 일상 가사에 관한 법률 행위에 포함되므로, B에게는 본건 계약의 체결에 관하여 피항소인을 대리할 권한이 있었다.

① 컬러 TV 보급률은 본건 계약이 체결된 2003년 당시에 99.4%였다.

② 국민 일반이 텔레비전 시청에 소비하는 시간이 길다.

37) 이 차례는 필자가 추가한 것이다.

③ 우체국과 은행의 송금 등의 서비스에서 수신료는 전기요금, 가스요금, 수도요금과 나란히 '공공요금'으로서 같이 취급되고 있다.

④ 본건 계약 체결 당시의 수신료는 신문대금 및 다른 공공요금과 비교하여 월 2,340엔으로 적은 금액이었다.

⑤ 항소인의 업무는 국민 생활에 효용을 가져 오고 있다.

⑥ 항소인의 방송을 수신할 수 있는 수신 설비를 설치한 사람은 방송법 32조 1항에 의해 항소인과 방송 수신 계약을 체결할 의무를 진다.

⑦ 수신료는 민법 760조의 혼인 비용에 포함된다.

⑧ 피항소인과 B는 삿포로시 주오(中央)구 00지구 소재의 고급 분양 아파트에서 동거하고 있었다.

⑨ 피항소인은 위 ⑧의 아파트에 13만 내지 14만 엔 상당의 TV를 설치했다.

⑩ 피항소인과 B의 수입 총액은 월 약 56만 엔이며, B가 이를 맡아 가계관리를 하고 그 중에서 가계에 속하는 지출인지 여부를 판단하여 지불하고 있었다.

⑪ 피항소인은 케이블 TV인 제이콤에 가입하여 매달 5,580엔의 이용료를 내고 있다.

⑫ IT회사에 근무하는 피항소인은 하루 중 거의 집에 있지 않으며 휴일에도 거의 집에 있지 않는 상태이고 B가 가사 전반을 도맡아 하고 있었다.

⑬ B는 스스로의 판단으로 피항소인 명의로 본건 계약을 체결하고 이후 실제로 2003년 2월분부터 같은 해 11월분까지의 10개월분의 수신료를 항소인에게 지불하고 있고, 달리 코프(COOP)의 택배 거래 및 투어 (여행) 거래에 대해 피항소인 명의로 스스로 서명한 적이 있다.

⑭ 전기, 가스, 수도 등 공공요금은 모두 피항소인 명의로 지불하고 있었다.

(나) 대리권 수여

피항소인은 본건 계약에 앞서 B에게 본건 계약에 대한 대리권을 주었다.

즉 피항소인은 B에게 부부에게 어떠한 방침 결정이 필요한 법률 행위를 제외한 일상생활에 따른 법률 행위 등에 대해서 그 필요 여부의 판단을 맡기고 대리권을 수여하고 있었던 것이고 본건 계약의 체결은 부부에게 어떠한 방침 결정이 필요한 법률 행위는 아니고 일상생활에 따른 법률 행위이므로 B가 피항소인으로부터 받은 대리권의 범위에 포함된다.

만일 명시적인 대리권 수여가 인정되지 않는다고 해도 남편과 아내 사이에서는 상대방의 재산관계의 관리가 과거에 이의 없이 이루어졌다는 사실이 있는 경우에는 그에 수반하는 통상의 행위에 대해서 묵시적으로 대리권을 수권했다고 볼 것이고 전술한 (가) ⑧ 내지 ⑭ 등의 사정에서 보면 본건 계약 체결 당시 피항소인은 B에게 묵시적으로 본건 계약에 관한 대리권을 수여하고 있었던 것으로 인정된다.

(다) 표현 대리

만일 본건 계약의 체결이 B의 대리권의 범위에 속하지 않는다고 해도 표현 대리가 성립하여 본건 계약은 유효하게 피항소인에게 귀속한다.

즉 피항소인은 B에게 부부에게 어떠한 방침 결정이 필요한 법률 행위를 제외한 공공요금에 관한 것 등 피항소인의 가정에 있어서 일상생활에 따르는 법률 행위 등에 대해서 그 필요 여부의 판단을 맡기고 대리권을 수여하고 있었던 것이고(기본 대리권의 수여), 본건 계약의 체결이 B의 대리권에 속하지 않는다고 하는 경우 본건 계약 체결은 기본 대리권을 넘어 체결된 것으로 된다. 그러나 B는 본건 계약의 체결이 자신의 대리권의 범위 안에 있다고 믿고 있으며 또한 B가 본건 계약의 체결을 한 때의 태도에 부자연스럽거나 신용하기 어려운 점은 없었고 '甲山'이라는 도장을 사용하여 날인하고 2개월분의 방송 수신료 4,680엔을 지불했다. 한편 항소인의 계약 중개자는 매뉴얼에 따라 적절하게 본건 계약을 체결했다. 또한 항소인의 계약 중개자는 B와 면담하는 때 계약자 이름을 부부 중 어느 쪽으로 할지에 대해서는 누구 이름으로 계약해 달라고 부탁하지 않고 B의 판단을 존중하고 있었다. 따라서 본건 계약 체결 시 방송 수신 계약 체결이 B의 대리권의 범위에 속하지 않는 것에 대해서 항소인의 선의 무과실은 분명하다.

(라) 추인

만일 본건 계약의 체결이 B의 대리권의 범위에 속하지 않는다고 해도 본건 계약은 피항소인의 추인을 받았다.

즉 피항소인은 항소인과 방송 수신 계약을 체결하고 싶지 않다고 생각하고 있었지만, 그럼에도 불구하고 B는 방송 수신 계약 체결이 B의 대리권의 범위에 속한다고 믿고, 본건 계약의 체결에 대해서 피항소인에게 보고할 필요는 없다고 생각했다. 이들 사실을 감안하면 피항소인 부부 사이에는 방송 수신 계약 체결에 대해 결정적인 어긋남이 생기고 있었던 셈이다. 그런데 B는 대략 10개월에 걸쳐 방송 수신료를 계속 지불한 것이고 이렇게 긴 세월에 걸쳐 부부 간의 어긋남이 표면화하지 않았다고 보기는 어렵다. 그렇다면 피항소인 명의로 방송 수신료가 지불된 4회 중 어느 하나의 회에서는 본건 계약의 존재를 피항소인이 알게 되어 피항소인의 양해 하에 방송 수신료를 지불한 것으로 해석하는 것이 자연스럽다. 따라서 만일 본건 계약 체결이 B의 대리권의 범위에 속하지 않는다고 해도 본건 계약은 피항소인에 의해 추인된 것으로 생각할 수 있다.

⑷ 본건 계약에 따른 수신료 지불 의무

본건 계약에 따른 피항소인의 수신료 지불 의무의 내용은 별지 'X협회 방송 수신 규약 개요'에 기재된 대로이지만 그 금액은 2008년 9월 30일까지는 월 2,340엔, 같은 해 10월 1일부터는 월 2,290엔이다(위성 컬러 계약은 2007년 10월 1일에 위성 계약으로 변경되었는데 수신료 금액에 변경은 없으며 2008년 10월 1일에 방문 수금은 폐지되고 위성 계약의 수신료 금액은 월 2,290엔으로 변경되었다).

지불 방법은 1년을 2개월마다 6기로 나누어 4월과 5월을 제1기, 6월과 7월을 제2기, 8월과 9월을 제3기, 10월과 11월을 제4기, 12월과 1월을 제5기, 2월과 3월을 제6기로 하고 기수별로 당해 기의 요금을 일괄하여 지불해야 한다. 그리고 지연손해금(규약에서는 '연체 이자'라고 부른다)에 대해서는 방송 수신 계약자가 수신료 지불을 3기 이상 연체한 때에는 1기당 2%의 비율로 계산한 연체 이자를 지불하지 않으면 안 된다고 되어 있다.

⑸ 미지불

피항소인은 2003년 12월 1일부터 2010년 3월 31일까지(2003년도 제5기부터 2009년도 제6기까지) 다음과 같이 총 17만 6,940엔의 방송 수신료를 내지 않았다.

① 2003년 12월 1일부터 2008년 9월 30일까지 월 2,340엔의 58개월분 합계 13만 5,720엔

② 2008년 10월 1일부터 2010년 3월 31일까지 월 2,290엔의 18개월분 합계 4만 1,220엔

⑹ 항소인의 청구[38]

따라서 피항소인은 항소인에게 본건 계약에 따라 17만 6,940엔 및 이 중 12만 1,680엔에 대한 변제기 후의 날이고 2008년 4월 10일자 청구의 변경 신청서 송달일(같은 해 4월 13일)이 속하는 기의 다음 기의 첫날인 같은 해 6월 1일부터, 이 중 5만 5,260엔에 대한 변제기 후의 날이고 2010년 5월 10일자 청구의 변경 신청서 송달일(같은 해 5월 25일)이 속하는 기의 다음 기의 첫날인 같은 해 6월 1일부터 각각 다 갚는 날이 홀수 달에 속하는 때에는 그 달의 전전월 말일까지, 다 갚는 날이 짝수 달에 속하는 때에는 그 달의 전월 말일까지 2개월당 2%의 비율에 의한 돈을 지불하라고 요구한다.

3 청구원인에 대한 인정 여부

(1) 청구원인 (1)은 알지 못한다.

(2) 청구원인 (2) 중 B가 피항소인 이름으로 방송 수신 계약서에 서명 날인한 것은 인정하지만

38) 이 차례는 필자가 추가한 것이다.

나머지 사실은 부인한다.

(3) 청구원인 (3) ①에 대해서는 아래에서 서술하듯이 원래 방송 수신 계약 일반에 대해서도 또한 본건 계약에 한해서도 민법 761조의 적용이 있는 것을 다툰다.

① 방송 수신 계약 일반 및 본건 계약의 체결은 일상 가사의 범위에 포함되지 않는다.

(가) 민법 761조는 실질적으로는 부부는 서로 일상 가사에 관한 법률 행위에 대해서 다른 쪽을 대리하는 권한을 가진다고 규정하고 있다. 그리고 '일상 가사'란 부부 공동생활에 필요한 일체의 사무이고 그 구체적 범위는 부부의 사회적 지위, 직업, 자산, 수입, 부부가 생활하는 지역 사회의 관습 등의 개별적 사정 외에 당해 법률 행위의 종류, 성질 등의 객관적 사정을 고려하여 정해야 하는 것이다.

일상의 가사란 의식주라는 부부 공동생활의 기본적 부분과 관련된 것을 말하고 이러한 부부의 기본적인 부분에 대해서 부부의 생활 상황에 비추어 필요하고 상당한 지출을 수반하는 계약 체결이 일상 가사의 범위로 되어야 한다.

이에 대해서 부부의 공동생활의 기본적 부분에 관계없는 것과 부부의 생활 상황에 비추어 불필요하거나 상당하지 않은 지출을 수반하는 계약 체결은 일상 가사의 범위에서 제외되어야 한다. 그리고 계약 목적물의 필요성 판단과 지출의 상당성 판단에는 개별 부부의 의사나 사정도 고려되어야 한다.

(나) 이상에 따라 본건 계약의 체결이 일상 가사에 포함되는지 여부를 검토하니 방송 수신 계약은 의식주에 관한 계약이 아닌 점, 피항소인 부부에게 장기간에 걸쳐 상당한 금전적 부담을 강제하는 것인 점, 개인의 사상 신념에 관계되는 부분이 큰 점의 사정을 고려하면 부부 간에 대리권을 인정하기에 적합하지 않은 성질의 계약이라고 할 수 있다. 게다가 피항소인은 방송 수신 계약의 체결을 희망하지 않아 실제로 항소인이 방송하는 프로그램을 시청하지 않고, 본건 계약을 체결하지 않아도 피항소인 부부의 생활에는 지장이 없으며 방송 수신 계약을 체결할 필요성이 부족하고 방송 수신 계약의 체결이 일상 가사의 범위에 포함된다고 할 수 없다.

항소인의 계약담당자는 본건 계약의 체결이 일상 가사의 범위 내에 속하는 것인지 여부, 즉 피항소인의 아내에게 대리권이 있는지에 대해서 의구심을 품을 여지가 있었다고 할 수 있음에도 불구하고 계약서에 피항소인의 아내가 피항소인의 이름을 서명 날인해도 이러한 의구심을 불식할 만한 조치를 아무것도 강구하지 않은 것이므로 본건 계약의 체결이 일상 가사의 범위 안에 있다고 믿은 것에 대해서 정당한 이유가 있었다고 할 수 없다.

② 방송 수신 계약에 대해서 거래 안전 보호 규정의 적용은 없다.

민법 761조는 법률 행위로 인해 부부의 일방과 거래 관계에 들어간 제3자를 보호하기 위한 규정인데 원래 수신료 지불 채무는 법률에서 수신 장치를 설치한 사람에 대해 계약을 의무화한 다음 그 의무화된 계약의 체결에 의해 발생하는 채무이고 더구나 편무적으로 발생하는 것으로(수신 장치 설치에 대해 발생하고 시청 등의 대가로서 징수하는 것은 아니다), 특수한 부담금이며 민법상의 증여 계약에 준하는 계약으로 해석할 수 있으므로 거래 안전 법리의 보호를 항소인에게 줄 필요는 없다. 따라서 항소인의 방송 수신 계약에는 그 성질상 민법 761조를 적용할 여지는 전혀 없다.

(4) 청구원인 (3)의 ② 내지 ④에 대해서는 부인 또는 다툰다.

(5) 청구원인 (4)은 알지 못한다.

(6) 청구원인 (5)에 대해서는 피항소인이 항소인이 주장하는 2003년 12월 1일 이후의 수신료를 지불하지 않은 것은 인정한다. 원래 본건 계약이 성립하지 않은 것이므로 지불하지 않은 것이다.

제3 본 재판소의 판단

1 인정 사실

본 재판소가 인정한 사실은 다음과 같이 고치는 외에 원판결 '이유'란의 '1 인정 사실'에 기재한 대로이므로 이를 인용한다.

(1) 원판결 10쪽 2줄에서 14줄까지를 다음과 같이 고친다.

'아래의 사실은 ≪증거 생략≫에 의해 인정되거나 당사자 사이에 다툼이 없거나 본 재판소에 현저하다.'

(2) 원판결 11쪽 3줄에서 4줄까지를 다음과 같이 고친다.

'C는 항소인의 매뉴얼에 따라 세대주의 아내라도 방송 수신 계약을 체결할 수 있다고 생각하고, 세대주의 아내가 나온 때에도 굳이 세대주인 남편이 양해하고 있는지 여부를 확인하지는 않았다. 다만 세대주의 아내가 자신이 마음대로 할 수 없으므로 세대주인 남편에게 물어 봐 달라고 하는 때에는 남편이 있는 시간을 물어 그 시간대에 다시 방문하는 것으로 하고 있었다. 덧붙여 C의 경험상 평일 대낮에 방문한 경우에는 세대주의 아내가 응대에 나서는 것이 대부분이고 토요일, 일요일, 공휴일의 경우에도 세대주의 아내가 응대에 나서는 확률이 70, 80%였다.'

(3) 원판결 12쪽 5줄의 '다툼이 없다'를 '갑1, 2, 증인 C 1회, 2회'로 고친다.

(4) 원판결 12쪽 16줄에서 17줄까지를 다음과 같이 고친다.

'본건 계약이 유효하게 성립한 경우 그 내용은 위성 컬러 계약의 방문 수금이고 그렇다면 본건 계약에 근거한 피항소인의 수신료 지불 의무의 금액은 2008년 9월 30일까지는 월 2,340엔, 같은 해 10월 1일부터는 월 2,290엔이다(위성 컬러 계약은 2007년 10월 1일에 위성 계약으로 변경되었는데 수신료 금액에 변경은 없으며 2008년 10월 1일에 방문 수금은 폐지되었고 위성 계약의 수신료 금액은 월 2,290엔으로 변경되었다).

그러나 피항소인은 2003년 12월 1일부터 2010년 3월 31일까지(2003년도 제5기부터 2009년도 제6기까지) 방송 수신료를 내지 않고(다툼이 없다), 본건 계약이 유효하게 성립한 경우 피항소인의 미납액은 다음과 같이 총 17만 6,940엔이 된다. 덧붙여 규약에 따르면 방송 수신 계약자가 방송 수신료 지불을 3기분 이상 지체한 경우에는 1기당 2%의 비율로 계산한 연체 이자를 지불해야 한다('기'란 규약 6조에 정하는 2개월마다의 지불 기간을 말하고 4월과 5월을 제1기로 하는 2개월마다의 지불 기간을 말한다).

① 2003년 12월 1일부터 2008년 9월 30일까지 월 2,340엔의 58개월분 합계 13만 5,720엔

② 2008년 10월 1일부터 2010년 3월 31일까지 월 2,290엔의 18개월분 합계 4만 1,220엔

(5) 원판결 12쪽 25줄의 '피고'를 '피항소인 2회', 13쪽 11줄의 '증인 B, 피고'를 '증인 B 1회, 피항소인 2회'로 각각 고친다.

(6) 원판결 13쪽 23줄의 '1회'의 다음에 '현저한 사실'을 덧붙인다.

(7) 원판결 14쪽 8줄의 '5, 6쪽'을 삭제한다.

2 청구원인별 판단[39)]

청구원인 (1)은 ≪증거 생략≫에 의해 분명하다고 인정되거나 본 재판소에 현저하다.

또한 전술한 1에서 인정한 바에 의하면 B가 2003년 2월 7일에 직접 피항소인 이름으로, 항소인과의 사이에서 위성 컬러 계약을 체결하고 수금 방법을 방문 수금으로 한 사실이 분명하게 인정되므로 청구원인 (2)도 인정되는데, 이것은 B가 피항소인을 위한 것이라는 점을 보이며 피항소인의 대리인으로서 항소인과의 사이에서 본건 계약을 체결한 것이다.

---

39) 이 차례는 필자가 추가한 것이다.

또한 전술한 1에서 인정한 바에 의하면 본건 계약이 유효하게 성립하는 경우에는 피항소인은 청구원인 (4)과 같은 수신료 지불 의무를 부담해야 하는데 그 미납액은 청구원인 (5)과 같이 인정되고 규약에 의하면 위 미납액에 대해서 청구원인 (6)과 같은 지연 손해금을 지불해야 할 의무가 있다.

따라서 항소인의 청구가 인정되어야 할지 여부는 청구원인 (3)의 성립 여부 즉 B가 피항소인의 대리인으로서 한 본건 계약 체결 행위의 효과가 피항소인에게 귀속되는지 여부에 따라 결정된다.

3 본건 계약의 일상 가사 채무성[청구원인 (3) ①]에 대해서

(1) 그래서 우선, 본건 계약 체결이 민법 761조의 일상 가사 행위에 해당하는지 여부를 검토한다. 이것이 인정되면 B는 피항소인을 대신하여 본건 계약을 체결할 법정 대리권이 있었던 것으로 되어 그 효과는 피항소인에게 귀속한다.

(2) 방송법 32조 1항 본문은 항소인의 방송을 수신할 수 있는 수신 설비를 설치한 사람은 항소인과 그 방송에 대한 계약을 해야 한다고 정하고 있어 수신 설비 설치자에게 방송 수신 계약 체결 의무를 부과하고 있다. 앞에서 인정한 바에 따르면 피항소인은 B와 결혼하기 전에 구입한 TV를 현재 거주하는 아파트로 이사한 때에 이 아파트에 설치하고 그 후 B와 이 아파트에 거주하게 되었으며 얼마 후인 1999년 12월에 결혼하여 이후 현재에 이르기까지 피항소인 부부는 이 아파트에서 부부 공동생활을 하고 있다. 또한 위 TV가 X협회의 프로그램을 수신할 수 있는 것이었다는 사실도 인정된다. 따라서 본건 계약이 체결된 2003년 2월 당시 피항소인은 항소인의 방송을 수신할 수 있는 수신 설비의 설치자로 항소인과 방송 수신 계약을 체결해야 할 의무를 부담하고 있었다고 인정된다.

(3) 민법 761조는 혼인 생활에서 일상 가사의 처리에 따른 채무는 부부의 어느 쪽이 명의인이라 하더라도 실질적으로는 부부 공동의 채무인 것 또한 일상 가사에 대해서 거래하는 상대방은 표의자가 부부의 어느 쪽이라도 부부 쌍방이 법률 행위의 주체라고 생각하므로 상대방 보호의 견지에서도 일상 가사 채무에 대해서는 부부가 연대해 책임을 진다고 정한 것으로 해석된다. 이상의 취지에 비추어 보면, 이 조항은 위 연대 책임 발생의 전제로 부부는 서로 일상 가사에 관한 법률 행위에 대해 다른 쪽을 대리하는 권한을 가지는 것도 규정하고 있다고 해석하는 것이 상당하다(최고재판소 昭和44年 12月 18日 제1소법정 판결 · 민집 23권 12호 2476쪽 참조).

그리고 민법 761조에 규정한 일상 가사에 관한 법률 행위란 개개의 부부가 각각 공동생활을 영위하는 데 통상 필요한 법률 행위를 가리키는 것이므로 그 구체적인 범위는 개개 부부의 사회적 지위, 직업, 자산, 수입 등에 따라 다르고 또한 부부 공동생활이 존재하는 지역 사회의 관습에 따라서도 다

르다고 할 수 있다. 그러나 전술한 대로 이 조항이 부부의 한쪽과 거래 관계에 선 제3자를 보호하고자 하는 목적의 규정이기도 한 것에서 보면 전술한 구체적인 범위는 단지 그 법률 행위를 한 부부 공동생활의 내부적 사정이나 그 행위의 개별적인 목적만을 중시하여 판단해서는 안 되고 더 객관적으로 그 법률 행위의 종류, 성질 등을 충분히 고려하여 판단해야 한다(위 최고재판소 판결 참조).

(4) 이상의 관점에서 본래 본건 계약을 체결해야 할 의무가 있던 피항소인의 대리인으로서 그의 아내인 B가 본건 계약을 체결한 행위가 민법 761조의 일상 가사 행위에 해당하고 B에게 법정 대리권이 있었는지 여부를 아래에서 검토하려면, 위 (3)에서 말한 바에 따라 우선 피항소인 부부의 개별적인 사정을 고려하지 않고 본건 계약이 체결된 2003년 당시 항소인과의 사이에서 한 방송 수신 계약 체결 행위가 일반적으로 부부 공동생활을 영위하는 데 있어서 통상 필요한 행위였는지 여부를 검토한다.

그러면 ① 컬러 TV의 세대 보급률은 2003년 당시 99.4%이고 2010년 3월 말 현재에도 거의 비슷한 수치인 것, ② 2005년 조사에 의해도 전체 국민 중 9할 이상이 접하고 있는 미디어이며 평균 시청 시간은 평일이 3시간 27분, 토요일이 4시간 3분, 일요일이 4시간 14분인 것, ③ X협회 수신료에 대한 지불이 일상 가사 행위임이 분명한 전기, 전화, 가스, 상하수도 요금과 함께 금융 기관에서 '공공요금'으로 자동 이체 서비스의 대상이 되고 있는 것, ④ 위에서 인정한 바에 의하면, 본건 계약 체결 당시 위성 컬러 계약의 수신료 금액은 월 2,340엔이며 2008년 10월 요금 개정 후의 위성 계약의 수신료 금액도 월 2,290엔인 것이 인정된다. 이상에 의하면 2003년 당시 일반적인 가정에서 TV를 집에 설치하여 TV 프로그램을 시청하는 것은 일상생활에 필요한 정보를 입수하는 수단 또는 상당한 범위 내의 오락이며 또한 이에 따라 발생하는 수신료의 지불도 일상 가사에 보통 수반되는 지출 행위로 인식되고 그 금액도 부부의 일방이 그 판단으로 결정해도 곧바로 가계를 압박하는 것은 아닌 점이 인정된다.

이상을 전제로 항소인의 방송을 수신할 수 있는 TV를 집에 설치한 사람은 항소인과 방송 수신 계약을 체결해야 할 의무를 지고 있던 것에서 보면 실제로 그 가정이 항소인의 방송 프로그램을 어느 정도 시청하고 있었는지에 관계없이 2003년 당시 수신료 지불 의무를 동반하는 방송 수신 계약을 항소인과 체결하는 것은 일반적 객관적으로 보아 부부 공동생활을 하는 데 보통 필요한 법률 행위였다고 해석하는 것이 상당하다.

(5) 피항소인은 방송 수신 계약의 체결이 개인의 사상 신념에 관계되는 부분이 많으므로 부부 사이에 대리권을 인정하기에 적합하지 않은 성질의 계약이라는 취지로 주장한다. 위 '사상 신념'이 어떤 내용을 말하는 것인지 불명이지만 전술한 대로 항소인의 방송을 수신할 수 있는 TV를 설치한 이상 방송 수신 계약을 체결하여야 하는 것은 방송법에서 정한 법적 의무이므로 이러한 의무의 존재를 전

제로 하는 한 설치자가 개인적인 '사상 신념'에 의해 수신료를 지불할 의사가 없다고 해서 그것을 가지고 방송 수신 계약 체결의 일상 가사 채무성을 부정할 수는 없다.

또한 피항소인은 일상 가사에 관한 지출로서의 필요성 판단에서는 개개 부부의 의사나 사정도 고려하여야 한다면서 피항소인이 방송 수신 계약의 체결을 희망하지 않아 실제로 피항소인은 X협회의 프로그램을 시청하지 않은 것, 본건 계약을 체결하지 않아도 피항소인 부부의 생활에 지장이 없으므로 본건 계약의 체결은 일상 가사 행위라고 할 수 없다고 주장한다. 그러나 전술한 것처럼 방송 수신 계약 체결은 TV를 설치함에 따라 발생하는 법적 의무이고 X협회의 프로그램을 실제로 보지 않는다고 하여 면제되는 것은 아니므로 전술한 대로, TV의 설치 및 시청 자체에 일상 가사 행위성이 인정되는 이상, 개개 가정의 X협회 시청의 의욕이나 실적 자체에 의해 방송 수신 계약 체결의 일상 가사 채무성이 부정되는 것으로 되지는 않는다. 또한 위와 같은 개개 가정의 X협회 시청의 실태에 의해 일상 가사 행위성의 유무가 좌우되게 되면 전술한 인정과 같이 세대주의 아내에 의한 계약 체결이 상당수를 차지하는 상황에서 거래의 안전성이 현저히 손상되어 민법 761조의 입법 취지의 하나인 거래 상대의 보호가 달성되지 않게 된다.

피항소인은 항소인의 계약 담당자가 본건 계약의 체결이 일상 가사의 범위 내에 속하는지 여부에 의구심을 품을 여지가 있었는데도 불구하고 B가 피항소인 이름으로 서명 날인한 때 의구심을 불식하는 조치를 강구하지 않았다고 주장한다. 그러나 앞에서 인정한 바에 따르면 B는 항소인 담당자의 요구에 따라 피항소인의 양해를 얻어야 하는 필요성에 대해서 아무것도 언급하지 않고 방송 수신 계약서에 피항소인 이름으로 서명 날인하고 항소인 담당자도 세대주의 아내에게는 계약 체결의 대리권이 있음을 전제로 다른 계약의 경우와 마찬가지로 특히 세대주의 동의 유무를 확인하지 않고 본건 계약을 체결한 것이므로 피항소인의 주장은 전제를 결여한 것이고 채용할 수 없다.

이상에 의하면 위 피항소인의 주장은 모두 채용할 수 없다.

(6) 피항소인은 수신료는 '특수한 부담금'이므로 거래 안전 보호 규정인 민법 761조의 적용이 없다고 주장한다.

확실히 방송 수신 계약은 항소인의 방송을 수신할 수 있는 수신기를 설치함에 따라 실제로 항소인의 방송을 수신하는지 여부에 관계없이 체결을 의무화하는 것이고 그러한 의미에서 방송 수신 계약은 대가적 급부를 전제로 하지 않고 수신료의 지불 의무만을 부담하는 계약으로 인정된다. 또한 앞에서 인정한 바에 의하면 위와 같은 계약 체결 의무를 방송법에서 정하기에 이른 배경에는 공공 방송 기관인 항소인이 사업을 수행하도록 하기 위한 '일종의 국민적 부담'을 국민에게 지게 할 필요가 있다는 인식이 있었던 것도 인정된다.

그러나 전술한 대로 혼인 생활에서 일상 가사 처리에 따른 채무는 부부의 어느 쪽이 명의인이라 하더라도 실질적으로는 부부 공동의 채무라는 것이 민법 761조의 입법 취지에서도 있는 이상 거래 안전 보호가 유일한 입법 취지임을 전제로 하는 피항소인의 주장은 그 점에서 전제가 결여되어 채용할 수 없다. TV 설치자가 계약 체결 의무를 지고 전술한 대로 TV 시청과 수신료의 지불이 일반적으로 일상 가사 행위에 포함된다고 해석하는 이상 방송 수신 계약을 일상 가사 행위로 해석해도 위 민법 761조의 취지에 위배되지 않는다고 할 수 있다.

또한 위에서 서술한 대로 수신료의 지불이 의무적 부담으로서의 성격을 갖는 것은 부정할 수 없지만 이를 위한 법적인 틀로서 방송법은 벌칙이 없는 계약 체결 의무를 정할 뿐 그 이상으로 보통의 사인(私人)과 다른 강제적 징수 권한 등은 일절 정하고 있지 않다. TV 설치자의 임의의 계약 체결에 근거하여 민사소송법과 민사집행법 등에 의해 계약 내용의 실현을 도모하는 외에 다른 법적 수단이 있지 않기 때문이므로 수신료가 '특별 부담금'이라고 하여 방송 수신 계약을 다른 사법상 계약과 다르게 취급하는 것도 상당하지 않다.

따라서 위 피항소인의 주장도 채용할 수 없다.

(7) 이상에 의하면 B에 의한 본건 계약의 체결은 민법 761조의 일상 가사 행위에 포함되어 B는 피항소인을 대리하는 법정 대리권을 가지고 있었다고 할 수 있다.

4 결론

이상에 의하면 대리권의 수여, 표현 대리 및 추인[청구원인 (3) ② 내지 ④]의 성립 여부를 판단할 것도 없이 본건 계약의 효과는 피항소인에게 귀속하고 항소인의 청구(확장 후의 청구를 포함)에는 전부 이유가 있다고 할 수 있다.

따라서 본건 항소에 근거한 원판결을 취소하여 항소인의 당초 청구를 인용함과 동시에 항소인이 본 심에서 확장한 청구도 인용하기로 하여 주문과 같이 판결한다.

◇ 재판장 재판관 末永進 재판관 古閑裕二 住友隆行

별지 X협회 방송수신규약 개요 ≪생략≫

사례 2의 항소심 판결

재판연월일	平成22年[40] 6月 29日	**재판소명**	도쿄 고등재판소
사건번호	平21(ネ)4582号 · 平22(ネ)904号	**재판구분**	판결
사 건 명	각 수신료 청구 항소, 부대항소 사건(NHK 수신료 청구 소송 항소심)		
재판결과	항소기각, 부대항소에 근거하여 원판결 변경		
상 소 등	상고 · 상고 수리 신청		

주 문

1 본건 각 항소를 기각한다.

2 피항소인의 부대항소에 근거하여 원판결을 다음과 같이 변경한다.

(1) 항소인 Y1 및 항소인 Y2는, 피항소인에게 각각 9만 6,850엔 및 이 중 4만 7,430엔에 대하여 2007년 4월 1일부터, 이 중 3만 3,280엔에 대하여 2009년 4월 1일부터, 이 중 2,690엔에 대하여 같은 해 6월 1일부터, 이 중 1만 3,450엔에 대하여 2010년 4월 1일부터 각각 다 갚는 날이 속하는 달의 전월(다 갚는 날이 짝수 달에 속하는 경우) 또는 전전월(다 갚는 날이 홀수 달에 속하는 경우)의 말일까지, 2개월당 2%의 비율에 의한 돈을 지불하라.

(2) 소송비용(항소비용, 부대항소비용도 포함한다)은 제1, 2심 모두 항소인들이 부담한다.

(3) 이 판결은 가집행할 수 있다.

사실과 이유

제1 항소 및 부대항소의 취지

1 항소인들의 항소 취지

40) 2010년

(1) 원판결을 취소한다.

(2) 피항소인의 청구를 모두 기각한다.

(3) 소송비용은 제1, 2심 모두 피항소인이 부담한다.

2 부대항소의 취지

주문 제2항과 같은 취지

제2 사안의 개요 및 당사자의 주장

1 본건은, 1심 원고인 피항소인이, 1심 피고인 항소인 Y1 및 항소인 Y2와의 사이의 각 방송 수신 계약에 근거하여 항소인들에게 원심에서는, 각각 2004년 4월 1일부터 2009년 3월 31일까지의 방송 수신료 8만 3,400엔 및 약정 지연 손해금의 지불을, 본 심에서는 부대항소 중 각각 2009년 4월 1일부터 2010년 1월 31일까지의 방송 수신료 1만 3,450엔 및 약정 지연 손해금의 지불을 요구하는 사안이다.

2 원판결이 피항소인의 본건 각 청구를 인용하여 항소인들은 원판결에 불복하여 항소했다. 그리고 피항소인은, 2009년 4월 1일 이후에도 항소인들이 방송 수신료를 지불하지 않으므로, 위와 같이 2009년 4월 1일부터 2010년 1월 31일까지 발생한 방송 수신료 1만 3,450엔 및 이에 대한 부대항소장 송달일인 2010년 2월 19일 이후 첫 다음 기(期)인 같은 해 3월 1일부터 다 갚는 날이 속하는 기(期)의 직전 기(期)의 말일까지 2개월당 2%의 비율에 의한 지연 손해금의 지불을 요구하여 부대항소 중에 청구를 확장했다.

3 당사자의 주장은 다음 항에 당사자가 한, 본 심에서의 주장을 덧붙이는 외에 원판결 중 '사실과 이유'의 '제2 당사자의 주장 등'란의 (당사자의 주장)에 기재된 대로이므로 이를 인용한다.

4 당사자의 본 심에서의 주장

(1) 항소인들의 주장 및 인정 여부

① 만약 항소인 Y1이 본건 방송 수신 계약을 체결했다고 해도, 甲ロ2의 기재로부터 2003년 10월부터 같은 해 11월까지 계약을 했을 뿐이고 장래의 계약을 체결하지 않았다.

② ㉮ 만약 항소인 Y2가 본건 방송 수신 계약을 체결했다고 해도, 甲ハ2의 기재로부터 2002년 5월의 계약을 했을 뿐이고 장래의 계약을 체결하지 않았다.

㉯ 본건 방송 수신 계약은 민법 761조의 일상 가사 채무에 해당하지 않는다. 즉, 현대 사회에서, TV 프로그램 시청은 일상생활에 필요한 정보를 수집하기 위하여 또는 상당한 범위 내의 오락으로서 부부 공동생활을 하는 데 보통 필요한 것이라 하더라도, 민방 TV 프로그램 시청으로 족하고 그 안에 피항소인의 프로그램 시청이 포함되는 것은 아니다. 피항소인이 실시한 시청률 조사 결과에 의해서도 NHK 종합 텔레비전을 일주일에 5분 이상 시청한 사람의 비율은 59.1%에 지나지 않아 40%의 사람이 일주일 동안 전혀 피항소인의 프로그램을 시청하지 않는 것이며 피항소인의 프로그램 시청이 일반적이라고 안이하게 말할 수는 없다. 또한 피항소인의 프로그램을 상징하는 홍백가합전[41]의 시청률도 급감했고, 현재는 30%로 낮아져 쇠퇴하는 상황이다. 또한 방송 수신 계약은 텔레비전을 폐기하지 않는 한 계속 방송 수신료를 지불해야 하는 특수한 계약이며 게다가 방송 수신료라는 특수한 부담금을 피항소인에게 납부한다는 민법상의 증여 계약에 유사한 것이기 때문에 일상 가사 채무에 해당한다고 인정할 수는 없다.

③ 피항소인의 주장에 대한 인정 여부

피항소인의 주장 ②의 ㉮는 인정하고 ㉯는 다툰다.

(2) 피항소인의 주장 및 인정 여부

① 항소인들의 ① 및 ②의 주장은 다툰다.

② 피항소인의 주장

㉮ 항소인들은 2009년 4월 1일 이후의 방송 수신료(2009년도 제1기 이후의 방송 수신료)도 지불하지 않았다.

㉯ 따라서 피항소인은 항소인들에게 방송 수신 계약에 근거하여 각각 2009년 4월 1일부터 2010년 1월 31일까지 발생한 방송 수신료 1만 3,450엔 및 이에 대한 본건 부대항소장 송달일인 2010년 2월 19일 이후 최초의 다음 기인 같은 해 3월 1일부터 다 갚는 날이 속하는 기의 직전 기의 말일까지 2개월당 2%의 비율에 의한 지연 손해금의 각 지불을 요구한다.

제3 본 재판소의 판단

1 판단 결과[42]

본 재판소도 피항소인의 본건 각 청구는 이유가 있는 것으로 판단한다. 그 이유는 아래와 같다.

---

41) 매년 12월 31일 일본의 가수들이 홍팀과 백팀으로 나뉘어 홍백팀 대항형식으로 노래를 부르는 대형 가요 프로그램이다.

42) 이 차례는 필자가 추가한 것이다.

2 청구원인에 대해서

(1) ① 원판결 기재의 청구원인 (1)(당사자), 청구원인 (3)(방송 수신 규약의 개정), 청구원인 (4)(방송 수신료 체납) 및 항소심에서의 당사자의 주장인, 항소인들이 2009년 4월 1일 이후에도 방송 수신료를 지불하지 않은 것은 모두 당사자 사이에 다툼이 없다.

② 항소인 Y1에 대해서

㉮ 본건 방송 수신 계약(Y1)의 계약서(甲ロ2)가 항소인 Y1의 의사에 근거하여 작성된 것은 당사자 사이에 다툼이 없는데 계약서가 당사자 사이의 의사에 근거하여 작성된 경우에는 특별한 사정이 없는 한 그 계약서에 기재된 대로 법률 행위가 된 것이라고 해야 한다.

그리고 특별한 사정이 존재하는지에 대해서 검토하니 항소인 Y1은, 원심 본인심문에서 계약서라는 설명을 듣지 못해서 계약서라는 생각 없이 서명 날인하였다고 진술한다. 확실히 甲ロ2에 의하면, 서면에 방송 수신 계약서, 방송 수신료 계좌 이체 이용 신고, 주소 변경 신고, 방송 수신료 자동 이체 이용 신고 모두에 동그라미를 치도록 되어 있는데, 동그라미가 쳐져 있지 않은 것, 또한 '1. 방송법, 방송 수신 규약에 의해 방송 수신 계약을 체결합니다.', '2. 주소를 변경하였으므로 신고합니다.', '3. 방송 수신료를 계좌 이체 · 자동 이체에 의해 지불하는 것을 신청합니다.'라고 하는 기재가 있어 당해 부분에 동그라미를 치도록 되어 있으나 동그라미가 쳐져 있지 않은 것을 인정할 수 있다. 하지만 이 서면에는 '01 신규 계약'에 동그라미가 기재되어 있으며 항소인 Y1은 신규 계약자이므로(원심 항소인 Y1 본인 및 변론의 전체 취지), 계약자임을 전제로 한, 주소 변경 신고나 계좌 이체 · 자동 이체의 신청이라고는 생각할 수 없고 또한 이 서면을 작성한 때 2,790엔을 지불한 것(甲ロ2 및 원심 항소인 Y1 본인)을 인정할 수 있다. 이것을 전제로 하면 항소인 Y1은, 이 서면 작성 시에 2,790엔을 지불한 것이며 일반적으로 돈을 지출하는 경우에 있어서, 어떤 취지의 돈인지를 확인하지 않은 채 지출하는 것은 생각할 수 없는 점에서 보면, 항소인 Y1이 방송 수신 계약임을 인식하고 서명 날인한 것으로 해석되고 어떤 서류인지 인식하지 못한 채로 서명 날인을 한데다가 어떤 취지의 돈인지 불분명한 채 2,790엔을 지불했다는 항소인 Y1의 진술 내용은 합리성을 결여하였다고 할 수밖에 없다. 게다가 항소인 Y1은 원심의 본인심문에서, 이 서면을 작성할 때에 수금인이 방송 수신 계약 또는 수신 계약이라는 말을 쓴 적은 한 번도 없다는 취지로 진술하였는데 이 서면의 사본을 교부받았는지에 대해서 당초 교부받지 못했다고 진술했지만 이 서면이 복사식으로 되어 있는 것이나 이전에 영수증이라고 생각하고 있었다는 취지로 진술한 것을 피항소인의 대리인이 지적하자 기억이 애매하다는 답변을 하기에 이르러 이 서면 작성의 경위에 관한 중요한 사실에 대해서 진술을 바꾸고 있어 항소인 Y1의 진술 내용을 전면적으로 신용할 수도 없다.

이상을 전제로 하면, 항소인 Y1은 방송 수신 계약의 계약서인 것을 인식한 후에 이 계약서에 서명 날인한 것으로 인정할 수 있고 특별한 사정의 존재도 인정되지 않는다.

㈏ 항소인 Y1은 본 심에서 기간을 한정한 방송 수신 계약을 체결한 것처럼 주장한다. 확실히, 이 서면(甲ロ2)의 기간란에 '2003년 10월~2003년 11월'이라고 기재되어 있지만 항소인 Y1이 이 기간을 넘어 2003년 10월부터 2004년 3월 31일까지 방송 수신료를 지급한 것에 대해서는 당사자 사이에 다툼이 없는 사실인 것, 덧붙여 항소인 Y1은 원심의 본인심문에서 피항소인의 불상사 보도를 접하여 이에 대한 항의의 의미에서 지불을 정지했다는 취지의 진술을 하고 있기 때문에 기간을 한정한 방송 수신 계약을 체결했음을 인정할 수 없다. 따라서 항소인 Y1의 위 주장은 채용할 수 없다.

③ 항소인 Y2에 대해서

㈎ 본건 방송 수신 계약(Y2)의 계약서(甲ハ2)가 항소인 Y2의 처의 뜻에 따라 작성된 것은 당사자 사이에 다툼이 없으며 계약서가 당사자 사이의 의사에 근거하여 작성된 경우에는 특별한 사정이 없는 한 그 계약서에 기재된 대로 법률 행위가 된 것이라고 해야 하는 것은 전술한 항소인 Y1의 경우와 마찬가지이다.

그리고 甲ハ2에 의하면, 서면에 방송 수신 계약서, 방송 수신료 계좌 이체 이용 신고, 주소 변경 신고, 방송 수신료 자동 이체 이용 처리 신고의 모두에 동그라미를 치도록 되어 있는데 방송 수신 계약서라는 문언에 동그라미가 쳐져 있고 또한 '1. 방송법, 방송 수신 규약에 의해 방송 수신 계약을 체결합니다.', '2. 주소를 변경하였으므로 신고합니다.', '3. 방송 수신료를 계좌 이체 · 자동 이체에 의해 지불하는 것을 신청합니다.'라고 하는 기재가 있으며, 당해 사항에 동그라미를 치도록 되어 있는 바, '1.'에 동그라미가 쳐져 있는 것, 또 1,395엔을 그 때 지불하고 있음을 인정할 수 있기 때문에 항소인 Y2의 처는 방송 수신 계약임을 인식하고 이 서면에 서명 날인한 것으로 인정할 수 있고 특별한 사정을 인정할 수 없다.

㈏ 항소인 Y2는 본 심에서 기간을 한정하여 방송 수신 계약을 체결한 것처럼 주장한다. 이 서면(甲ハ2)의 기간란에 '2002년 5월~2002년 5월'이라고 기재되어 있지만 항소인 Y2가 이 기간을 넘어 2002년 5월부터 2004년 3월 31일까지 방송 수신료를 지급한 것에 대해서는 당사자 사이에 다툼이 없는 사실인 것, 덧붙여 항소인 Y2는 원심의 본인심문에서 돈이 없는 것 및 피항소인의 불상사 보도를 접하여 이후 피항소인의 방송을 시청하지 않기로 해서 (수신료) 지불을 정지했다는 취지의 진술을 하고 있기 때문에 기간을 한정한 방송 수신 계약을 체결했음을 인정할 수 없다. 따라서 항소인 Y2의 위 주장은 채용할 수 없다.

㈐ 이른바 일상 가사 채무에 대해서

민법 761조에 규정된 일상 가사에 관한 법률 행위로 인해 발생한 채무란 혼인 공동체에서 가정생활을 영위하기 위해서 보통 필요한 법률 행위에 근거한 채무이지만, 문제가 되는 구체적인 법률 행위가 당해 부부의 일상 가사에 관한 법률 행위의 범위 내에 속하는지 여부를 결정함에 있어서는, 이 조항이 부부의 일방과 거래 관계에 선 제3자의 보호를 목적으로 하는 규정임에 비추어, 내부적 사정이나 그 행위의 개별적인 목적만을 중시하여 판단할 것은 아니고 객관적으로 그 법률 행위의 종류, 성질 등을 고려하여 판단해야 하는 바, 현대 사회에서 TV 프로그램 시청은 일상생활에 필요한 정보를 수집하기 위해서 또는 상당한 범위 내의 오락으로서 부부 공동생활을 하는 데 보통 필요한 것이라고 할 수 있고 방송법(이하 '법'이라 한다) 32조는, '협회(피항소인)의 방송을 수신할 수 있는 수신 설비를 설치한 사람은 협회(피항소인)와 그 방송의 수신에 대한 계약을 해야 한다.'고 규정하고 있으며 이 규정에 의하면 피항소인이 프로그램을 시청하는지 여부를 불문하고, 계약 체결을 강제하고 있는 것이라고 할 수 있다. 따라서 법 32조 규정의 문언을 전제로 하는 한 방송 수신 계약의 체결은 민법 761조 본문의 일상 가사에 관한 법률 행위의 범위에 속한다고 할 수 있다.

항소인 Y2는 일상 가사 채무 해당성에 대해서 현대 사회에서 TV 프로그램 시청은 일상생활에 필요한 정보를 수집하기 위해서 또는 상당한 범위 내의 오락으로서 부부 공동생활을 하는 데 보통 필요한 것이라 하더라도 민방 TV 프로그램 시청으로 족하고 그 속에 피항소인의 프로그램 시청이 포함되는 것은 아니라는 등으로 주장한다. 하지만 항소인 Y2의 위 주장은 법 32조가 계약 체결을 강제하고 있는 부분이 무효라든가, 피항소인의 프로그램을 시청하는 경우에 한해서 계약을 체결한다고 하는 한정 해석을 해야 한다는 주장과 같은 취지를 주장하는 것으로 귀착한다고 풀이된다. 법 32조가 무효인지, 한정 해석을 할 것인지에 대해서는 후술하는 항변(1)③(법 32조의 취지)에서 검토하므로, 여기에서는 법 32조가 문언대로의 규정 취지임을 전제로 하여 판단하기로 한다. 그렇다면 본건 방송 수신 계약(Y2)의 체결은 민법 761조 본문의 일상 가사에 관한 법률 행위에 해당하게 되어 항소인 Y2의 처는 본건 방송 수신 계약(Y2) 체결 당시, 이 계약의 체결에 관한 대리권을 가지고 있었던 것으로 인정된다. 따라서 항소인 Y2의 위 주장은 채용할 수 없다.

3 항변에 대해서

(1) 방송법의 규정 및 구조

① 법 1조에는 "이 법률은 아래에서 제시한 원칙에 따라 방송을 공공의 복지에 적합하게 규율하고 건전한 발달을 도모하는 것을 목적으로 한다."로 하고 그 원칙으로서 "<1> 방송이 국민에게 최대한

으로 보급되어 그 효용을 줄 것을 보장할 것 <2> 방송의 불편부당, 진실 및 자율을 보장하여 방송에 의한 표현의 자유를 확보할 것 <3> 방송에 종사하는 사람의 직책을 분명히 함으로써 방송이 건전한 민주주의 발달에 이바지하도록 할 것"이 규정되어 있다.

그리고 방송의 경영 형태에 관한 입법정책으로는, ㉮ 민영기업만에 의한 형태, ㉯ 국영기업만에 의한 형태, ㉰ 공영기업만에 의한 형태, ㉱ 공영기업 및 민영기업이라는 두 가지 형태의 병존이라는 네 가지가 보이는데 이들 방송 사업의 각 경영 형태에 대해서는 일장일단이 있어, 방송 사업을 민영기업에서만 경영하면 방송 사업이 도시에 집중되거나 기울어 영리성이 없는 그 이외의 지역은 돌아볼 수 없게 될 우려가 있는 한편 국영기업 또는 공영기업에서만 경영하면 국가로부터 독립하여 프로그램 등을 작성하는 방송 프로그램의 편집의 자유, 나아가 표현의 자유와의 관계에서 문제가 생길 우려가 있다는 점 등에 비추어 법은 개인의 창의 연구에 의해 활달하게 방송 문화를 건설하고 고양하는 자유로운 사업으로서 일반 방송 사업자에 의한 방송(법 2조 3호의2, 3, 51조 이하)을 인정함과 동시에 전체 국민에게 그 요망을 충족시키는 내용을 방송할 수 있는 공공적인 사업체로서의 피항소인을 설립하여(법 8조), 일반 방송 사업자에 의한 방송 및 피항소인에 의한 방송이라는 독립한 두 계열의 사업 시스템을 구축하고 이를 병립시킴으로써, 일본의 방송 사업이 전체적으로 공공복지에 적합한 건전한 발달을 촉구하는 종합적 체제를 확보하려고 하였다.

② 피항소인의 목적으로서 "공공의 복지를 위해 널리 일본 전국에서 수신할 수 있도록 풍부하고 또한 좋은 방송 프로그램에 의한 국내 방송을 하거나 당해 방송 프로그램을 위탁하여 방송시키는 동시에, 방송 및 그 수신의 진보 발전에 필요한 업무를 하고, 아울러 국제 방송 및 위탁 협회 국제 방송 업무를 하는 것을 목적으로 한다."(법 7조)고 규정하여 피항소인을 전체 국민의 요망을 만족시키는 방송 프로그램을 방송하는 임무를 가지는 공공성이 강한 특수법인으로서 위치시킴과 동시에, 독립한 두 계열의 사업 시스템에 속하는 각 방송 사업자는 상호 그 장점을 발휘하여 서로 계몽하고 각각 그 결점을 보완하는 것이 기대되는 구조 속에 있다고 할 수 있다.

그리고 일반 방송 사업자의 방송 사업에 비해 피항소인의 방송 사업의 특색으로서는, 법은, 피항소인에 대하여 방송 프로그램의 편집 및 방송의 위탁에 있어서는, '풍부하고 또한 좋은 방송 프로그램을 방송하거나 위탁하여 방송시킴으로써 공중의 요망을 충족시킴과 동시에 문화 수준의 향상에 기여하도록 최대의 노력을 기울일 것', '전국 대상 방송 프로그램 외에 지방 전용의 방송 프로그램을 갖도록 할 것', '일본의 과거 뛰어난 문화의 보존과 새로운 문화의 육성 및 보급에 도움이 되도록 할 것'을 촉구하고(법 44조 1항), 일반 방송 사업자에는 없는, 높은 수준의 의무를 법정하는 외에 피항소인은 공중의 요망을 알기 위해 정기적으로, 과학적 여론 조사를 실시하고 그 결과를 공표하도록 하고(같은 조 2항), 피항소인은 총무대신의 인가를 받지 않으면 방송국을 폐지하거나 방송을 12시간 이상 쉴 수 없도록 하는(법 48조) 등 일반 방송 사업자에게는 없는 특별한 의무를 부과하고 있다. 또한 방송 사업이 광고주로부터의 광고료 수입에 의존하는 재정 기반 아래 이루어지는 형태에 있어서는, 언론 보도의 다원성 확보나 소수 시청자를 위한 방송의 실시 등의 확보에 대해서, 제도적으로 곤란한 측면이 존재하지 않을 수 없기 때문에, 타인의 영업에 관한 광고의 방송을 금지하여 광고료 수입의 여지를 봉쇄하고(법 46조 1항), 한편 자주적 재원 확보의 수단으로 정부 출연금 등이 아닌 피항소인의 방송을 수신할 수 있는 수신 설비를 설치한 사람에게 방송 수신 계약의 체결을 의무화하여(법 32조 1항 본문), 방송 수신료 수입에 의해 자주적 재원을 확보하는 것으로 하고 있다.

그리고 법은 피항소인을 국가로부터 독립된 특수한 법인격을 가진 기업으로 하면서도, 공공성을 확보하여 적정하게 운영됨과 동시에 방송 수신료의 적정한 설정이나 그 사용처에 대해서도 적정한 감독이 가능한 구조를 정비하고 있다. 즉, 피항소인에게는 양 의원의 동의를 얻어 내각 총리대신이 임명하는 위원 12명으로 구성되는 경영 위원회가 설치되고(법 15조, 16조), 피항소인의 경영에 관한 기본 방침이나 프로그램 기준 및 방송 프로그램 편집에 관한 기본계획 등 피항소인의 업무의 적정을 확보하기 위해 필요한 체제의 정비 등에 대해서 의결을 하는 외에 임원의 직무 집행 감독 등을 하게 되어 있다(법 14조 1항). 피항소인의 임원으로는 경영 위원과는 별도로 경영위원회가 임명하는 회장과 회장이 경영위원회의 동의를 얻어 임명하는 부회장, 이사가 있으며, 이들로 이사회가 구성된다(법 24조, 25조 및 27조 1항부터 3항). 이사회에서 피항소인의 중요 업무 집행에 대해서 심의하고, 회장이 피항소인을 대표해서 경영위원회가 정하는 바에 따라 업무를 총괄하는(법 25조 2항, 26조 1항) 외에, 피항소인의 매 사업년도의 수지 예산, 사업 계획, 자금 계획, 재무제표 및 업무 보고서는 총무 대신에게 제출되어(법 37조 1항, 38조 1항 및 40조 1항), 총무대신은 이에 대해서 의견을 붙여 내각을 거쳐 국회에 제출하여 매 사업년도의 수지 예산, 사업 계획, 자금 계획에 대해서는 국회의 승인 사항으로 하며 계약체결자로부터 징수하는 월 수신료의 액수에 대해서도 수지 예산의 승인에 의해 정하는 것으로 되어 있다(법 37조 2항, 4항). 업무보고서에 대해서는 국회의 보고 사항으로 하며 재무제표에 대해서도 회계검사원의 검사를 거쳐 국회에 제출하는(법 37조 2항, 38조 2항 및 40조 2항, 3항) 것으로 되어 있다.

③ 법 32조의 취지

㉮ 피항소인은 위에서 인정한 바로부터 밝혀진 것처럼 국가로부터 독립한 조직으로 구성되면서도, 국민의 대표자로 구성된 국회에 의해 운영 및 자금 사용처 등에 대해서도 간접적으로 통제되고 있다. 또한 피항소인이 전국에서 폭넓게 방송을 수신할 수 있도록 방송하는 것이나 소수 시청자를

위한 방송의 실시 등을 확보하는 것이 기대되고 있을 뿐 아니라, 피항소인이 하는 방송의 수준을 확보하는 것은 일반 방송 사업자의 방송 수준 확보로도 이어지게 된다고 할 수 있다. 왜냐하면 만일 광고료 수입을 재원으로 하는 일반 방송 사업자에 의해서만 방송을 하는 체제가 되면, 민영기업은 이윤극대화를 추구하지 않을 수 없기 때문에 시청률의 최대화를 요구하여 획일적, 때로는 상업주의적으로 편향된 프로그램의 제작 및 편성으로 향하는 경향이 있을 것이고 광고 효과를 넘는 제작비가 드는 프로그램 제공은 당연히 어렵게 될 수밖에 없는 것이 쉽게 예상되며 그러한 의미에서 일반 방송 사업자는 광고 수입을 사업의 재정 기반으로 하고 있으므로, 중립적인 보도를 하는 것과 질 높은 프로그램을 제작하는 등의 점에서, 공영기업의 방송과 비교하여 재정 면에서 유래하는 제도적인 한계를 내포하는 것은 부인할 수 없는 점이 있는 이상, 피항소인에 의한 방송의 존재가 일본 방송의 전반적인 질의 관점에서 경쟁 현상을 낳고, 일반 방송 사업자에 의한 방송의 질 확보에 이바지하는 측면이 있을 뿐 아니라 실제로도, 현재 일본 전역에서 방송 사업이 국민 대다수의 지지를 모아 발전하고 있는 것으로 인정되기 때문이다. 그렇다면 독립한 두 계열의 사업 시스템에 속하는 각 방송 사업자에 의한 방송 병립을 요구하는 법의 취지에는, 개별 방송 프로그램의 내용 등에 관한 좋고 나쁨을 넘어선 전국적인 방송 체제로서의 합리성이 있는 것으로 인정된다.

또한 이와 관련하여 항소인들은 피항소인의 방송 프로그램 내용과 편성 기타에 의혹이 있다고 주장하지만, 그것은 법 32조의 규정이 현저하게 합리성을 결하여 그 효력을 부정해야 할 그 제도상의 시정하기 어려운 결함을 지적하는 것이 아니라 그 운용 방식을 비판하는 것일 뿐으로 전술한 두 계열의 사업 시스템의 병립체제에 내재하는 비합리적인 결함을 보여 주는 구체적인 사실을 주장 입증하는 것은 아니다.

㉯ 다음으로 피항소인이 법에 의해 부여된 방송 사업에 관한 임무를 수행하기 위해 그 재원을 확보하고자 법 32조 1항은, "협회의 방송을 수신할 수 있는 수신 설비를 설치한 사람은 협회와 그 방송의 수신에 대한 계약을 해야 한다."고 규정한다. 국고의 지출과 예산 배분을 함으로써 피항소인의 재정적인 기반을 확보할 여지도 있을 수 있으나 법은, 피항소인의 방송 편성 및 보도 등에서, 국가로부터의 독립성 및 중립성을 확보하여 피항소인의 표현의 자유를 확보하기 위해 위와 같이 방송 수신 계약에 근거한 방송 수신료에 의해 피항소인의 재정 기반을 확보하게 한 것이다. 그리고 이 조항에 따르면, 피항소인의 방송을 수신할 수 있는 수신 설비를 설치한 이상, 피항소인의 방송을 시청했는지 여부에 관계없이 피항소인과 수신 계약을 체결해야 하고, 방송 수신료를 지불할 의무를 부담한다고 규정하고 있다. 이 '수신료'는 국가 기관이 아닌 피항소인이라는 특수법인에게 징수권을 인정한 특수한 부담금이라고 해야 할 것이며, 당해 방송 수신료의 지불 의무를 발생시키기 위한 법 기술로서 수신 설비 설치자와 피항소인과의 방송 수신 계약 체결 강제라는 방법을 채용한 것으로 풀이된다. 그리고

위 인정처럼 피항소인은 국가로부터 독립한 기업으로 하면서도, 공공성을 확보하여 적정하게 운영되기 위한 구조 외에도, 방송 수신 계약자로부터의 방송 수신료의 적정한 설정이나 그 사용처에 대해서도 국회를 통하여 적정하게 감독이 이루어지는 구조가 갖추어져 있다고 할 수 있고 국회의 승인을 얻어 정하는 '수신료'의 부담도 옳다고 인정할 수 있다고 하겠다. 따라서 법 32조의 규정은 합리성을 가지는 것으로 인정할 수 있다.

㈐ 또한 분명히 항소인들처럼 도시에 주거를 마련하여 다수의 일반 방송 사업자에 의한 방송도 하는 지역에 거주하면, 일반 방송 사업자에 의한 방송 밖에 시청하지 않을 수도 있다. 다만 전술한 피항소인의 공공적인 성격과 그 방송이 이루어지고 있는 것 자체가 일반적 방송 사업자의 프로그램 편성 등에도 일정한 영향을 미치는 점, 즉, 두 계열의 사업 시스템의 병립 체제가 전국 방송 사업의 건전한 발달을 유지하고 있는 것으로 그러한 의미에서, 일반 방송 사업자에 의한 방송은 피항소인에 의한 방송으로부터 일정한 영향을 받고 있는 점이 인정되지만 그것은 일반 방송 사업자에 의한 방송만이 단순히 일방적으로 간접적인 혜택을 받는 것에 그치지 않고, 위 두 계열의 사업 시스템의 병립 체제에 의해 전국적으로 좋은 방송을 실현하고 있는 점에서 호혜적인 관계에 있다고도 할 수 있고 총체적으로는 적극적인 효과가 존재하는 것도 부정할 수 없는 것이다. 따라서 법 32조에 피항소인의 방송을 수신할 수 있는 수신 설비를 설치한 사람이 피항소인의 방송을 시청하지 않는 경우에도 피항소인과의 사이에서 방송 수신 계약을 체결해야 한다는 취지가 담겨 있다고 해도, 여전히 법 32조 규정의 합리성이 부정되는 것은 아니다.

결국 피항소인에 의한 방송은 아무런 좋은 영향도 없다는 취지의 항소인들의 주장은 위의 경위로부터 채용할 수 없고 또한 운용상의 불상사가 있다는 주장도, 앞에서 본 것으로부터 법 32조의 존재 의의를 받쳐 줄 입법 사실이 전혀 또는 거의 존재하지 않는 점을 구체적으로 주장하는 것은 아니고 또한 그러한 입법 사실을 보여 주기에 충분한 명확한 증거도 없으므로 이 조항에 대해 일부 무효 또는 한정 해석을 할 근거는 없다.

⑵ 견련성 · 대가성에 대해서

① 견련성에 대해서

위에서 기술한 법의 구조를 감안하면 광고료 수입을 재정 기반으로 하는 일반 방송 사업자와 광고료 수입을 재정 기반으로 하지 않고 영리를 목적으로 하지 않는 피항소인을 병립시켜 피항소인의 방송에 있어서는 광고주나 국가의 어떠한 의향에도 영향을 받지 않는 것으로 하고 있다. 피항소인에게 '풍부하고 좋은 방송을 할 의무'가 부과되어 있지만, 이 의무에 대해서도 그러한 문맥의 아래에서 이해해야 할 성질의 것이기 때문에 피항소인은 개개 계약자와의 사이에서 방송 수신료 지불 의무와 대가적인 쌍무 관계에 서는 것은 아니고 국민에 대해 일반적 추상적으로 부담하는 의무라고 해석하는 것이 상당하다.

② 대가성에 대해서

법 32조는 방송 수신료 지불 채무와 피항소인의 방송 시청이 대가관계가 아님을 전제로 하는 것이며, 그 취지에 합리성이 있는 것은 앞에서 본 것과 같다. 방송 수신 규약 5조, 10조 1항, 13조 2항 및 3항 등도 그것을 전제로 하여 규정되어 있는 것이다.

③ 따라서 견련성 · 대가성에 관한 항소인들의 주장도 이유가 없다.

(3) 본건 방송 수신 계약의 유효성에 대해서

① 다음으로 본건 각 수신 계약이 계약자 측의 내적 자유, 알 권리나 자기 결정권 등을 침해하지 않는지 등에 대해서 검토를 추가한다. 전술한 것처럼 법은, 방송 사업자인 피항소인의 표현의 자유를 확보하기 위한 조치로서 그 조직의 방식이나 의무를 법정함과 동시에 광고 수입의 여지를 봉쇄하고 자주적 재원의 확보로, 방송 수신 계약에 근거한 방송 수신료 지불 의무를 법정한 것으로, 계약자 측으로부터 보면 계약자가 방송 수신 계약에 대해서 국회에서 승인된 방송 수신료를 지불하는 것이 강제될 뿐, 피항소인이 방송하는 프로그램의 시청을 강제하는 것은 아니고 일반 방송 사업자가 제공하는 프로그램의 시청을 금지하는 것도 아니므로 항소인들이 여러 가지로 주장하는 헌법 위반의 문제도 생기지 않는다고 하여야 한다.

② 헌법 19조[43] 위반에 대해서

항소인들은 요컨대 피항소인의 방송을 혐오하고 있는데도 의사에 반하여 피항소인과의 계약이 강제되어 방송 수신료 지불을 강제당하는 것이 헌법 19조에 위반한다고 주장하는 것이다.

검토하니 헌법 19조에서 보장되는 내심이란 특정한 역사관, 세계관 등의 인격 형성과 관련된 내심을 말하는 것으로, 항소인들이 주장하는 것과 같은 피항소인의 방송에 대한 혐오감과 법에서 정한 방송 수신료 지불을 회피하고 싶다는 내심이 이에 포함되지 않는 것은 분명하다. 따라서 법 32조와 방송 수신 규약 9조가 헌법 19조에 위반되기 때문에 무효가 된다는 항소인들의 주장은 그 전제를 결여한 것으로 이유가 없다.

---

43) **제19조** 사상 및 양심의 자유를 침해해서는 안 된다.

③ 헌법 21조[44] 위반에 대해서

항소인들은 항소인들이 방송 수신료 지불을 모면하려 하면 필연적으로 민방 TV 프로그램 시청을 방해하고 민방 TV 프로그램을 시청함으로써 정보를 취득하는 자유가 침해된다는 취지로 주장하지만, 법 32조 및 방송 수신 규약 9조는 방송 수신 계약 체결 및 피항소인의 방송을 수신할 수 있는 수신기를 폐지하지 않는 동안의 방송 수신료 지불을 의무화한 것일 뿐으로 민방 TV 프로그램을 시청하는 것을 제한하는 것은 아니다. 따라서 항소인들의 위 주장은 이유가 없다.

④ 헌법 13조[45] 위반에 대해서

항소인들은 어떠한 정보를 취득할지에 대해서는 인격 형성과 그 발전에 있어서 필요하고 불가결한 것이므로 헌법 13조에 의해 어떠한 프로그램을 시청하거나 시청하지 않는가에 관한 의사 결정권의 자유가 보장되고 있는데 법 32조가 이 의사 결정권의 자유를 침해한다고 주장한다. 그러나 법 32조 및 방송 수신 규약 9조는 방송 수신 계약 체결 및 피항소인의 방송을 수신할 수 있는 수신기를 폐지하지 않는 동안의 방송 수신료 지불을 의무화한 것일 뿐으로 어떤 프로그램을 시청할지에 대해 강제하는 것도 방해하는 것도 아니다. 따라서 항소인들의 위 주장은 이유가 없다.

또한 항소인들은 방송 수신 규약 9조가 민방 TV 프로그램을 시청하기 위해 수신기를 폐지하지 않으면 피항소인과의 방송 수신 계약의 해약이 금지되므로 민방 TV 프로그램만을 시청하고, 피항소인의 TV 프로그램을 시청하지 않겠다는 의사결정이 침해된다는 취지의 주장도 한다. 하지만 앞에서 본 것처럼 민방 TV 프로그램만을 시청하고, 피항소인의 TV 프로그램을 시청하지 않는 것도 자유임에는 분명하고 항소인들의 위 주장은 이유가 없다.

⑤ 소비자계약법 10조 위반에 대해서

항소인들은 방송 수신 규약 9조가 피항소인의 방송을 수신할 수 있는 수신기를 폐지하지 않는 한 피항소인[46]과의 방송 수신 계약의 해약을 금지하는 것은, 소비자계약법 10조에 규정하는 "민법, 상법 기타 법률의 공공질서에 관련되지 않는 규정 적용에 의한 경우에 비하여 소비자의 권리를 제한하거나 소비자의 의무를 가중하는" 조항이기 때문에 무효라고 주장한다. 그러나 소비자계약법은 사업자와 소비자 간의 정보의 질 및 양 또는 교섭력의 격차에 비추어, 사업자와 소비자 사이에 체결된 계약에 대해서 소비자의 이익을 부당하게 해치게 되는 조항을 무효로 하거나 취소할 수 있는 것 등을

44) **제21조** 집회, 결사 및 언론, 출판 기타 모든 표현의 자유를 보장한다.

45) **제13조** 모든 국민은 개인으로서 존중된다. 생명, 자유 및 행복추구에 대한 국민의 권리에 대해서는 공공복지에 반하지 않는 한 입법 기타 국정(国政)에서 최대의 존중이 필요하다.

46) 원문에는 '원고'라고 되어 있으나 '피항소인'의 오기가 분명하다.

정한 것인 바, 법 32조가 방송 수신 계약 체결을 의무화하고 방송 수신 규약 9조는 이것과 같은 취지를 정하는 것으로(법 32조가 적용되는 것은 소비자계약법 11조 2항), 법 32조는 당사자 사이에서 이와 다른 합의를 하는 것을 금지하는 강행 규정으로 해석되는 것에서 보면, 애당초 법 32조와 다른 계약을 체결할 수 없는 경우로, 소비자계약법 10조가 적용될 수 있는 여지는 없다고 해야 한다. 따라서 항소인들의 위 주장은 그 전제를 결여하여 채용할 수는 없다.

⑥ 기타

항소인들은 기타 여러 가지 헌법상의 논점을 주장하고 있지만 결국 의사에 반하여 방송 수신료 지불의 강제를 받고 싶지 않다는 주장으로 돌아가는 것으로 생각된다. 그러나 법은, 피항소인의 존재를 공공적 존재로서 의의를 인정하고 있으며, 법 32조에는 합리성이 있는 것, 피항소인의 방송을 수신할 수 있는 수신 설비를 설치하지 않고 계약을 하지 않을 자유도 있는 것으로 피항소인의 방송을 수신할 수 있는 수신 설비를 설치한 사람이 방송 수신 계약을 체결해야 하고, 방송 수신료 지불 의무를 진다고 해도, 공공의 복지에 의한 제약으로 국민의 재산권에 대한 침해가 되는 것은 아니고 항소인들의 주장은 모두 독자적인 견해로서 채용할 수 없다.

4 결론

이상에 의해 피항소인의 항소인들에 대한 제1심에서의 2004년 4월 1일부터 2009년 3월 31일까지의 방송 수신료 각 8만 3,400엔 및 지연 손해금의 청구는 모두 이유가 있으므로 이를 인용한 원심 판결은 상당하고, 본건 항소는 이유가 없으므로 이를 기각해야 한다. 또한 피항소인의 본 심에서의 부대항소에 근거하여 항소인들에 대한 청구의 확장을 한 2009년 4월 1일부터 2010년 1월 31일까지의 각 방송 수신료 각 1만 3,450엔 및 지연 손해금 청구도 이유가 있으므로 이를 인용하는 것으로 하여 주문과 같이 판결을 한다.

◇ 재판장 재판관 稲田竜樹 재판관 原啓一郎 재판관 近藤昌昭

제4장

'혼인을 지속하기 어려운 중대한 사유가 있는 때'에 해당하는지가 문제된 사안

본건은 남편인 항소인이 아내인 피항소인에 대해서 피항소인이 항소인의 전처의 위패를 항소인과 전처의 사이에서 낳은 아들의 처가에 송부하거나 항소인의 앨범을 폐기하거나 항소인에 대해서 욕설을 퍼붓는 등 하여 항소인과 피항소인의 혼인관계는 파탄에 이르렀다고 하면서 민법 770조 1항 5호에 근거하여 이혼을 요구한 사안이다.

원심은 항소인과 피항소인의 별거 기간이 1년에도 미치지 못하는 것 등에서 혼인을 계속하기 어려운 중대한 사유를 인정할 수 없다고 하여 항소인의 청구를 기각했다.

그러나 오사카 고등재판소는 "항소인의 친척과 화합을 잃은 피항소인의 기피적인 태도는 제쳐 두더라도 나이 80세에 이른 항소인이 병으로 예전의 생활력을 잃고 생활비를 줄인 것과 시기를 맞추듯 시작된 항소인을 경시하는 행위, 오랫동안 불단에 모셨던 전처의 위패를 없애 친척에게 보내고 항소인의 청춘 시절부터의 매우 소중한 추억의 물건을 소각 처분하는 등 하는 자제를 잃은 행위는 빈정거림이라고 하기에는 너무나도 항소인의 삶에 대한 배려가 없는 행위이며, 이들 일련의 행동이 항소인의 삶에서도 큰 굴욕적 사건으로 그 심정을 크게 상처 입히는 것이었음은 의심할 여지가 없다. 마찬가지로 피항소인은 지금 여전히 이들 거리낌 없는 제멋대로의 행위에 대해서 자기의 정당한 이유를 누누이 말하는 것을 꺼리지 않는데 그 이유라고 하는 것은 도저히 상식에 닿지 않는 일방적인 강변에 지나지 않고, 원심의 진술을 통해 항소인이 받은 정신적 타격을 이해하려는 자세는 결여되어 있으며 향후 항소인과의 관계 복원 하나만 해도 진지하게 이야기하려고도 하지 않는 것에서 보면 항소인과 피항소인의 혼인관계는 항소인이 혼인관계를 계속해 나가기 위한 기반인 피항소인에 대한 신뢰 관계가 회복할 수 없을 정도로 상실되어 복구하기 어려운 상태에 이르렀다고 하지 않을 수 없다."고 판시하여 원심을 취소하고 항소인의 청구를 인용하였다.

〈민 법〉

(재판상 이혼)

제770**조** 부부의 일방은 다음의 경우에 한하여 이혼 소송을 제기할 수 있다.

① 배우자가 부정한 행위를 한 때

② 배우자가 악의로 유기한 때

③ 배우자의 생사가 3년 이상 분명하지 않은 때

④ 배우자가 중증의 정신병에 걸려 회복의 가망이 없는 때

⑤ 그 외 혼인을 지속하기 어려운 중대한 사유가 있는 때

2 재판소는 전항 제1호에서 제4호에 해당하는 사유가 있는 경우에도 모든 사정을 고려하여 혼인을 계속하는 것이 상당하다고 인정하는 때에는 이혼 청구를 기각할 수 있다.

재판연월일 平成21年[47] 5月 26日	**재판소명** 오사카(大阪) 고등재판소
사건번호 平21(ネ)80号	**재판구분** 판결
사 건 명 이혼 청구 항소 사건	
재판결과 취소, 인용	**상 소 등** 확정

주 문

1 원판결을 취소한다.

2 항소인과 피항소인은 이혼한다.

3 소송비용은 제1, 2심 모두 피항소인이 부담한다.

사실과 이유

제1 항소의 취지

1 원판결을 취소한다.

2 항소인과 피항소인은 이혼한다.

제2 사안의 개요

1 사안의 골자 및 소송 경과

본건은, 남편인 항소인이 아내인 피항소인에 대해서 피항소인이 항소인의 전처의 위패를 항소인과 전처의 사이에서 낳은 아들의 처가에 송부하거나 항소인의 앨범을 폐기하거나 항소인에 대해서 욕설을 퍼붓는 등 해서 항소인과 피항소인의 혼인관계는 파탄에 이르렀다고 하여 민법 770조 1항 5호에 근거하여 이혼을 요구한 사안이다.

원심은 항소인과 피항소인의 별거 기간이 1년에도 미치지 못하는 점 등에서, 혼인을 계속하기 어려운 중대한 사유를 인정할 수 없다고 하여 항소인의 청구를 기각했다.

그 때문에 항소인이 본건 항소를 제기했다.

47) 2009년

2 전제 사실[각 항 말미에 (사실) 인정에 제공된 증거를 기재한다]

(1) 항소인[쇼와[48](昭和)O년 O월 O일생]과 피항소인(쇼와O년 O월 O일생)은 1990년 ×월 ×일 혼인 신고를 했다. 두 사람 사이에는 쇼와O년 O월 O일에 출생한 장녀 C가 있다.

항소인에게는 그 외에 전처 D와의 사이에서 태어난 장남 E(쇼와O년 O월 O일생)가 있지만, 2004년 ×월에 결혼하여 같은 해 12월부터 일로 인해 미국에 거주 중이다(갑 1, 2, 5).

(2) 항소인은 2008년 ×월 ×일 오후 9시 무렵, 식사하러 간다고 하고 집을 나간 채 돌아오지 않고 이후 피항소인과는 별거하고 있다(갑 2, 원심 항소인 · 피항소인 각 본인).

(3) 항소인은 2008년 ×월 ×일, 고베(神戸) 가정재판소에 이혼조정을 신청했지만, 그 해 ×월 ×일 조정은 불성립했다(변론의 전체 취지).

3 쟁점 및 이에 관한 당사자의 주장

[항소인의 주장]

(1) 항소인은 20년 정도 전부터 OOO(질병명)에 걸려서 2003년 ×월에는 △△△△ 때문에 수술을 받았는데, 퇴원 후 피항소인은 장녀의 공부에 방해가 된다는 이유로 항소인을 거실에 얼씬도 못하게 하였다. 그로 인해 항소인은 아침 식사는 혼자 구운 빵으로 해결하고 점심은 외식하며 저녁은 피항소인이 만들어서 식판에 담아 항소인의 방으로 실어 나르게 되어 항소인은 가족과 함께 식사를 하는 등 가족과 단란하게 지낼 기회가 없어졌다.

또한 장녀는 졸업 논문 때문이라고 하면서 밤낮이 바뀐 듯한 생활을 하고 피항소인도 장녀의 생활주기에 맞추어 살고 있기 때문에, 항소인이 그것에 대해 의견을 말하면 피항소인은 항소인에게 "대학에도 가지 못한 주제에 참견하지 마."라고 호통을 쳤다.

(2) 피항소인은 2003년 무렵부터 OO종(불교 종파 이름)에 열중하여 고베 시내 OO사(절 이름)에 열심히 다니게 되었고 2006년 ×월 무렵에는 집의 현관이나 실내에 이르는 곳에 컵에 소금을 넣어 놓는 등 기묘한 행동을 하기 시작했다. 또한 심야인 오전 3시 무렵에 OO종의 경을 큰소리로 외워서 항소인이 이웃에 폐가 된다고 나무라도 위층의 주민도 밤중에 싸움을 하고 시끄럽게 한 적이 있다는

48) 1926~1989년

등으로 반박하고 고치려고 하지 않았다.

(3) 피항소인은 2003년 무렵부터 집 전화기를 넘버 디스플레이 전화기(전화를 건 사람의 전화번호가 보이는 전화기)로 교체하여 항소인의 장남이나 동생들로부터 오는 전화를 항소인에게 바꾸어 주지 않게 되었다.

(4) 이처럼 피항소인은 종교적으로 이상한 행동을 하거나 항소인을 가족의 일원으로서 대우하지 않는 차가운 대응을 해 온 것인데 2008년 ×월초 무렵부터 다음과 같이 항소인에 대해 학대라고 할 수 있는 비인간적인 행동을 했다.

① ×월 ×일 항소인의 여동생인 F가 항소인의 집에 들러서 피항소인이 전처 D의 위패를 장남의 처가에 보냈다는 사실을 알렸다.

항소인이 피항소인에게 사실을 확인하자 피항소인은 전처의 위패는 장남이 모시는 것이 당연하다고 고자세로 대답했다. F가 항소인의 승낙 없이 그러한 일을 하는 것이 아니라고 거들자 피항소인은 "OO 집안일에 간섭 마라.", "돌아가! 두 번 다시 오지 마." 등으로 화를 내며 호통을 치고 F의 팔과 목덜미를 잡아 강한 힘으로 끌어냈다.

또한 피항소인은 위패에 대해서는 OO 집안의 보다이지(菩提寺)[49]인 △△사에서 정념이 없는 의식을 했다고 말하고 있으나 △△사에 확인한 결과 그러한 사실은 없었다.

② ×월 ×일, 항소인은 위 ①의 위패의 건이 있어서 걱정이 되어 집의 선반 등을 열어 보았는데, 소중하게 보관하고 있던 항소인의 인생 행보를 찍은 앨범 열 세 권이 사라져 있었다. 피항소인에게 물었는데 피항소인은 지난해 모두 버렸다, 장남 부부에게도 방해가 되니까 처분해 달라고 양해를 받았다고 태연히 대답했다. 항소인이 피항소인의 행동을 나무라자, 피항소인은 격분하여, "마음속으로 생각해 봐라.", "너에게 속았다.", "평생 행복하게 해 주겠다고 말했다." 등으로 말하고, 게다가 "네 동생들을 모두 불러라. 이야기해 주겠다." 등으로 호통을 쳤다.

③ ×월 ×일, 항소인은 △△사에 들러서 주지 스님에게 위패의 건을 상담했는데 주지 스님으로부터 피항소인이 지난해 ×월경 갑자기 내방하여 △△종의 교본 열 권을 반납하겠다고 말해 두었다는 것을 들었다.

또한 피항소인이 그 전에 OO 집안의 약 380년 전까지 거슬러 올라가 기록된 가코쵸(過去帳)[50]를 마음대로 빼돌려 처분을 의뢰한 것도 판명되었다.

---

49) 선조 대대의 위패를 모신 절
50) 불구(仏具)의 하나로 고인의 계명(법호 · 법명), 속명, 사망연월일, 향년 등을 기록해 둔 장부이다.

④ 3월 25일, 피항소인은 장녀의 OO대학 대학원 졸업식 때문에 나갔고 오후 9시 반경 귀가했다. 항소인이 무엇을 하고 있느냐고 하자, 피항소인은 "배가 고프면 컵라면이나 뭐라도 만들어."라고 말하여 말다툼이 되었다. 항소인은 피항소인의 제멋대로인 욕설을 견디지 못하고 식사하러 간다고 하고 집을 나와 그 날은 남동생의 집에 묵었다.

항소인은 더 이상 피항소인과 동거하는 것을 견딜 수 없어 이혼하기로 결심하고 F의 집에 의탁한 후 원룸 아파트를 빌려 별거하게 되었다.

(5) 이상에 의하면 항소인과 피항소인 사이의 신뢰 관계는 사라졌고 이미 혼인관계는 파탄에 이르고 있으므로 민법 770조 1항 5호의 이혼 원인이 있다.

[피항소인의 주장]

항소인의 주장은 모두 거짓이며 피항소인과의 사이에 이혼 사유는 존재하지 않는다. 전처의 위패 건은 친자식인 장남이 모시는 것이 공양이라고 생각하여 사돈을 통해 장남에게 전해주도록 한 것에 불과하고, 앨범의 건도 장남이 미국으로 가기 전에 의사를 물었더니, 두 권만 가져간다고 하여 나머지는 절에서 공양을 받고 있다. 그리고 가코쵸에 대해서도 계명이 잘못됐거나 조상의 이름이 누락되는 등 하고 있었기 때문에, C가 일부러 항소인의 본가의 절까지 가서 가코쵸의 사본을 받아 새로 만든 것에 불과하다.

제3 본 재판소의 판단

1 사실 경과 등

증거[갑1 내지 8, 을1 내지 3(서면 증거에 대해서는 가지번호를 포함한다), 원심 항소인 · 피항소인 각 본인] 및 변론의 전체 취지에 의하면 다음의 사실이 인정된다.

(1) 항소인은 1980년 무렵, 대금 상환 대신 음식점(bar)의 영업권을 인수하였고 그 가게의 마담으로 일하게 된 피항소인과 만났다.

당시 항소인은 무역 회사를 경영하였고 전처 D가 있었지만, 피항소인과 교제하여 쇼와O년 O월 O일, 그 사이에서 장녀 C가 출생했다. 피항소인은 장녀가 출생한 무렵 직장을 그만뒀다.

(2) D는 1989년 ×월 ×일에 사망했다.

(3) 항소인과 피항소인은 1990년 ×월 ×일 혼인 신고를 하여 그 무렵부터 장녀와 세 사람이 동거하게 되었다. 항소인은 피항소인과의 동거에 즈음하여 피항소인의 요구나 조건을 맞추어서 자가인 아파트의 인테리어를 바꾸고 D의 의류 등 생활의 냄새가 남은 주요 소지품을 처분했다. 그리고 피항소인은 동거에 즈음하여 각 방에 꼬리표를 붙여서 불제[51]를 한 후 생활을 시작했다는 경과가 있었다.

(4) 1997년 항소인이 경영하던 무역 회사가 도산하여 특별 청산 절차가 개시되어, 항소인은 1999년 무렵부터 무역 회사의 고문으로 일하게 된 것도 있어서 당초 50만 엔에서 줄어들긴 했지만 2007년에도 월 30만 엔의 생활비는 주고 있었지만, 생활비가 줄어드는 것에 피항소인이 불만을 나타내고, 그 많고 적음을 두고 항소인과 다투게 되기도 하였다.

(5) 항소인은 2004년 무렵부터 OOOO라는 지병을 얻어 2003년 ×월, △△△△에서 수술을 받았다. 항소인은 그때까지는 가족 세 사람이 거실에서 식사를 함께 하고 있었는데, 퇴원 후에는 피항소인이 저녁을 식판에 담아 항소인의 방으로 옮기는 것을 기다려, 거기서 혼자 식사를 하게 되었다. 또한 피항소인은 항소인을 위해 아침, 점심 준비를 하지 않아 항소인은 아침 식사를 혼자 준비해 먹고 점심은 혼자서 외식을 하고 있었다. 그리고 이 무렵부터 피항소인은 장녀의 공부에 방해가 된다고 하면서 항소인이 거실에 들어가는 것을 싫어하게 되었고, 항소인은 자기 방에서 혼자 지내는 일이 많아져 가족이 단란하게 지낼 기회가 없어졌다.

(6) 피항소인은 친정이 OO종을 믿고 있던 것 등에서 1998년 무렵부터 매달 OO종인 OO사의 사경회[52]에 다니고 있었다.

장녀는 2006년 4월, OO대학 대학원에 입학하여 그 해 가을 무렵부터 논문 작성 등으로 집에서 심야까지 공부를 하게 되었고 그에 피항소인이 동조하게 됨으로써 두 사람의 생활은 밤낮이 바뀌게 되었다. 또한 이 무렵 장녀는 대학원 내에서 성희롱의 피해를 입었다고 하여 정신적으로 불안정한 상황이 되었는데 그것이 영향을 미쳤는지 피항소인은 부정을 없앤다고 하면서 집의 현관, 화장실, 욕실 등에 컵에 소금을 넣어 두거나 장녀와 함께 심야에 OO종의 불경을 외거나 하게 되었다.

항소인은 피항소인에게 밤낮이 바뀐 생활이나 심야에 불경을 외는 것을 고치라고 타일렀지만, 피항소인은 "늙은이는 참견 마라."라든지, "대학도 나오지 않은 주제에 참견 하지 마.", "위층 사람도 밤중에 싸움을 하고 요란한 적이 있다."는 취지의 말을 되풀이할 뿐이었다. 항소인은 피항소인의 이러

51) 신에게 기원해서 죄 · 부정(不淨) 따위를 없애고 몸을 깨끗이 하는 일
52) 불경을 베껴 쓰는 모임

한 언행을 종교적 기행이며 (항소인 자신을) 노인 취급하고, 가족의 일원으로서 대우하지 않는 차가운 처사라고 불만을 축적시키며, 거실에 출입하지 못하고 혼자서 식사를 하는 생활을 계속하고 있었다.

(7) 피항소인은 2007년 무렵부터 항소인의 여동생의 시댁의 영결식과 법회에 결석하고 사돈(며느리의 부모)이 방문해도 방에 틀어박혀 얼굴을 보이지 않는 등, 항소인의 친척을 싫어하는 경향이 심해졌지만, 2008년 ×월 ×일, 예고도 없이 집의 불단에 모셔져 있던 전처의 위패를 백화점 쇼핑 가방에 싸서 장남의 처가인 △△집에 보냈다. 그 위패의 포장에는 미국에 있는 장남에게 보내 달라는 메모가 붙어 있었는데 물론 항소인이나 장남에게는 한마디 상의도 없이 한 행동이었다.

장남의 아내의 어머니는 같은 달 ×일, 갑자기 위패가 배달된 것에 경악하여 장남과 항소인의 여동생인 F에게 연락했다. 그리고 장남은 미국에서 항소인에게 전화를 걸었는데, 피항소인이 항소인에게 전화를 연결하지 않은 점 등으로 연락을 못하고, F에게 연락하여 F가 이 날, 항소인의 집에 들러서 항소인에게 전처의 위패를 확인하라고 하였기 때문에 항소인이 불단을 조사하여 비로소 위패가 없어진 것을 알았다.

그래서 항소인이 피항소인에게 위패의 행방을 묻자 피항소인은 태연히 전처의 위패는 아들인 장남이 모시는 것이 당연하므로 사돈집(△△집)에 보내어 장남에게 전해 주라고 하였다고 대답했다. 그래서 F가 항소인의 승낙 없이 멋대로 그러한 일을 하는 것이 아니라는 등으로 거들자 흥분한 피항소인은 F에게 "OO 집안일에 간섭마라.", "돌아가! 두 번 다시 오지 마." 등으로 욕을 하며 F의 팔을 잡아 현관까지 끌고 가는 등 했다. 그 후 항소인은 △△집에 가족의 잘못을 말하고 위패를 돌려받아 왔다.

(8) 항소인은 위패의 일로 혼자 괴롭다고 생각하는 동안 2008년 ×월 ×일, 궁금하여 방안을 뒤졌는데, 찬장 안에 있던 항소인의 앨범 10여권(항소인의 부모, 친척, 친구나 전우와의 사진 등이 담긴 앨범 한 권 외에 장남의 성장 과정을 촬영한 사진 앨범 등이 포함되어 있었다)이 없어진 것을 깨달았다. 이들 앨범 중 한 권은 장남이 미국에 가져갔지만 피항소인은 2007년 ×월경 그 이외의 앨범을 내용을 전혀 확인하지 않고 OO사(절 이름)에서 열린 대호마(大護摩)[53] 때에 소각하였다.

항소인이 피항소인에게 앨범의 소재를 묻자 피항소인은 "모두 버렸다.", "E도 며느리도 방해가 되니까 처분해 달라고 말했다.","거짓말이라고 생각한다면 전화해서 들어 봐라." 등으로 사후의 변명으로 일관했다.

항소인은 자신의 인생사가 새겨진 앨범을 소각했다는 생각할 수 없는 사실에 기겁하여 피항소인

53) '호마'란 불을 피우며 그 불 속에 공양물을 던져 넣어 태우는 불교의 의식을 말한다. 불을 하늘의 입이라 생각하여 불에 공양물을 던지면 하늘이 이를 먹고 사람에게 복을 준다는 생각에서 유래하였다.

을 힐문했지만, 거꾸로 피항소인은 행복하게 해주겠다고 했는데 속았다는 등으로 말하고 항소인이 경영하던 회사가 도산하여 생활비도 점점 줄어들고 있는 것 등에 대해 바가지를 긁었다.

(9) 항소인은 2008년 ×월 ×일, 보다이지(菩提寺)[54]인 △△사에 들러서 주지 스님에게 피항소인의 일을 상담하였다. 그리고 주지 스님으로부터 피항소인이 2007년 ×월 말경 항소인에게 말하지 않고 △△종의 낡은 교본과 항소인이 작성한 조상의 가코쵸를 처분해 달라고 가져온 것을 들었다.

항소인은 피항소인이 뭔가 나쁜 종교에 현혹된 것으로 생각해서 피항소인이 다니던 ○○사를 찾아 가 주지 스님과 상담했는데 ○○종에서는 그러한 가르침은 하고 있지 않고 지난 해 대호마의 때에 피항소인이 큰 짐을 운반하여 소각해 달라고 부탁했던 적이 있었다고 들었다.

(10) 2008년 ×월 ×일, 장녀의 ○○대학 대학원 졸업식이었는데 피항소인과 장녀는 졸업식에 참석했지만 항소인은 집에 있었다.

피항소인과 장녀는 졸업식이 끝난 후에 장녀의 성희롱 문제에 대해서 총장과 논의하느라 귀가가 늦어졌고 오후 9시 30분경에 귀가했다. 항소인은 귀가한 피항소인에게 식사를 준비하라고 요구했는데 피항소인과 말다툼이 되어 참을 수 없어서 집을 나와서 그대로 동생 집에 묵었다. 항소인은 지금까지는 피항소인과 죽을 때까지 함께 하겠다며 피항소인의 언행도 참고 있었지만 위패의 일이나 앨범을 처분한 일 등에서, 이제 함께 사는 것은 참을 수 없다고 느꼈다. 이혼을 결심하여 F의 집에 잠시 몸을 의탁한 후 원룸 아파트를 빌려 별거하고 저녁 식사만큼은 F의 신세를 지고 있다.

2 쟁점(민법 770조 1항 5호의 이혼 원인의 유무)에 대해서

위 1 인정 사실에 의하면, 항소인, 피항소인의 결혼 생활은 부부의 파탄을 가져오는 큰 풍파 없이 약 18년간의 경과를 보여 왔는데, 항소인에 의한 요즘 별거 생활이, 2007년부터 시작된 피항소인의 일련의 언행이 주된 이유이기 때문에, 양측의 나이, 가족 관계, 결혼 기간 등만 채택하여 논하면, 아직 충분히 혼인관계가 복원할 여지가 있다는 견해도 성립되지 못하는 것은 아니다.

그러나 항소인의 친척과 화합을 잃은 피항소인의 기피적인 태도는 제쳐 두더라도 나이 80세에 이른 항소인이 병으로 예전의 생활력을 잃고 생활비를 줄인 것과 시기를 맞추듯 시작된 항소인을 경시하는 행위, 오랫동안 불단에 모셨던 전처의 위패를 없애 친척에게 보내고 항소인의 청춘 시절부터의 매우 소중한 추억의 물건을 소각 처분하는 등 하는 자제를 잃은 행위는 빈정거림이라고 하기에는

54) 선조 대대의 위패를 모신 절

너무나도 항소인의 삶에 대한 배려가 없는 행위이며, 이들 일련의 행동이 항소인의 삶에서도 큰 굴욕적 사건으로 그 심정을 크게 상처 입히는 것이었음은 의심할 여지가 없다. 마찬가지로 피항소인은 지금 여전히 이들 거리낌 없는 제멋대로의 행위에 대해서 자기의 정당한 이유를 누누이 말하는 것을 꺼리지 않는데 그 이유라고 하는 것은 도저히 상식에 닿지 않는 일방적인 강변에 지나지 않고, 원심의 진술을 통해 항소인이 받은 정신적 타격을 이해하려는 자세는 결여되어 있으며 향후 항소인과의 관계 복원 하나만 해도 진지하게 이야기하려고도 하지 않는 것에서 보면 항소인과 피항소인의 혼인관계는 항소인이 혼인관계를 계속해 나가기 위한 기반인 피항소인에 대한 신뢰 관계가 회복할 수 없을 정도로 상실되어 복구하기 어려운 상태에 이르렀다고 하지 않을 수 없다.

또한 피항소인이 아이까지 낳은 오랜 애인 관계에 종지부를 찍고, 전처를 잃고 곧 항소인이 결혼 생활을 시작함에 있어서, 집의 인테리어를 바꾸고 전처의 생활 흔적이 남은 동산류를 처분한다거나 불제에 집착한 것은 가정 내에 전처의 흔적을 남긴 채 새로운 생활을 시작할 수 없다는 아내의 심리가 발현된 것으로서 나름대로 이해할 수 없는 것은 아니지만 그러한 재혼의 경위를 감안하더라도, 전처의 위패, 조상의 가코쵸를 중심으로 하는 제사와, 전쟁 전부터 항소인 및 일가의 사진 앨범의 보존 등은 항소인이 재혼에 있어서 피항소인을 배려해야 할 사항과는 관계가 없고 그래서 피항소인도 이를 받아들여 부부 간 갈등이 생기지 않은 채 그럭저럭 결혼 생활을 보낸 것으로 말할 수 있고 결혼 후 십수년이나 지나서 재차 문제로 삼을 일이라고는 할 수 없다.

따라서 별거 기간이 1년 남짓인 점 등을 고려해도, 항소인과 피항소인 사이에는 혼인을 계속하기 어려운 중대한 사유가 있다고 인정된다.

3 이상에 의하면, 항소인의 이혼 청구는 이유가 있으며, 이를 기각한 원판결은 상당하지 않으므로 본건 항소는 이유가 있다.

따라서 주문과 같이 판결한다.

◇ 재판장 재판관 渡邉安一 재판관 安達嗣雄 明石万起子

제5장
재산분할

1. 내연 관계의 해소에 의한 재산분할 청구권의 특정 여부

항고인(전 내연의 처)과 Y1(전 내연의 남편)은 1982년경부터 사실상의 부부로서 동거를 시작했지만 2006년 7월 29일, 항고인이 집을 나오는 형태로 동거를 해소했다. 항고인은 2007년 11월 30일 원심 재판소에 Y1을 상대방으로 하여 재산분할 조정을 신청했지만 2008년 5월 20일에 불성립되어 원심판 절차로 이행했다. Y1은 2009년 7월 5일에 사망했으며 망인의 자녀들인 상대방들이 원심판 절차에서 Y1의 지위를 승계했다.

본 사안에서는 재산분할 의무자가 사망할 때까지 이 청구권의 내용이 특정되어 구체적인 재산분할 청구권이 되어 있는지 여부가 문제되었다. 기존 판례에 의하면 내연 관계가 사망으로 해소된 경우 민법 768조의 준용은 부정되는데(최고재판소 平成12年[55] 3月 10日 결정) 본건에서도 Y1의 사망 시까지 재산분할 청구권이 구체화되어 특정되어 있지 않으므로 위 최고재판소 결정과 마찬가지로 생존한 내연 배우자인 항고인의 재산분할 청구권을 부정해야 한다는 것이 상대방들의 주장이었다.

55) 2000년

오사카 고등재판소는 "내연 관계의 해소에 의해 재산분할 청구권은 이미 발생하였고 항고인은 재산분할 조정을 신청하여 이를 청구하는 의사를 분명하게 하고 있는데 이것이 심판으로 이행한 것이므로 그 구체적인 권리 내용은 심판에서 형성되는 것이고 Y1이 심판 중에 사망한 경우 그 재산분할 의무가 상속 대상임을 부정할 이유는 존재하지 않는다."고 판시하였다.

또한 항고인이 재산분할 조정을 신청하고부터 Y1의 사망까지 1년 반 이상이 경과하고 있던 것, 이 조정 절차 중에 부대항고인이 Y1의 허가 대리인으로서 1,000만 엔의 조정안을 제시한 것을 고려하면 항고인의 재산분할 청구는 어느 정도 구체화하고 있던 것으로 인정된다고 하였다.

〈민법〉

(재산분할)

제768**조** 협의상 이혼을 한 사람의 일방은 상대방에 대해 재산의 분할을 청구할 수 있다.

2 전항의 규정에 의한 재산분할에 대해 당사자 사이에 협의가 성립되지 않는 때 또는 협의를 할 수 없는 때에는 당사자는 가정재판소에 협의를 대신하는 처분을 청구할 수 있다. 단, 이혼 시부터 2년을 경과한 때에는 그러하지 아니하다.

3 전항의 경우에는 가정재판소는 당사자 쌍방이 협력에 의해 얻은 재산액 기타 모든 사정을 고려하여 분할 여부 및 분할액과 방법을 정한다.

재판연월일	平成23年[56] 11月 15日	**재판소명**	오사카(大阪) 고등재판소
사건번호	平23(ラ)905号	**재판구분**	결정
사 건 명	재산분할 심판에 대한 항고 사건		
재판결과	항고 기각, 부대항고 기각	**상 소 등**	확정

주 문

1 본건 항고 및 본건 부대항고를 모두 기각한다.

2 항고비용은 항고인이 부담하고 부대항고비용은 부대항고인이 부담한다.

이 유

제1 항고 및 부대항고의 취지

1 항고의 취지

(1) 원심판을 다음과 같이 변경한다.

(2) 상대방들은 항고인에게 각각 1,666만 엔을 지불하라.

2 부대항고의 취지

(1) 원심판 중 부대항고인 패소 부분을 취소한다.

(2) 항고인의 부대항고인에 대한 신청을 각하한다.

제2 사안의 개요

1 사안의 요지

(1) 항고인(전 내연의 처 1938년 O월 O일생)과 Y1(전 내연의 남편 1926년 O월 O일생, 원심판에서 말하는 '망 Y1')은 1982년경부터 사실상의 부부로서 동거를 시작했지만 2006년 7월 29일 항고인이 집을 나오는 형태로 동거를 해소했다.

56) 2011년

(2) 항고인은 2007년 11월 30일 원심 재판소에 망 Y1을 상대방으로 하여 재산분할 조정[오사카 가정재판소 平成19年(家イ)第5924号]을 신청했지만 2008년 5월 20일에 불성립되어 원심판 절차로 이행했다.

(3) 망 Y1은 2009년 7월 5일에 사망했으며 망인의 자녀들인 상대방들이 원심판 절차에서 상대방의 지위를 승계했다.

2 원심판(2011년 7월 27일)의 요지

(1) 항고인과 망 Y1 사이에 내연 관계는 성립하고 항고인은 내연 관계 해소 후 재산분할 청구를 했으며 망 Y1의 사망에 의해 상대방들이 망 Y1의 지위를 승계했다.

(2) 항고인의 재산분할 청구는 신의칙에 반하지 않고 권리 남용에도 해당하지 않는다.

(3) 1982년 무렵부터 2006년 7월까지의 동거 기간 중에 망 Y1의 재산(금융자산)은 약 2억 엔이 형성되었는데 그 중 약 1억 엔은 상대방 Y2 명의의 건물 건축 자금으로 충당되었으므로 잔존 재산은 약 1억 엔이 되며 항고인의 기여율을 20%로 보고 그 위에 항고인이 선급 받은 500만 엔을 빼면 항고인이 취득해야 할 분할액은 1,500만 엔이 된다.

(4) 따라서 상대방들은 그 상속분에 따라 항고인에게 각 500만 엔을 지불할 의무가 있다.

3 항고 및 부대항고 이유의 요지

(1) 항고 이유의 요지

① 기여율(20%)의 부당성

항고인은 망 Y1의 가업, 가사를 충분히 부담해 왔으며 재산분할의 기여율(분할률)의 기본인 50%의 기여율(분할률)을 인정해야 한다.

또한 원심은 재산분할에 있어서 부양적 요소를 고려하지 않은 점에서 부당하며 부양적 관점에서 재산분할액을 증액할 필요가 있다.

② 재산분할 대상 재산

원심은 항고인과 망 Y1이 동거한 25년 동안에 형성된 재산을 약 2억 엔으로 인정했다. 그렇다면 위 약 2억 엔(부부 형성 재산)에 기여율(20%)을 곱한 4,000만 엔이 항고인에게 분할되어야 한다.

(2) 부대항고 이유의 요지

① 재산분할 의무의 비상속성

의무자가 사망할 때까지 협의나 심판 등에 의해 재산분할 청구의 내용이 특정되어 구체적인 재산 청구권이 되어 있지 않으면 재산분할 의무는 상속되지 않는다고 해석해야 한다.

② 민법 768조 준용의 부정

내연 관계가 사망으로 해소된 경우 민법 768조의 준용은 부정되는데(최고재판소 平成12年[57] 3月 10日 결정 참조), 본건에서도 망 Y1의 사망 시까지 재산분할 청구권이 구체화되어 특정되어 있지 않으므로 위 최고재판소 결정과 마찬가지로 생존한 내연 배우자의 재산분할 청구권을 부정해야 한다.

③ 재산분할 대상 재산의 부존재

원심은 25년 동안에 2억 엔 정도의 재산이 형성되어 이 중 1억 엔에 대해서 20% 정도의 기여가 있다고 설시했지만 부당하다. 위 2억 엔 정도인 재산의 대부분은 망 Y1의 고유 재산이므로 항고인의 청구는 각하되어야 한다.

④ 분할액의 부당성

원심은 합계 1,500만 엔의 분할을 명령하지만 너무 고액이어서 부당하다. 항고인은 망 Y1의 금융자산 형성에 기여하지 않았고 상당한 자산을 보유하고 있는 점 등을 고려하면 분할액은 보다 저액으로 해야 한다.

제3 본 재판소의 판단

1 본 재판소도 상대방들에게 각 500만 엔의 지불을 명하는 것이 상당하다고 판단한다. 그 이유는 원심판의 설시대로이므로 이를 인용한다.

2 항고 이유 및 부대항고 이유에 대해서

(1) 항고 이유에 대해서

① 기여율(20%)의 부당성

항고인은 기여율(분할률)을 50%로 인정한 다음 그 위에 부양적 관점에서 재산분할액의 증액이 필요하다고 주장한다.

그러나 재산분할의 대상은 망 Y1의 금융 자산이며 망 Y1의 투자 운용에 의한 평가액의 증대 등에 따라 위 금융 자산이 증가하여 형성된 것은 원심판의 설시와 같으며, 또한 항고인은 상당한 고유 재산을 보유하고 있는 것으로 인정되고(일건 기록), 부양적인 관점에서 재산분할액의 증액이 필요하다고 바로 말할 수는 없으므로 항고인의 주장은 이유가 없다.

② 재산분할 대상 재산

---

57) 2000년

항고인은 재산분할 대상 재산이 약 2억 엔이므로 그것에 기여율(20%)을 곱한 4,000만 엔이 항고인에게 분급되어야 한다고 주장한다. 그러나 약 2억 엔 중 약 1억 엔은 상대방 Y2 명의의 건물 건축 비용으로 지출되었기 때문에(약 1억 엔은 증여로 해석된다) 재산분할 대상 재산은 약 1억 엔이며 항고인의 주장은 전제를 결여하여 이유가 없다.

(2) 부대항고 이유에 대해서

① 재산분할 의무의 비상속성

부대항고인은 재산분할 의무자가 사망할 때까지 이 청구권의 내용이 특정되어 구체적인 재산 청구권이 되어 있지 않으면 재산분할 의무는 상속되지 않는다는 취지로 주장한다.

그러나 본건에서는 내연 관계의 해소에 의해 재산분할 청구권은 이미 발생하였다. 그리고 항고인은 재산분할 조정을 신청하여 이를 청구하는 의사를 분명하게 하고 있는데 이것이 심판으로 이행한 것이므로 그 구체적인 권리 내용은 심판에서 형성되는 것이고 망 Y1이 심판 중에 사망한 경우 그 재산분할 의무가 상속 대상임을 부정할 이유는 존재하지 않는다.

또한 항고인이 재산분할 조정을 신청하고부터 망 Y1의 사망까지 1년 반 이상이 경과하고 있던 것, 이 조정 절차 중에 부대항고인이 망 Y1의 허가 대리인으로서 1,000만 엔의 조정안을 제시한 것(일건 기록)을 고려하면 항고인의 재산분할 청구는 어느 정도 구체화하고 있던 것으로 인정된다.

② 민법 768조 준용의 부정

부대항고인은 본건에서는 망 Y1이 사망한 때까지 재산분할 청구권이 구체화하여 특정되어 있지 않으므로 내연 관계가 사망으로 해소된 경우와 마찬가지로 민법 768조의 준용은 부정해야 하며, 원심은 최고재판소 平成12年[58] 3月 10日 결정에 위반한다는 취지로 주장한다.

그러나 본건은 내연 관계 해소 후에 생존 권리자가 생존 의무자에게 재산분할 청구를 한 사안으로 위 최고재판소 결정의 사례(이른바 내연 관계의 사망 해소 사례)와는 사안이 다르므로 부대항고인의 주장은 전제를 결여하여 채용할 수 없다.

③ 재산분할 대상 재산의 부존재

부대항고인은 25년 동안 형성된 2억 엔 정도의 재산의 대부분은 망 Y1의 고유 재산이므로 항고인의 청구는 각하되어야 한다는 취지로 주장한다.

하지만 내연 관계 중에 항고인과 망 Y1의 협력 하에 형성된 재산이 약 2억 엔(단, 상대방 Y2에 대한 약 1억 엔의 양도금을 포함한다)임은 원심판이 설시한 대로이며 부대항고인의 주장은 이유가 없다.

---

58) 2000년

④ 분할액의 부당성

부대항고인은 분할액(합계 1,500만 엔)이 너무 고액이어서 부당하다는 취지로 주장한다.

그러나 망 Y1의 금융 자산 형성에 항고인이 기여한 점이 있고 그 기여율을 20%로 보는 것이 상당하다는 점은 원심판의 설시대로이므로 부대항고인의 주장은 이유가 없다.

⑤ 부대항고인은 기타 여러 가지 주장을 하지만 모두 위 결론을 좌우할 만한 것은 아니다.

3 위와 같이 원심판은 상당하고 본건 항고 및 부대항고는 이유가 없으므로 모두 기각하기로 하여 주문과 같이 결정한다.

◇ 재판장 재판관 赤西芳文 재판관 片岡勝行 山口芳子

2. 대출 초과 또는 잔여 가치가 없어 재산분할 대상에서 제외된 부동산의 소유 관계

본건은 원고가, 부동산이 자신의 단독 소유임에도 불구하고 이를 피고(원고의 전처)가 점유하고 있다고 하여 피고에게 소유권에 근거하여 본건 건물의 명도를 요구하는 동시에 소유권 침해의 불법행위를 이유로 피고의 본건 건물 점유 개시 시부터 명도 때까지 매월 사용료 상당 손해금의 지불을 요구한 사안이다.

(1) 본건 건물을 원고가 단독으로 소유하고 있는가[쟁점(1)]

도쿄 지방재판소는 "부부 한쪽이 그 특유 재산에서 부동산 매매 대금을 지출한 것과 같은 경우에는 당해 부동산이 재산분할의 계산에서 대출 초과 또는 잔여 가치가 없다고 평가되어 재산분할 대상 재산에서 제외된다고 하더라도 이혼 소송을 담당한 재판소가 특유 재산에서 지출된 금원에 대해 아무런 심리 판단을 하지 않는 이상, 이혼 시의 재산분할과는 별개로 당해 부동산의 공유 관계에 대해서 심리 판단이 되어야 한다. 원고와 피고 사이의 이혼 및 재산분할 소송의 항소심 판결을 담당한 도쿄 고등재판소는 본건 부동산에 관하여 잔여 가치를 0엔으로 평가하는 것이 상당하다고 판단하여 재산분할액의 계산에서 본건 부동산을 그 대상에서 제외하고 원고 명의의 예금만을 재산분할의 대상으로 하고 있으며, 그 때문에 본건 부동산에 대해서는 원고와 피고 간의 이혼 소송에서 재산분할의 규율로 처리되지 않은 것이 인정되므로 이혼 소송의 재산분할과는 별개로 권리 관계를 확정하여 그 청산에 관한 처리가 되어야 한다."고 전제하였다.

그런데 본건 부동산에 관해서는 피고의 고유재산 1,310만 8,601엔이 그 상환에 충당된 것으로 평가할 수 있으므로 본건 부동산 중 적어도 지분 3분의 1에 대해서는 피고의 지분에 속한다고 인정된다고 하였다. 그리고 공유물의 지분 가격이 과반수를 넘는 사람은 공유물을 단독으로 점유하는 다른 공유자에 대하여 당연히는 그 점유하는 공유물의 명도를 청구할 수 없기 때문에 본건 부동산의 지분 3분의 2를 가지는 원고는 본건 부동산의 지분 3분의 1을 가지는 피고에게 소유권(지분권)에 의거하여 당연히는 본건 건물의 명도를 요구할 수는 없다고 판시하였다.

(2) 본건 건물의 1개월당 사용료 상당 손해금은 얼마인가[쟁점(2)]

도쿄 지방재판소는 "피고는 2012년 5월 7일 이후 본건 건물 중 피고 지분(3분의 1)을 넘는 지분 3분의 2(원고 지분)의 부분에 대해서는 권원 없이 점유하고 있음이 분명하다. 이는 원고의 지분권을 침해하는 불법행위에 해당하므로 원고는 피고에게 불법행위에 근거하여 2012년 5월 7일 이후 본건 건물명도 때까지 월 10만 엔의 비율에 의한 사용료 상당 손해금의 지불을 요구할 수 있다고 할 수 있다."고 판시하였다.

재판연월일 平成24年[59] 12月 27日	**재판소명** 도쿄(東京) 지방재판소
사건번호 平24(ワ)12019号	**재판구분** 판결
사 건 명 건물명도 청구 사건	
재판결과 일부인용	**상 소 등** 항소

주 문

1. 피고는 원고에게 2012년 5월 7일부터 별지 물건 목록 기재 2의 건물명도 때까지 1개월당 10만 엔의 비율에 의한 돈을 지불하라.

2. 원고의 나머지 청구를 모두 기각한다.

3. 소송비용은 원고가 5분의 4를 부담하고 피고가 5분의 1을 부담한다.

4. 이 판결은 제1항에 한하여 가집행할 수 있다.

사실과 이유

제1 청구

1. 피고는 원고에게 별지 물건 목록 기재 2의 건물을 명도하라.

2. 피고는 원고에게 2012년 5월 7일부터 전항의 건물명도 때까지 1개월당 19만 8,000엔의 비율에 의한 돈을 지불하라.

제2 사안의 개요 등

본건은 원고가 별지 물건 목록 기재 2의 건물(이하 '본건 건물'이라 한다)은 자신의 단독 소유임에도 불구하고 이를 피고가 점유하고 있다고 하여 피고에게 소유권에 근거하여 본건 건물의 명도를 요구하는 동시에 소유권 침해의 불법행위를 이유로 피고의 본건 건물 점유 개시 시부터 명도 때까지 월 19만 8,000엔의 비율에 의한 사용료 상당 손해금의 지불을 요구한 사안이다.

---

59) 2012년

1 전제사실(증거 등에 의해 명확히 인정되는 사실)

(1) 원고(1971년 O월 O일생)와 피고(1970년 O월 O일생)는 2001년 2월 18일에 혼인한 부부이고 2005년 O월 O일에 장녀 A를, 2008년 O월 O일에 장남 B를 각각 출산했다.

(2) 원고와 피고는 2002년 11월 9일, 별지 물건 목록 기재 1의 토지(이하 '본건 토지'라 한다)를 구입하여 같은 날 원고 명의로 등기를 마쳤다. 원고와 피고는 2003년 5월 14일, 본건 토지 위에 본건 건물을 신축하여 같은 달 30일 원고 명의로 등기를 마쳤다. 원고와 피고는 2003년 5월에 본건 건물에 입주했다.

(3) 피고는 미용사 자격을 가지고 원고와 혼인 후 친정의 미용실을 정기적으로 도왔고 장녀가 태어난 후에도 친정의 일을 거들고 있었다. 장녀의 일상을 돌보는 것은 주로 피고가 해 왔고, 장남의 출산을 앞둔 2008년 1월 말까지는 주로 집에서 장녀를 감호하고 피고가 친정으로 도와주러 갈 때에는 장녀를 데리고 갔다.

(4) 원고는 2008년 5월 26일, 피고에게 알리지 않고 장녀와 장남을 데리고 본건 건물을 나가 피고가 본건 건물에 남았다. 원고는 그 후 지인의 집과 친형의 집 등을 거쳐 효고현(兵庫県) 가코가와시(加古川市) 안의 공동주택에서 생활하게 되었다.

(5) 피고는 2008년 8월 14일 원고를 상대방으로 하여 고베(神戸) 가정재판소 히메지(姫路) 지부에 대하여 자녀의 감호에 관한 처분(자녀의 감호자 지정, 자녀의 인도)을 요구하는 절차를 신청하여 원고는 같은 해 10월 30일 조정기일에 장녀 및 장남을 피고에게 인도했다.

(6) 원고와 피고가 혼인 후 형성한 공유재산은 본건 토지 및 본건 건물(이하 아울러 '본건 부동산'이라 한다) 및 원고 명의의 예금이다. 덧붙여 2008년 6월부터 2009년 5월까지 원고의 연봉은 약 1,000만 엔이었다. 피고는 그 당시 가사를 전담하여 수입이 없었고 자녀들은 낮에는 장녀는 보육원에, 장남은 가정복지원에 맡기고 있었다.

(7) 피고는 2008년 8월 14일 원고를 상대방으로 하여 도쿄 가정재판소에 부부관계 조정(調整)의 조정(調停) 및 혼인 비용 분담의 조정을 신청했다. 그 해 10월 14일에 조정 기일이 열렸는데 원고는 이 기일 후 피고가 귀가하기 전에 본건 건물에 가서 자물쇠를 열어 본건 건물에 들어가려 했지만, 피고가 미리 자물쇠를 교체했기 때문에 본건 건물에 들어갈 수 없었다. 원고는 일단 열쇠 전문가를 불러 파괴하지 않으면 열리지 않는 자물쇠라는 말을 듣고 자물쇠를 파괴하여 본건 건물에 들어가려 했으나 자물쇠를 파괴하는 데 시간이 걸려서 이를 중지했다.

(8) 피고[60]는 2008년 7월 무렵까지는 본건 건물에서 생활하고 있었지만 그 후 늦어도 자녀들의

60) 원문에는 '원고'로 기재되어 있으나 '피고'의 오기가 분명하다.

인도를 받은 날 이후는 본건 건물에서 자전거로 20분 정도 걸리는 곳에 있는 친정에서 생활하게 되었다. 피고[61]는 친정에서 생활하게 되고서도 본건 건물 내에 적어도 자녀들의 옷장 및 수납 상자 등을 두고 있었다.

(9) 2008년 11월 27일, 전술한 혼인 비용 분담 조정 신청 사건에 대해 조정이 성립하여 원고가 피고에게 같은 해 12월부터 당사자의 별거 해소 또는 이혼에 이르기까지 혼인 비용 분담금으로 월 10만 엔을 지불하는 것 외 피고가 거주하고 있는 본건 건물에 관련된 주택 담보 대출에 대해서 원고가 이를 부담하는 것 등이 합의되었다.

(10) 2009년 피고는 원고를 상대로 도쿄 가정재판소에 원고와의 이혼, 자녀들의 친권자가 되는 것, 양육비, 재산분할 및 위자료를 요구하여 소송을 제기하고 이에 대하여 원고도 피고를 상대로 도쿄 가정재판소에 피고와의 이혼, 자녀들의 친권자가 되는 것, 재산분할 및 위자료를 요구하며 소송을 제기하여 두 사건은 병합되어 심리가 이루어졌다. 도쿄 가정재판소는 2010년 2월 26일 원고와 피고는 이혼하고 자녀들의 친권자를 모두 피고로 하는 것, 양육비로 원고가 피고에게 자녀 한 사람당 월 7만 엔을 지불하는 것, 재산분할로 원고가 피고에게 1,058만 5,458엔을 지불하는 것, 위자료로 원고가 피고에게 250만 엔 남짓을 지불하는 것을 내용으로 하는 판결(이하 '본건 제1심 판결'이라 한다)을 선고했다.

(11) 원고는 본건 제1심 판결에 불복하여 도쿄 고등재판소에 항소를 제기했다. 도쿄 고등재판소는 2010년 8월 25일, 본건 제1심 판결 중 양육비에 대해서 원고가 피고에게 자녀 한 사람당 월 4만 엔을 지불하도록 하고, 재산분할에 대해서 원고가 피고에게 707만 598엔을 지급하도록 판결 내용을 변경하는 동시에, 나머지 항소를 기각하는 취지의 판결(이하 '본건 항소심 판결'이라 한다)을 선고하고 이 판결은 같은 해 9월 9일에 확정되었다.

(12) 본건 항소심 판결 선고 후 피고는 자신의 대리인을 통해 원고가 본건 건물에 거주할 예정임을 전해 들어, 원고가 그의 대리인을 통해 본건 건물의 열쇠의 인도를 요구하여도 이에 응하지 않겠다는 취지로 응답했다.

(13) 원고는 2010년 9월 11일 무렵 열쇠 전문가를 불러 본건 건물의 자물쇠를 훼손하여 문을 열고 새로운 자물쇠를 받아 그 후 본건 건물에 거주하고 있다. 피고는 같은 해 10월 6일 본건 건물에 갔지만 자물쇠를 열 수 없었으므로 초인종을 눌렀는데 원고가 이에 응답했고 원고와 피고는 말다툼을 벌였다.

(14) 피고는 2011년 2월 8일 원고를 상대로 도쿄 지방재판소에 점유권에 근거하여 본건 건물의 반환(명도)을 요구하는 동시에 점유 침탈의 불법행위에 근거하여 손해배상(위자료)을 요구하는 소송을

61) 원문에는 '원고'로 기재되어 있으나 '피고'의 오기가 분명하다.

제기했다. 도쿄 지방재판소는 같은 해 12월 22일, 원고가 피고에게 본건 건물을 명도함과 동시에 위자료 20만 엔 남짓을 지불하도록 명하는 내용의 판결을 선고했다. 원고는 위 판결에 따라 2012년 5월 7일, 피고에게 본건 건물을 명도했다.

2. 쟁점

(1) 본건 건물을 원고가 단독으로 소유하고 있는가[쟁점(1)]

(2) 본건 건물의 1개월당 사용료 상당 손해금은 얼마인가[쟁점(2)]

3. 쟁점에 관한 당사자의 주장

(1) 쟁점(1)(본건 건물을 원고가 단독으로 소유하고 있는가)에 대해서

① 원고의 주장

이미 확정되어 있는 원고와 피고 간의 이혼 소송의 본건 항소심 판결에서는 원고와 피고의 공유재산에 대해서 '제三 二(2) 원판결의 부가 정정'의 ②에서 본건 제1심 판결의 7쪽 20줄의 '별표 기재대로이다.'를 정정하여 본건 부동산 및 원고 명의의 예금으로 고치고 있다(7쪽 4줄부터 9줄). 그리고 '제三 五(1)'에서 본건 부동산의 평가액 및 주택 담보 대출의 남은 채무액을 고려하여 '잔여 가치는 0엔으로 평가하는 것이 상당하다'로 하고(9쪽 11줄부터 12줄), '제三 五(3)'에서 본건 부동산의 가치를 고려한 후에 재산분할액을 707만 598엔으로 판시하고 있다. 위와 같이 본건 항소심 판결에서는 본건 건물이 재산분할 대상 재산으로 되어 있는 것은 명백하며 그 가치가 남은 채무액과 함께 고려된 결과 0엔으로 평가되었을 뿐이다.

이처럼 본건 건물에 대해서는 원고와 피고 간의 본건 항소심 판결에서 부부 공유 재산으로 된 후에 재산분할액이 산정된 것으로 본건 항소심 판결 확정으로 현재는 그 명의자인 원고의 단독 소유에 속하는 것이다.

② 피고의 주장

본건 항소심 판결은 '제三 五 재산분할에 대해서'의 항목 중 '(1) 부동산(본건 부동산)'의 부분에서 '위 토지 건물(본건 부동산)의 가격은 이들에 설정된 저당권의 피담보채권(주택 담보 대출)의 잔존 채무 3,178만 3,851엔으로 거의 이 정도이며 잔여 가치는 0엔으로 평가하는 것이 상당하다'고 판단하고(9쪽 9줄부터 12줄), 당사자의 주장대로 본건 부동산을 재산분할 대상 재산에서 제외하는 취지의 인정을 했다. 그 위에 본건 항소심 판결은 재산분할에 관하여 원고와 피고가 별거 시에 잔존하고 있던 원고 명의의 예금 합계액을 2분의 1로 하여 그 금액에서 원고가 피고에게 별거 시작 후에 지불한 금액을 공제하고 원고가 피고에게 707만 598엔을 지불하도록 판시했다(10쪽 1줄 이하).

이처럼 원고와 피고 간의 이혼 소송에서 재산분할의 대상은 원고 명의의 예금으로 한정되고 본건 부동산은 재산분할 대상에서 제외된 것이다. 그리고 본건 부동산에 관해서는 ㉮ 피고가 해약한 예금 800만 엔, ㉯ 원고와 피고가 동거하는 동안에 지급된 주택 담보 대출의 상환 총액의 2분의 1 상당액(290만 8,601엔) 및 ㉰ 원고와 피고의 별거 시부터 이혼까지 사이의 주택 담보 대출 상환액 가운데 합계 220만 엔(2008년 12월부터 2010년 9월분까지의 주택 담보 대출의 지불분 중 월 10만 엔에 상당하는 액수)의 합계 1,310만 8,601엔에 대해서는 피고의 고유재산에서 지급된 것으로 평가할 수 있으므로 본건 부동산은 현재도 원고와 피고의 공유 재산으로서 취급되어야 한다.

(2) 쟁점(2)(본건 건물의 1개월당 사용료 상당의 손해금액)에 대해서

① 원고의 주장

본건 건물의 1개월당 사용료 상당의 손해금은 19만 8,000엔이 상당하다.

② 피고의 주장

본건 건물의 1개월당 사용료 상당의 손해금은 겨우 7만 엔 정도이다.

제3 본 재판소의 판단

1 쟁점(1)(본건 건물을 원고가 단독으로 소유하고 있는가)에 대해서

(1) 원래 부부 간의 재산분할은 부부 공동생활 중의 공통 재산의 청산이며 재산분할의 대상이 된 재산을 금전적으로 평가하여 거기에서 부채를 공제하고 적극 재산이 남는 경우, 특별한 사정이 없는 한 그 2분의 1에 상당하는 금액을 서로 분할함으로써 부부 간의 실질적 공평을 도모하는 제도이다.

그런데 주택 담보 대출 잔액이 부동산 가치를 넘는 이른바 오버론(over loan)의 부동산과 부동산의 가치와 주택 담보 대출 잔액이 거의 동일한 수준이어서 잔여 가치가 없다고 평가된 부동산은 적극 재산으로서 금전적으로 평가되는 것이 없기 때문에 부부 사이의 이혼 소송의 재산분할 절차에서는 청산 대상이 되지 않는다. 그 결과 부부 공유 재산으로 판단된 부동산에 대해서 청산이 종료하지 않는 사태가 생길 수 있지만 이 경우 부동산 구입에 있어서 자기의 특유 재산에서 출연한 당사자는 이 출연한 금원에 대해 이혼 소송에서는 그 청산에 대해 판단이 이루어지지 않은 채 재산분할액이 정해져 버리고 한편으로 우연히 당해 부동산의 등기 명의를 가지고 있던 상대방 당사자는 출연자의 손실을 근원으로 부동산의 재산적 가치의 전부를 계속 보유할 수 있다는 지극히 불공평한 사태를 초래하게 된다.

그래서 부부 한쪽이 그 특유 재산에서 부동산 매매 대금을 지출한 것과 같은 경우에는 당해 부동산이 재산분할의 계산에서 대출 초과 또는 잔여 가치가 없다고 평가되어 재산분할 대상 재산에서 제외된다고 하더라도 이혼 소송을 담당한 재판소가 특유 재산에서 지출된 금원에 대해 아무런 심리 판단을 하지 않는 이상, 이혼 시의 재산분할과는 별개로 당해 부동산의 공유 관계에 대해서 심리 판단이 되어야 한다.

(2) 이를 본건에 대해서 보니 증거 <생략>에 따르면 본건 항소심 판결을 담당한 도쿄 고등재판소는 본건 부동산에 관하여 잔여 가치는 0엔으로 평가하는 것이 상당하다고 판단하여 재산분할액의 계산에서 본건 부동산을 그 대상에서 제외하고 원고 명의의 예금만을 재산분할의 대상으로 하고 있으며, 그 때문에 본건 부동산에 대해서는 원고와 피고 간의 이혼 소송에서 재산분할의 규율로 처리되지 않은 것이 인정되므로 이혼 소송의 재산분할과는 별개로 권리 관계를 확정하여 그 청산에 관한 처리가 되어야 한다.

그리고 전술한 제2의 1의 전제 사실에 증거 <생략>를 종합하면 ① 피고는 원고와 피고가 본건 부동산을 구입 · 건축하면서 스스로가 혼인 전에 저축한 예금을 해약하여 800만 엔을 출연했으며 이는 피고의 고유 재산에서 지급된 것이라고 할 수 있는 점, ② 원고는 피고와의 혼인 기간 중인 2004년 3월부터 본건 부동산의 구입 시에 융자를 받은 주택 담보 대출금을 지불하기 시작하여 이 주택 담보 대출의 상환은 원고의 급여가 기초 자금이 되고 있는데 원고와 피고가 혼인관계에 있던 시기(별거 시를 제외한다)의 원고의 급여는 부부 공유재산에 속하는 것이므로 2004년 3월부터 별거 시작 시인 2008년 5월 26일까지 지급된 주택 담보 대출의 상환 총액 581만 7,203엔의 절반에 상당하는 290만 8,601엔에 대해서는 피고의 고유재산으로 지급된 것으로 평가할 수 있는 점 ③ 원고와 피고가 별거한 후인 2008년 12월 당시, 연간 약 1,000만 엔이었던 원고의 수입 상황에서 보면 당시 3세와 0세인 자녀 둘을 양육하던 피고에게 지급되어야 할 혼인 비용은 원래 월 약 20만 엔으로 정해야 할 것인 점, 마찬가지로 당시 원고가 본건 부동산의 주택 담보 대출을 상환했고, 그 금액이 연간 약 130만 엔 정도에 이르는 점과 피고가 본건 부동산에 거주하고 있었던 점 등을 감안하여 원고의 주택 담보 대출 상환분 중 월 약 10만 엔 부분은 원고가 피고에게 지급하여야 할 혼인 비용의 지불분으로 볼 수 있으며 2008년 12월 이후 원고가 피고에게 지급하여야 할 혼인 비용은 월 10만 엔으로 정할 수 있다고 추인되는 점, 관련 경위에 의하면 혼인 비용의 지불이 시작된 2008년 12월부터 이혼이 성립한 2010년 9월까지 1년 10개월의 기간에 상환된 주택 담보 대출 중 합계 220만 엔(1개월당 10만 엔의 22개월분)에 대해서는 피고에게 혼인 비용으로 지불되는 대신에 주택 담보 대출의 상환에 충당된 것으로 볼 수 있으므로 피고의 고유 재산에서 지불된 것으로 평가될 수 있는 점, 이상과 같이 본건 부동산에 관해서는 피고의 고유재산 1,310만 8,601엔이 그 상환에 충당된 것으로 평가할 수 있다.

따라서 증거 <생략>에서 인정되는 본건 부동산의 평가액에 비추어 보면 본건 부동산 중 적어도 지분 3분의 1에 대해서는 피고의 지분에 속한다고 인정된다.

(3) 그리고 공유물의 지분 가격이 과반수를 넘는 사람은 공유물을 단독으로 점유하는 다른 공유자에 대하여 당연히는 그 점유하는 공유물의 명도를 청구할 수 없기 때문에(최고재판소 昭和41年 5月 19日 제1소법정 판결 · 민집 20권 5호 947쪽) 본건 부동산의 지분 3분의 2를 가지는 원고는 본건 부동산의 지분 3분의 1을 가지는 피고에게 소유권(지분권)에 근거하여 당연히는 본건 건물의 명도를 요구할 수는 없다고 할 수 있다.

2 쟁점(2)(본건 건물의 1개월당 사용료 상당의 손해금액)에 대해서

(1) 증거 <생략>에 의해 인정되는 본건 부동산의 소재 장소, 본건 건물의 건축 시부터의 경과 연수를 비롯하여 본건 건물의 연면적, 토지의 지적 등을 종합하면 본건 건물 전체의 1개월당 사용료 상당 손해금은 15만 엔으로 인정하는 것이 상당하다.

(2) 그리고 피고는 2012년 5월 7일 이후 본건 건물 중 피고 지분(3분의 1)을 넘는 지분 3분의 2(원고 지분)의 부분에 대해서는 권원 없이 점유하고 있음이 분명하다. 이는 원고의 지분권을 침해하는 불법행위에 해당하므로 원고는 피고에게 불법행위에 근거하여 2012년 5월 7일 이후 본건 건물명도 때까지 월 10만 엔의 비율에 의한 사용료 상당 손해금의 지불을 요구할 수 있다고 할 수 있다.

3 결론

이상에 의하면 원고의 본소 청구는 피고에게 본건 건물의 지분권 침해의 불법행위에 근거한 손해배상으로서 2012년 5월 7일부터 본건 건물명도 때까지 월 10만 엔의 비율에 의한 사용료 상당 손해금의 지불을 요구하는 한도에서 이유가 있으므로 이를 인용하고 그 나머지는 모두 이유가 없으므로 이를 기각한다. 그리고 소송비용의 부담에 대해서 민사소송법 61조, 64조 본문을, 가집행 선언에 대해서 같은 법 259조 1항을 각각 적용하여 주문과 같이 판결한다.

◇ 재판관 飯野理朗

별지 물건목록 <생략>

3. 6년 동안 부부 사이에 필담으로만 의사를 교환한 경우의 퇴직금 분할 산정기준 기간

신청인(妻)은 1983년 상대방(夫)과 혼인하여 슬하에 1남 2녀를 두고 있는데 2001년 ×월 이후 중요한 문제에 대해서 필담으로 이야기를 하는 것 외에는 상대방과 거의 대화를 하지 않게 되었다. 신청인은 2003년 내지 2004년 무렵 그리고 2005년 무렵에 상대방에게 이혼 혹은 별거하자고 제의한 적이 있었는데 상대방의 동의를 얻지 못 했다. 신청인은 2006년 ×월 무렵 이혼 조정을 신청했지만 협의가 성립되지 않아 2007년 ×월 ×일 불성립되었다. 신청인은 그 해 ×월 ×일에 본건 이혼 소송을 제기했고 이 이혼 사건에서 이혼, 장남의 친권자 지정, 위자료 1,000만 엔의 지불 등을 요구했다. 이에 대해 상대방은 혼인관계의 붕괴는 신청인의 부모가 부부생활에 간섭한 것 및 이에 신청인이 동조한 것 때문이라고 생각하여 그 해 ×월 ×일, 신청인에게 위자료의 지불을 요구하는 반소를 제기하고 신청인의 부모에게 위자료 지불 청구 소송을 제기했다(본건 이혼 사건과 병합되었다).

상대방은 1978년 ×월 ×일 이후 OO신용 금고에서 근무하고 있어 상대방이 장래에 OO신용 금고로부터 지급 받게 될 퇴직금의 분할이 문제되었다. 상대방은 신청인이 2001년 ×월 이후 필담으로만 (의사) 교환을 하게 된 것 등에서 보면 늦어도 이달 무렵부터 아내로서 충분한 협력을 하지 않았다고 할 수 있어 퇴직금의 형성에 대한 신청인의 기여도를 판단할 때에는 위 사정을 참작해야 한다고 주장하였다.

그러나 재판소는 "신청인 및 상대방의 혼인관계는 늦어도 2007년 ×월 무렵에는 파탄에 이른 것으로 인정되지만 그 후에도 양측은 종전대로 동거 생활을 하고 있었기 때문에 퇴직금 분여(分與)의 산정 기준이 되는 기간은 동거 기간을 기준으로 하는 것이 상당하다. 또한 본건 이혼 사건의 판시에서 판단된 대로, 신청인 및 상대방의 혼인관계가 파탄에 이른 것은 두 사람의 성격이나 생각의 불일치, 상대의 입장이나 기분에 대한 배려의 결여, 원만한 가정을 꾸리기 위한 노력의 해태 등에 있으며, 어느 한쪽에만 있다고 인정하기는 힘들다. 따라서 퇴직금의 형성에 대한 신청인의 기여도를 판단할 때 신청인이 2001년 ×월 무렵부터 아내로서 충분한 협력을 하지 않았다고 하여 신청인에게만 불리하게 참작하는 것은 상당하지 않다."고 판시하였다.

재판소는 신청인이 상대방의 근무에 충분한 협력을 해오지 않았다는 사실을 인정하는 것은 어려우며 본 건에서 기타 특별한 사정이 있다고 인정할 수 없다고 하여 '연금 분할을 위한 정보 통지서'에 기재된 정보에 관한 연금 분할에 대한 청구해야 할 안분 비율을 0.5로 정한다고 판시하였다.[62]

---

62) 일본에서의 이혼 시 연금 분할은 전 배우자가 매월 연금을 받으면 그 중 일부를 받는 정기금채권을 확보하는 것(한국의 방식)이 아니라 연금권 자체를 분할하여 받는 것인데 자세한 내용은 필자의 졸고(「이혼 시 퇴직금과 연금의 분할 문제에 대한 고찰 －대법원 2014. 7. 16. 선고 2013므2250 및 2012므2888 전원합의체 판결을 중심으로－」,

재판연월일 平成22年[63] 6月 23日	**재판소명** 도쿄(東京) 가정재판소
사건번호 平21(家)8229号 · 平21(家)8230号	**재판구분** 심판
사 건 명 재산 분여 신청사건, 청구할 안분 비율에 관한 처분 신청사건	
재판결과 인용	**상 소 등** 확정

주 문

1 상대방은 신청인에게 상대방이 OO신용 금고에서 퇴직금을 지급받은 때에는 399만 4,379엔을 지불하라.

2 신청인과 상대방 사이의 별지 '연금 분할을 위한 정보 통지서'에 기재된 정보에 관한 연금 분할에 대한 청구해야 할 안분 비율을 0.5로 정한다.

이 유

제1 신청의 취지

1 상대방은 신청인에게 상당하는 재산 분여를 하라.

2 신청인과 상대방 사이의 별지 '연금 분할을 위한 정보 통지서'에 기재된 정보에 관한 연금 분할에 대한 청구해야 할 안분 비율을 0.5로 정한다.

제2 본 재판소의 판단

1 본건 기록에 의하면 아래의 사실이 인정된다.

(1) 신청인(1959년 O월 O일생) 및 상대방(1955년 O월 O생)은 1983년 ×월 ×일 혼인하여 1984년 O월 O일에 장녀를, 1986년 O월 O일에 차녀를, 1990년 O월 O일에 장남을 출산했다. 상대방은 1978년 ×월 ×일 이후 OO신용 금고에서 근무하고 있으며, 신청인은 혼인 후 때때로 아르바이트를 한 적이 있고 1994년부터는 일주일에 이틀 동안 파트타임으로 일하게 되었다.

『법학논고』 제49집, 경북대학교 법학연구원, 2015. 2. 28., 297-333면)를 참고하기 바란다.

63) 2010년

(2) 신청인 및 상대방은 신청인의 아버지가 소유하는 아파트에서 지낸 후 1988년 ×월 무렵부터 신청인의 아버지가 신축한 2가구 주택에서 신청인의 부모와 함께 살게 되었다. 신청인 및 상대방은 신청인의 아버지에게 사용료로 월 5만 엔을 지불했다.

신청인은 결혼 초부터 상대방이 사소한 일로 화를 내며 신청인을 무시하고 전혀 말을 하지 않게 되는 일이 가끔 있어서 자신을 억제하게 되었고, 그 결과 외관상은 대체로 통상의 결혼 생활이 계속되었다. 신청인은 2001년 ×월, 장녀, 차녀를 끌어들인 상대방과의 언쟁을 참을 수 없어 이혼을 진지하게 생각하게 되었다. 신청인은 이후 중요한 문제에 대해서 필담으로 이야기를 하는 것 외에는 상대방과 거의 말을 하지 않게 되었다. 그 후 2003년부터 2005년까지 경제적인 문제도 더해 진 결과, 양측의 관계는 더욱 악화되고 험악해져 갔다. 신청인은 2003년 내지 2004년 무렵 그리고 2005년 무렵에 상대방에게 이혼 혹은 별거하자고 제의한 적이 있었는데 상대방의 동의를 얻지 못했다.

신청인은 2006년 ×월 무렵 이혼 조정을 신청했지만 협의가 성립되지 않아 2007년 ×월 ×일 불성립되었다. 한편, 상대방은 그 해 ×월 원만한 조정, 혼인 비용 분담 조정(調停) 및 친족 간의 분쟁 조정(調整)의 조정(調停)을 신청했지만 신청인이 그 해 ×월 ×일에 이혼 소송을 제기했기 때문에(이하 '본건 이혼 사건'이라 한다) 위 각 조정 신청을 취하했다. 신청인은 본건 이혼 사건에서 이혼, 장남의 친권자 지정, 위자료 1,000만 엔의 지불 등을 요구했다. 이에 대해 상대방은 혼인관계의 붕괴는 신청인의 부모가 부부생활에 간섭한 것 및 이에 신청인이 동조한 것 때문이라고 생각하여 그 해 ×월 ×일, 신청인에게 위자료 지불을 요구하는 반소를 제기하고 신청인의 부모에게 위자료 지불 청구 소송을 제기했다(본건 이혼 사건과 병합되었다). 차녀는 상대방이 그 동안 신세 져 온 신청인의 부모에게 소를 제기한 것을 알고 분노하여 상대방에게 자택을 나오도록 강요하고 그 언행은 점점 심해져 갔다. 차녀는 2008년 ×월에 들어가자 상대방이 집에 있으면 무슨 짓을 할까봐 견딜 수 없다며 회사를 쉬게 되었고, 상대방에게 나가지 않는 것을 매일같이 몰아세워 그 달 ×일, 경찰관을 부르는 등 한 다음 상대방에게 퇴거를 촉구했다. 결국 상대방은 이날 집을 나와 별거하기에 이르렀다.

(3) 본 재판소는 2008년 ×월 ×일 본건 이혼 사건에 대해 양측의 혼인관계는 늦어도 2007년 ×월 무렵에는 파탄에 이르렀다고 인정하고 그 파탄의 원인은 두 사람의 성격이나 생각의 불일치, 상대의 입장이나 기분에 대한 배려의 결여, 원만한 가정을 꾸리기 위한 노력의 해태 등에 있으며, 어느 한쪽에만 있다고는 인정할 수 없다고 하여 신청인의 이혼 청구를 인정하고 위자료 청구에 대해서는 양측 모두 다른 측에게 위자해야 할 만큼 위법성이 있다고 할 수는 없다고 하여 기각하는 취지의 판결을 내렸다.

(4) 양측 모두 재산분할의 대상이 되는 재산이 상대방의 OO신용 금고에서의 퇴직금인 것, 그 금액이 983만 6,500엔(근속연수 30년 2개월을 전제로 2008년 ×월 ×일에 자기 사정으로 퇴직한 경우의 지급액)인 것, 신청인이 취득하는 재산분할 액수는 983만 6,500엔에 동거 기간을 곱하고 그것을 재직 기간으로 나눈 후 다시 비율을 곱하여 산출하기로 합의했다. 또한 OO신용 금고의 취업규칙에 의하면 정년은 만 60세(정년에 이른 날의 다음날)로 되어 있다.

(5) 상대방은 2007년 ×월 무렵에는 혼인관계가 파탄에 이르렀으며 그 달 이후에 자신은 신청인으로부터 아내로서의 협력을 전혀 받지 않았기 때문에 퇴직금 분할의 산정 기준이 되는 기간은 1983년 ×월 ×일부터 2007년 ×월까지의 283개월로 해야 한다고 주장하고 있다. 또한 상대방은 신청인이 2001년 ×월 이후 필담으로만 의사소통을 하게 되었고 2006년 이전에 이혼하고 싶으니 나가 달라고 이야기 한 것, 2008년 ×월 ×일에 별거한 것은 신청인들(신청인과 차녀)의 강한 압력에 의한 것 등에서 보면 신청인은 늦어도 2001년 ×월 무렵부터 아내로서 충분한 협력을 하지 않았다고 할 수 있어 퇴직금의 형성에 대한 신청인의 기여도를 판단하는 때에는 위의 사정을 참작해야 한다고 주장하고 있다.

그 위에 상대방은 신청인은 동거 기간에 상대방의 근무에 충분한 협력을 하지 않았고 내조의 공을 충분히 발휘하지 않았으므로 연금의 안분 비율을 판단하는 때에는 그 점이 참작되어야 한다고 주장하고 있다.

(6) 신청인과 상대방 사이의 이혼 시 연금 분할 제도에 관한 제1호 개정자 및 제2호 개정자의 구별, 대상 기간 및 안분 비율의 범위는 별지와 같다.

(7) 신청인은 2009년 ×월 ×일 재산 분여 및 연금 분할의 심판을 제기하여 위 각 사건은 그 해 ×월 ×일 조정에 부쳐졌지만 협의가 성립되지 않아 2010년 ×월 ×일 불성립되었다.

2 제1사건에 대해서

(1) 우선 재산 분여의 기준이 되는 시기에 대해서 검토하면 본건 경위 및 본건에 나타난 전체 사정에 비추어 보면 상대방이 집을 나와 별거하게 된 2008년 ×월 ×일 직전의 월말인 그 해 ×월 ×일을 기준으로 하는 것이 상당하다.

(2) 다음에 재산 분여가 가능한 상대방이 관리하는 재산의 유무, 분여 방법, 비율에 대해 검토하면,

위 인정 사실에 의하면 상대방은 OO신용 금고에 30년 이상 근무하고 있는 것이 인정되고 상대방이 이 금고를 퇴직한 경우에는 퇴직금을 지급 받을 개연성이 높다고 할 수 있다. 따라서 상대방이 수급하는 퇴직금은 재산 분여의 대상이 되는 부부 공동 재산인 것으로 해석된다.

그리고 위 인정 사실 및 본건에 나타난 전체 사정을 종합하면 신청인 및 상대방은 결혼 후 별거에 이르기까지의 동안, 사이가 어긋난 시기가 있었으나 각각의 역할을 하고 부부 공동 재산의 유지를 해왔다고 할 수 있다. 따라서 본건에서는 별거 시에 자기 사정으로 퇴직한 경우의 퇴직 금액(2008년 ×월 ×일 자기 사정으로 퇴직한 경우의 퇴직 금액 983만 6,500엔)에 동거 기간(1983년 ×월부터 2008년 ×월까지 294개월)을 곱해서 그것을 별거 시까지의 재직 기간(1978년 ×월부터 2008년 ×월까지 362개월)으로 나누고 다시 50%의 비율을 곱하는 것이 상당하다고 해석된다.

별거 시 자기 사정 퇴직 금액×동거 기간÷별거 시까지의 재직 기간×0.5

9,836,500×294÷362×0.5=3,994,379

이상에 의하면 상대방은 신청인에게 OO신용 금고에서 퇴직금을 지급 받을 때에는 그 중 399만 4,379엔을 분여해야 한다.

또한 이 점에 대해 상대방은 2007년 ×월경에는 혼인관계가 파탄에 이른 것이기 때문에 퇴직금 분여의 산정 기준이 되는 기간은 혼인 시부터 2007년 ×월까지로 해야 한다, 또한 신청인은 2001년 ×월 이후 필담으로만 (의사) 교환을 하게 된 것 등에서 보면, 늦어도 이달 무렵부터 아내로서 충분한 협력을 하지 않았다고 할 수 있어 퇴직금의 형성에 대한 신청인의 기여도를 판단할 때에는 위 사정을 참작해야 한다고 주장하고 있다. 그래서 검토하니 확실히 본건 이혼 사건의 판결에서 판단된 대로 신청인 및 상대방의 혼인관계는 늦어도 2007년 ×월 무렵에는 파탄에 이른 것으로 인정되지만, 그 후에도 양측은 종전대로 동거 생활을 하고 있었던 것이기 때문에 퇴직금 분여의 산정 기준이 되는 기간은 그 동거 기간을 기준으로 하는 것이 상당하다. 또한 본건 이혼 사건의 판시에서 판단된 대로 신청인 및 상대방의 혼인관계가 파탄에 이른 것은 두 사람의 성격이나 생각의 불일치, 상대의 입장이나 기분에 대한 배려의 결여, 원만한 가정을 꾸리기 위한 노력의 해태 등에 있으며, 어느 한쪽에만 있다고 인정하기는 힘들다. 따라서 퇴직금의 형성에 대한 신청인의 기여도를 판단할 때 신청인이 2001년 ×월 무렵부터 아내로서 충분한 협력을 하지 않았다고 하여 신청인에게만 불리하게 참작하는 것은 상당하지 않다고 해석된다. 이상에 의해 상대방의 위 주장을 채용할 수는 없다.

3 제2사건에 대해서

혼인 중인 부부의 피고용자 연금은 기본적으로 부부 쌍방의 노후를 위한 소득 보장으로서 의의를 가지고 있으므로 혼인 기간 중의 보험료 납부나 부금(賦金)의 불입에 대한 기여의 정도는 특별한 사정이 없는 한 부부가 동등하다고 보는 것이 상당하다.

이 점에 대해서 상대방은, 신청인은 동거 기간에 상대방의 근무에 충분한 협력을 하지 않았고, 내조의 공을 충분히 발휘하지 않았으므로 연금의 안분 비율을 판단할 때에는 그 점이 참작되어야 한다고 주장하고 있다. 그러나 위 인정 사실 및 본건에 나타난 일체의 사정을 종합해도 신청인이 상대방의 근무에 충분한 협력을 해오지 않았다는 사실을 인정하는 것은 어려우며 본 건에 있어서 기타 위의 특별한 사정이 있다고 인정할 수 없다.

따라서 별지 '연금 분할을 위한 정보 통지서'에 기재된 정보에 관한 연금 분할에 대한 청구해야 할 안분 비율을 0.5로 정하기로 한다.

4 결론

이상에 의해 상대방은 OO신용 금고에서 퇴직금을 지급받을 때에는 신청인에게 그 중 399만 4,379엔을 분여하고 별지 '연금 분할을 위한 정보 통지서'에 기재된 정보에 관한 연금 분할에 대한 청구해야 할 안분 비율을 0.5로 정하는 것이 상당하다. 따라서 주문대로 심판한다.

◇ 가사심판관 細矢郁

제6장

면회 교류(면접 교섭)

1. 비감호 부모가 자녀와의 면회 교류를 요구한 사안

신청인(아버지)이 미성년자를 감호하고 있는 상대방(어머니)에게 신청인과 미성년자가 면회 교류하는 시기와 방법 등의 조건을 정하도록 요구한 사안이다.

원심판은 "자녀와 비감호 부모의 면회 교류가 제한되는 것은 면회 교류하는 것이 자녀의 복지를 해친다고 인정되는 경우에 한한다. 신청인이 상대방이나 미성년자에게 폭력을 휘둘렀다는 점은 인정되지 않고 기타 신청인이 미성년자와 면회 교류하는 것이 부적절하다는 사정은 전혀 인정되지 않는다. 이혼으로 인해 자녀는 상실감을 느끼고 불안정한 심리적 상황에 이르게 되는데 이를 회복시키고 자녀의 건전한 성장을 위해서도 가급적 별거 후 빠른 시기에 비감호 부모(비친권 부모)와 면회 교류를 실시하는 것이 중요하다. 면회 교류를 실시함으로써 자녀가 정서적 불안정과 부적응의 증상을 보이는 경우도 예상되지만 이는 일시적인 현상이라고 생각된다. 본건에서는 상대방의 생활 상황이나 미성년자의 연령, 신청인과 미성년자가 약 1년 8개월 동안 만나지 않은 것을 고려하여 면회 교류 횟수 및 시간을 단계적으로 늘리는 등 원심판 첨부 별지에 기재된 조건으로 신청인과 미성년자의 면회 교류를 인정하는 것이 상당하다."고 판시하였다.

항소심에서 오사카 고등재판소는 "기본적으로 원심판과 같은 빈도와 방법으로 신청인과 미성년자의 면회 교류를 인정하는 것이 상당하지만 면회 교류의 시작은 2010년 8월부터 하고 실시일은 두 번째 일요일로 하며 예정일의 변경 절차 대상으로 2013년 3월 이후분도 추가하는 것이 상당하다고 판단한다."고 판시하였다.

〈민법〉

(이혼 후 자녀의 감호에 관한 사항의 정함 등)

제766**조** 부모가 협의상 이혼을 하는 때에는 자녀의 감호를 해야 할 사람, 아버지 또는 어머니와 자녀의 면회 및 기타의 교류, 자녀의 감호에 필요한 비용의 분담 기타 자녀의 감호에 대해서 필요한 사항은 협의로 정한다. 이 경우에는 자녀의 이익을 가장 우선하여 고려해야 한다.

2 전항의 협의가 이루어지지 않는 때 또는 협의를 할 수 없는 때에는 가정재판소가 전항의 사항을 정한다.

3 가정재판소는 필요하다고 인정하는 때에는 전 2항의 규정에 의한 정함을 변경하고 기타 자녀의 감호에 대해서 상당한 처분을 명할 수 있다.

(협의상 이혼 규정의 준용)

제771**조** 제766조부터 제769조까지의 규정은 재판상 이혼에 대해서 준용한다.

재판연월일 平成22年[64] 7月 23日	**재판소명** 오사카(大阪) 고등재판소
사건번호 平22(ラ)584号	**재판구분** 결정
사 건 명 자녀의 감호에 관한 처분(면접 교섭) 심판에 대한 항고 사건	
재판결과 변경	**상 소 등** 확정

주 문

1 원심판을 다음과 같이 변경한다.

2 항고인 겸 상대방 Y가 항고인 겸 상대방 X에게 본 결정 첨부 별지 면회 요령 기재 내용으로 미성년자를 항고인 겸 상대방 X와 면회시킬 의무가 있음을 확정한다.

3 항고인 겸 상대방 Y는 위 의무를 이행하라.

4 항고인 겸 상대방 X 및 항고인 겸 상대방 Y의 나머지 항고를 모두 기각한다.

5 절차 비용은 각자 부담한다.

이 유

제1 각 항고의 취지

[항고인 겸 상대방 X(원심 신청인. 이하 '신청인'이라 한다)]

원심판을 취소하고 즉시 월 1회 이상의 빈도로 약 2시간 동안 신청인과 미성년자의 면회 교류를 실시하고 서서히 빈도와 시간을 늘리고 약 3년 후부터 숙박을 하는 면회 교류를 실시하는 동시에 신청인이 미성년자가 다니는 보육원에서 횟수 제한 없이 참관할 수 있다는 재판을 요구한다.

[항고인 겸 상대방 Y(원심 상대방. 이하 '상대방'이라 한다)]

원심판을 취소하고 상대방에게는 2013년 3월까지 신청인과 미성년자를 면회 교류시킬 의무가 없음을 확정한다는 재판을 요구한다.

---

64) 2010년

제2 사안의 개요

1 사안의 요지

신청인(아버지)이 미성년자를 감호하고 있는 상대방(어머니)에게 신청인과 미성년자가 면회 교류하는 시기와 방법 등의 조건을 확정하도록 요구했다(2009년 ×월 ×일 조정 신청, 2010년 ×월 ×일 조정 불성립으로 심판 절차로 이행).

2 원심판(2010년 4월 27일)의 요지

자녀와 비감호 부모의 면회 교류가 제한되는 것은 면회 교류하는 것이 자녀의 복지를 해친다고 인정되는 경우에 한한다. 신청인이 상대방이나 미성년자에게 폭력을 휘둘렀다는 점은 인정되지 않고 기타 신청인이 미성년자와 면회 교류하는 것이 부적절하다는 사정은 전혀 인정되지 않는다. 이혼으로 인해 자녀는 상실감을 느끼고 불안정한 심리적 상황에 이르게 되는데 이를 회복시키고 자녀의 건전한 성장을 위해서도 가급적 별거 후 빠른 시기에 비감호 부모(비친권 부모)와 면회 교류를 실시하는 것이 중요하다. 면회 교류를 실시함으로써 자녀가 정서적 불안정과 부적응의 증상을 보이는 경우도 예상되지만 이는 일시적인 현상이라고 생각된다. 본건에서는 상대방의 생활 상황이나 미성년자의 연령, 신청인과 미성년자가 약 1년 8개월 동안 만나지 않은 것을 고려하여 면회 교류 횟수 및 시간을 단계적으로 늘리는 등 원심판 첨부 별지에 기재된 조건으로 신청인과 미성년자의 면회 교류를 인정하는 것이 상당하다.

3 각 항고 이유의 요지

[신청인] 면회 교류의 빈도와 시간을 증가시킬 필요가 있음

상대방은 불합리한 이유로 2008년 ×월 이후 신청인과 미성년자의 면회 교류를 저지하고 미성년자의 권리와 함께 신청인의 권리를 침해해 왔다. 따라서 위 기간 중에 쌓지 못했던 친밀한 부자 관계를 회복하기 위해서 면회 교류의 빈도 및 시간을 늘려야 한다. 또한 신청인이 미성년자가 다니는 보육원에서 횟수 제한 없이 참관할 수 있도록 해야 한다.

[상대방]

(1) 면회 교류의 시작 시기가 지나치게 이름

신청인과 미성년자는 2008년 ×월 이후 면회 교류하지 않은 점에 비추어 보면 원심판이 정한 면회 교류의 시작 시기는 너무 일러 비현실적이다. 미성년자가 초등학교에 입학할 무렵까지 면회 교류는

삼가야 한다.

(2) 면회 교류의 빈도가 지나치게 잦음

미성년자는 신청인을 인식하기 전에 신청인과 이별하였으므로 신청인과 면회 교류를 함으로써 공황 상태가 될 것이 분명하다. 이에 대응하기 위한 준비에 상당한 시간이 필요하다. 또한 2개월에 1회의 빈도는 상대방의 경제적 부담이 너무 크다.

(3) 면회 교류 실시일이 부당함

원심판은 두 번째 토요일에 면회 교류를 실시하도록 하였는데 상대방은 취업하고 있으므로 미성년자의 진료 등을 토요일에 집중하여 할 필요가 있어 반드시 토요일에 면회 교류 할 수 있다고는 할 수 없다. 당사자 사이에 논의하여 실시일을 변경하는 것도 어렵다.

(4) 시행(試行)적 면회 교류 실시의 필요성

만일 면회 교류의 명령이 있으면 시행적 면회 교류를 실시한 후 빈도나 일시를 결정해야 한다.

제3 본 재판소의 판단

1 본 재판소도 기본적으로 원심판과 같은 빈도와 방법으로 신청인과 미성년자의 면회 교류를 인정하는 것이 상당하지만 면회 교류의 시작은 2010년 8월부터 하고 실시일은 두 번째 일요일로 하며 예정일의 변경 절차 대상으로 2013년 3월 이후분도 추가하는 것이 상당하다고 판단한다. 그 이유는 원심판이 이유에서 설명한 대로이므로 이를 인용한다.

2 각 항고 이유에 대해서

(1) 면회 교류의 시작 시기[상대방의 항고 이유(1)]

상대방은 신청인과 미성년자의 면회 교류는 미성년자가 초등학교에 입학할 때까지 실시해서는 안 된다고 주장한다. 하지만 미성년자의 건전한 성장을 위해서는 가급적 빨리 비감호 부모인 신청인과 면회 교류를 하도록 해야 하고 면회 교류로 인해 생길 우려가 있는 미성년자의 정서적 불안정과 부적응 증상에 대해서는 상대방이 적절히 대응함으로써 수습할 가능성이 충분히 있다는 점은 원심판이 설명한 것과 같다.

(2) 면회 교류의 빈도와 시간[신청인의 항고 이유, 상대방의 항고 이유(2)]

신청인은 지금까지 면회 교류가 이루어지지 못한 것을 만회하여 부자 관계를 회복할 수 있도록 면회 교류의 빈도와 시간을 늘려야 하고 또한 신청인이 횟수 제한 없이 보육원에서 참관할 수 있도록 해야 한다고 주장하며 상대방은 원심판의 빈도는 지나치게 많다고 주장한다.

그러나 면회 교류는 기본적으로 자녀의 복지를 위해 실시하는 것이며 오랜 기간 비감호 부모인 신청인과 면회 교류가 이루어지지 않았다는 사실, 미성년자의 연령과 원만한 면회 교류 실시의 가능성 등을 감안하여 빈도 등을 결정해야 하고 이러한 사정을 고려하여 면회 교류의 빈도 및 시간을 단계적으로 증가시키기로 한 원심판은 상당하다.

장기간 미성년자와 면회 교류를 하지 못한 신청인이 갑자기 자주 미성년자와 면회 교류를 한다고 해도 미성년자에게 큰 부담을 주게 되어 반드시 좋은 결과를 얻을 수 있는 것은 아니다. 또한 상대방이 신청인과 미성년자의 면회 교류를 완강히 거부하고 있는 점에서 보면 신청인이 보육원에서 참관함으로써 당사자 사이에 분쟁이 발생하여 미성년자에게 악영향을 줄 수 있고 상대방이 신청인에 대하여 가지는 불신감을 증대시키는 결과가 되어 오히려 원만한 면회 교류를 실시하는 데 차질이 생길 수 있다. 따라서 신청인이 보육원에서 참관하는 것을 인정해야 할 것은 아니다.

신청인은 미성년자를 위해 냉정하게 단계를 밟아 면회 교류를 실시하고 미성년자와 신뢰 관계를 형성하도록 조심해야 한다. 또한 신속하게 신청인과 미성년자의 면회 교류 기회를 확보하는 것이 상당하므로 면회 교류의 시작을 2010년 8월부터로 한다.

또한 상대방은, 원심판이 정하는 빈도는 상대방에게 너무 큰 경제적 부담을 준다고 주장하지만 제3자 기관이 아닌 친족 등의 협조를 얻어 면회 교류를 실시하는 것도 가능하므로 상대방의 경제적 부담이 너무 크다고는 할 수 없다.

(3) 면회 교류의 실시일[상대방의 항고 이유(3)]

토요일 오전 중에는 일반적으로 보육원의 행사가 있다거나 병원에서 진료를 받아야 하는 일이 생기거나 하는 경우가 적지 않다고 생각되므로 이를 피하고 원칙적으로 두 번째 일요일을 실시일로 하는 것이 상당하다. 또한 2013년 3월분 이후에도 예정일 변경 절차의 대상으로 하는 것이 상당하므로 그 내용을 변경한다.

(4) 시행적 면회 교류 실시의 필요 여부[상대방의 항고 이유(4)]

상대방은 시행적 면회 교류를 실시한 후에 빈도와 일시를 결정해야 한다고 주장한다.

그러나 원심의 절차 중에서 시행적 면회 교류의 실시를 거듭 촉구했음에도 불구하고 이를 거부한 것은 상대방이다. 또한 별거 후에 3~4회 당사자 사이에 면회 교류가 이루어진 적도 있고 현 시점에서 시행적 면회 교류를 실시하지 않으면 면회 교류의 빈도 및 일시 등의 조건을 확정할 수 없다고는 할 수 없다.

3 이상과 같이 본건 각 항고는 모두 위 설명의 취지에 따른 한도에서 이유가 있으므로 원심판을 일부 변경하여 가사심판규칙 19조 2항에 의해 주문과 같이 결정한다.

◇ 재판장 재판관 赤西芳文 재판관 片岡勝行 小野木等

별지

면회 요령

1 면회 교류의 일시

① 2010년 8월, 10월, 12월, 2011년 2월의 각 두 번째 일요일 오전 10시부터 오전 11시

② 2011년 4월 이후 2012년 2월까지 짝수 달의 각 두 번째 일요일 오전 10시부터 오후 0시

③ 2012년 3월 이후 2013년 2월까지 매월 두 번째 일요일 오전 10시부터 오후 2시

④ 2013년 3월 이후 매년 매월 두 번째 일요일 오전 10시부터 오후 4시

2 면회 교류의 방법

① 상대방 또는 그 지정하는 친족 등은 면회 교류의 시작 시각에 OO역 개찰구 부근에서 미성년자를 신청인에게 인도한다.

② 신청인은 면회 교류의 종료 시각에 이곳에서 미성년자를 상대방 또는 그 지정하는 친족 등에게 인도한다.

③ 상대방 또는 그 지정하는 친족 등은 미성년자가 초등학교에 입학할 때까지의 사이 미성년자와 신청인의 면회 교류에 입회할 수 있다.

3 예정일 변경

미성년자의 질병 기타 부득이 한 사정으로 위 1의 ① 내지 ④의 일시를 변경하는 때에는 당해 사정이 생긴 사람은 다른 한쪽에게 신속하게 연락하고 양측이 협의한 후 대체 일시를 정한다. 단, 대체 일시는 원칙적으로 예정일의 1주일 후의 같은 시각으로 한다.

4 신청인과 상대방은 미성년자의 복지를 신중히 배려하고 신청인과 미성년자의 면회 교류가 원만하게 실시되도록 서로 협력한다.

5 신청인과 상대방은 신청인과 미성년자의 면회 교류의 일시와 방법 등에 대해서 변경할 필요가 있는 때에는 서로 성실하게 협의한다.

이상

2. 비감호 부모와 자녀의 면회 교류를 명한 심판 등에 근거한 간접강제의 가능 여부

가사사건절차법 제75조에 의하면 급부를 명하는 심판은 집행력 있는 채무 명의[65]와 동일한 효력을 가진다. 감호 부모에게 비감호 부모가 자녀와 면회 교류를 하는 것을 허용해야 한다고 명한 심판은 적어도 감호 부모가 인도 장소에서 비감호 부모에게 자녀를 인도하고 비감호 부모와 자녀가 면회 교류를 하는 사이에 이를 방해하지 않는 등의 급부를 내용으로 하는 것이 보통이므로 그러한 급부에 대해서는 성질상 간접강제를 할 수 있다. 가사사건절차법 제268조에 의하면 감호 부모와 비감호 부모의 합의를 기재한 조정조서는 심판과 동일한 효력을 가지므로 조정조서에 근거하여서도 간접강제를 할 수 있다. 따라서 감호 부모에게 비감호 부모가 자녀와 면회 교류를 하는 것을 허용해야 한다고 명한 심판(혹은 이들 부모의 합의를 기재한 조정조서)에서 면회 교류의 일시 또는 빈도, 각 회의 면회 교류 시간의 길이, 자녀의 인도 방법 등이 구체적으로 정해져 있는 등 감호 부모가 해야 하는 급부의 특정에 부족한 점이 없다고 할 수 있는 경우에는 위 심판(혹은 조정조서)에 따라 감호 부모에게 간접강제 결정을 할 수 있다.

사례 1은 심판에서 급부가 충분히 특정되었다고 하여 간접강제 결정을 할 수 있다고 판시한 사안이다. 반면 사례 2는 심판에서 자녀의 인도 방법에 대해서 아무것도 규정하고 있지 않으므로 급부가 충분히 특정되었다고 할 수 없다고 하여 간접강제 결정을 할 수 없다고 한 사안이다. 사례 3은 조정조서가 비감호 부모와 자녀의 면회 교류의 큰 틀을 정하고 그 구체적인 내용은 비감호 부모와 감호 부모의 협의로 정하는 것을 예정하고 있어 급부가 충분히 특정되어 있다고는 할 수 없다고 하여 간접강제 결정을 할 수 없다고 판시한 사안이다.

〈가사사건절차법〉

(심판의 집행력)

제75조 금전의 지불, 물건의 인도, 등기 의무의 이행 기타 급부를 명하는 심판은 집행력이 있는 채무 명의와 동일한 효력을 가진다.

(조정의 성립 및 효력)

제268조 조정에서 당사자 사이에 합의가 성립하여 이를 조서에 기재한 때에는 조정이 성립한 것으로 하고 그 기재는 확정 판결(별표 2에 열거된 사항에 있어서는 확정된 제39조의 규정에 의한 심판)과 동일한 효력을 가진다.

2.~ 4. (생략)

65) 한국에서는 '집행권원'이라 한다.

(1) 사례 1: 심판에 근거한 간접강제 결정 허용 사례

재판연월일 平成25年[66] 3月 28日	**재판소명** 최고재판소 제1소법정
사건번호 平24(許)48号	**재판구분** 결정
사 건 명 간접강제에 대한 집행항고 기각 결정에 대한 허가항고 사건	
재판결과 항고기각	

주 문

본건 항고를 기각한다.

항고비용은 항고인이 부담한다.

이 유

항고대리인 할머니 이자토 시게코(井里重子)의 항고 이유에 대해서

1 본건은 미성년자의 아버지인 상대방이 미성년자의 어머니이자 미성년자를 단독으로 감호하는 항고인에 대하여 상대방과 미성년자의 면회 및 기타의 교류(이하 '면회 교류'라 한다)에 관한 심판에 근거하여 간접강제를 신청한 사안이다.

2 원심이 적법하게 확정한 사실 관계의 개요 등은 다음과 같다.

(1) 상대방과 항고인은 2004년 5월에 혼인 신고를 하고 2006년 1월에 장녀를 출산했다.

(2) 2010년 11월 상대방과 항고인은 이혼하고 장녀의 친권자를 항고인으로 하는 판결이 확정되었다.

(3) 2012년 5월 삿포로(札幌) 가정재판소는 항고인에게 원원결정 별지 면회 교류 요령대로 상대방이 장녀와 면회 교류를 하는 것을 허용해야 한다고 하는 심판을 하였고 이 심판은 같은 해 6월 확정되었다(이하 이 심판을 '본건 심판'이라 하고 원원결정 별지 면회 교류 요령을 '본건 요령'이라 한다). 본건 요령에는 ① 면회 교류의 일정 등에 대해서 월 1회, 매달 두 번째 토요일 오전 10시부터 오후 4시까지로 하고 장소는 장녀의 복지를 고려하여 상대방의 집 이외의 상대방이 정한 장소로 하는 것,

66) 2013년

② 면회 교류의 방법으로 장녀의 인도 장소는 항고인의 집 이외의 장소로 하고 당사자 사이에 협의하여 정하지만 협의가 성립되지 않는 때에는 JR甲역 동쪽 출입구 개찰 부근으로 하는 것, 항고인은 면회 교류 개시 시에 인도 장소에서 장녀를 상대방에게 인도하고 상대방은 면회 교류 종료 시에 인도 장소에서 장녀를 항고인에게 인도하는 것, 항고인은 장녀를 인도하는 상황 외에는 상대방과 장녀의 면회 교류에는 입회하지 않는 것, ③ 장녀의 질병 등 부득이 한 사정에 의해 위 ①의 일정으로 면회 교류를 실시할 수 없는 경우에는 상대방과 항고인은 장녀의 복지를 고려하여 대체일을 정하는 것, ④ 항고인은 상대방이 장녀의 입학식, 졸업식, 운동회 등의 학교 행사(학부모 참관일을 제외한다)에 참석하는 것을 막아서는 안 되는 것 등이 정해져 있었다.

(4) 상대방은 2012년 6월 장녀와 면회 교류를 할 것을 요청했지만 항고인은 장녀가 면회 교류에 응하지 않는다고 하는 태도로 일관하고 장녀에게 악영향을 미친다고 하여 상대방이 장녀와 면회 교류하는 것을 허용하지 않았다.

(5) 상대방은 2012년 7월 삿포로 가정재판소에 본건 심판에 근거하여 항고인에게 본건 요령대로 상대방이 장녀와 면회 교류를 하는 것을 허용해야 한다고 명함과 동시에 그 의무를 이행하지 않을 때에는 항고인이 상대방에게 일정액의 돈을 지불하도록 명하는 간접강제 결정을 요구하는 신청을 했다. 이에 대해서 항고인은 장녀가 상대방과의 면회 교류를 거절하는 의사를 나타내고 있는 것 등에서 간접강제 결정이 허용될 수 없다는 등으로 주장하고 있다.

3 원심은 본건 요령은 면회 교류의 내용을 구체적으로 특정하여 규정하고 있으며 또한 장녀가 면회 교류를 거절하는 의사를 나타내고 있는 것이 간접강제 결정을 하는 것에 맞지 않는 사정이 되는 것은 아니라는 등으로 하여 항고인에게 본건 요령대로 상대방이 장녀와 면회 교류를 하는 것을 허용해야 한다고 명함과 동시에 항고인이 그 의무를 이행하지 않을 때에는 불이행 1회에 5만 엔의 비율에 의한 돈을 상대방에게 지불하도록 명하는 간접강제 결정을 해야 한다고 했다.

4 (1) 자녀를 감호하고 있는 부모(이하 '감호 부모'라 한다)와 자녀를 감호하고 있지 않은 부모(이하 '비감호 부모'라 한다) 사이에서 비감호 부모와 자녀의 면회 교류에 대해서 정하는 경우 자녀의 이익이 가장 우선 고려되어야 하고(민법 766조 1항 참조) 면회 교류는 유연하게 대응할 수 있는 조항에 근거하여 감호 부모와 비감호 부모의 협력 아래에서 실시되는 것이 바람직하다. 한편 급부를 명하는 심판은 집행력 있는 채무 명의와 동일한 효력을 가진다(2011년 법률 제53호에 의한 폐지 전의 가사심판법 15조). 감호 부모에게 비감호 부모가 자녀와 면회 교류를 하는 것을 허용해야 한다고 명한 심판은 적어도 감호 부모가 인도 장소에서 비감호 부모에게 자녀를 인도하고 비감호 부모와 자녀가 면회 교

류를 하는 사이에 이를 방해하지 않는 등의 급부를 내용으로 하는 것이 보통이고 그러한 급부에 대해서는 성질상 간접강제를 할 수 없는 것은 아니다. 따라서 감호 부모에게 비감호 부모가 자녀와 면회 교류를 하는 것을 허용해야 한다고 명한 심판에서 면회 교류의 일시 또는 빈도, 각 회의 면회 교류 시간의 길이, 자녀의 인도 방법 등이 구체적으로 정해져 있는 등 감호 부모가 해야 하는 급부의 특정에 부족한 점이 없다고 할 수 있는 경우에는 위 심판에 따라 감호 부모에게 간접강제 결정을 할 수 있다고 해석하는 것이 상당하다.

그리고 자녀의 면회 교류에 관한 심판은 자녀의 심정 등을 감안한 후에 이루어지고 있다고 할 수 있다. 따라서 감호 부모에게 비감호 부모가 자녀와 면회 교류를 하는 것을 허용해야 한다고 명하는 심판이 된 경우 자녀가 비감호 부모와의 면회 교류를 거절하는 의사를 나타내는 것을 가지고 위 심판이 있은 때와는 다른 상황이 생겼다고 할 수 있는 때에는 위 심판에 관한 면회 교류를 금지하거나 면회 교류에 대한 새로운 조항을 정하기 위한 조정이나 심판을 신청하는 이유가 될 수 있는지 등은 별론으로 하고 위 심판에 근거하여 간접강제 결정을 하는 것을 방해하는 이유가 되는 것은 아니다.

(2) 이를 본건에 대해서 보면 본건 요령은 면회 교류의 일시, 각 회의 면회 교류 시간의 길이 및 자녀의 인도 방법을 정함으로써 항고인이 해야 하는 급부의 특정에 부족한 점이 없다고 할 수 있으므로 본건 심판에 따라 간접강제 결정을 할 수 있다. 항고인이 주장하는 사정은 간접강제 결정을 하는 것을 방해하는 이유가 되지 않는다.

5 이와 같은 취지의 원심의 판단은 정당하여 옳다고 인정할 수 있다. 논지는 채용할 수 없다. 따라서 재판관 전원 일치 의견으로 주문과 같이 결정한다.

◇ 재판장 재판관 桜井竜子 재판관 金築誠志 재판관 横田尤孝 재판관 白木勇 재판관 山浦善樹

(2) 사례 2: 심판에 근거한 간접강제 결정 불허 사례

재판연월일	平成25年[67] 3月 28日	**재판소명**	최고재판소 제1소법정
사건번호	平24(許)41号	**재판구분**	결정
사 건 명	간접강제 결정에 대한 항고심의 취소 결정 등에 대한 허가항고 사건		
재판결과	항고기각		

주 문

본건 항고를 기각한다.

항고비용은 항고인이 부담한다.

이 유

항고인의 항고이유에 대해서

1 본건은 미성년자의 아버지인 항고인이 미성년자의 어머니이며 미성년자를 단독으로 감호하는 상대방에게 항고인과 미성년자의 면회 및 기타의 교류(이하 '면회 교류'라 한다)에 관한 심판에 근거하여 간접강제 신청을 한 사안이다.

2 원심이 적법하게 확정한 사실 관계의 개요 등은 다음과 같다.

(1) 항고인과 상대방은 2000년 12월에 혼인 신고를 하고 2002년 9월에 장남을, 2006년 7월에 차남을 출산했다.

(2) 2012년 2월 고치(高知) 가정재판소에서 상대방에게 항고인과 장남 및 차남이 1개월에 2회, 토요일 또는 일요일에, 1회에 6시간 면회 교류를 하는 것을 허용해야 한다는 등으로 하는 심판이 이루어졌고 이 심판은 같은 해 3월 확정되었다(이하 이 심판을 '본건 심판'이라 하고 위 면회 교류를 명하는 조항을 '본건 조항'이라 한다).

(3) 항고인과 장남 및 차남의 면회 교류는 본건 심판 후 2012년 3월에 2회 이루어졌지만 그 해

---

67) 2013년

4월 이후에는 이루어지지 않고 있다.

(4) 항고인은 2012년 5월 고치 가정재판소에, 본건 심판에 근거하여 상대방에게 본건 조항과 같이 항고인이 장남 및 차남과 면회 교류를 하는 것을 허용해야 한다고 명함과 동시에 그 의무를 이행하지 않는 때에는 상대방이 항고인에게 일정액의 돈을 지불하도록 명하는 간접강제 결정을 요구하는 신청을 했다.

3 원심은 본건 심판은 면회 교류의 큰 틀을 정한 것에 그치고 상대방이 이행해야 하는 의무의 내용이 구체적으로 특정되었다고는 인정할 수 없으므로 본건 심판에 근거하여 간접강제 결정을 할 수 없다고 하였다.

4 (1) 자녀를 감호하고 있는 부모(이하 '감호 부모'라 한다)와 자녀를 감호하고 있지 않은 부모(이하 '비감호 부모'라 한다)의 사이에서 비감호 부모와 자녀의 면회 교류에 대해서 정하는 경우 자녀의 이익이 가장 우선 고려되어야 하고(민법 766조 1항 참조) 면회 교류는 유연하게 대응할 수 있는 조항에 근거하여 감호 부모와 비감호 부모의 협력 아래에서 실시되는 것이 바람직하다. 한편 급부를 명하는 심판은 집행력 있는 채무 명의와 동일한 효력을 가진다(2011년 법률 제53호에 의한 폐지 전의 가사심판법 15조). 감호 부모에게 비감호 부모가 자녀와 면회 교류를 하는 것을 허용해야 한다고 명한 심판은 적어도 감호 부모가 인도 장소에서 비감호 부모에게 자녀를 인도하고 비감호 부모와 자녀가 면회 교류를 하는 사이에 이를 방해하지 않는 등의 급부를 내용으로 하는 것이 보통이고 그러한 급부에 대해서는 성질상 간접강제를 할 수 없는 것은 아니다. 따라서 감호 부모에게 비감호 부모가 자녀와 면회 교류를 하는 것을 허용해야 한다고 명한 심판에서 면회 교류의 일시 또는 빈도, 각 회의 면회 교류 시간의 길이, 자녀의 인도 방법 등이 구체적으로 정해져 있는 등 감호 부모가 해야 하는 급부의 특정에 부족한 점이 없다고 할 수 있는 경우에는 위 심판에 따라 감호 부모에게 간접강제 결정을 할 수 있다고 해석하는 것이 상당하다.

(2) <u>이를 본건에 대해서 보면 본건 조항은 1개월에 2회, 토요일 또는 일요일에 면회 교류를 하는 것으로 하고 또한 1회에 6시간 면회 교류를 하는 것으로 면회 교류의 빈도와 각 회의 면회 교류 시간의 길이는 정해져 있다고 할 수 있지만 장남과 차남의 인도 방법에 대해서는 어떠한 것도 규정되어 있지 않다. 그렇다면 본건 심판에서 상대방이 해야 하는 급부가 충분히 특정되어 있다고는 할 수 없으므로 본건 심판에 근거하여 간접강제 결정을 할 수 없다.</u>

5 이와 같은 취지의 원심의 판단은 정당하여 옳다고 인정할 수 있다. 논지는 채용할 수 없다. 따라서 재판관 전원 일치 의견으로 주문과 같이 결정한다.

◇ 재판장 재판관 桜井竜子 재판관 金築誠志 재판관 横田尤孝 재판관 白木勇 재판관 山浦善樹

3) 사례 3: 조정조서에 근거한 간접강제 결정 불허 사례

재판연월일	平成25年[68] 3月 28日	**재판소명**	최고재판소 제1소법정
사건번호	平24(許)47号	**재판구분**	결정
사 건 명	간접강제 신청 각하 결정에 대한 집행항고 기각 결정에 대한 허가항고 사건		
재판결과	기각		

주 문

본건 항고를 기각한다.

항고비용은 항고인이 부담한다.

이 유

항고대리인 오노 나오키(小野直樹)의 항고 이유에 대해서

1 본건은 미성년자의 아버지인 항고인이 미성년자의 어머니이자 미성년자를 단독으로 감호하는 상대방에게 항고인과 상대방 사이에서 성립한 항고인과 미성년자의 면회 및 기타의 교류(이하 '면회 교류'라 한다)에 대한 합의를 기재한 조정조서에 근거하여 간접강제의 신청을 한 사안이다.

2 원심이 적법하게 확정한 사실 관계의 개요 등은 다음과 같다.

(1) 항고인과 상대방은 1996년 12월에 혼인 신고를 하고 2001년 4월에 장남을, 2005년 6월에 차남을 출산했다.

(2) 2007년 3월 항고인과 상대방은 별거하고 그 후에는 상대방이 장남과 차남을 감호하고 있다.

(3) 2009년 12월 후쿠시마(福島) 가정재판소 고리야마(郡山) 지부에서 항고인과 상대방 사이에 항고인과 장남 및 차남의 면회 교류에 대해서 조정이 성립했다. 그 조정조서(이하 '본건 조정조서'라 한다)에는 다음과 같은 조항(이하 '본건 조정조항'이라 한다)이 있다.

① 상대방은 항고인에게 장남과 2개월에 1회 정도, 원칙적으로 세 번째 토요일의 다음날에 한나절

---

68) 2013년

정도(원칙적으로 오전 11시부터 오후 5시까지) 면접 교섭(면회 교류)을 하는 것을 인정한다. 단, 처음에는 1시간 정도부터 시작하는 것으로 하고 장남의 모습을 보면서 서서히 시간을 연장하기로 한다.

② 상대방은 전항에서 정하는 면접의 시작 시에 a현 b시의 c거리에 있는 다방 앞에서 장남을 항고인과 만나게 하고, 항고인은 종료 시간에 이 장소에서 장남을 상대방에게 인도하는 것을 당면의 원칙으로 한다. 단, 면접 교섭의 구체적인 일시, 장소, 방법 등은 자녀의 복지를 신중히 배려하여 항고인과 상대방 간에 협의하여 정한다.

③ 항고인과 상대방은 위 ①에 근거한 1차 면접 교섭을 2010년 1월 말일까지 한다.

④ 항고인과 상대방은 차남에 대해서는 장래에 장남과 같은 면접 교섭을 하는 것을 목표로 하고 면접 교섭의 옳고 그름, 방법 등에 대해서 협의한다. 덧붙여 이 협의는 본 조정 성립일의 1년 후를 기준으로 시작하여 그 후에는 차남의 성장을 배려하면서 적절히 실시하고 양측은 차남의 면접 교섭 개시를 위해 진지하게 협력한다.

(4) 항고인은 2010년 1월 위 (3)②의 다방에서 장남과 면회 교류를 했지만 그 후 장남과의 면회 교류는 이루어지지 않았다.

(5) 항고인과 상대방은 2010년 12월 센다이(仙台) 고등재판소에서 소송상 화해를 통해 이혼하고 장남과 차남의 친권자를 상대방으로 정하는 한편 위 (3)의 합의 내용이 실현되지 않고 있음을 확인하여 장남과 차남의 복지를 신중히 배려하면서 위 합의 내용이 빠른 시기에 이루어지도록 노력한다는 것을 약속하는 취지의 합의를 했다.

(6) 항고인은 2011년 3월 상대방에게 장남과의 면회 교류 재개 및 차남과의 면회 교류에 관한 협의를 신청했으나 모두 이루어지지 않았다.

(7) 항고인은 2012년 4월 후쿠시마 가정재판소 고리야마 지부에, 본건 조정조서에 근거하여 본건 조정조항 ①과 같이 항고인과 장남의 면회 교류가 이루어지도록 할 것을 상대방에게 명령함과 동시에 그 의무를 이행하지 않는 때에는 상대방이 항고인에게 일정액의 돈을 지불하도록 명하는 간접강제 결정을 요구하는 신청을 했다.

3 원심은 본건 조정조항은 면회 교류를 하는 것을 '인정한다'는 문구를 사용하고 있는 점에 비추어 상대방의 급부 의사가 분명히 표시된 것이라고 즉시 말할 수 없고 또한 면회 교류의 내용에 대해서 강제 집행이 가능할 정도로 구체적으로 특정된 것이라고도 할 수 없다는 등으로 하여 본건 조정조서에 근거하여 간접강제 결정을 할 수 없다고 했다.

4 (1) 자녀를 감호하고 있는 부모(이하 '감호 부모'라 한다)와 자녀를 감호하고 있지 않은 부모(이하

'비감호 부모'라 한다)의 사이에서 비감호 부모와 자녀의 면회 교류에 대해서 정하는 경우 자녀의 이익이 가장 우선 고려되어야 하고(민법 766조 1항 참조) 면회 교류는 유연하게 대응할 수 있는 조항에 근거하여 감호 부모와 비감호 부모의 협력 아래에서 실시되는 것이 바람직하다. 한편 급부의 의사가 표시된 조정조서의 기재는 집행력 있는 채무 명의와 동일한 효력을 가진다(2011년 법률 제53호에 의한 폐지 전의 가사심판법 21조 1항 단서, 15조). 감호 부모와 비감호 부모 사이에서 비감호 부모와 자녀의 면회 교류에 대한 정함은 적어도 감호 부모가 인도 장소에서 비감호 부모에게 자녀를 인도하고 비감호 부모와 자녀가 면회 교류를 하는 사이에 이를 방해하지 않는 등의 급부를 내용으로 하는 것이 보통이고 그러한 급부에 대해서는 성질상 간접강제를 할 수 없는 것은 아니다. 그리고 조정조서에서 감호 부모의 급부의 특정에 부족한 점이 없다고 할 수 있는 때에는 보통 감호 부모의 급부 의사가 표시되어 있다고 해석하는 것이 상당하다. 따라서 비감호 부모와 감호 부모 사이에서 비감호 부모와 자녀가 면회 교류를 하는 것을 정하는 조정이 성립한 경우 조정조서에 면회 교류의 일시 또는 빈도, 각 회의 면회 교류 시간의 길이, 자녀의 인도 방법 등이 구체적으로 정해져 있는 등 감호 부모가 해야 하는 급부의 특정에 부족한 점이 없다고 할 수 있는 때에는 간접강제를 허용하지 않는다는 취지의 합의가 존재하는 등의 특별한 사정이 없는 한 위 조정조서에 근거하여 감호 부모에게 간접강제 결정을 할 수 있다고 해석하는 것이 상당하다.

(2) 이것을 본건에 대해서 보면 본건 조정조항 ①의 면회 교류를 하는 것을 '인정한다'라는 문언의 사용으로 즉시 상대방의 급부 의사가 표시되어 있지 않은 것으로 보는 것은 상당하지 않지만 본건 조정조항 ①은 면회 교류의 빈도에 대해서 '2개월에 1회 정도'로 하고, 각 회의 면회 교류 시간의 길이도, '한나절 정도(원칙적으로 오전 11시부터 오후 5시까지)'로 하면서도 '처음에는 1시간 정도부터 시작하는 것으로 하고 장남의 모습을 보면서 서서히 시간을 연장하기로 한다.'로 하는 등, 그것들을 반드시 특정하고 있지 않고 본건 조정조항 ②에서 '면접 교섭의 구체적인 일시, 장소, 방법 등은 자녀의 복지를 신중히 배려하여 항고인과 상대방 간에 협의하여 정한다.'고 하고 있음에도 비추어 보면, 본건 조정조서는 항고인과 장남의 면회 교류의 큰 틀을 정하고 그 구체적인 내용은 항고인과 상대방의 협의로 정하는 것을 예정하고 있는 것이라고 할 수 있다. 그렇다면 본건 조정조서에서는 상대방이 해야 하는 급부가 충분히 특정되어 있다고는 할 수 없으므로 본건 조정조서에 근거하여 간접강제 결정을 할 수 없다.

5 이상에 의하면 원심의 판단은 옳다고 인정할 수 있다. 논지는 채용할 수 없다.

따라서 재판관 전원 일치 의견으로 주문과 같이 결정한다.

◇ 재판장 재판관 桜井竜子 재판관 金築誠志 재판관 横田尤孝 재판관 白木勇 재판관 山浦善樹

제7장

이혼 후 친자가 아닌 자녀에 대한 양육비 지급 의무

본건은 상고인이 본소로서 피상고인에게 이혼 등을 청구하는 등 하고 피상고인이 반소로서 상고인에게 이혼 등을 청구하는 동시에 장남, 차남 및 삼남의 감호 비용(양육비)을 청구한 사안이다. 상고인은 차남과의 사이에는 자연적 혈연관계가 없으므로 차남에 대한 감호 비용을 분담할 의무가 없다는 등으로 주장하고 있다.

원심은 상고인과 차남 사이에 법률상의 친자관계가 있는 이상 상고인은 그 감호 비용을 분담할 의무를 지고 그 분담금에 대해서는 장남 및 삼남과 같은 월 14만 엔으로 정하는 것이 상당하다고 판시하였다.

최고재판소는 피상고인이 상고인에게 이혼 후의 차남의 감호 비용의 분담을 요구하는 것은, 감호 비용의 분담에 대하여 판단함에는 자녀의 복지를 충분히 배려해야 하는 점을 고려해도 권리 남용에 해당한다는 취지로 판결하였다.

그러한 판시를 한 근거로 "피상고인은 상고인과 혼인관계에 있었음에도 불구하고 상고인 이외의 남성과 성관계를 갖고 그 결과 차남을 출산했다는 것이다. 게다가 피상고인은 그로부터 약 2개월 이내에 차남과 상고인 사이에 자연적 혈연관계가 없다는 것을 알았음에도 불구하고 그것을 상고인에게 알리지 않고 상고인이 이를 안 것은 차남을 출산한 때로부터 약 7년 후의 일이었다. 그로 인해 상고인은 차남에 대해서 민법 777조 소정의 출소기간 내에 적출 부인의 소를 제기할 수 없었고 그것을 알게 된 후에 제기한 친자관계 부존재 확인의 소는 각하되어 이제 와서는 상고인이 차남과의 친자 관계를 부정할 법적 수단은 남아 있지 않다. 한편 상고인은 피상고인에게 통장 등을 맡겨 그 계좌에서 생활비를 지출하는 것을 허용하고 그 후에도 혼인관계가 파탄에 이르기 전까지 약 4년 동안 피상고인에게 월 150만 엔 정도의 상당히 고액인 생활비를 교부함으로써 차남을 포함한 가족의 생활비를 부담해 왔고 혼인관계의 파탄 후에도 상고인에 대하여 월 55만 엔을 피상고인에게 지불하도록 명하는 심판이 확정되었다. 이와 같이 상고인은 지금까지 차남의 양육 · 감호를 위한 비용을 충분히 분담해 왔고, 상고인이 차남과의 친자관계를 부정할 수 없게 된 위 경위에 비추어 보면, 상고인에게 이혼 후에도 차남의 감호 비용을 분담시키는 것은 과도한 부담을 부과하는 것이라 할 수 있다."고 하였다.

〈민법〉

(적출 부인의 소의 출소기간)

제777조 적출 부인의 소는 남편이 자녀의 출생을 안 때로부터 1년 이내에 제기해야 한다.

재판연월일 平成23年69) 3月 18日	**재판소명** 최고재판소 제2소법정
사건번호 平21(受)332号	**재판구분** 판결
사 건 명 이혼 등 청구(본소), 이혼 등 청구(반소) 사건	
재판결과 일부 파기자판, 일부 상고각하, 일부 상고기각	

주 문

1 원판결 중 차남 A의 감호 비용 분담에 관한 부분을 파기하고 이 부분에 대해서 제1심 판결을 취소한다.

2 전항의 부분에 관한 피상고인의 신청을 각하한다.

3 원판결 중 장남 B 및 삼남 C의 감호 비용 분담에 관한 부분에 대해서 본건 상고를 각하한다.

4 나머지 본건 상고를 기각한다.

5 소송의 총 비용은 상고인이 20분의 17을 부담하고 피상고인이 20분의 3을 부담한다.

이 유

상고대리인 이즈 다카요시(伊豆隆義), 아베 야스히코(阿部泰彦)의 상고 수리 신청 이유(다만, 배제된 것을 제외한다)에 대해서

1 본건은 상고인이 본소로서 피상고인에게 이혼 등을 청구하는 등 하고 피상고인이 반소로서 상고인에게 이혼 등을 청구하는 동시에 장남, 차남 및 삼남의 양육비로 판결 확정일 다음 날부터 장남, 차남 및 삼남이 각각 성년에 이르는 날이 속하는 달까지 1인당 월 20만 엔을 지불할 것을 요구하는 취지의 감호 비용 분담의 신청 등을 하는 사안이다. 상고인은 차남과의 사이에는 자연적 혈연관계가 없으므로 상고인에게는 감호 비용을 분담할 의무가 없다는 등으로 주장하고 있다.

2 원심이 적법하게 확정한 사실관계의 개요 등은 다음과 같다.

69) 2011년

(1) 상고인(1962년 O월 O일생)과 피상고인(1961년 O월 O일생)은 1991년 O월 O일에 혼인 신고를 한 부부이다. 피상고인은 1996년 O월 O일에 상고인의 자녀인 장남 B를, 1999년 O월 O일에 상고인의 자녀인 삼남 C를 각각 출산했지만 그 사이 1997년 O월 O일 무렵 상고인 이외의 남성과 성관계를 갖고 1998년 O월 O일에 차남 A를 출산했다. 차남과 상고인 사이에는 자연적 혈연관계가 없고 피상고인은 늦어도 그 해 O월 무렵까지는 그 사실을 알았지만 상고인에게 알리지 않았다.

(2) 상고인은 1997년 무렵부터 피상고인에게 통장과 현금 카드를 맡기고 그 계좌에서 생활비를 지출하는 것을 허용하고 있어 1999년 무렵, 일정액의 생활비를 피상고인에게 교부하게 된 후에도 피상고인의 요구에 따라 2000년 1월 무렵부터 2003년 말까지 거의 매달 150만 엔 정도의 생활비를 피상고인에게 교부해 왔다.

(3) 상고인과 피상고인의 혼인관계는 상고인이 피상고인 이외의 여성과 성관계를 가진 것 등으로 2004년 1월 말 무렵 파탄에 이르렀다. 그 후 상고인에 대하여 피상고인에게 혼인 비용으로 월 55만 엔을 지불하도록 명하는 심판이 이루어졌고 이 심판은 확정되었다.

(4) 상고인은 2005년 4월에 비로소 차남과의 사이에는 자연적 혈연관계가 없다는 것을 알았다. 상고인은 그 해 7월, 차남과의 사이의 친자관계 부존재 확인의 소 등을 제기했지만 이 소송을 각하하는 판결이 선고되었고 이 판결은 확정되었다.

(5) 상고인이 피상고인에게 분여(分與)해야 할 적극 재산은 합계 약 1,270만 엔 상당이다.

3 원심은 상고인과 피상고인이 이혼하고 장남, 차남 및 삼남의 친권자를 모두 피상고인으로 정하여야 한다는 등 한 후 차남의 감호 비용에 대해서 다음과 같이 판단했다.

상고인과 차남 사이에 법률상의 친자관계가 있는 이상 상고인은 그 감호 비용을 분담할 의무를 지고 그 분담금에 대해서는 장남 및 삼남과 같은 월 14만 엔으로 정하는 것이 상당하다.

4 그렇지만 원심의 위 판단은 옳다고 인정할 수 없다. 그 이유는 다음과 같다.

(1) 전술한 사실관계에 의하면 피상고인은 상고인과 혼인관계에 있었음에도 불구하고 상고인 이외의 남성과 성관계를 갖고 그 결과 차남을 출산했다는 것이다. 게다가 피상고인은 그로부터 약 2개월 이내에 차남과 상고인 사이에 자연적 혈연관계가 없다는 것을 알았음에도 불구하고 그것을 상고인에게 알리지 않고 상고인이 이를 안 것은 차남을 출산한 때로부터 약 7년 후의 일이었다. 그로 인해 상고인은 차남에 대해서 민법 777조 소정의 출소기간 내에 적출 부인의 소를 제기할 수 없었고 그것을 알게 된 후에 제기한 친자관계 부존재 확인의 소는 각하되어 이제 와서는 상고인이 차남과의 친자관계를 부정할 법적 수단은 남아 있지 않다.

한편 상고인은 피상고인에게 통장 등을 맡기고 그 계좌에서 생활비를 지출하는 것을 허용하고 그 후에도 혼인관계가 파탄에 이르기 전까지 약 4년 동안 피상고인에게 월 150만 엔 정도의 상당히 고액인 생활비를 교부함으로써 차남을 포함한 가족의 생활비를 부담해 왔고 혼인관계의 파탄 후에도 상고인에 대하여 월 55만 엔을 피상고인에게 지불하도록 명하는 심판이 확정되었다. 이와 같이 상고인은 지금까지 차남의 양육 · 감호를 위한 비용을 충분히 분담해 왔고, 상고인이 차남과의 친자관계를 부정할 수 없게 된 위 경위에 비추어 보면, 상고인에게 이혼 후에도 차남의 감호 비용을 분담시키는 것은 과도한 부담을 부과하는 것이라 할 수 있다.

더욱이 피상고인은 상고인과의 이혼에 따라 상당히 고액의 재산을 분할 받게 되는 것이며 이혼 후의 차남의 감호 비용을 전적으로 피상고인이 분담할 수 없다고 하는 사정은 보이지 않는다. 그렇다면 위 감호 비용을 전적으로 피상고인에게 분담시킨다고 해도 자녀의 복지에 위배된다고 할 수 없다.

(2) 위의 사정을 종합 고려하면 피상고인이 상고인에게 이혼 후의 차남의 감호 비용의 분담을 요구하는 것은 감호 비용의 분담에 대하여 판단함에는 자녀의 복지를 충분히 배려해야 하는 점을 고려해도 여전히 권리 남용에 해당한다고 할 수 있다. 이것과 다른 원심의 판단에는 판결에 영향을 미치는 것이 분명한 법령 위반이 있다. 논지는 이 취지를 말하는 것으로서 이유가 있다.

5 이상에 의하면 원판결 중 차남의 감호 비용의 분담에 관한 부분은 파기를 면치 못하여 제1심 판결 중 이 부분을 취소하고 이 부분에 관한 피상고인의 신청을 각하해야 한다.

또한 장남 및 삼남의 감호 비용의 분담에 관한 상고에 대해서는 상고인은 상고 수리 신청 이유를 기재한 서면을 제출하지 않았으므로 이를 각하하고 나머지 상고에 대해서는 상고 수리 신청 이유가 상고 수리 결정에서 배제되었으므로 이를 기각한다.

따라서 재판관 전원 일치 의견으로 주문과 같이 판결한다.

◇ 재판장 재판관 竹内行夫　재판관 古田佑紀　재판관 須藤正彦　재판관 千葉勝美

제8장

재혼금지기간

1. 재혼금지기간에 재혼한 남편을 아버지로 하는 자녀의 출생 신고 불수리에 대한 국가배상 청구

본건은 어머니와 어머니의 전 남편의 혼인 해소 후 300일 이내에 출생한 원고가, 원고의 어머니가 한, 재혼한 남편을 아버지로 하는 출생 신고를 불수리한 것에 대해서 피고 국가의 직원이 피고 소자(総社)시의 직원에게 출생 신고를 수리할 수 없다고 응답한 것, 피고 소자시의 시장이 위 신고를 불수리하는 처분을 한 것은 모두 헌법 14조(평등권), 민법 772조 1항 및 아동의 권리에 관한 조약 7조에 위반하여 위법하다고 하면서 피고들에게 국가배상법 1조 1항(공동불법행위)에 근거하여 손해배상을 청구한 사안이다.

1심: 오카야마(岡山) 지방재판소 平21(ワ)147号 平成22年[70] 1月 14日 판결

(1) 헌법 14조 위반 여부

오카야마 지방재판소는 "민법 772조 1항에는 합리성이 있고 임신 시기와 혼인 해소일의 전후 관

70) 2010년

계에 따라 적출 추정의 유무가 좌우되는 것이 불합리한 차별이라고는 할 수 없어 헌법 14조에 위반하는 것은 아니다. 출생 신고 시 제출한 첨부자료에 의해서도 임신 시기에 부부가 별거하여 완전히 교섭을 끊고 있었다는 사실 등이 나타나는 것은 아니고 X의 임신이 A에 의한 것이 아님이 명백하다고는 할 수 없다. 따라서 본건 신고는 호적 사무 관장자가 직무상의 의무를 다해 심사해도 불수리로 판단되어야 할 것이며, 직무상의 의무 위반이 있다고는 할 수 없고 또한 그 심사 방법의 합리성을 긍정할 수 있으므로 헌법 14조에 위반한다고는 할 수 없다."고 판시하였다.

⑵ 민법 772조 1항 위반 여부

오카야마 지방재판소는 "출생 신고 시 제출한 첨부자료는 그 기재 내용에 비추어 보면 원고가 A의 적출자녀라는 추정을 배제해야 할 것이 분명한 자료였다고는 할 수 없는 것이다. 본건에서 원고의 임신 시기는 X와 A의 혼인 중이며 민법 772조 1항이 정하는 '아내가 혼인 중에 임신한 자녀'라는 요건에 분명하게 해당하는 것이므로 본건 통보에 의한 취급과 균형을 맞추기 위해서 민법 772조 1항의 추정을 뒤집어야 한다고는 할 수 없다."고 판시하여 이들 처분이 민법 772조 1항에 위반한다는 원고의 주장을 배척하였다.

⑶ 아동의 권리에 관한 조약 7조 위반 여부

오카야마 지방재판소는 "아동의 권리에 관한 조약 7조는 민법, 호적법 등 관계 법규가 정하는 요건에 적합하지 않은 출생 신고에 대해서까지 이를 수리해야 할 의무를 정한 것으로는 해석되지 않는다. 본건 신고는 아버지의 란에 Y의 이름이 기재되고 부모와의 관계의 란에 적출자녀라는 취지의 기재가 된 것인데 본건 첨부 자료에서는 원고가 A의 적출자녀라는 추정을 배제할 것이 분명하지 않고 적법한 신고라고는 할 수 없었다. 그렇다면 본건 불수리 처분 등이 위 조약 7조에 위반한다고는 할 수 없다."고 판시하였다.

항소심: 히로시마(広島) 고등재판소 오카야마(岡山) 지부 平22(ネ)36号 平成22年[71] 9月 3日 판결

히로시마 고등재판소 오카야마 지부는 1심 판결을 그대로 수긍하였다. 그리고 "항소인(원고)은 최근 피항소인 국가(법무성)가 성 동일성 장해가 있는 남편의 자녀 즉 생물학적으로는 남편의 자녀가 아닌 자녀를 적출자녀로 인정할 예정이기 때문에 본건 불수리 처분 등은 성 동일성 장해가 있는 남편의 자녀와의 관계에서도 불합리한 차별이며, 헌법 14조에 위배된다고 주장하지만 본건 불수리 처분

71) 2010년

등의 시점부터 현재에 이르기까지 성 동일성 장해가 있는 남편의 자녀를 적출자녀로 취급하는 취지의 법 개정 등은 이루어지지 않았으므로 항소인의 주장은 전제를 결여한다고 하지 않을 수 없어 부당하다. 호적법상 출생 신고서에는 친아버지를 기재할 것이 요구되고 부자 관계를 민법 772조에 의해 결정한다는 규정은 없으며 또한 호적 사무 관장자는 형식적 심사권밖에 가지지 않는 것이기 때문에, 이 관장자는 호적법상 이루어진 출생 신고를 그대로 수리해야 한다고 항소인은 주장한다. 그러나 친자 관계 등 개인의 신분 관계는 민법 등의 실체법에 의해 규정되고 있고, 호적은 이 관계를 등록·공증하기 위한 제도이기 때문에, 신분 관계 자체는 민법 등의 실체법에 따라 판단되어야 하는 것이 당연하고 이것은 호적 사무에 관한 형식 심사에서도 변함은 없으므로 항소인의 위 주장은 채용할 수 없다. 항소인은 본건 불수리 처분 등의 위법성은 과실 유무와는 구분하여 객관적으로 판단되어야 한다고 주장하지만 국가배상법 1조 1항에 해당하는 위법이 있었다는 평가를 받는 것은 당해 공무원이 직무상 통상 하여야 할 주의의무를 다하지 않고 만연히 행위를 했다고 인정될 수 있는 사정이 있는 경우라고 해석되므로 항소인의 위 주장은 채용할 수 없다."는 취지의 판시를 추가하였다.

〈민법〉

(재혼금지기간)

제733**조** 여자는 전혼의 해소일 또는 취소일로부터 6개월을 경과한 후가 아니면 재혼을 할 수 없다.

2 여자가 전혼의 해소 또는 취소 전부터 임신하고 있던 경우에는 그 출산일부터 전항의 규정을 적용하지 않는다.

(적출의 추정)

제772**조** 아내가 혼인 중에 임신한 자녀는 남편의 자녀로 추정한다.

2 혼인의 성립일로부터 200일을 경과한 후 또는 혼인의 해소일이나 취소일로부터 300일 이내에 태어난 자녀는 혼인 중에 임신한 것으로 추정한다.

1심 판결

재판연월일 平成22年[72] 1月 14日	**재판소명** 오카야마(岡山) 지방재판소
사건번호 平21(ワ)147号	**재판구분** 판결
사 건 명 손해배상 청구 사건(이혼 후 300일 규정 소송 제1심)	
재판결과 청구 기각	**상 소 등** 항소

주 문

1 원고의 청구를 모두 기각한다.

2 소송비용은 원고가 부담한다.

사실과 이유

제1 청구

피고들은 원고에게 연대하여 330만 엔 및 이에 대한 2008년 11월 10일부터 다 갚는 날까지 연 5%의 비율에 의한 돈을 지불하라.

제2 사안의 개요

본건은 어머니와 전 남편의 혼인 해소 후 300일 이내에 출생한 원고가, 자신(원고)의 어머니의 재혼 남편을 아버지로 하는 출생 신고를 불수리한 것에 대해서 피고 국가의 직원이 피고 소자(総社)시(이하 '피고 시'라 한다)의 직원들로부터의 조회(照会)에 대해서 이를 수리할 수 없다고 응답한 것, 피고

72) 2010년

시의 시장이 위 신고를 불수리하는 처분을 한 것은 모두 헌법 14조, 민법 772조 1항 및 아동의 권리에 관한 조약 7조에 위반하여 위법이라고 하여 피고들에게 국가배상법 1조 1항(공동불법행위)에 근거하여 연대하여 손해 330만 엔(위자료 300만 엔, 변호사 비용 30만 엔)의 배상 및 불법행위일을 시기(始期)로 하는 민법 소정의 연 5%의 비율에 의한 지연손해금의 지불을 요구한 사안이다.

1 전제가 되는 사실(증거 등은 괄호 안에 기재한다)

(1) 원고의 출생까지의 경위(갑 2, 8, 9, 변론의 전체 취지)

① 원고의 법정대리인이자 친권자인 어머니(이하 'X'라 한다)는 2006년 2월 14일, A(이하 'A'라 한다)와 혼인하여 오사카(大阪)부에서 동거했다. 그런데 A는 같은 달 20일부터 X에게 폭력을 휘두르게 되었다.

② X는 A와의 동거 생활을 견딜 수 없게 되어 같은 해 8월까지 2회 정도 A와 동거하고 있던 집을 나와 오카야마(岡山)현 소재의 친정으로 돌아갔지만, A가 데리러 와서 폭력을 휘두르지 않겠다고 약속하여 집으로 돌아갔다. 그러나 그 후에도 A가 폭력과 폭언 등을 행사했기 때문에 X는 같은 해 9월 28일에 친정으로 돌아간 다음 그 다음날인 29일에 같은 현의 B 경찰서에 상담하러 가서 배우자로부터의 폭력 방지 및 피해자 보호에 관한 법률에 근거한 보호명령(이하 '보호명령'이라 한다)에 관한 설명을 들었다.

③ 보호명령 신청 등

㉮ X는 같은 해 10월 16일, 오카야마 지방재판소에, A에 대한 보호명령의 발령을 요구하는 신청을 했다. 이 재판소는 같은 달 26일, A에 대하여 보호명령(A가 이 결정의 송달을 받은 날부터 기산하여 6개월 동안의 X에 대한 접근 금지 명령. 이하 '본건 보호명령 1'이라 한다)을 발령하고 (이 명령은) 같은 달 29일 A에게 송달되었다.

㉯ A는 같은 해 11월 3일 본건 보호명령 1에 불복하여 히로시마(広島) 고등재판소 오카야마 지부에 즉시항고를 제기했지만 재판소는 같은 달 9일에 A의 즉시항고를 기각하는 결정을 했다(이하 '본건 즉시항고 결정'이라 한다).

㉰ X는 2006년 11월에 오사카 가정재판소에 이혼 조정(調停)을 신청하고 한편 A는 오카야마 가정재판소에 원만한 조정(調整)의 조정(調停)(후에 오사카 가정재판소로 이송되었다)을 신청했지만 같은 해 12월 14일 모두 불성립되었다.

㉱ X는 오카야마 지방재판소에 다시 A에 대한 보호명령의 발령을 요구하는 신청을 하고 이 재판소는 2007년 4월 27일 보호명령(A가 이 결정의 송달을 받은 날로부터 기산하여 6개월 동안의 X에

대한 접근 금지 명령. 이하 '본건 보호명령 2'라 한다)을 발령했다. 본건 보호명령 2는 그 무렵 A에게 송달되었다.

④ 이혼 소송

X는 2007년 3월 오카야마 가정재판소에 A를 피고로 하여 이혼 등 청구 소송을 제기했다. 이 재판소는 같은 해 10월 5일, X의 위 소송에 관한 사건의 구두 변론을 종결하고 같은 달 26일, X와 A가 이혼하는 등으로 하는 판결(이하 '본건 이혼 판결'이라 한다)을 선고했다.

A는 이에 불복하여 항소했다.

⑤ X의 임신

X는 2008년 1월 내지 그 해 2월경, Y(현재 원고의 법정대리인이자 친권자인 아버지. 이하 'Y'라 한다)의 자녀인 원고를 임신했다.

⑥ 이혼 성립

X와 A는 같은 해 3월 28일 본건 이혼 판결의 항소심인 히로시마 고등재판소 오카야마 지부에서 화해 이혼(이하 '본건 화해 이혼'이라 한다)했다.

⑦ 원고의 출생

X는 같은 해 10월 7일, Y와 혼인하고 그 해 ○월 ○일 오카야마현 C시에서 원고를 분만했다. 원고가 출생한 날은 X와 A가 이혼한 날로부터 300일 이내이다.

(2) 출생 신고서의 제출 및 불수리 처분(갑 8, 9)

① Y는 2008년 11월 10일 피고 시의 시민과 주사 E에게 원고의 출생 신고서를 제출했다(이하 '본건 신고'라 한다). 본건 신고의 신고서에는 아버지의 란에 Y의 이름이 기재되어 있고 부모와의 관계란에는 적출자녀라는 취지로 기재되어 있었다. 또한 원고의 출생증명서의 임신 주수의 란에는 만 40주 6일이라고 기재되었다.

Y는 본건 신고 시에 첨부 자료로서 ㉮ 상신서, ㉯ X가 작성한 위임장, ㉰ 본건 보호명령 1의 결정서 사본, ㉱ 본건 즉시항고 결정의 결정서 사본, ㉲ 본건 보호명령 2의 결정서 사본, ㉳ 본건 이혼 판결의 판결서 사본, ㉴ 본건 화해 이혼의 화해 조서 사본을 제출하였다(이하 '본건 첨부 자료'라 한다).

본건 첨부 자료 중 ㉮의 상신서는 본건 신고에 동행한 변호사 삿카 도모시(作花知志)가 X의 대리인으로서 작성한 것으로 사실 관계를 설명한 다음 X와 Y의 혼인관계는 2006년 9월 이후 파탄에 이르러 형해화 되었으며, 원고의 출생에 대해서 민법 772조 1항에 의한 적출 추정은 미치지 않는다는 취지를 기재한 것이다. ㉯의 위임장은 X가 위 변호사 등을 대리인으로 정하는 것이다.

② E는 같은 날 오카야마 지방 법무국 구라시키(倉敷) 지국 총무과 호적계장 F에게 본건 신고를 수리할 수 있는지 문의하였다. F는 이에 대해서 수리해야 하는 것은 아니라고 응답했다(이하 '본건 응답'이라 한다).

③ 피고 시의 호적 사무 관장자인 시장은 같은 날 본건 신고를 수리하지 않기로 했다(이하 '본건 불수리 처분'이라 한다).

⑶ 본건 불수리 처분 후의 경과(을 2)

오카야마 가정재판소 구라시키 지부는 2009년 2월 3일, 원고가 Y를 상대방으로 하여 제기한 인지 신청 사건에서 원고가 Y의 자녀임을 인지한다는 합의에 상당하는 심판을 하고 이 심판은 같은 달 20일에 확정되었다. 이 지부는 이 심판에서 X는 본건 보호명령 1이 발령된 무렵부터 A[73]와 한 번도 만나지 않은 것, X는 2007년 12월 25일부터 Y와 동거를 시작하여 2008년 2월경 원고를 임신하고 임신한 당시 Y 이외의 남성과의 성관계가 없었던 것을 인정한 다음 원고는 A와의 사이에서 민법 772조에 의한 적출의 추정을 받지 않는다고 인정했다.

원고는 위 심판에 근거하여 2009년 2월 27일, X와 Y의 적출자녀로 하는 출생 신고가 수리되어 Y의 호적에 장녀로 기재되었다.

2 쟁점 및 쟁점에 관한 당사자의 주장

⑴ 본건 불수리 처분 및 본건 응답의 위법성

[원고의 주장]

본건 신고는 법정 요건을 구비한 적법한 것이다. 본건 불수리 처분 및 본건 응답(이하 양자를 아울러 '본건 불수리 처분 등'이라 한다)은 원고의 출생이 전혼의 해소일로부터 300일 이내인 것 등을 이유로 하는 것이지만 다음과 같이 헌법 등에 위반되는 것으로 위법한 행위이다.

① 헌법 14조 위반

본건 불수리 처분 등은 헌법 14조에 위반된다.

㉮ 임신 시기와 이혼의 선후 관계에 의한 구별이 합리적이지 않은 것

2007년 5월 7일자 법무성 민사국장 통보(法務省民-제1007호. 이하 '본건 통보'라 한다)에 의해 혼인 해소 후 300일 이내에 출생한 자녀라도 의사가 작성한 '임신 시기에 관한 증명서'의 기재로부터

73) 원문에는 'Y'라고 기재되어 있으나 'A'의 오기가 분명하다.

추정되는 임신 시기의 가장 빠른 날이 혼인 해소일보다 뒤인 경우에는 어머니의 적출이 아닌 자녀 또는 후혼의 남편을 아버지로 하는 적출자녀 출생 신고서를 제출할 수 있다. 본건에서도 X가 원고를 임신한 시기가 이혼이 성립한 2008년 3월 28일보다 후라면 Y를 아버지로 하는 원고의 출생 신고가 수리되게 된다.

그러나 이혼은 형식적으로 이혼 신고서를 제출하면 성립하기 때문에 이혼 후에도 부부가 함께 생활하는 경우가 있다. 그렇다면 임신 시기가 이혼의 전인지 여부에 따라 전 남편의 자녀로서 출생 신고를 할 필요가 있는지 여부를 결정하는 것에는 합리적인 이유가 없다.

㉯ 원고에게 귀책성이 없는 것

원고는 X가 원고를 임신한 시기가 X와 A의 혼인 해소일보다 전이었다는 것에 대해서 아무런 책임이 없고 이것으로 인해 구별되는 것은 불합리하다.

㉰ 본건 사실관계에서는 본건 불수리 처분 등이 합리적이지 않은 것

원고의 임신 시기는 X와 A의 이혼이 성립한 날보다도 먼저이다. 그러나 X와 A의 혼인관계는 이혼 성립일 전부터 이미 파탄에 이르렀고 원고에게는 A와의 사이에서 민법 772조 1항에 의한 추정이 작용하지 않기 때문에 원고에 대해서 이혼 성립일을 기준으로 Y를 아버지로 하는 출생 신고를 수리할지 여부를 구별하는 것에는 합리적인 이유가 없다.

X와 A의 혼인관계가 파탄에 이르러서 형해화 하고 있던 것은 다음과 같은 사실 관계에서 분명하고 그 사실은 본건 첨부 자료에서 쉽게 인정할 수 있었다.

㉠ 2006년 10월 이후 X의 신청에 따라 보호명령이 내려져 A는 X에게 접근하는 것 자체가 법률상 금지되어 있었다.

㉡ X는 위 보호명령의 효력 기간 내인 2007년 3월 이혼 소송을 제기하여 같은 해 10월 26일에는 이혼을 인정하는 판결(본건 이혼 판결)이 선고되었다. 본건 이혼 판결의 이유 중에서는 A가 X에게 폭력을 휘두른 것, A와 X가 장기간 별거하고 소식이 끊긴 것이 인정되고 있다.

㉢ A는 본건 이혼 판결에 불복해 항소했지만 항소심의 재판상 화해로 이혼이 성립했다.

㉱ 호적이 없음으로 인한 불이익이 큰 것

원고는 본건 불수리 처분에 의해 일단은 호적이 없게 되었다.

호적이 없음으로 인해 입는 불이익은 다음과 같이 큰 것이다.

㉠ 법률상 혼인이 불가능하다(호적법 29조 3호)

㉡ 입양을 할 수 없다(호적법 29조 3호)

㉢ 사망신고를 하지 못한다(호적법 29조 4호)

㉣ 호적 제출이 필요한 자격을 취득할 수 없다

ⓜ 여권을 취득할 수 없다(여권법 3조 2호)

ⓗ 주민표의 사본 등의 교부를 받지 못한다(주민기본대장법 12조 2항 1호)

ⓢ 취학 통지를 받지 못한다(학교교육법 시행령 5조)

ⓞ 선거권이 없다

ⓙ 인감 등록을 하지 못한다

ⓒ 부동산 취득 및 예금 계좌 개설이 어려워진다

ⓚ 운전 면허증을 받지 못한다

ⓣ 무호적자의 자녀도 마찬가지로 무호적이 된다

㉱ 이렇게 본건 불수리 처분 등은 합리적인 이유가 없는 데도 불구하고 임신이 전혼의 해소일 전이었다는 사회적 신분에 의해 원고를 정치적, 경제적, 사회적 관계에서 차별하고 원고에게 큰 불이익을 주는 것으로 헌법 14조 1항에 위반된다.

② 민법 772조 1항 위반

㉮ 판례상 아내가 772조 2항 소정의 기간 내에 분만한 자녀일지라도 아내가 자녀를 임신하였을 시기에 이미 부부가 사실상의 이혼을 하는 등 부부의 실체를 잃은 경우나 원격지에 거주하고 있는 등 부부 간에 성관계를 가질 기회가 없었던 것이 명확한 사정이 존재하는 경우에는 자녀는 같은 조 1항에 의한 추정을 받지 않아 남편의 자녀로 추정되는 것은 아니라고 되어 있다.

위 해석에 비추어 보면 호적 사무 관장자는 출생 신고와 동시에 이혼 판결 등의 재판서가 제출되어 그 이유 중에서 ㉠ 장기간의 별거와 ㉡ 부부 관계가 형해화 하여 있는 사실이 인정되는 경우에는 당해 출생 신고에 관한 자녀에 대해서 남편 또는 전 남편과의 사이에서 적출 추정을 받지 않는 것으로 취급해야 한다.

본건에서는 본건 첨부 자료에서 ㉠ A와 X가 장기간 별거한 것, ㉡ 부부관계가 형해화 하여 있던 것이 분명한 것은 위 ① ㉰와 같다.

㉯ 본건 통보는, 추정되는 임신 시기의 가장 빠른 날이 혼인 해소일보다 뒤였다면 민법 772조에 의한 추정이 뒤집히는 것이기 때문에 그 취급과 균형을 이루기 위해서라도 본건에서는 민법 772조 1항의 추정이 뒤집힌다고 판단되었어야 했다.

㉰ 또한 본건 신고를 불수리하면 배우자로부터 폭력을 당한 피해자인 X는 조정 절차 등에서 다시 가해자인 A와 연루되는 것을 피할 수 없다. 이 점을 감안하면 피고들은 민법 772조의 해석에 대해서 배우자로부터 폭력을 당한 피해자인 X를 보호하기 위해 X와 A의 혼인관계는 A의 폭력이 원인이 되어 형해화 하였으므로 원고에 대해서 A의 자녀라는 추정은 미치지 않는다는 해석을 했어야 했다.

㉣ 따라서 원고가 A의 자녀라고 하여 이루어진 본건 불수리 처분 등은 민법 772조 1항의 해석 및 적용을 잘못한 것으로 위법하다.

③ 아동의 권리에 관한 조약 7조 위반

㉮ 아동의 권리에 관한 조약 7조는 1항에서 "아동은 출생 후 곧바로 등록된다. 아동은 출생 시부터 성명을 가질 권리 및 국적을 취득할 권리를 가진다."고 규정하고 2항에서 "체약국은 특히 아동이 무국적이 되는 경우를 포함하여 국내법 및 이 분야의 관련하는 국제 문서에 근거한 자국의 의무에 따라 1(항)의 권리 실현을 확보한다."고 규정하고 있다. 따라서 위 조약의 체약국인 일본에게는 아동이 출생 후 곧바로 호적에 기재될 수 있는 체제를 확실하게 갖출 의무가 있고 피고들에게도 가능한 한 무호적인 아동이 생기지 않도록 취급할 의무가 있었다.

㉯ 본건 첨부 자료에 의해 원고는 민법 772조에 의한 A의 자녀라고 추정을 받지 않는 아이임이 분명했다. 전술한 의무가 피고들에게 부과되고 있는 것에서 보면 피고 시의 시장은 원고의 아버지를 Y로 하는 본건 신고를 수리해야 할 의무가 있고 또한 F에게는 본건 신고를 수리하도록 응답해야 할 의무가 있었다.

본건 불수리 처분 등은 위 의무에 위배되어 위법하다.

[피고들의 주장]

공무원에 의한 공권력의 행사에 국가배상법 1조 1항에 해당하는 위법이 있다는 것은 국민의 법률상 보호된 이익이 침해되었다고 인정되고 공무원이 개별 국민에 대해서 부담하는 직무상의 법적 의무에 위배하는 경우이다. 그리고 호적 신고를 불수리하는 판단이 국가배상법 1조 1항상 위법하게 되는 것은 시정촌장 내지 지방법무국장이 직무상 통상 하여야 할 주의 의무를 다하지 않고 만연히 위 판단에 근거한 행위를 했다고 인정될 수 있는 사정이 있는 경우에 한한다.

본건 불수리 처분 등은 민법 772조에 의해 원고가 A의 자녀인 것으로 추정되는데, 본건 신고는 원고를 Y와 X의 적출자녀로 하는 것으로 호적법에 위배되는 적법하지 않은 것이라고 판단하였기 때문에 수리하지 않기로 했다.

본건 불수리 처분 등은 다음과 같이 직무상 통상 하여야 할 주의의무를 다하여 이루어진 것이며 위법하다고 할 수 없다.

① 헌법 14조[74] 위반에 대해서

㉮ 민법 772조에 의한 적출 추정 제도는 사회의 기본적인 신분 관계인 친자 관계 중 반드시 외형

적인 사실에서 분명하지 않은 부자 관계에 대해서 출생한 자녀의 신분 안정을 조기에 도모함과 동시에 가정의 평화를 존중하는 것을 목적으로 하는 것이다. 호적 사무 관장자인 시구정촌장은 출생 신고에 대해서 출생자가 적출자녀인지 여부를 심사하게 되는데 이 심사에서는 호적 기재의 정확성을 담보하면서 다수의 신고인과 신청자를 상대로 하는 호적 사무를 집단적 · 통일적 · 획일적으로 처리하기 위해 당해 신고의 첨부 서류 및 시구정촌 사무소에 비치되어 있는 호적부 · 제적부로부터 심사하는 형식 심사가 이루어진다. 만일 시구정촌장이 출생자가 적출자녀인지 여부를 실질적 심사에 의해 판단해야 한다고 하는 경우, 그 판단은 판단자마다 구구하게 되지 않을 수 없어 신고 사건의 집단적 · 통일적 · 획일적이고 신속한 처리를 저해하고 호적 기재의 정확성을 결여하며 나아가 신분 관계의 안정까지도 저해할 수 있다.

그리고 이혼 후 300일 이내에 출생한 자녀에 대해서 재혼한 남편의 자녀로서 출생 신고서가 제출된 경우 호적 사무 관장자는 신고서의 첨부 서류인 출생증명서 등과 호적부 등에서 민법 772조에 의해 적출자녀로서 추정되는 자녀인지를 심사하고 추정되는 때에는 적출 추정이 미치지 않는 것이 객관적으로 분명하게 되어 있는지를 심사하게 된다. 적출 추정이 미치지 않는 것을 객관적으로 분명하게 하는 자료는 일반적으로는 적출 부인의 소의 재판서, 당해 자녀와 전 남편과의 친자 관계 부존재 확인의 재판서 등을 들 수 있다.

㈏ 본건 신고서는 원고의 출생일이 X와 A가 이혼한 날로부터 300일 이내인 것이 분명하고 한편 본건 첨부 자료는 다음과 같이 적출 추정이 미치지 않는 것을 객관적으로 분명하게 하는 자료는 아니었다.

㉠ 각 재판서의 사본은 원본과 동일한 것을 확인할 수 없는 단순한 사본이었다.

㉡ 본건 보호명령 1, 2 및 본건 즉시항고 결정은 그 재판이 확정된 것인지 분명하지 않고 게다가 본건 이혼 판결에 대해서는 확정되지 않은 것이 분명했다.

㉢ 본건 보호명령 1, 2, 본건 즉시항고 결정 및 본건 이혼 판결은 모두 원고를 임신하였을 시기에 X와 A가 성관계를 가질 기회가 없었던 것이 분명하다는 등의 사정을 객관적으로 명백하게 하는 것이라고는 할 수 없다.

a 본건 보호명령 1, 2는 각 결정의 송달 후 6개월 동안 X에게 접근해서는 안 된다는 취지를 명령하는 것에 지나지 않고, 접근 금지 기간도 원고를 임신하였을 시기와 관련된 것은 아니었다.

b 본건 즉시항고 결정이 이루어진 날은 늦어도 2006년 11월 9일이고 X가 원고를 임신한 시기보다

---

74) **제14조** 모든 국민은 법 앞에 평등하고 인종, 신념, 성별, 사회적 신분 또는 문벌에 의해 정치적, 경제적 또는 사회적 관계에서 차별받지 않는다.
2 화족 기타 귀족제도는 인정하지 않는다.

전이므로 이 결정이 인정한 사실에는 원고를 임신하였을 시기와 관련된 사실은 포함되어 있지 않다.

c 본건 이혼 판결에 관한 사건의 구두 변론 종결일은 2007년 10월 5일이고 원고를 임신하였을 시기보다 전이므로 이 판결에서 인정된 사실에 원고를 임신하였을 시기와 관련된 사실은 포함되어 있지 않다.

㉰ 위와 같이 민법 772조에 의한 적출 추정 제도에는 합리성이 있고 또한 적출 추정에 대한 심사는 전국에서 획일적 · 통일적으로 이루어지고 있으며 원고를 불평등하게 취급한 것은 아니므로 본건 불수리 처분 등이 헌법 14조에 위반된다고 할 수 없다.

또한 원고는 X와 A의 자녀로서 출생 신고서를 제출하면 호적을 취득할 수 있었던 것이므로 본건 불수리 처분 등에 의해 원고가 무호적이 되는 불이익을 입었다고 할 수는 없다.

② 민법 772조 1항 위반에 대해서

본건 불수리 처분 등은 위 ① ㉮, ㉯와 같이 민법 772조 1항에 위반된다고는 할 수 없다.

③ 아동의 권리에 관한 조약에 대해서

일본에서는 출생 후 아동이 바로 등록되도록 '적당한 입법 조치'(아동의 권리에 관한 조약 4조)를 취하고 있기 때문에 이 조약에 위반하지 않는다.

또한 원고의 호적이 작성되지 않았던 것은 본건 신고가 '적절한 입법 조치'인 호적법에 위배되는 적법하지 않은 것이었기 때문이며 적법한 신고가 이루어지면 원고의 호적은 작성되었을 것이다. 호적의 기재가 신분 관계를 공증하는 중요한 것이며 법에 따른 신고와 기재가 될 것이 강하게 요청되는 것, 적법한 신고에 의해 호적을 작성할 수 있다는 점에서 보면 적법하지 않은 신고를 불수리하는 것이 이 조약 7조에 위배된다고 할 수 없으며 본건 불수리 처분 등이 위법이라고는 할 수 없다.

(2) 고의 또는 과실

[원고의 주장]

① 피고 시에 대해서

피고 시의 시장은 본건 신고를 수리할지 여부를 결정하는 때에는 본건 첨부 자료를 정독하고 법령 · 선례의 조사를 하여야 할 직무상의 의무가 있고 이를 게을리 하지 않았다면 본건 신고를 불수리하는 것이 위법임을 인식할 수 있었다.

그러나 피고 시의 시장은 위 의무를 위반하였고 그 때문에 본건 신고를 불수리하는 것이 위법임을 인식하지 못하여 본건 불수리 처분을 한 것으로 과실이 있다.

② 피고 국가에 대해서

F에게는 본건 첨부 자료의 내용을 E로부터 정확하게 청취하여 법령 · 선례를 조사하여야 할 직무상의 의무가 있고 이것을 하면 본건 신고를 불수리하는 것이 위법임을 인식할 수 있었다.

그러나 F는 이를 게을리 하였기 때문에 본건 신고를 불수리하는 것이 위법임을 인식하지 못하고 본건 응답을 한 것으로 과실이 있다.

[피고들의 주장]

① 피고 시에 대해서

다툰다.

② 피고 국가에 대해서

다툰다.

덧붙여 본건 응답은 호적법 3조 2항의 '지시'에 해당한다.

⑶ 공동 불법행위

[원고의 주장]

피고 시의 시장은 피고 국가의 공무원인 F에게서 받은 위 응답에 따라 본건 불수리 처분을 한 것이므로 피고 국가의 행위와 피고 시의 행위는 관련하여 공동한다.

따라서 피고들은 공동 불법행위자로서 연대하여 손해 배상 의무를 진다.

[피고들의 주장]

본건 응답에 따라 본건 불수리 처분이 이루어진 것은 인정하고 나머지는 다툰다.

⑷ 손해

[원고의 주장]

① 위자료 300만 엔

원고는 본건 불수리 처분에 의해 엄청난 정신적 고통을 입었다. 이에 대한 위자료는 300만 엔을 밑돌지 않는다.

② 변호사 비용 30만 엔

[피고들의 주장]

부인 내지 다툰다.

제3 본 재판소의 판단

1 쟁점(1)에 대해서

(1) 헌법 14조 위반에 대해서

① 민법 772조 1항은 아내가 혼인 중에 임신한 자녀는 남편의 자녀로 추정한다고 규정하고 있는데, 원고는 이혼 후에도 부부가 함께 생활하는 경우가 있으며, 임신 시기가 이혼 전인지 여부에 의해 전 남편의 자녀로서 출생 신고를 하는 것이 필요한지 여부를 결정하는 것에는 합리적인 이유가 없다고 주장한다.

그러나 일반적으로 혼인 중에 아내가 임신한 자녀의 아버지는 남편일 가능성이 높으므로, 당해 출생 자녀에 대해서 남편의 자녀라는 추정 규정을 두는 것에는 합리성이 인정된다. 한편 혼인관계를 해소한 후에 임신한 자녀에 대해서는 일반적으로 전 남편의 자녀일 가능성이 높다고는 할 수 없으므로 아버지에 관한 추정 규정을 마련하지 않은 것이 불합리하다고는 생각할 수 없다. 원고가 지적하는 대로 이혼 후에도 부부가 함께 생활하는 경우가 있지만 그러한 경우가 일반적이라고는 할 수 없으며, 민법 772조 1항의 합리성을 부정하기에 충분한 것은 아니므로 원고의 위 주장은 채용할 수 없다.

② 원고는 X가 원고를 임신한 시기가 X와 A의 혼인 해소일보다 전이었던 것에 대해서 원고에게는 아무런 책임이 없고 이것에 의해 구별되는 것은 불합리하다고 주장한다.

확실히 원고에게는 임신의 시기에 대해서 아무런 책임이 없다. 그러나 민법 772조 1항에는 위와 같이 합리성이 있고 임신 시기와 혼인 해소일의 전후 관계에 따라 적출 추정의 유무가 좌우되는 것이 불합리한 차별이라고는 할 수 없고 헌법 14조에 위반하는 것은 아니다.

③ 원고는 X와 A의 혼인관계는 이혼 성립일 이전부터 이미 파탄에 이르렀고 원고에게는 A와의 사이에서 민법 772조 1항에 의한 추정이 작용하지 않기 때문에 원고에 대해서 이혼 성립일을 기준으로 하여 Y를 아버지로 하는 출생 신고를 수리할지 여부를 구별하는 것에 합리적인 이유는 없고 본건 불수리 처분 등은 헌법 14조에 위반된다고 주장한다.

㉮ 민법 772조 1항은 위와 같이 일반적으로 혼인 중에 아내가 임신한 자녀의 아버지는 남편일 가능성이 높은 것에 기초를 두는 것이므로 혼인 중이어도 부부가 사실상 이혼을 하여 별거하여 완전히 교섭을 끊고 부부의 실체를 잃은 시기에 출생한 자녀에 대해서는 적출의 추정을 받지 않는 것으로 해석된다(최고재판소 昭和44年 5月 29日 제1소법정 판결 참조).

그래서 호적 사무 관장자인 피고 시의 시장이 원고가 위와 같은 적출의 추정을 받지 않는 자녀로서 본건 신고를 수리했어야 했는지에 대해서 판단한다.

㉯ 출생 신고서를 제출 받은 호적 사무 관장자는 수리・불수리를 결정하는 때에 당해 출생 자녀

가 적출자녀인지 여부 등의 심사를 한다. 그 심사 방법은 출생 신고의 수리 사무를 포함한 호적 사무가 다수의 신고인과 신청자를 상대로 하는 사무로서 집단적 · 통일적 · 획일적으로 처리할 필요가 있기 때문에 당해 신고의 첨부 서류 및 시구정촌 사무소에 비치된 호적부 · 제적부에 근거한 심사를 하는 것으로 족하고 이를 넘는 심사를 해야 할 직무상의 의무를 부담하지 않는 것으로 풀이된다. 그리고 출생 신고에 대해서 적출 추정이 배제되는지 여부의 심사는 임신 시의 혼인관계의 실정이나 당해 출생 자녀의 임신 시기 전후의 부부의 성적 교섭 유무라고 하는 제3자가 본래 엿보기가 쉽지 않은 사안에 관한 심사이고 호적 사무 관장자에 의한 판단도 어렵기 때문에 별거 등에 의해 적출 추정이 배제된다는 판단은 당해 신고의 첨부 서류 등의 기재 내용 자체에서 임신 시기에 부부가 별거하여 완전히 교섭을 끊고 있었던 사실 등 아내의 임신이 남편에 의한 것이 아니라는 사실이 명백히 인정되는 경우에 이루어져야 할 것으로 풀이된다.

㈐ 본건 신고에 대해서는 호적 사무 관장자인 피고 시의 시장은 비치되어 있는 호적부 등 이외에 본건 첨부 자료에서 원고가 A의 적출자녀라는 추정이 배제되는지 여부를 심사해야 했다.

그래서 본건 첨부 자료(갑 9)가 그 기재 내용 자체에서 적출 추정을 배제할 것을 분명히 보여 주는 자료인지에 대해서 검토한다.

㉠ 본건 첨부 자료 중 본건 즉시항고 결정 사본은 2006년 11월 9일자이며, 사실 인정으로, A가 같은 해 2월 20일, 같은 해 8월 5일 및 같은 해 9월 27일, X를 폭행한 것, 그 때문에 X가 A와 동거하고 있던 주소지에서 나와 같은 달 29일, 경찰서에 상담하러 가서 같은 해 10월 16일, 오카야마 지방재판소에 보호명령의 발령을 요구하는 신청을 한 것이 기재되어 있었다.

또한 본건 이혼 판결의 사본에는 구두 변론 종결일이 2007년 10월 5일이라고 기재되어 있고 본건 즉시항고 결정 사본에 기재된 사실 인정에 덧붙여 아래의 사실이 인정되어 있었다.

a A와 X는 결혼 초 오사카부 D시에서 동거했다.

b A는 2006년 5월 이후 같은 해 6월 12일, 같은 달 24일 및 같은 해 7월, X를 폭행했다.

c X는 같은 해 4월 14일, 오카야마의 친정으로 돌아갔지만 이날 밤, X의 친정에서 A와 서로 이야기하여 A와 함께 오사카로 돌아갔다. 또한 X는 같은 해 8월 23일, 친정에 돌아갔는데 A가 다시는 때리지 않겠다고 약속했으므로 다시 한 번 참고 노력하기로 하고 오사카로 돌아갔다.

d X는 같은 해 9월 28일, 오카야마의 친정으로 돌아와서 구두 변론 종결 당시에도 이곳에서 생활하고 있다.

㉡ 위와 같이 본건 즉시항고 결정 및 본건 이혼 판결의 각 사본에는 X와 A가 별거하고 있었다는 것 및 X[75]와 A의 혼인관계가 A의 폭력에 의해 파탄에 이르렀다는 것의 기초가 되는 사실에 대한

75) 원문에는 '원고'라고 기재되어 있으나 'X'의 오기가 분명하다.

기재가 있다.

그러나 X가 원고를 임신한 것은 2008년 1월 내지 같은 해 2월인데 본건 즉시항고 결정일은 2006년 11월 9일이며 본건 이혼 판결의 구두 변론 종결일은 2007년 10월 5일이므로 본건 즉시항고 결정 및 본건 이혼 판결에는 X가 원고를 임신한 시기의 사실이 아무것도 인정되지 않은 것이 그 기재 내용 자체에서 분명하다.

㉢ 본건 보호명령 1은 X가 원고를 임신한 시기에는 이미 효력을 잃고 있으며 본건 보호명령 2도 위 임신 시기보다 약 9개월 전인 2007년 4월에 발령되었으므로 위 임신 시기에는 이미 그 효력을 잃은 것으로 추인할 수 있다.

㉣ 본건 화해조서의 사본에는 X와 A의 이혼 및 자녀의 친권 등에 관한 화해 조항이 기재되어 있을 뿐이다.

이러한 기재 내용에서 보면, 본건 첨부자료는 원고가 A의 적출자녀라는 추정을 배제해야 할 것을 분명하게 보여 주는 자료라고는 인정하기 어렵다.

㉱ 이 점에 대해서 원고는 본건 첨부 자료에서, ㉠ 2007년 10월 26일에 원고와 A의 이혼을 인용하는 본건 이혼 판결이 선고되었고 A는 이 판결에 불복하여 항소했지만, 항소심에서 2008년 3월 28일, 화해 이혼이 성립하였다는 경위가 분명하고 또한 ㉡ A가 X에게 폭력을 행사하고 있었으며 이를 원인으로 두 사람이 장기간 별거하여 연락이 끊긴 것이 분명하고 이러한 사실을 감안해 보면, X가 원고를 임신한 시기에는 X와 A의 혼인관계가 파탄에 이르러서 형해화 되어 있던 것이 쉽게 인정된다고 주장한다.

그러나 X와 A의 연락이 끊긴 것은 본건 즉시항고 결정 및 본건 이혼 판결 중 어느 것에서도 인정되지 않는다. 또한 원고가 지적하는 본건 첨부 자료의 기재 내용은 그것을 간접 사실로 하여 원고를 임신한 시기의 X와 Y의 혼인관계의 상황을 어느 정도 추측하도록 하는 것이라고는 할 수 있지만 반면에 간접 사실로부터의 추인이라는 판단 작용을 필요로 하는 것으로, 기재 내용 자체에서, 임신 시기에 부부가 별거하여 완전히 교섭을 끊고 있었던 사실 등을 나타내는 것은 아니고 X의 임신이 A에 의한 것이 아님이 명백하다고는 할 수 없다.

㉲ 따라서 본건 신고는 호적 사무 관장자가 직무상의 의무를 다해 심사해도 불수리로 판단되어야 할 것이며, 직무상의 의무 위반이 있다고는 할 수 없고 또한 그 심사 방법의 합리성을 긍정할 수 있으므로 헌법 14조에 위반한다고는 할 수 없다.

④ 덧붙여 원고는 무호적이 되는 것에는 불이익이 크다고 주장한다.

확실히 출생 신고가 수리되지 않아 호적에 기재되지 않는 자녀에게는 법적, 사회적으로 여러 가지 불이익이 발생하는 것이 인정되어 출생한 자녀가 무호적이 되는 것은 극력 피하지 않으면 안 된다.

그러나 이를 위한 방법으로는 친자 관계 부존재 확인이나 인지 등의 법적 절차가 마련되어 있고 본건에서 원고는 가정재판소에서 원고가 Y의 자녀임을 인지하는 취지의 합의에 상당하는 심판을 받아 이에 근거하여 2009년 2월 27일, X와 Y의 적출자녀라는 출생 신고가 수리되어 Y의 호적에 장녀로 기재되었다. 본건 불수리 처분이 무호적에 의한 큰 불이익을 원고에게 가져왔다고는 할 수 없다.

⑵ 민법 772조 1항 위반에 대해서

① 원고는 본건 첨부 자료에서 ㉮ X와 A가 장기간 별거한 것, ㉯ 부부 관계가 형해화 한 것이 분명하여 호적 사무 관장자는 원고가 A와의 사이에서 적출 추정을 받지 않는 것으로 취급하여야 했다는 취지로 주장한다.

그러나 위와 같이 본건 첨부 자료는 그 기재 내용에 비추어 보면 원고가 A의 적출자녀라는 추정을 배제해야 할 것이 분명한 자료였다고는 할 수 없으며 원고의 위 주장은 채용할 수 없다.

② 원고는 본건 통보에 의한 취급과 균형을 맞추기 위해서라도 본건에서는 민법 772조 1항의 추정이 뒤집힌다고 판단하여야 했다는 취지로 주장한다.

증거(을 1)에 의하면 본건 통보는 법무성 민사국장이 법무국장 및 지방법무국장에게 발송한 2007년 5월 7일자 통보이며, 그 요점은 ㉮ 혼인의 해소 또는 취소 후 300일 이내에 태어난 자녀의 출생 신고가 의사가 작성한 '임신 시기에 관한 증명서'를 첨부하여 제출된 경우, 시구정촌장은 자녀의 임신 시기가 혼인의 해소 또는 취소 후인지 여부를 심사하여 ㉯ 시구정촌장은 혼인의 해소 또는 취소 후에 임신했다고 인정하는 경우에는 민법 772조의 추정이 미치지 않는 것으로서 혼인의 해소 또는 취소 시의 남편을 아버지로 하지 않는 출생 신고를 수리한다는 것이라고 인정된다.

민법 772조 1항은 일반적으로 혼인 중에 아내가 임신한 자녀의 아버지는 남편일 가능성이 높다는 점에 기초를 두는 것이며, 같은 조 2항은 임신부터 분만까지 통상 소요되는 일수에 기초를 두어 혼인 중에 임신했다는 추정을 하는 것으로 풀이되는데 후자에 관해서 조산 등 임신 기간이 통상보다 짧아진 출산이 있는 것은 공지의 사실이다. 그래서 본건 통보는 확실하고 분명한 자료인 의사 작성의 '임신 시기에 대한 증명서'에 의해 임신 시기가 혼인 해소 등의 후라고 인정되는 경우에는 같은 조 2항의 추정이 뒤집힌다고 한 다음 같은 조 1항에서 정한 '아내가 혼인 중에 임신한 자녀'라는 요건에 해당하지 않는 것으로부터 그 적용이 없음을 나타낸 것으로 이해할 수 있다.

한편, 본건에서는 위와 같이 원고의 임신 시기는 X와 A의 혼인 중이며, 같은 조 1항이 정하는 '아내가 혼인 중에 임신한 자녀'라는 요건에 분명하게 해당하는 것이므로 본건 통보에 의한 취급과의 균형에서 같은 조 1항의 추정을 뒤집어야 한다고는 할 수 없다.

③ 원고는 본건 신고를 불수리하면 배우자로부터 폭력을 당한 피해자인 X는 조정 절차 등에서,

다시 가해자인 A와 연루되는 것을 피할 수 없으므로 피고들은 민법 772조 해석에 대해 배우자로부터 폭력을 당한 피해자인 X를 보호하기 위해서라도 원고에 대해서는 A의 자녀라는 추정이 미치지 않는다는 해석을 하였어야 한다고 주장한다.

원고의 위 주장에 관한 법률구성은 반드시 명확하지 않으나 본건 신고를 수리할지 여부는 이것이 민법, 호적법 등 관계 법규에 비추어서 적법한 신고인지 여부의 판단에 관한 것이다. 피고들이 본건 신고를 수리할지 여부를 심사하는 과정에서 X가 A로부터 폭행을 당했다는 사실을 참작해야 할 직무상의 의무를 지고 있었다고는 인정되지 않는다.

원고의 위 주장은 채용할 수 없다.

④ 따라서 본건 불수리 처분 등이 민법 772조 1항의 해석 및 적용을 잘못한 것이라고는 할 수 없다.

⑶ 아동의 권리에 관한 조약 7조 위반에 대해서

호적법은 출생한 자녀가 호적에 기재되는 제도를 두고 있다. 그리고 아동의 권리에 관한 조약 7조는 민법, 호적법 등 관계 법규가 정하는 요건에 적합하지 않은 출생 신고에 대해서까지 이를 수리해야 할 의무를 정한 것으로는 해석되지 않는다.

본건 신고는 아버지의 란에 Y의 이름이 기재되고 부모와의 관계의 란에 적출자녀라는 취지의 기재가 된 것인데 본건 첨부 자료에서는 원고가 A의 적출자녀라는 추정을 배제할 것이 분명하지 않아 적법한 신고라고는 할 수 없었다. 그렇다면 본건 불수리 처분 등이 위 조약 7조에 위반한다고는 할 수 없다.

⑷ 따라서 본건 신고는 적법한 신고라고는 할 수 없으며 본건 불수리 처분 등에 위법성은 인정되지 않는다.

2 결론

따라서 나머지 점에 대해서 판단할 것까지도 없이 원고의 청구는 모두 이유가 없으므로 기각하는 것으로 하고 소송비용의 부담에 대해서 민사소송법 61조를 적용하여 주문과 같이 판결한다.

◇ 재판장 재판관 古賀輝郎 재판관 細野高広 재판관 芝明子

항소심 판결

재판연월일	平成22年[76] 9月 3日		
재판소명	히로시마(広島) 고등재판소 오카야마(岡山) 지부		
사건번호	平22(ネ)36号	**재판구분**	판결
사건명	손해배상 청구 항소 사건(이혼 후 300일 규정 소송 항소심)		
재판결과	항소 기각	**상소 등**	상고(상고 기각, 상고 불수리), 확정

주 문

1 본건 항소를 기각한다.

2 항소비용은 항소인이 부담한다.

사실과 이유

제1 항소의 취지

1 원판결을 취소한다.

2 피항소인들은 항소인에게 연대하여 330만 엔 및 이에 대한 2008년 11월 10일부터 다 갚는 날까지 연 5%의 비율에 의한 돈을 지불하라.

제2 사안의 개요

1 본건은 어머니와 어머니의 전 남편의 혼인 해소 후 300일 이내의 날에 출생한 항소인이, 항소인

76) 2010년

의 어머니의 재혼한 남편을 아버지로 하는 출생 신고가 불수리된 것에 대해서 피항소인 국가의 직원이 피항소인 소자(総社)시(이하 '피항소인 시'라 한다)의 직원으로부터의 조회에 대해서 이를 수리할 수 없다고 응답한 것, 피항소인 시의 시장이 위 신고를 불수리하는 처분을 한 것은 모두 헌법 14조, 민법 772조 1항 및 아동의 권리에 관한 조약 7조에 위반하여 위법하다고 하여 피항소인들에게 국가배상법 1조 1항(공동불법행위)에 근거하여 연대하여 손해금 330만 엔(내역: 위자료 300만 엔, 변호사 비용 30만 엔) 및 이에 대한 불법행위일인 2008년 11월 10일부터 다 갚는 날까지 민법 소정의 연 5%의 비율에 의한 지연손해금의 지불을 요구한 사안이다.

원심은 항소인의 청구를 모두 기각했기 때문에 이에 불복하는 항소인이 항소했다.

2 전제사실(당사자 사이에 다툼이 없거나 기재한 증거 등에 의해 분명한 사실)

원판결 2쪽 마지막 줄 내지 6쪽 첫줄에 기재한 대로이므로 이를 인용한다.

3 쟁점 및 쟁점에 관한 당사자의 주장

다음과 같이 덧붙이거나 정정하는 외에는 원판결 6쪽 3줄 내지 14쪽 20줄에 기재한 대로이므로 이를 인용한다.

(1) 원판결 6쪽 8줄 말미에 "덧붙여 본건 불수리 처분 등의 위법성은 과실 유무와는 구분하여 객관적으로 판단되어야 한다."를 덧붙인다.

(2) 원판결 8쪽 14줄 말미에 줄을 바꾸어 "덧붙여 최근 피항소인 국가(법무성)는 성 동일성 장해를 가진 남편의 자녀 즉 생물학적으로는 남편의 자녀가 아닌 자녀를 적출자녀로 인정할 예정이기 때문에 본건 불수리 처분 등은 성 동일성 장해를 가진 남편의 자녀와의 관계에서도 불합리한 차별이며 헌법 14조에 위반된다."를 덧붙인다.

(3) 원판결 9쪽 5줄 "뒤집히고 있어"의 뒤에, "또한 종전부터 혼인 성립일로부터 200일 이내에 출생한 자녀도 남편의 인지를 얻을 것까지도 없이 적출자녀로서 출생 신고서를 제출하는 것이 인정되고 있다."를 추가하고 같은 쪽 6줄 "그의 취급"을 "그들의 취급"으로 고친다.

(4) 같은 쪽 13줄 말미에 줄을 바꾸어 다음과 같이 덧붙인다.

"호적법상 출생 신고서에는 친아버지를 기재하도록 하고 있으며 한편 부자 관계를 민법 772조에 의해 결정한다는 규정은 없고 또한 호적 사무 관장자는 형식적 심사권밖에 가지지 않으므로 이 관장자는 호적법상 이루어진 출생 신고서를 그대로 수리해야 한다. 본건에서 항소인은 항소인의 어머니와 어머니의 전 남편의 이혼 성립 전에 임신되어 이 이혼 성립일로부터 300일 이내에 출생했지만 그것을 이유로 본건 신고를 수리하지 않는 것은 호적법상 허용되지 않는다고 해석되며 본건 불수리 처분 등은 민법 772조 및 호적법에 위배되는 것이었다."

(5) 같은 쪽 14줄의 "④"를 "⑤"로 고친다.

(6) 10쪽 13줄 말미에 "본건 불수리 처분 등에 대해서 이와 별개의 판단 기준에 따라야 할 이유는 없다."를 추가한다.

(7) 12쪽 18줄 말미에 줄을 바꾸어 다음과 같이 덧붙인다.

"④ 항소인은 본건 통보가 혼인 해소 후 300일 이내에 출생한 자녀에 대해서 임신 시기가 혼인의 해소 전인지 해소 후인지에 따라 완전히 상반된 취급을 하고 있어 합리성이 없고 헌법 14조에 위배된다고 주장하지만, 본건 통보는 확실하고 분명한 자료인 의사 작성의 '임신 시기에 관한 증명서'에 의해 임신 시기가 혼인 해소 등의 후라고 인정되는 경우에는 호적사무상, 민법 772조 2항의 추정이 뒤집힌다는 전제에 선 취급을 인정한 것이며, 이 조항의 취지와 호적 사무의 집단적, 통일적, 획일적 취급의 요청을 감안한 것으로 합리성이 인정된다.

또한 항소인은 피항소인 국가(법무성)는 성 동일성 장해가 있는 남편의 자녀 즉 생물학적으로는 남편의 자녀가 아닌 자녀를 적출자녀로 인정할 예정이며, 본건 불수리 처분 등은 성 동일성 장해가 있는 남편의 자녀와의 관계에서도 불합리한 차별이며, 헌법 14조에 위배된다고 주장하지만 본건 불수리 처분 등의 당시에는 물론이고 현재에도 성 동일성 장해가 있는 남편의 자녀를 적출자녀로 취급하는 취지의 법 개정 등은 되어 있지 않고, 항소인의 위 주장은 존재하지 않는 취급의 구별을 이유로 하는 것으로 명백히 부당하다."

(8) 같은 쪽 21줄 말미에 줄을 바꾸어 다음과 같이 덧붙인다.

"항소인은 혼인 성립일로부터 200일 이내에 출생한 자녀도 남편의 인지를 얻을 것까지도 없이 적출자녀로서 출생 신고서를 제출하는 것이 인정되고 있음을 지적하지만 이 취급은 昭和15年 4月 8日 民事甲 제432호 사법성 민사국장 통첩에 근거하는데, 이 통첩은 대심원 昭和15年 1月 23日 민사연합부 판결을 받아 발표된 것이며, 어머니의 남편에 의해 임신된 자녀는 그 출생이 혼인 성립 후 200일 이내라도(이른바 추정되지 않는 적출자녀), 생래적(生来的)으로 당연한 적출자녀로 취급할 수 있다는 것으로, 민법 772조에 위배되는 취급을 정한 것은 아니고 항소인에게는 이 조항에 의해 A의 전 남편의 적출자녀로서의 추정이 미치고 있는 것이므로 위 통첩과는 경우를 달리하고 전 남편의 적출자녀로 추정이 미치지 않는 것이 객관적으로 분명하게 되지 않는 한 이 조항에 근거한 취급을 면할 수 없다.

또한 항소인은 민법 772조를 근거로 하여 호적법상 출생 신고를 불수리할 수 없다고 해석된다고 주장하지만 친자 관계 등 개인의 신분 관계는 민법 등의 실체법에 의해 규정되고 있고 호적은 이 관계를 등록·공증하기 위한 제도이므로 호적 사무에 관한 형식 심사에서도 민법 등의 실체법에 따라 신분 관계를 판단하는 것은 당연하며 항소인의 위 주장은 부당하다."

제3 본 재판소의 판단

1 쟁점 (1)에 대해서

본 재판소도 본건 불수리 처분 등은 헌법 14조, 민법 772조 1항 및 아동의 권리에 관한 조약 7조에 위반되지 않는다고 판단하는데 그 이유는 다음과 같이 부가 · 정정하는 외에는 원판결 14쪽 23줄 내지 21쪽 17줄에 기재한 대로이기 때문에 이를 인용한다.

(1) 원판결 19쪽 2줄 말미에 줄을 바꾸어 다음과 같이 덧붙인다.

"④ 항소인은 최근 피항소인 국가(법무성)가 성 동일성 장해가 있는 남편의 자녀, 즉 생물학적으로는 남편의 자녀가 아닌 자녀를 적출자녀로 인정할 예정이기 때문에 본건 불수리 처분 등은 성 동일성 장해가 있는 남편의 자녀와의 관계에서도 불합리한 차별이며, 헌법 14조에 위배된다고 주장하지만 본건 불수리 처분 등의 시점부터 현재에 이르기까지 성 동일성 장해가 있는 남편의 자녀를 적출자녀로 취급하는 취지의 법 개정 등은 이루어지지 않았으므로 항소인의 위 주장은 전제를 결여하였다고 하지 않을 수 없어 부당하다."

(2) 같은 쪽 3줄의 "④"를 "⑤"로 고친다.

(3) 20쪽 17줄 말미에 줄을 바꾸고 다음과 같이 덧붙인다.

"또한 항소인은 종전부터 혼인 성립일로부터 200일 이내에 출생한 자녀는 남편의 인지를 얻을 것까지도 없이 적출자녀로서 출생 신고서를 제출하는 것이 인정되고, 이러한 취급과 균형을 맞추기 위해서도 본건에서는 민법 772조 1항의 추정이 뒤집히는 것으로 판단했어야 하였다고 주장한다.

확실히 혼인 성립일로부터 200일 이내에 출생한 자녀는 어머니의 남편에 의해 임신된 자녀라면 생래적(生来的)으로 당연한 적출자녀이고(대심원 민사연합부 昭和15年 1月 23日 판결 · 민집 19권 54쪽) 남편의 인지를 얻을 것까지도 없이 적출자녀로서의 출생 신고를 수리할 수 있지만(昭和15年 4月 8日 民事甲 제432호 사법성 민사국장 통첩) 이러한 이른바 추정되지 않는 적출자녀는 민법 772조의 적출의 추정을 받지 않는다. 이에 대해서 항소인은 이 조항에 의한 추정을 받고 있기 때문에 전 남편의 적출자녀로서의 추정이 미치지 않는 것이 객관적으로 분명하게 되지 않는 한 이 조항의 추정을 면치 못해 추정되지 않는 적출자녀와 균형을 맞추기 위해서 이 조항 1항의 추정을 뒤집어야 한다고는 할 수 없다."

(4) 21쪽 3줄 말미에 줄을 바꾸어 다음과 같이 덧붙인다.

"④ 항소인은 호적법상 출생 신고서에는 친아버지를 기재할 것이 요구되고 부자 관계를 민법 772조에 의해 결정한다는 규정은 없고 또한 호적 사무 관장자는 형식적 심사권밖에 가지지 않는 것이기 때문에, 이 관장자는 호적법상 이루어진 출생 신고를 그대로 수리해야 하고 본건에서 항소인이 항소인의 어머니와 어머니의 전 남편과의 이혼 성립 전에 임신되어 이 이혼 성립일로부터 300일 이내에 출생한 것을 이유로 본건 신고를 수리하지 않는 것은 호적법상 허용되지 않는다고 해석되며 본건 불수리 처분 등은 민법 772조 및 호적법에 반한다고 주장한다.

그러나 친자 관계 등 개인의 신분 관계는 민법 등의 실체법에 의해 규정되고 있고 호적은 이 관계를 등록 · 공증하기 위한 제도이기 때문에, 신분 관계 자체는 민법 등의 실체법에 따라 판단되어야 하는 것은 당연하고 이것은 호적 사무에 관한 형식 심사에서도 변함은 없으므로 항소인의 위 주장은 채용할 수 없다."

(5) 같은 쪽 4행의 "④"를 "⑤"로 고친다.

(6) 같은 쪽 17줄 말미에 "덧붙여 항소인은 본건 불수리 처분 등의 위법성은 과실 유무와는 구분하여 객관적으로 판단되어야 한다고 주장하지만 국가배상법 1조 1항에 해당하는 위법이 있었다는 평가를 받는 것은 당해 공무원이 직무상 통상 하여야 할 주의의무를 다하지 않고 만연히 행위를 했다고 인정될 수 있는 사정이 있는 경우라고 해석되므로 항소인의 위 주장은 채용할 수 없다."를 덧붙인다.

2 이상에 의하면 나머지 점에 대해서 판단할 것까지도 없이 항소인의 청구는 모두 이유가 없으므로 이들을 기각한 원판결은 상당하고, 본건 항소는 이유가 없으므로 기각하는 것으로 하여 주문과 같이 판결한다.

◇ 재판장 재판관 山﨑和信 재판관 佐々木亘 재판관 石田寿一

2. 민법의 재혼금지기간을 100일로 단축하는 등의 개정 입법을 하지 않은 입법 부작위에 대한 국가배상 청구

본건은 민법 733조 1항의 재혼금지기간의 규정 때문에 혼인이 늦어져 이에 따라 정신적 손해를 입었다고 주장하는 원고가, 국회의원이 헌법 14조 1항(평등권) 및 24조 2항(이혼 및 혼인 등에 관한 사항에 대해서 개인의 존엄과 양성의 본질적 평등에 입각한 법률 제정)에 위반하는 민법 733조 1항에 대해서 적출 추정의 중복을 회피하는 데 최소한으로 필요한 100일로 재혼금지기간을 단축하는 등의 개정 입법을 하지 않은 입법 부작위가 위법한 것이라고 주장하여 국가배상을 청구한 사안이다.

오카야마 지방재판소는 "민법 733조 1항의 규정 취지는 부성 추정의 중복을 피하고 부자 관계를 둘러싼 분쟁의 발생을 미연에 방지하는 데 있다고 해석되는 이상 그 입법 목적에는 합리성이 인정되고 위와 같이 동조 1항 규정의 취지가 부성 추정의 중복을 회피하는 것뿐만 아니라 부자 관계를 둘러싼 분쟁의 발생을 미연에 방지하는 것에도 있는 점에서 보면 그 입법 목적에서 재혼금지기간을 적출 추정의 중복을 회피하는 데 최소로 필요한 100일로 하여야 하는 것이 일의적으로 분명하다고 말하기 어렵다. 본건 구별에 대해서 어떤 위헌 심사 기준을 사용할지에 대해서 여러 가지 생각이 있을 수 있음도 감안하면 이 조항의 규정이 본건 구별을 발생시키고 있는 것이 헌법 14조 1항 및 24조 2항에 위반하는 것이 아니라고 해석할 여지도 충분히 있다고 할 수 있어 본건 입법 부작위에 대해서 국민에게 헌법상 보장되어 있는 권리를 위법하게 침해하는 것임이 명백한 경우 등에 해당한다고는 할 수 없으므로 본건 입법 부작위는 국가배상법 1조 1항의 적용상 위법으로 평가를 받을 것은 아니라고 할 수 있다."고 판시하였다.

〈일본국 헌법〉

제14조 모든 국민은 법 앞에 평등하고 인종, 신념, 성별, 사회적 신분 또는 문벌에 의해 정치적, 경제적 또는 사회적 관계에서 차별받지 않는다.

2 화족 기타 귀족제도는 인정하지 않는다.

제24조 혼인은 양성의 합의 만에 기초를 두어 성립하며 부부가 동등한 권리를 가지는 것을 기본으로 하고 상호 협력에 의해 유지되어야 한다.

2 배우자의 선택, 재산권, 상속, 주거의 선정, 이혼과 혼인 및 가족에 관한 기타 사항에 관해서는 법률은 개인의 존엄과 양성의 본질적 평등에 입각하여 제정되어야 한다.

〈민법〉

(재혼금지기간)

제733조 여자는 전혼의 해소일 또는 취소일로부터 6개월을 경과한 후가 아니면 재혼을 할 수 없다.

2 여자가 전혼의 해소 또는 취소 전부터 임신하고 있던 경우에는 그 출산일부터 전항의 규정을 적용하지 않는다.

재판연월일 平成24年[77] 10月 18日	**재판소명** 오카야마(岡山) 지방재판소
사건번호 平23(ワ)1222号	**재판구분** 판결
사 건 명 손해배상 청구 사건	**재판결과** 청구기각
상 소 등 항소(항소기각, 상고제기 중)	

주 문

1 원고의 청구를 기각한다.

2 소송비용은 원고가 부담한다.

사실과 이유

제1 청구

피고는 원고에게 165만 엔 및 이에 대한 2008년 7월 7일부터 다 갚는 날까지 연 5%의 비율에 의한 돈을 지불하라.

제2 사안의 개요

본건은 민법 733조 1항의 재혼금지기간의 규정 때문에 혼인이 늦어져, 이에 따라 정신적 손해를 입었다고 주장하는 원고가 국회의원이 헌법 14조 1항 및 24조 2항에 위반하는 민법 733조 1항에 대해서 적출 추정의 중복을 회피하는 데 최소한으로 필요한 100일로 재혼금지기간을 단축하는 등의 개정 입법을 하지 않은 입법 부작위(이하 '본건 입법 부작위'라 한다)가 국가배상법 1조 1항의 규정 적용상 위법이라는 평가를 받는다고 주장하여 피고에게 이 조항에 근거하여 165만 엔 및 이에 대한 2008년 7월 7일(전혼 해소일로부터 100일을 경과한 날)부터 다 갚는 날까지 민법 소정의 연 5%의 비율에 의한 지연 손해금의 지불을 요구하는 사안이다.

---

77) 2012년

1 다툼 없는 사실 등(증거 등에 의해 인정한 사실은 당해 증거 등을 문장 말미에 기재하였다)

(1) 원고에 대해서

① 원고는 2008년 3월 28일, 전 남편인 B와 이혼했다.

② 원고는 2008년 10월 7일, C(이하 'C'라 한다)와 혼인했다.

③ 원고와 C의 혼인은 민법 733조 1항의 재혼금지기간 규정 때문에 늦어진 것이었다(갑 31, 변론의 전체 취지).

(2) 민법 733조의 제정 과정 등

① 민법 733조 1항은, 여자는 전혼의 해소일 또는 취소일로부터 6개월을 경과한 후가 아니면 재혼을 할 수 없다고 규정하여 여성에 대해서만 재혼금지기간을 정하고 있으며, 이에 의해 여성만이 전혼의 해소 등의 날로부터 6개월 동안 재혼을 할 수 없다는 구별(이하 '본건 구별'이라 한다)이 생기고 있다.

② 일본에서 근대적인 재혼금지기간 제도가 도입된 것은 1874년 9월 29일 태정관 포고에 의해서인데 이 태정관 포고에 재혼금지기간은 300일로 되어 있었다. 그리고 1890년 구(舊) 민법(이른바 Boissonade[78] 민법) 초안에서는 적출 추정 기간을 혼인 성립일부터 180일 후, 혼인 해소일로부터 300일 이내로 한 다음 재혼금지기간을 적출 추정의 중복을 회피하는 데 최소로 필요한 4개월로 하고 있었는데, 임신 유무를 확실히 알기에는 4개월은 짧고 또한 재혼 후에 전 남편의 자녀를 출산하는 것은 재혼 가정의 평화를 위해서도 바람직하지 않다는 이유로 전혼에 의한 임신의 유무가 문외한의 눈을 통해서도 알 수 있게 되기까지는 재혼을 기다리는 것이 상당하다고 하여, 구 민법에서 여유를 두고 재혼금지기간을 6개월로 하여 1898년의 메이지(明治) 민법(1898년 법률 제9호. 친족편[제4편] 및 상속편[제5편]의 부분)에서도 적출 추정 기간은 혼인 성립일부터 200일 후, 혼인 해소일 또는 취소일부터 300일 이내로 개선되었지만 재혼금지기간은 구 민법과 마찬가지로 6개월로 했다.

③ 이후 전쟁 후 일본 헌법의 제정에 따라 메이지 민법을 전면 개정하여 이에(家)제도[79] 등이 폐지되고 부부의 평등 등이 실현되었지만, 헌법에 직접 저촉되지 않는 규정에 대해서는 메이지 민법 규정이 그대로 유지되게 되어 현행 민법 733조 1항의 재혼금지기간 제도는 메이지 민법의 제도를

---

78) 1880년 설립된 사립 법학교인 도쿄 법학사(東京法学社)는 1881년 도쿄 법학교로 이름을 바꾸었는데 지금의 호세이대학(法政大学)의 전신이다. 1883년 프랑스 출신의 귀스타브 E. 부아소나드(Gustave E. Boissonade)가 위 학교의 교장으로 부임하여 일본 법학 발전에 기여하였다.

79) 메이지 민법에 채용된 가족 제도이며, 호주(戸主)를 중심으로 그와 가까운 친족관계가 있는 사람들을 가족(家族)으로 한 집(一家)에 속하게 하여 호주에게 이에(家)의 통솔권한을 부여한 제도이다. 에도시대(江戸時代)에 발달한 무사 계급의 가부장적 가족제도를 기반으로 하고 있다.

그대로 계승한 것이다.

(3) 최고재판소 1995년 판결

최고재판소는 1995년 12월 5일, 민법 733조 1항의 재혼금지기간의 규정 때문에 혼인 신고가 수리되는 것이 늦어지고 이에 따라 정신적 손해를 입었다고 주장하는 부부가 국가에 대해서 헌법 14조 1항 및 24조에 위반하는 민법 733조의 삭제 또는 폐지 입법을 하지 않는 국회의 행위 등이 위법한 공권력의 행사에 해당한다고 하여 국가배상을 청구한 사안에서, "국회의원은 입법에 관해서는 원칙적으로 국민 전체에 대한 관계에서 정치적 책임을 지는 것에 그치고 개별 국민의 권리에 대응한 관계에서의 법적 의무를 지는 것은 아니며 국회 또는 국회의원의 입법 행위(입법 부작위를 포함한다)는 입법 내용이 헌법의 일의적인 문언에 위반하고 있음에도 불구하고 국회가 굳이 당해 입법을 한다고 하는 것처럼 쉽게 상정하기 어려운 예외적인 경우가 아닌 한, 국가배상법 1조 1항의 적용상 위법으로 평가를 받을 것이 아닌 것은, 본 재판소의 판례로 하고 있다[최고재판소 昭和53年(オ)第1240号 昭和60年 11月 21日 제1소법정 판결 · 민집 39권 7호 1512쪽, 최고재판소 昭和58年(オ)第1337号 昭和62年 6月 26日 제2소법정 판결 · 재판집 민사 151호 147쪽]."고 한 다음, "상고인들은 재혼금지기간에 대해서 남녀 사이에 차이를 두는 민법 733조가 헌법 14조 1항의 일의적인 문언에 위반한다고 주장하지만 합리적인 근거에 의해 각각의 사람의 법적 취급에 구별을 마련하는 것은 헌법 14조 1항에 위반하는 것은 아니고 민법 733조의 원래 입법 취지가, 부성 추정의 중복을 피하고 부자 관계를 둘러싼 분쟁의 발생을 미연에 방지하는 데 있다고 해석되는 이상, 국회가 민법 733조를 개정하거나 폐지하지 않은 것이 즉시 앞에서 보인 예외적인 경우에 해당한다고 해석할 여지가 없는 것은 분명하다. 따라서 동조에 대한 국회의원의 입법행위는 국가배상법 1조 1항의 적용상 위법으로 평가를 받을 것은 아니라고 할 수 있다."고 판시했다[최고재판소 平成4年(オ)第255号 平成7年[80] 12月 5日 제3소법정 판결 · 재판집 민사 177호 243쪽. 이하 '최고재판소 1995년 판결'이라 한다].

(4) 일본의 안팎에서의 사회적 환경의 변화 등

① 법무대신의 자문기구인 법제심의회는 1996년 2월 26일, 혼인제도 등에 관한 민법 개정에 대해서 '민법의 일부를 개정하는 법률안 요강'을 답신하였는데 이 요강은 여성의 재혼의 자유를 확대한다는 관점에서, 재혼금지기간을 적출 추정의 중복을 회피하는 데 최소로 필요한 100일로 단축하는 것으로 하고 있다.

---

80) 1995년

② 자유권 규약 위원회는, 일본 정부가 시민적 및 정치적 권리에 관한 국제 규약(B규약) 40조에 근거하여 제출한 제4회 보고(1997년) 및 제5회 보고(2006년)의 각각을 검토한 후에 채택한 각 최종 견해(전자에 대해서 1998년, 후자에 대해서 2008년)에서 재혼금지기간에 관한 여성에 대한 차별에 대해서 우려를 표명함과 동시에, 이것이 이 규약 2조, 3조 및 26조 등에 적합하지 않아 폐지해야 한다고 권고했다.

③ 여성 차별 철폐 위원회는 일본 정부가 여성 차별 철폐 조약(여성에 대한 모든 형태의 차별 철폐에 관한 조약) 18조에 근거하여 제출한 제4회 보고(1998년)와 제5회 보고(2002년) 및 제6회 보고(2008년) 각각을 검토한 후에 채택한 각 최종 견해(전자에 대해서 2003년, 후자에 대해서 2009년)에서 재혼금지기간에 관한 여성에 대한 차별에 대해 우려를 표명함과 동시에 이를 폐지해야 한다고 권고했다.

④ 외국에서는 재혼금지기간 제도 자체를 가지지 않는 나라도 있으며, 재혼금지기간 제도를 폐지하는 입법례도 늘고 있으나 재혼금지기간 제도 자체를 가지지 않는 나라에서는 이혼의 전제로서 일정 기간의 별거가 요구되고 있어, 이 별거 기간이 재혼금지기간을 대신하고 적출 추정의 중복을 방지하는 기능을 하고 있다고 할 수 있는 것, 그 이외의 나라에서도 대부분은 일본에서의 협의 이혼에 상당하는 제도가 없이 재판 이혼만 인정하고 있으며, 거기에서는 명문상 또는 재판의 실제상 일정 기간의 별거가 요구되고 있고 그것이 요구되지 않는 경우에도 일정한 고려 기간 또는 숙려 기간을 두고 있는 경우가 많다는 점에서, 신고만으로 이혼할 수 있는 협의 이혼 제도를 가진 일본에서 재혼금지기간 제도를 폐지한 경우와는 문제 상황이 크게 다르다.

⑤ 국회에서도 민법 733조 1항이 정하는 재혼금지기간의 개정에 대해서 질의 등이 이루어져 왔으나 이 조항이 정하는 재혼금지기간을 개정하기 위한 입법 조치는 아직도 이루어지지 않고 있다.

2 쟁점

(1) 본건 입법 부작위가 국가배상법 1조 1항의 규정 적용상 위법이 되는지(쟁점 1)

[원고의 주장]

① 민법 733조 1항의 입법취지는 도덕적인 이유에 근거하여 과부에게 일정한 복상을 강요하는 것이기 때문에 본건 구별을 발생하게 한 입법 목적 자체에 합리적인 근거가 없는 것은 명백하다.

② 만일 민법 733조 1항의 입법취지가 적출 추정의 중복을 회피하는 것에 있으며, 본건 구별을 발생하게 한 입법 목적 자체에 합리적인 근거가 인정된다고 해도 그 목적을 달성하기 위해서는 100일의 재혼금지기간을 두는 것만으로 충분하기 때문에 본건 구별은 합리성을 잃은 과잉인 제약을 부과하는 것이다.

③ 따라서 민법 733조 1항의 규정이 본건 구별을 발생하게 하고 있는 것은 헌법 14조 1항 및 24조 2항에 위반하고, 본건 입법 부작위는 국민에게 헌법상 보장되어 있는 혼인을 할 권리를 위법하게 침해하는 것임이 명백한 경우에 해당되기 때문에 국가배상법 1조 1항의 규정 적용상 위법으로 평가를 받아야 한다.

(2) 원고의 손해액(쟁점 2)

[원고의 주장]

① 위자료 150만 엔

원고는 민법 733조 1항의 재혼금지기간의 규정 때문에 C와의 혼인이 늦어져 이에 따라 정신적 고통을 입었다. 이를 금전으로 환산하면 150만 엔을 하회하지 않는다.

② 변호사 비용 15만 엔

③ 총 165만 엔

제3 쟁점에 대한 판단

1 쟁점 1(본건 입법 부작위가 국가배상법 1조 1항의 규정 적용상 위법이 되는지)에 대해서

(1) 국회의원의 입법 행위 또는 입법 부작위가 국가배상법 1조 1항의 적용상 위법이 되는지 여부는 국회의원의 입법 과정에서의 행동이 개별 국민에 대해서 부담하는 직무상의 법적 의무에 위배한 것이지 여부의 문제이고 당해 입법 내용 또는 입법 부작위의 위헌성의 문제와는 구별되어야 하며 만일 당해 입법 내용 또는 입법 부작위가 헌법의 규정에 위반하는 것이라 하더라도 즉시 위법이라고 평가를 받을 것은 아니다. 그러나 입법 내용 또는 입법 부작위가 국민에게 헌법상 보장되어 있는 권리를 위법하게 침해하는 것임이 명백한 경우나 국민에게 헌법상 보장되어 있는 권리행사의 기회를 확보하기 위해 필요한 입법 조치를 하는 것이 필요 불가결하고, 그것이 명백한데도 불구하고 국회가 정당한 이유 없이 장기간에 걸쳐 이를 게을리 하는 경우 등에는 예외적으로 국회의원의 입법 행위 또는 입법 부작위는 국가배상법 1조 1항의 규정 적용상 위법이라고 평가를 받는다고 해야 한다[최고재판소 平成13年(行ツ)第82号, 第83号, 平成13年(行ヒ)第76号, 第77号 平成17年 9月 14日 대법정 판결 · 민집 59권 7호 2087쪽].

(2) 이를 본건에 대해서 보면, 원고는 민법 733조 1항의 규정이 본건 구별을 발생시키고 있는 것이 헌법 14조 1항 및 24조 2항에 위반하고, 본건 입법 부작위는 국민에게 헌법상 보장되어 있는 혼인을

할 권리를 위법하게 침해하는 것임이 명백한 경우에 해당한다고 주장하지만 합리적인 근거에 의해 각자의 법적 취급에 구별을 마련하는 것은 헌법 14조 1항 및 24조 2항에 위반하는 것은 아니며 민법 733조 1항의 규정 취지는 부성 추정의 중복을 피하고 부자 관계를 둘러싼 분쟁의 발생을 미연에 방지하는 데 있다고 해석되는 이상(최고재판소 1995년 판결 참조), 그 입법 목적에는 합리성이 인정된다(또한 원고는 이 조항의 입법 취지는 도덕적 이유에 근거하여 과부에게 일정한 복상을 강제하는 것이라고 주장하지만 동조 2항에서 "여자가 전혼의 해소 또는 취소의 전부터 임신하고 있던 경우에는 그 출산일부터 전항의 규정을 적용하지 않는다."고 규정하고 있는 점에 비추어 보면 원고의 위 주장을 채용할 여지는 없다). 위와 같이 동조 1항 규정의 취지가 부성 추정의 중복을 회피하는 것뿐만 아니라 부자 관계를 둘러싼 분쟁의 발생을 미연에 방지하는 것에도 있는 점에서 보면 그 입법 목적에서 재혼금지기간을 적출 추정의 중복을 회피하는 데 최소로 필요한 100일로 하여야 하는 것이 일의적으로 분명하다고 말하기 어려운데 본건 구별에 대해서 어떤 위헌 심사 기준을 사용할지에 관하여 여러 가지 생각이 있을 수 있음도 감안하면(원고는 본건 구별에 대해서는 이른바 엄격한 심사 기준을 사용해야 하는 것이 명백하다고 주장하지만 원고가 이혼한 시점까지의 최고재판소의 판결 내용을 개관해도 위 시점에서 본건 구별에 대해서 이른바 엄격한 심사 기준을 사용해야 하는 것이 명백하였다는 등으로 말할 수는 없다), 이 조항의 규정이 본건 구별을 발생시키고 있는 것이 헌법 14조 1항 및 24조 2항에 위반하는 것이 아니라고 해석할 여지도 충분히 있다고 할 수 있다. 그리고 이것은 전술한 다툼이 없는 사실 등에서 인정한 일본 안팎에서의 사회적 환경의 변화 등을 고려해도 즉시 다를 것은 없다.

(3) 그렇다면 본건 입법 부작위에 대해서 국민에게 헌법상 보장되어 있는 권리를 위법하게 침해하는 것임이 명백한 경우 등에 해당한다고는 할 수 없으므로 본건 입법 부작위는 국가배상법 1조 1항의 적용상 위법으로 평가를 받을 것은 아니라고 할 수 있다.

2 결론[81]

따라서 원고의 청구는 나머지 점에 대해서 판단할 것도 없이 이유가 없으므로 기각한다.

◇ 재판관 世森亮次

81) 이 차례는 필자가 추가한 것이다.

제9장

친자 관계

1. 적출 부인의 소에 1년의 출소기간을 정한 민법 777조의 위헌 여부

적출 부인의 소의 제기기간을 1년으로 정한 민법 777조가 일본국 헌법 제13조(행복추구권 등)나 제14조(평등권)에 위반된다는 상고인의 주장에 대해서 최고재판소는 “민법 777조가 적출 부인의 소에 대해서 1년의 출소 기간을 정한 것은 신분 관계의 법적 안정을 유지하는 데에서 합리성을 가진 제도이며, 헌법 13조에 위반되는 것은 아니고 헌법 14조 등 위반의 문제를 발생시키는 것도 아니다.”라고 판시하였다.

〈민법〉

(적출 부인의 소의 출소기간)
제777**조** 적출 부인의 소는 남편이 자녀의 출생을 안 때로부터 1년 이내에 제기해야 한다.

〈일본국 헌법〉

제13**조** 모든 국민은 개인으로서 존중된다. 생명, 자유 및 행복 추구에 대한 국민의 권리에 대해서 공공복지에 반하지 않는 한, 입법 기타 국정(国政)에서 최대의 존중이 필요하다.

제14**조** 모든 국민은 법 앞에 평등하고 인종, 신념, 성별, 사회적 신분 또는 문벌에 의해 정치적, 경제적 또는 사회적 관계에서 차별받지 않는다.

2 화족 기타 귀족제도는 인정하지 않는다.

재판연월일 平成26年[82] 7月 17日	**재판소명** 최고재판소 제1소법정
사건번호 平26(オ)226号	**재판구분** 판결
사 건 명 친자 관계 부존재 확인 청구 사건	**재판결과** 기각

주 문

본건 상고를 기각한다.

상고비용은 상고인이 부담한다.

이 유

1 상고대리인 가와무라 마사카즈(河村正和) 외의 상고이유 중 민법 777조의 위헌을 말하는 부분에 대해서

민법 772조에 의해 적출의 추정을 받는 아이에 대해서 남편이 적출자녀인 것을 부인하기 위해서 어떠한 소송 절차에 의하여야 하는 것으로 할지는 입법 정책에 속하는 사항이며, 같은 법 777조가 적출 부인의 소에 대해서 1년의 출소 기간을 정한 것은 신분 관계의 법적 안정을 유지하는 데에서 합리성을 가진 제도이며, 헌법 13조에 위반되는 것은 아니고 또한 소론의 헌법 14조 등 위반의 문제를 발생시키는 것도 아닌 것은 본 재판소 대법정 판결[최고재판소 昭和28年(オ)第389号 昭和30年 7月 20日 대법정 판결 · 민집 9권 9호 1122쪽]의 취지에 비추어 보아 명백하다[최고재판소 昭和54年(オ)第1331号 昭和55年 3月 27日 제1소법정 판결 · 재판집 민사 129호 353쪽]. 논지는 채용할 수 없다.

2 그 외의 상고 이유에 대해서

논지는 위헌 및 민사소송법 312조 2항 4호 및 6호에 기재된 사유를 말하지만 그 실질은 사실 오인 또는 단순한 법령 위반을 말하는 것 또는 그 전제를 결여한 것으로 같은 조 1항 및 2항에 규정하는 사유의 어느 것에도 해당하지 않는다. 따라서 재판관 전원 일치 의견으로 주문과 같이 판결한다.

◇ 재판장 재판관 白木勇 재판관 桜井龍子 재판관 金築誠志 재판관 横田尤孝 재판관 山浦善樹

---

82) 2014년

2. 어머니의 전 남편의 자녀로 추정 받는 사람이 제기한 친자 관계 부존재 확인의 소가 적법한지 여부

민법 제772조 제1항에 의해 아내가 혼인 중에 임신한 자녀는 남편의 자녀로 추정하고 같은 조 제2항에 의하면 혼인의 성립일로부터 200일을 경과한 후 또는 혼인의 해소일이나 취소일로부터 300일 이내에 태어난 자녀는 혼인 중에 임신한 것으로 추정한다.

〈민법〉

(적출의 추정)

제772**조** 아내가 혼인 중에 임신한 자녀는 남편의 자녀로 추정한다.

2 혼인의 성립일로부터 200일을 경과한 후 또는 혼인의 해소일이나 취소일로부터 300일 이내에 태어난 자녀는 혼인 중에 임신한 것으로 추정한다.

(1) 사례 1

본건은 원고가 피고(원고의 어머니의 전 남편)에게 원고의 어머니는 피고와의 혼인 중에 원고를 임신하여 출산했지만 임신 당시 원고의 어머니와 피고는 성관계를 가지지 않아 원고는 피고의 아이가 아니라고 하여(민법 772조의 적출 추정이 미치지 않는다고 하여) 원고와 피고 사이에 부자 관계가 존재하지 않는 것의 확인을 요구한 사안이다.

본 사안에서는 DNA 감정에 의해 B가 원고의 아버지일 확률이 99.999998%라는 감정 결과를 얻었는데 과학적으로 밝혀진 이 감정 결과에도 불구하고 이러한 사실에 반하여 원고와 피고 사이에 민법 772조의 적출 추정이 미친다고 하여야 하는지가 문제되었다.

1심과 항소심에서는 원고와 피고 사이에 민법 772조의 적출 추정이 미치지 않는다고 본 반면 상고심은 이들 하급심과 의견을 달리하여 적출 추정이 여전히 미친다고 보았다.

1심: 아사히카와(旭川) 가정재판소 平23(家ホ)21号 平成23年[83] 12月 12日 판결

아사히카와 가정재판소는 "원고의 어머니가 원고를 임신한 당시 피고와 원고의 어머니 사이에는 임신에 이를 것 같은 성관계가 없어 원고가 피고의 자녀일 가능성이 낮은 것 그 때문에 원고의 어머니

83) 2011년

는 원고가 피고의 자녀가 아니라고 확신하고 피고도 원고가 자신의 자녀인지 의심했던 것, 한편 원고의 어머니가 교제하고 있던 B가 원고의 아버지일 가능성이 매우 높은 것 등에 비추어 보면 원고와 피고 사이에는 생물학적 관점에서의 친자 관계는 존재하지 않는 것이 분명하고 민법 772조의 적출 추정은 미치지 않는 것으로 인정된다."고 판시하여 적출 추정이 미치지 않는다고 보았다.

항소심: 삿포로(札幌) 고등재판소 平24(ネ)32号 平成24年[84] 3月 29日 판결

삿포로 고등재판소는 "DNA 감정에 의해 B가 피항소인(원고)의 아버지일 확률이 99.999998%라는 감정 결과를 얻었고 항소인(피고)과 피항소인(원고) 사이의 친자 관계의 부존재는 과학적 증거에 의해 객관적이고 명백하게 증명될 수 있고 또한 피항소인(원고)의 어머니와 항소인(피고)은 이미 이혼하여 별거하고 있으며 피항소인은 친권자인 어머니 밑에서 감호되고 있는 등의 사정이 인정되므로 본건에서는 적출 추정은 배제된다고 해석하는 것이 상당하고 본건 소는 적법하다고 할 수 있다."고 판시하여 적출 추정이 미치지 않는다고 보았다.

상고심: 최고재판소 제1소법정 平24(受)1402号 平成26年[85] 7月 17日 판결

"남편과 자녀 사이에 생물학상 부자 관계가 인정되지 않는 것이 과학적 증거에 의해 분명하며 또한 남편과 아내가 이미 이혼하여 별거하고, 자녀가 친권자인 아내 밑에서 감호되고 있다는 사정이 있어도, 자녀의 신분 관계의 법적 안정을 유지할 필요가 당연히 없어진 것은 아니므로 이러한 사정이 존재한다고 해도 민법 772조에 의한 적출의 추정이 미치지 않는 것으로 할 수 없으며, 친자 관계 부존재 확인 소송으로 당해 부자 관계의 존재 여부를 다투는 것이 가능하지 않다고 해석하는 것이 상당하다."고 판시하여 적출 추정이 여전히 미친다고 보았다.

84) 2012년
85) 2014년

1심 판결

재판연월일 平成23年[86] 12月 12日	**재판소명** 아사히카와(旭川) 가정재판소
사건번호 平23(家ホ)21号	**재판구분** 판결
사 건 명 친자 관계 부존재 확인 청구 사건	**상 소 등** 항소

주 문

1 원고와 피고 사이에 친자 관계가 존재하지 않는 것을 확인한다.

2 소송비용은 피고가 부담한다.

사실과 이유

제1 청구의 취지

1 주문과 같은 취지

제2 사안의 개요 등

1 사안의 개요

본건은 원고가 피고에게 원고의 어머니인 A(이하 '원고의 어머니'라 한다)는 피고와의 혼인 중에 원고를 임신하여 원고를 출산했지만 임신 당시 원고의 어머니와 피고는 성관계를 가지지 않았고 원고는 피고의 자녀가 아니라고 하여 원고와 피고 사이에 부자 관계가 존재하지 않는 것의 확인을 요구한 사안이다.

86) 2011년

2 전제가 되는 사실(증거 및 변론의 전체 취지에 의해 쉽게 인정되는 사실)

(1) 피고와 원고의 어머니는 1999년 ○월 ○일에 혼인하고 a시에서 동거했다.

(2) 원고의 어머니는 2009년 ○월 ○일 원고를 출산했다.

(3) 원고의 어머니와 피고는 2010년 ○월 ○일 원고의 친권자를 원고의 어머니로 정하여 이혼했다.

(4) 원고는 2011년 피고를 상대방으로 하여 친자 관계 부존재 확인의 조정을 신청했다. 이 조정은 그 해 2월 23일 불성립으로 끝났다.

3 본건의 쟁점 및 쟁점에 대한 당사자의 주장

본건 소는 적법한가(원고는 피고와의 관계에서 민법 772조에 의한 적출의 추정이 배제되는가). 적출 추정이 배제된다고 하여 원고와 피고 사이의 친자 관계가 존재하는지 여부

[원고의 주장]

원고의 어머니와 피고는 2005년 무렵부터 일체 성관계를 하지 않았다. 한편 DNA 감정 결과를 보면 소외 B(이하 'B'라 한다)가 원고의 생물학상의 아버지인 것이 강하게 추정된다. 또한 원고는 현재 원고의 어머니 및 B와 함께 살면서 새로운 가정을 꾸리고 있어 조기에 B와의 친자 관계를 확정시킬 필요가 있다. 따라서 원고는 피고와의 관계에서 적출 추정이 배제되어 본건 소는 적법하다.

그리고 원고와 피고 사이에는 친자 관계가 존재하지 않는다.

[피고의 주장]

원고는 피고와 원고의 어머니의 혼인 중에 임신한 자녀로 피고의 적출자녀로 추정된다. 그리고 원고의 어머니가 원고를 임신했다고 추인되는 시기, 피고와 원고의 어머니의 부부 관계는 양호하였고 원고의 어머니가 피고의 자녀를 임신할 가능성이 없는 것이 외형상 명백한 사정도 없는 점에 비추어 보면 적출 추정은 배제되지 않고 본건 소는 적법하지 않다.

제3 쟁점에 대한 판단

1 위에서 전제가 되는 사실 및 증거(주요 증거는 각 항 말미에 기재)에 의하면 아래의 사실이 인정된다.

(1) 원고의 어머니는 2006년 무렵 아르바이트를 하던 곳의 점장이었던 B와 만나 2008년 무렵부터 교제를 시작하여 성관계를 갖게 되었다(갑 6, 8).

(2) 피고와 원고의 어머니는 원고의 어머니가 원고를 임신했다고 생각되는 2008년 ○월부터 ○월

사이 적어도 임신에 이를 것 같은 성관계는 없었다.

또한 원고의 어머니는 2005년 무렵부터 자신(원고의 어머니)과 피고는 전혀 성관계를 하지 않았다고 주장하고 같은 취지의 피고의 진술서(갑 3) 및 원고의 어머니의 진술서(갑 6, 8)가 제출되었다. 하지만 피고는 본인 심문에서 위 진술서는 잘못된 것이고 피임을 한 후에 성관계를 하였다고 정정하고 있는 것, 그 외에 위 기간에 피고와 원고의 어머니 사이에 전혀 성관계가 없었던 점을 뒷받침하는 객관적인 증거는 없는 것 등에 비추어 보면 위 기간에 피고와 원고의 어머니가 전혀 성관계를 하지 않았다고까지 인정할 수 없다.

(3) 원고의 어머니는 2008년 ○월 무렵부터 생리가 없게 된 것에서 임신을 의심하게 되었다. 그리고 원고의 어머니는 오랫동안 생리가 없게 됨과 동시에 배가 부르기 시작했기 때문에 2009년 ○월 임신 검사제로 검사를 했는데 양성 반응이 나왔다. 그 후 원고의 어머니는 병원에서 진찰을 받아 원고를 임신한 것이 판명되었다(갑 8).

(4) 원고의 어머니는 원고가 B의 자녀라고 생각하고 있었기 때문에 임신 사실을 피고에게 알리지 않고 그 해 ○월 ○일 피고에게 말하지 않고 병원에 가서 같은 달 ○일에 원고를 출산했다(갑 8).

(5) 피고는 아무 말 없이 없어진 원고의 어머니의 거처를 찾아 같은 달 ○일 겨우 원고의 어머니가 입원하고 있던 병원을 발견했다. 피고는 일주일 전에 원고의 어머니와 함께 낚시하러 가는 등 하고 있었는데 원고의 어머니가 임신한 것을 전혀 알지 못했기 때문에 원고의 어머니가 원고를 출산한 사실에 무척 놀랐고 원고가 누구의 자녀인지 물었다. 이에 원고의 어머니는 "두세 번밖에 만난 적이 없는 남자" 등으로 대답했다(갑 3, 피고 본인).

(6) 피고는 2009년 ○월 ○일 원고를 피고와 원고의 어머니의 장녀로 하는 출생 신고서를 제출하고 그 후 원고를 자신의 자녀로서 감호 · 양육했다(갑 1, 3).

(7) 원고의 어머니는 2009년 ○월 무렵부터 피고와의 말다툼 때 등에 피고에게 이혼을 요구하게 되었다. 그리고 피고와 원고의 어머니는 2010년 ○월 ○일 원고의 친권자를 원고의 어머니로 정하여 협의 이혼했다. 원고의 어머니와 원고는 현재 B와 (함께) 생활하고 있다(갑 3, 8).

(8) 원고 측이 한 사적 감정에서는 B가 원고의 아버지일 확률이 99.999998%라는 감정 결과가 나왔다(갑 4).

2 이상의 인정 사실 등에 의하면 원고는 피고와 원고의 어머니가 혼인 중에 임신한 자녀이고 더구나 그 당시 피고와 원고의 어머니는 동거하고 있었으며 부부로서의 실체를 상실했다고 하는 사정은 보이지 않는다.

그렇다고는 하지만 원고의 어머니가 원고를 임신한 당시 피고와 원고의 어머니 사이에는 임신에 이를 것 같은 성관계가 없어 원고가 피고의 자녀일 가능성이 낮은 것 그 때문에 원고의 어머니는 원고가 피고의 자녀가 아니라고 확신하고 피고도 원고가 자신의 자녀인지 의심했던 것, 한편 원고의 어머니가 교제하고 있던 B가 원고의 아버지일 가능성이 매우 높은 것(피고는 위 감정에 대해서 의혹이 있다고 주장하지만 이 감정의 신용성을 부정하는 사정은 보이지 않는다) 등에 비추어 보면 원고와 피고 사이에는 생물학적 관점에서의 친자 관계는 존재하지 않는 것이 분명하고 민법 772조의 적출 추정은 미치지 않는 것으로 인정된다.

또한 적출 추정 제도는 가정의 평온을 유지하고 아동의 양육 환경을 안정시킬 것을 목적으로 하는 것으로 해석되는데, 본건에서는 피고와 원고의 어머니는 이미 이혼했으며 현재 원고, 원고의 어머니 및 B가 함께 생활하고 있으므로 민법 772조의 적출 추정을 배제해도 이 제도의 취지에 반한다고까지는 할 수 없다.

3 따라서 원고의 청구는 이유가 있으므로 이를 인용하기로 하여 주문과 같이 판결한다.

◇ 재판관 岡本利彦

항소심 판결

재판연월일 平成24年[87] 3月 29日	**재판소명** 삿포로(札幌) 고등재판소
사건번호 平24(ネ)32号	**재판구분** 판결
사 건 명 친자 관계 부존재 확인 청구 항소 사건	
상 소 등 상고	

주 문

1 본건 항소를 기각한다.

2 항소비용은 항소인이 부담한다.

사실과 이유

제1 항소의 취지

1 원판결을 취소한다.

2 피항소인의 소를 각하한다.

3 소송비용은 제1, 2심 모두 피항소인이 부담한다.

제2 사안의 개요

원판결의 '사실과 이유'란의 '제2 사안의 개요 등'에 기재된 대로이므로 이를 인용한다.

87) 2012년

제3 본 재판소의 판단

1 본 재판소도 피항소인의 청구는 이유가 있는 것으로 판단한다. 그 이유는 다음과 같이 보정하는 외에 원판결의 '사실과 이유'란의 '제3 쟁점에 대한 판단'에 기재된 대로이므로 이를 인용한다.

(1) 원판결 4쪽 7줄의 '협의 이혼했다.'의 다음에 '피항소인의 어머니는 2011년 ○월 무렵 항소인을 상대방으로 하여 아사히카와(旭川) 가정재판소에 친자 관계 부존재 확인의 조정을 신청했지만 항소인이 DNA 감정을 거부하여 같은 달 ○일 조정은 불성립으로 끝났다(갑 6, 변론의 전체 취지).'를 덧붙인다.

(2) 이 판결 4쪽 9줄의 '사적 감정'의 다음에 '(DNA 감정)'을 덧붙인다.

2 항소인은 최고재판소 昭和43年(オ)第1184号 昭和44年 5月 29日 제1소법정 판결 · 민집 23권 6호 1064쪽을 인용하여 민법 772조의 적출 추정이 배제되는 요건에 대해서 아내가 자녀를 임신할 시기에 부부가 사실상의 이혼을 하여 별거 상태에 있어 남편의 아이를 임신할 가능성이 없는 것이 외관상 명백한 경우가 아닌 한 적출 추정은 배제되지 않는 것으로 해석해야 한다고 하고 본건에서 피항소인의 어머니가 피항소인을 임신하였을 시기에 항소인의 자녀를 임신할 가능성이 없는 것이 외관상 명백하지 않고 게다가 피항소인 측이 한 사적 감정에 대해서는 감정이 일본에서 이루어지지 않은 것에서 DNA 감정 보고서(갑 4)의 성립의 진정, 감정인의 존재 및 감정 내용에 의혹이 있어 이 조항의 적출 추정은 배제되지 않는 것이므로 본건 소는 적법하지 않다고 주장한다.

검토하니 위 최고재판소 판례가 적출 추정이 배제되는 경우를 아내가 남편의 자녀를 임신할 가능성이 없는 것이 외관상 명백한 경우에만 한정한다는 취지라고 해석하는 것은 상당하지 않다. 즉, 민법이 혼인관계에 있는 부모에게서 태어난 자녀에 대하여 그 친자 관계를 다투는 것에 대해서 엄격히 제한하려고 한 것은 가정 내의 비밀과 평온을 보호함과 동시에 평온한 가정에서 양육을 받아야 할 자녀의 이익이 부당하게 훼손되는 것을 방지하는 데 있다고 해석되므로 이러한 취지가 훼손되지 않는 특별한 사정이 인정되고 또한 친자 관계의 부존재가 객관적으로 명백한 사안에서는 적출 추정이 배제되는 경우를 아내가 남편의 자녀를 임신할 가능성이 없는 것이 외관상 명백한 경우에 한정할 필요는 없다고 생각해야 한다. 이를 본건에 대해서 보면 앞에서 본 대로 DNA 감정에 의해 B가 피항소인의 아버지일 확률이 99.999998%라는 감정 결과를 얻었고 항소인과 피항소인 사이의 친자 관계의 부존재는 과학적 증거에 의해 객관적이고 명백하게 증명될 수 있고 또한 피항소인의 어머니와 항소인은 이미 이혼하여 별거하고 있고 피항소인은 친권자인 어머니 밑에서 감호되고 있는 등의 사정이 인정되므로 본건에서는 적출 추정은 배제된다고 해석하는 것이 상당하고 본건 소는 적법하다고 할 수 있다.

또한 항소인은 DNA 감정 보고서(갑 4)의 성립의 진정, 감정인의 존재 및 감정 내용에 의혹이 있다고 주장하지만 갑 6 및 변론의 전체 취지에 의하면 DNA 감정 보고서(갑 4)가 진정하게 성립한 것은 인정되고 이 보고서의 내용에 비추어 보면 감정인의 부존재와 감정 내용의 신용성에 대해서 의혹이 생긴다고 할 것은 아니다.

제4 결론[88]

이상에 의하면 원심 판결은 상당하고 본건 항소는 이유가 없으므로 이를 기각하기로 하여 주문과 같이 판결한다.

◇ 재판장 재판관 井上哲男 재판관 中島栄 佐藤重憲

88) 이 차례는 필자가 추가한 것이다.

상고심 판결

재판연월일	平成26年[89] 7月 17日	**재판소명**	최고재판소 제1소법정
사건번호	平24(受)1402号	**재판구분**	판결
사 건 명	친자 관계 부존재 확인 청구 사건	**재판결과**	파기 자판

주 문

원판결을 파기하고 제1심 판결을 취소한다.

본건 소를 각하한다.

소송의 총 비용은 피상고인이 부담한다.

이 유

상고대리인 고바야시 후미토(小林史人)의 상고 수리 신청 이유에 대해서

1 본건은 호적상 상고인의 적출자녀로 되어 있는 피상고인이 상고인에 대해서 제기한 친생자 관계 부존재 확인 소송이다.

2 기록에 의해 인정되는 사실 관계의 개요 등은 다음과 같다.

(1) 상고인과 갑은 1999년 O월 O일 혼인 신고를 했다.

(2) 갑은 2008년경부터 을과 교제를 시작하여 성관계를 갖게 되었다.

하지만 상고인과 갑은 동거를 계속하고 부부의 실체를 잃은 것은 아니었다.

89) 2014년

(3) 갑은 2009년 O월 임신한 것을 알았지만 그 자녀가 을과의 사이의 자녀라고 생각해서 임신한 사실을 상고인에게 알리지 않았다.

갑은 같은 해 O월 O일에 상고인에게 말하지 않고 병원에 가서 같은 달 O일에 피상고인을 출산했다.

(4) 상고인은 2009년 O월 O일 입원 중인 갑을 찾아냈다.

상고인이 갑에게 피상고인이 누구의 자녀인지를 물었더니 갑은 '2, 3회밖에 만난 적 없는 남자' 등으로 대답했다.

상고인은 같은 달 O일, 피상고인을 상고인과 갑의 장녀로 하는 출생 신고서를 제출하고 그 후 피상고인을 자신의 자녀로서 감호 양육했다.

(5) 상고인과 갑은 2010년 O월 O일 피상고인의 친권자를 갑으로 정하여 협의 이혼을 했다.

갑과 피상고인은 현재 을과 함께 생활하고 있다.

(6) 갑은 2011년 6월 피상고인의 법정대리인으로서 본건 소송을 제기했다.

(7) 피상고인 측에서 사적으로 한 DNA 검사 결과에 따르면 을이 피상고인의 생물학적 아버지일 확률이 99.999998%인 것으로 되어 있다.

3 원심은 다음과 같이 판단하여 본건 소의 적법성을 긍정하고 피상고인의 청구를 인용해야 한다고 했다.

적출 추정이 배제되는 경우를 아내가 남편의 자녀를 임신할 가능성이 없는 것이 외관상 명백한 경우에 한정하는 것은 상당하지 않다. 민법이 혼인관계에 있는 어머니가 출산한 자녀에 대해서 부자 관계를 다투는 것을 엄격히 제한하려고 하는 취지는 가정 내의 비밀과 평온을 보호하는 동시에, 평온한 가정에서 양육을 받아야 할 자녀의 이익이 부당하게 훼손되는 것을 방지하는 데 있다고 해석되므로, 이러한 취지가 훼손되지 않는 특별한 사정이 인정되고 생물학상 친자 관계의 부존재가 객관적으로 명백한 경우에는 적출 추정이 배제되어야 한다. 상고인과 피상고인 사이의 생물학상 친자 관계의 부존재는 과학적 증거에 의해 객관적이고 명백하게 증명되었고 또한 상고인과 갑은 이미 이혼하여 별거하고, 피상고인이 친권자인 갑의 밑에서 감호되고 있는 등의 사정이 인정되므로 본건에서는 적출 추정이 배제된다고 해석하는 것이 상당하고 본건 소는 적법하다고 할 수 있다.

4 그러나 원심의 위 판단은 옳다고 인정할 수 없다. 그 이유는 다음과 같다.

민법 772조에 의해 적출의 추정을 받는 자녀에 대해서 적출임을 부인하기 위해서는 남편이 제기하는 적출 부인의 소에 의하여야 하고 이 소송에 대해서 1년의 출소 기간을 정한 것은 신분 관계의 법적 안정을 유지하는 데에서 합리성을 가지는 것이라고 할 수 있다[최고재판소 昭和54年(オ)第1331

号 昭和55年 3月 27日 제1소법정 판결 · 재판집 민사 129호 353쪽, 최고재판소 平成8年(オ)第380号 平成12年 3月 14日 제3소법정 판결 · 재판집 민사 197호 375쪽 참조]. 그리고 남편과 자녀 사이에 생물학상 부자 관계가 인정되지 않는 것이 과학적 증거에 의해 분명하고 또한 남편과 아내가 이미 이혼하여 별거하고, 자녀가 친권자인 아내 밑에서 감호되고 있다는 사정이 있어도, 자녀의 신분 관계의 법적 안정을 유지할 필요가 당연히 없어진 것은 아니므로 위 사정이 존재한다고 해도 같은 조에 의한 적출의 추정이 미치지 않는 것으로 할 수 없으며, 친자 관계 부존재 확인 소송으로 당해 부자 관계의 존재 여부를 다투는 것이 가능하지 않다고 해석하는 것이 상당하다. 이렇게 해석하면 법률상 부자 관계가 생물학상 부자 관계와 일치하지 않는 경우가 생기게 되지만 같은 조 및 774조에서 778조까지의 규정은 이러한 불일치가 생기는 것도 허용하고 있는 것으로 해석된다.

무엇보다도 민법 772조 2항 소정의 기간 내에 아내가 출산한 자녀에 대해서 아내가 그 자녀를 임신했을 시기에, 이미 부부가 사실상의 이혼을 하여 부부의 실체를 잃어버리거나 원격지에 거주하여 부부 사이에 성관계를 가질 기회가 없었던 것이 분명하다는 등의 사정이 존재하는 경우에는 위 자녀는 실질적으로는 같은 조의 추정을 받지 않는 적출자녀에 해당한다고 할 수 있으므로 이 법 774조 이하의 규정에도 불구하고, 친자 관계 부존재 확인 소송으로 남편과 위 자녀 사이의 부자 관계의 존재 여부를 다툴 수 있다고 해석하는 것이 상당하다[최고재판소 昭和43年(オ)第1184号 昭和44年 5月 29日 제1소법정 판결 · 민집 23권 6호 1064쪽, 최고재판소 平成7年(オ)第2178号 平成10年 8月 31日 제2소법정 판결 · 재판집 민사 189호 497쪽, 앞에 기재한 최고재판소 平成12年 3月 14日 제3소법정 판결 참조]. 그러나 본건에서는 갑이 피상고인을 임신한 시기에 이러한 사정이 있었다고는 인정되지 않고 달리 본건 소의 적법성을 긍정할 사정도 인정되지 않는다.

5 이상에 의하면 본건 소는 적법하지 않은 것이라고 하지 않을 수 없고 이것과 다른 원심의 판단에는 판결에 영향을 미치는 것이 분명한 법령 위반이 있다. 논지는 이유가 있고 원판결은 파기를 면치 못한다. 그리고 앞에서 설시한 바에 의하면 제1심 판결을 취소하고 본건 소를 각하해야 한다.

따라서 재판관 가네쓰키 세이지(金築誠志), 시라키 유(白木勇)의 반대의견이 있는 외에 재판관 전원 일치 의견으로 주문과 같이 판결한다. 덧붙여 재판관 사쿠라이 류코(桜井竜子), 야마우라 요시키(山浦善樹)의 보충의견이 있다.

재판관 사쿠라이 류코의 보충의견은 다음과 같다.

1 본건에서는 DNA 검사 기술의 진보로 인해 생물학상 부자 관계를 과학적이고 객관적으로 밝힐 수 있게 되었다는 사회 상황의 변화에 따라 민법 772조의 적출 추정이 미치는 범위에 대해서 재검토

를 해야 하는지 여부가 문제되고 있다. 나는 다수 의견에 찬성하지만 여기에 약간의 보충 의견을 말해 두고 싶다.

2 적출 추정에 관한 현행 민법 규정은 1897년에 시행된 구민법의 규정과 기본적으로는 다르지 않고 아내가 혼인 중에 임신한 아이를 남편의 자녀로 추정하고(민법 772조 1항), 남편이 자녀가 적출임을 부인하기 위해서는 적출 부인의 소에 의하여야 하고(민법 775조), 이 소는 남편이 자녀의 출생을 안 때로부터 1년 이내에 제기해야 한다고(민법 777조) 되어 있다. 그리고 이러한 적출 추정에 관한 규정이 있음에 따라 부성 추정의 중복을 회피하기 위한 재혼금지기간의 규정(민법 733조) 및 아버지를 정하는 것을 목적으로 하는 소의 규정(민법 773조)이 정비되어 있다.

구민법 제정 당시에는 DNA 검사는 물론 혈액형조차 알려지지 않았고, 과학적 · 객관적으로 생물학상의 부자 관계를 밝히는 것이 불가능하였기 때문에 이들 일련의 적출 추정에 관한 규정은 그러한 상황을 전제로 하여 법률상의 부자 관계를 조속히 확정함으로써 가정 내의 사정을 공개하지 않는다고 하는 이익에 이바지하는 것으로서 마련된 것으로 풀이된다.

무엇보다도 다수 의견이 인용하는 그 후 이 심판례에 의해 민법의 적출 추정 규정의 적용에 대해서 아내가 아이를 임신하였을 시기에 이미 부부가 사실상의 이혼을 하여 부부의 실체를 잃어버리거나 원격지에 거주하여 부부 사이에 성관계를 가질 기회가 없었던 것이 분명하다는 등의 사정이 존재하는 경우에 적출 추정이 미치지 않는 예외를 해석에 의해 인정하기에 이르러 이른바 균형을 잡고 있다고 할 수 있다.

3 최근의 DNA 검사 기술의 진보는 눈부셔서 저렴하게 신체에 대한 침습을 하지 않고서도 거의 100%의 확률로 생물학상의 친자 관계를 긍정하거나 또는 부정할 수 있게 된 것은 공지의 사실이다.

그리고 이러한 상황에서 민법 772조의 적용 범위를 어떻게 생각할지를 묻고 있는데 나는 결론적으로는 부자 관계를 조속히 확정함으로써 자녀의 이익을 도모한다고 하는 적출 추정의 기능은 지금에도 그 중요성이 상실되지 않고 혈연관계가 없는 부자 관계라 하더라도 이것을 법률상의 부자 관계로서 뒤집지 않기로 하는 것에 일정한 의의가 있다고 생각한다.

4 물론 DNA 검사 기술의 발달을 감안하면 반대 의견이 말하는 문제의식도 충분히 이해할 수 있고 아내가 혼인 중에 임신한 자녀에 대해서는 위 본 심판례가 예외로 하는 경우를 제외하고, 적출 부인의 소를 제외한 다른 방법에 의해서는 어떤 경우에도 부자 관계를 뒤집을 수 없다고 함이 상당한지에 대해서는 나도 의문을 느끼지 않는 것은 아니다. 특히 자녀가 성장한 후 자신의 판단으로 자신의

출신을 알고자 하거나 혹은 생물학상의 아버지와의 사이의 법률상의 관계 설정을 원하는 경우에 그것을 실현할 방법이 없다는 점에 대해서는 통감한다.

그러나 확실히 판명되는 생물학상의 친자 관계를 중시해 가겠다는 입장도 있을 수 있지만 그러한 입장을 취하게 되면 민법 772조의 문리로부터의 괴리에 그치지 않고 적출 부인의 소, 재혼금지기간, 아버지를 정하는 것을 목적으로 하는 소 등의 규정이 존재하는 것과의 관계를 어떻게 조정하는가 하는 문제에 맞닥뜨리게 되어 해석론의 한계를 넘어선 것이 아닌가 하고 생각된다.

친자 관계에 관한 규율은 공적 질서에 관한 국가의 기본적인 틀에 관한 문제이며 종래의 규정이 사회의 실정에 맞지 않는 것이 되었다면 그 해결은 재판소에서 개별 구체적 사안의 해결로서 할 것이 아니라 국민의 의식, 자녀의 복지(자녀가 그 출신을 아는 것의 이익도 포함한다), 프라이버시(privacy) 등에 관한 아내 측의 이익, 과학 기술의 진보나 생식 보조 의료의 진전, DNA 검사 등의 증거로서의 취급 방법, 양자제도나 상속제도 등과의 조정 등 제반 사정을 감안하여 입법 정책의 문제로서 검토해야 한다고 생각한다.

재판관 야마우라 요시키의 보충 의견은 다음과 같다.

1 나는 친자 관계 부존재 확인 소송에서 민법 772조의 적출 추정이 미치는지 여부를 검토하는 경우에 DNA 검사 결과 생물학상의 부자 관계가 없는 것이 분명하게 된 것을 어떻게 생각할지에 대해서 소송법상의 문제를 중심으로 의견을 보충하고 싶다.

2 민법 772조는 아내가 혼인 중에 임신한 자녀에 대해서 생물학상의 부자 관계를 묻지 않고 남편의 자식이라고 추정하고 자녀의 출생과 동시에 법률적인 부자 관계를 설정하고 있다. 다만, 혈연관계를 완전히 무시하는 것은 아니고 일정한 요건 하에 적출 부인의 소(민법 775조)라고 하는 절차를 마련하여 남편에게 원고 적격을 인정하고 있다. 이 소에서 생물학상의 부자 관계의 부존재가 증명된 경우에는 법률상의 부자 관계도 자녀의 출생 시로 소급하여 존재하지 않았던 것으로 된다. 이와 같이 민법 772조는 단순한 부자 관계의 존부라고 하는 사실에 대한 입증 책임 분배의 규범임에 그치지 않고 적출 부인의 소 이외에 부자 관계를 부정하는 수단을 인정하지 않는다는 절차법적인 규율과 맞물려 법률상의 부자 관계를 조기에 확정하기 위한 강력한 추정 규정이 되고 있다.

무엇보다도 다수 의견에 인용한 판례에 의해 아내의 임신 시에 부부 사이에 성관계를 갖는 일이 있을 수 없는 것이 명확한 외관상의 사정(예를 들면, 남편이 당시 교도소에서 복역하고 있었다는 등)이 있는 경우에는 적출 추정이 미치지 않는 자녀로서 적출 부인의 소에 의하지 않아도 친자 관계 부존재 확인 소송을 제기할 수 있다고 되어 있다. 이 소송은 출소 기간의 제한 없이 확인의 이익이 있으면 누구라도 제기할 수 있고 또한 형성 소송이 아닌 친자 관계의 존부를 확인하는 취지의 소송이기 때문에 적출 추정이 미치지 않는 부자 관계의 존재 여부에 대해서는 이 소송에 의하지 않고 별소의 전제 문제로서도 주장할 수 있다고 해석된다.

아내가 혼인 중에 임신한 자녀에 관한 친자 관계 부존재 확인 소송은 위 외관상의 사정이 인정되는 경우에만 예외적으로 인정되는 것이며 소송에서는 위 외관상의 사정의 존재가 인정된 경우에 비로소 혈액 검사나 DNA 검사 등에 의한 생물학상의 부자 관계의 존재 여부에 관한 사실 입증의 단계로 나아가게 된다(위 외관상의 사정이 인정되지 않는 경우에는 친자 관계 부존재 확인에 관한 소는 그 단계에서 각하되어 혈액 검사나 DNA 검사 결과가 증거로 제출되어도 의미를 가지지 않는 것으로 된다).

3 이에 대해서 위 외관상의 사정이 없어도 DNA 검사 등의 결과 생물학상의 부자 관계의 부존재가 분명한 경우에는 친자 관계 부존재 확인 소송의 제기를 인정한다고 하는 견해가 있는데 이에 찬성할 수는 없다. 이 생각은 사실대로 말하면 외관상 남편과의 성관계의 여지가 없는 아내가 출산한 자녀인 것을 알 수 있는 특수한 경우에 한하지 않고 외관상 부부가 있는 극히 일반적인 가정에서 태어난 자녀라도 우연히 어떤 기회에 DNA 검사를 했는데 생물학상 부자 관계가 없는 것이 판명된 경우에는 언제나 이해관계가 있기만 하면 누구라도 친자 관계 부존재 확인 소송을 제기해서 그 부존재를 확인하는 판결을 받을 수 있다는 것이다. 이 입장은 법률상의 친자는 생물학상의 혈연으로만 연결되어 있다는 것과 동일한 것이며, 민법 772조의 문리와 그 동안 여러 건에 걸친 본 심판례와 조화되지 않는 것이다.

4 또한 위 3처럼 혈연관계를 특별히 중시하는 견해 외에, ① DNA 검사 등의 결과 과학적 증거에 의해 생물학상의 부자 관계의 부존재가 분명하게 된 것에 덧붙여, ② 법률상의 아버지와 이루고 있는 가정이 이미 파탄에 이르러서 자녀의 출생의 비밀이 드러나게 된 경우, 그리고 ① 및 ②의 요건에 덧붙여, ③ 생물학상의 아버지와 새 가정을 형성하고 있는 경우 또는 생물학상의 아버지와의 사이에서 법률상의 친자 관계를 확보할 수 있는 상황에 있는 경우에는 친자 관계 부존재 확인 소송이 인정된다고 하는 견해가 있지만 다음과 같이 이러한 견해에 대해서도 찬성할 수 없다.

② 및 ③의 요건에 관한 사실 유무의 판단 기준 시는 친자 관계 부존재 확인 소송의 구두 변론 종결 시일 것이다. 이러한 견해에서는 당해 구두 변론 종결 시에 ② 또는 ③의 요건에 관한 사실이 인정되지 않는 경우에는 DNA 검사 등의 결과에 의해 생물학상의 부자 관계의 부존재가 분명하다고 해도 친자 관계 부존재 확인 청구는 인정되지 않는다. 이 경우에는 DNA 검사 결과에 포함되는 중대

한 사생활 정보가 소송의 자리에 제출되어 가정의 평화가 훼손되었다는 결과만 남게 된다.

또한 위 본 심판례에 근거한 판단에서는 아내의 임신 가능 시라고 하는 과거의 일정 시점을 기준시로 하여 위 외관상의 사정이 존재했는지 여부를 판단하는 것으로 판단의 대상이 되는 사실이 존재하는 시점은 고정되어 있다. 그러나 ② 또는 ③의 요건에 관한 사실 유무를 고려하는 생각은 적출추정이 미치는지 여부의 판단에 구두 변론 종결 시라는 장래의 불확정한 시점의 사실 유무를 가지고 들어오는 것으로 당해 심판례와는 그 발상에서 크게 다른 것이다. 예를 들면 남편이 DNA 검사 결과를 앞세워 부자 관계를 부정하려는 경우 등을 생각해 보면, ②의 요건에 관한 사실은 쉽게 인정할 수 있다고 생각되지만, 구두 변론 종결 시의 ②의 사실의 존재 여부가 심리의 대상이 됨으로써, 당사자가 의도적으로 가정 붕괴를 시도할 경우도 있을 수 없는 것은 아니다. 또한 ③의 요건에 관한 사실에 대해서는 평가적 요소가 많고 그 근거가 되는 사실로는 어머니와 생물학적인 아버지와의 재혼 · 동거와 생물학상의 아버지가 판명되어 그 사람이 자녀를 인지하는 의사를 표명하는 것 등을 들 수 있다. 그러나 남녀의 관계는 변할 수 있는 것이며 소송 계속 중에도 사정은 다양하게 변동하여 겨우 구두 변론 종결 시에 근거가 되는 사실이 인정된다고 해도 판결 후에 다시 사정이 변동하지 않는다는 보장이 없다. 또한 친자 관계 부존재 확인 청구가 일단 기각된 경우에 '전소에서는 ② 또는 ③의 사실이 인정되지 않았지만 현 단계에서는 인정된다.'고 주장하여 재소(再訴)가 반복되는 것을 방지하는 방도조차 불분명하다.

② 및 ③의 요건에 관한 사실을 고려하는 생각은 말하자면 법의 빈틈 속에서 고립되어 있는 자녀의 복지를 실현하기 위한 궁리로서 그 자세를 평가할 수 있지만 위와 같이 자녀의 신분 관계를 불안정하게 하는 등 큰 문제가 있어서 DNA 검사 결과를 과대하게 중시하고 있는 것으로 생각되는 것은 어쩔 수 없다.

5 그런데 거기에 이르는 경위야 어떻든 사적으로 DNA 검사가 실시되어 버려서 그 결과 생물학상의 부자 관계가 존재하지 않는다는 사실이 이미 법정에 나타나 버린 이상은 그 사실을 인정하여 거기에서 출발하는 수밖에 없다는 의견이 있다. 그러나 그러한 경위는 우연히 일어난 것이 아니라 먼저 DNA 검사라는 강력한 증거를 얻고 이를 앞세운다면 소송의 귀추가 유리할 것이라는 당사자의 의도에 근거한 것이라는 점도 있고 그 사실을 과대하게 고려하는 것에도 의문이 있다. 재판소가 사적으로 이루어진 DNA 검사 결과를 보고, "생물학상 확실한 사실이 판명된 이상은 어쩔 수 없다."는 자세를 취한다면 DNA 검사의 결과만이 법정을 지배하는 것으로 될 것이다.

다수 의견(보충 의견을 포함한다)도 반대 의견도 입장은 달라도 현재 및 장래를 염두에 두고, 자녀의 복지를 포함하는 가족 전체의 행복의 실질적인 실현을 꾀하고 있는 데에는 차이가 없다. 마찬가지로 법률상의 아버지, 어머니 및 생물학상의 아버지도 자녀의 장래를 걱정하고 행복을 염원하고 있다고 생각된다. 그러나 특히 본건처럼 연령적으로 보아 자녀의 의사를 확인할 수 없는 단계에서, 지금까지 아버지로서의 자각과 책임감에 따라 자녀를 키워 온 상고인의 의사를 무시하고 DNA 검사 결과에 근거하여 자녀의 장래를 결정해 버리는 것에는 주저를 느낀다. 특히, 법률상의 아버지와 어머니 사이에서 아직 이혼 또는 혼인 파탄의 경위에 얽힌 감정적인 대립이 계속되고 있는 상태에서, 자녀의 의사를 확인하지 않고 그 부자 관계를 결정하는 것은 적절치 않다고 생각한다. 이러한 관점에서 보면 자녀가 충분히 성장하여 적절한 판단력을 갖추고 자기 결정권을 행사할 수 있게 된 후에 스스로 부자 관계를 소송에서 다투는 기회를 마련한다고 하는 것도 생각할 수 있는데 이는 해석의 틀을 초월한 입법론이라고 해야 할 것이다.

과학 기술의 진보에 따라 그것을 효과적으로 이용할 필요가 있다는 것은 말할 필요도 없지만 DNA는 인간의 존엄에 관한 중요한 정보이므로 결코 남용해서는 안 된다.

우연히 DNA 검사를 해 본 결과 어느 날 갑자기 지금까지 존재하는 것으로 신뢰해 온 법률상의 부자 관계가 존재하지 않는 것으로 이어지는 법 해석을 제시하는 것은, 부부 · 친자 관계의 안정을 파괴하는 것이 되어 자녀가 태어나면 바로 DNA 검사를 하지 않으면 평생에 걸쳐 불안정한 상태가 해소되지 못할 수도 있다. 이러한 중요한 사항에 대해서 법 해석으로 대응할 수 없는 새로운 규범을 만든다면 국민 가운데에서 충분히 논의를 한 후에 입법을 하는 수밖에 없다.

재판관 가네쓰키 세이지의 반대 의견은 다음과 같다.

나는 다수 의견과 달리 본건에서 친자 관계 부존재 확인 청구를 인정한 원판결의 결론은 상당하여 이를 유지해야 한다고 생각한다.

1 본건은 아내 A가 남편 B와의 혼인 중에 임신한 자녀에 대해서 B 이외의 남성 C가 그 생물학상의 아버지일 확률이 99.999998%인 것으로 되어 있는데, 출산 후 약 1년 3개월 후에 A와 B는 자녀의 친권자를 A로 정하여 협의 이혼하여 현재 A는 자녀와 함께 C와 생활하고 있고 자녀가 A를 법정대리인으로 하여 B를 상대로 친자 관계 부존재 확인 소송을 제기한 사안이다.

다수 의견은 이러한 사정이 있어도 자녀의 신분 관계의 법적 안정을 유지할 필요가 당연히 없어지는 것은 아니고 또한 아내가 그 자녀를 임신하였을 시기에 이미 부부가 사실상의 이혼을 하여 부부의 실체를 잃어버리거나 원격지에 거주하여 부부 사이에 성관계를 가질 기회가 없었던 것이 분명하다는 등 이른바 외관설이, 민법 774조 이하의 규정에 불구하고, 친자 관계 부존재 확인 소송으로 남편과 자녀 사이의 부자 관계의 존재 여부를 다툴 수 있다고 하는 사정도 인정되지 않으므로 본건 소는 적법하지 않다고 한다.

따라서 본건의 결론을 좌우하는 점은 법률상의 부자 관계의 확정에서 혈연을 어떻게 자리매김하게 할지, 자녀의 복지의 관점에서 아버지의 확보 문제를 어떻게 생각해야 할지, 적출 추정을 받는 자녀에 대해서는 외관설이 인정되는 경우 이외에 친자 관계 부존재 확인 소송은 전혀 인정되지 않느냐 하는 것이라고 생각한다.

2 법률상의 부자 관계가 생물학상의 부자 관계와 일치하지 않는 경우가 생기는 것을 민법이 용인하고 있는 것은 다수 의견이 지적하는 대로이지만 민법이 생물학상의 부자 관계를 가지고 본래의 부자 관계로 보는 것은 혈연관계의 유무가 적출 부인의 이유의 유무나 인지의 유효성을 결정하는 사유로 되어 있는 것에서도 분명할 것이다.

본건에서 자녀는 C와 생물학상의 부자 관계를 가지고 B와는 그 관계를 가지지 않는 것이 증거상 과학적으로 확실하고 그것이 법정에서 분명하게 되어 있다. 하지만 B로부터 적출 부인의 소가 제기되지 않은 결과 또한 B가 부자 관계 해소에 동의하지 않는 상황에서 후술하는 합의에 상당하는 심판도 성립할 전망이 없기 때문에, 만약 친자 관계 부존재 확인 소송이 인정되지 않는다면 B와는 법률상의 친자 관계를 해소할 수 없으며, C와의 사이에 법률상의 친생자 관계를 성립시킬 수 없다. 혈연관계가 있는 아버지를 알고 있으며, 그 아버지와 생활하고 있는데도 법률상의 아버지는 B라고 하는 상태가 계속되는 것이다. 과연 이것이 자연스러운 상태일까, 안정된 관계라고 할 수 있을까. 확실히 부모와 자녀는 혈연만의 결속은 아니지만 본건처럼 혈연관계에 있고 동거하고 있는 아버지와 그렇지 않은 아버지가 나타나고 있는 상황에서는 보통 전자의 부자 관계가 보다 안정적이고 영속적이라고 해도 좋을 것이다. 자녀의 양육 감호라고 하는 점에서 봐도 본건과 같은 상황에 있는 경우, B가 자녀의 양육 감호에 실질적으로 관여하는 것은 사실상 어려울 것이다. 또한 장래 B의 상속 문제가 발생했을 때 B의 다른 상속인은 자녀가 C가 아니라 B의 친자녀로서 상속인이 되는 것을 납득할 수 있을까.

C와 친자가 되고 싶다면 입양을 하면 된다는 의견도 있지만, 법적인 효과에는 차이가 없다고 해도 심정적으로는 친자 관계와 다른 점이 있을 것이다. 혈연관계가 없는 B와의 법률상의 부자 관계가 남는다는 것도 자녀의 생육에 있어서 심리적, 감정적인 불안정 요인을 주게 되지 않을까. 게다가 B와의 법률상의 부자 관계가 해소되지 않는 한, C에게 인지를 요구하는 방법으로, 자녀가 자신이 주도권을 가지고 C와의 법률상의 부자 관계를 구축할 수 없는 것이며, B에 대한 친자 관계 부존재 확인 소송을 인정하지 않는 것은 자식으로부터 그러한 아버지를 요구하는 권리를 빼앗아 간다는 측면이 있음을 경시해서는 안 된다고 생각한다. 그리고 동시에 본건과 같은 경우에는 B와의 법률상의 부자 관계가 해소된다고 해도 즉시 C라고 하는 아버지를 확보할 수 있는 상황에 있다고 할 수도 있다.

3 민법이 적출 추정을 받는 자녀에 대해서 원고 적격 및 제소 기간을 엄격히 제한한 적출 부인의 소에 의하여야 할 것으로 하고 있는 이유는 가정 내의 비밀과 평온을 보호하는 동시에 신속히 부자 관계를 확정하여 자녀의 보호를 도모하는 데 있다고 해석하고 있다. 그러므로 부부 관계가 파탄에 이르러서 자녀의 출생의 비밀이 드러나 있는 경우에는 전자의 보호 법익은 상실되게 되고, 이에 덧붙여 자녀의 아버지를 확보한다는 관점에서도 친자 관계 부존재 확인 소송을 허용해도 된다고 생각되는 상황에도 있다면 적출 부인 제도에 의한 엄격한 제약을 미치게 하는 실질적인 이유는 존재하지 않을 것이다.

나는 과학적 증거에 의해 생물학상의 부자 관계가 부정된 경우에는 그것만으로 친자 관계 부존재 확인 소송을 인정해도 좋다고 하는 것은 아니고 본건처럼 부부 관계가 파탄에 이르러서 자녀의 출생의 비밀이 드러나 있고 생물학상의 아버지와의 사이에서 법률상의 친자 관계를 확보할 수 있는 상황에 있다는 요건을 충족한 경우에 이를 인정하도록 하자는 것이다. 적출 추정·부인 제도에 의한 부자 관계 확정의 기능은 그만큼 후퇴하는 것이 되지만 이 제도의 입법 취지에 실질적으로 반하지 않는 경우에만 예외를 인정한다는 것으로 이에 따라 이 제도가 공동화(空洞化)하는 것은 아니다. 형식적으로는 적출 추정이 미치는 경우에 대해서 실질적인 관점을 도입함으로써 적출 부인 제도의 예외를 인정한다는 점에서는 외관설과 다른 것은 아니다.

외관설을 넘어서 본건과 같은 사례에서의 친자 관계 부존재 확인 소송을 인정하면 그 요건이 불명확하게 된다는 비판이 예상되지만, 부부 관계의 파탄은 이혼 소송에서 일상적으로 인정의 대상으로 하는 요건이며, 자녀의 출생의 비밀이 드러나고 있는 것, 생물학상의 아버지와 법률상의 친자 관계를 확보할 수 있는 상황에 있다는 요건도 특히 불명확한 것은 아니라고 생각한다. 외관설은 일반적으로 말하면 부부 관계의 내부에 들어가지 않고 판단할 수 있어서 요건 해당성의 점에서도 명확한 경우가 많다고 할 수 있는데 예를 들면 최고재판소 平成7年(オ)第1095号 平成10年 8月 31日 제2소법정 판결·재판집 민사 189호 437쪽의 사안에서는 성관계 내지 그 기회의 유무 등을 인정하여 혼인 실체의 존재 여부를 판단하고 있는 것이어서 이러한 경우에는 요건의 명확성의 차이는 별로 없다고 할 것이다.

친자 관계 부존재 확인 소송에 대해서는 법률상의 이해관계가 있는 사람이면 누구라도 제기할 수 있다고 되어 있는 것이 그 적용 범위를 넓히는 데 소극적인 태도를 취하는 이유가 될 수 있다고 생각된다. 인사소송인 친자 관계 부존재 확인 소송에 대해서 이 점을 일반적인 법률관계 부존재 확인 소송과 똑같이 생각해야 할지는 의문이며, 최고재판소 平成7年(オ)第2178号 平成10年 8月 31日 제2소법정 판결·재판집 민사 189호 497쪽의 후쿠다(福田) 재판관의 의견을 경청해야 한다고 생각하는데, 본건의 논점은 아니므로 들어가지 않는다. 오히려 본건에서는 어머니가 자녀의 법정대리인으로 소송을 제기하고 있는 것에 대해서 정말 자녀의 이익을 고려한 것인지 의문을 제기하는 경향이 있을지도

모른다. 그 점에 의심이 있는 사안에서는 자녀에게 특별대리인을 선임하는 것이 적당할 것이다. 원래의 원인이 아내의 불륜에 있으므로 본건 친자 관계 부존재 확인 소송을 인정하는 것에 주저를 느낄 수 있을지 모르지만 이 점은 외관설에서도 마찬가지이며 부자 관계의 확정이라는 자녀가 그 정체성의 문제로서 최대의 이해관계를 갖는 사항에 대해서 그러한 사정이 소의 적부에 영향을 미치게 하는 것은 상당하지 않다고 생각된다.

4 신분법에서는 무엇보다도 법적 안정성을 존중해야 하고 법 규정으로부터의 괴리는 가급적 피해야 한다는 의견이 있는 것은 충분히 이해할 수 있지만 사안 해결의 구체적 타당성은 재판의 생명으로 본건과 같은 경우에 일반적, 추상적인 법적 안정성의 유지를 우선시키는 것이 좋다고 생각되지는 않는다.

가정재판소의 실무에서는 가사사건절차법 277조(구 가사심판법 23조)의 합의에 상당하는 심판에 의해 적출 추정을 부정하는 방향에서 이러한 종류의 분쟁의 해결을 도모하는 경우가 적지 않고 외관설의 틀에 들어가지 않는 운용도 이루어지고 있다고 소개하는 문헌도 있다. 이러한 운용이 이루어지고 있다면 구체적으로 타당한 해결을 도모하는 목적으로 적출 부인 제도의 엄격성을 회피하기 위해 탄생한 운용이 아닌가 생각된다. 본건과 같은 사안의 해결에서도 민법 772조에 의해 추정되는 아버지의 의사가 결정적으로 중요하다고 생각한다면 별론이겠지만 그렇다고는 생각 할 수 없는 것으로 이러한 합의에 상당하는 심판의 운용과, 본건에 있어서 친자 관계 부존재 확인 소송을 인정하는 것과의 거리는 그리 멀지 않은 것으로 생각한다.

또한 친자 관계 부존재 확인 소송이 적법한 경우를 확장하면 DNA 검사의 강제나 남용적인 이용으로 이어지는 것이 아닐까 우려하는 경향도 있는 것 같지만, DNA 검사는 현재 이미 인지 소송 등에서 뿐만 아니라 소송 이외의 상황에서도 널리 이용되고 있으며, 본건과 같은 친자 관계 부존재 확인 소송을 인정할지 여부에 상관없이 남용적인 이용에 대한 우려는 존재하고 있다. 남용 방지 등을 위해 입법 내지 법 해석상 일정한 규제가 필요하다면 그것은 그것으로 검토해야 할 것이다. 본건에서 강제나 남용적인 이용의 문제가 있는 것은 아니며 DNA 검사 결과 친자 관계 유무가 분명하게 되는 것은 남용적인 이용 등이 없어도 향후에도 생길 수 있기 때문에 본건에서 친자 관계 부존재 확인 소송을 인정할지 여부의 문제와는 분리하여 생각해야 한다고 생각한다.

재판관 시라키 유의 반대 의견은 다음과 같다.

나는 다수 의견과 달리 본건에서 친자 관계 부존재 확인 청구를 인정한 원판결의 결론은 상당하고 이를 유지하여야 한다는 가네쓰키 재판관의 의견에 찬성한다.

1 민법 규정은 원칙적으로 혈연이 있는 곳에 친자 관계를 인정하도록 하는 것이라고 생각되지만 법문상은 아내가 혼인 중에 임신한 자녀는 남편의 자녀로 추정하게 되어(772조 1항), 남편의 자녀라는 추정을 뒤집을 수 있는 것은 남편에 의한 적출 부인의 소에 의해서 뿐이고 남편 이외의 누구도 이 소송을 제기할 수 없게 되어 있고 남편에 의한 적출 부인의 소의 제소 가능 기간도 자녀의 출생을 안 때로부터 1년 이내에 한하는 것으로 되어 있다(774조 이하). 즉, 제도적으로는 1년의 제소 기간을 경과하면 남편의 자녀가 아닌 것이 분명한 경우라도 법적으로 부자 관계를 다투는 것은 일체 허용되지 않는 것으로 되어 있다.

이러한 제도가 마련된 이유로, 하나는 가정의 평화를 유지할 필요가 있다는 점, 둘째는 법률상의 부자 관계를 조기에 확정할 필요가 있다는 점 등이 지적되고 있다. 그 배경에는 모자 관계는 임신 · 분만이라는 외형적인 사실에 의해 확인될 수 있는 것에 대해서 부자 관계를 증명하기란 매우 어렵다는 사정도 있었다고 생각한다.

2 그러나 부자 사이의 혈연의 존재 여부를 밝히고, 그것을 호적에도 반영시키고자 하는 사람으로서의 심정도 법률론으로서 무시할 수 없다. 그래서 본 심판례는 아내가 자녀를 임신하였을 시기에 이미 부부가 사실상의 이혼을 하여 부부의 실체를 잃어버리거나 원격지에 거주하여 부부 사이에 성관계를 가질 기회가 없었던 것이 분명하다는 등의 사정이 존재하는 경우에는 그 자녀는 실질적으로는 민법 772조 1항의 부자 관계의 추정을 받지 않는다고 해 왔다(다수 의견이 인용하는 昭和44年 5月 29日 제1소법정 판결 이하의 3개의 최고재판소 판결 참조). 이것은 민법이 규정하는 제도가 이제는 원래의 모습 그대로는 유지할 수 없는 사태에 이르고 있음을 의미한다고 할 수 있다.

3 최근 과학 기술의 진보는 매우 눈부시고 예컨대 DNA에 의한 개인 식별 능력은 이미 궁극의 경지에 이른 것으로 알려졌다. 검사 방법에 의하면 특정 DNA형이 출현하는 빈도는 약 4조 7000억명에 한 명이 되었다고 한다. 세계의 인구는 약 70억명으로 추정되기 때문에 확률적으로는 동일 DNA형을 가진 인간은 지구상에 존재하지 않는 셈이다. 이 기술에 의해 부자 사이의 혈연의 존재 여부가 거의 오류 없이 분명해지게 되었으나 그러한 것은 민법 제정 당시에는 전혀 상정하지 못한 것으로 부자 사이의 혈연의 존재 여부를 밝히고 그것을 호적에도 반영시키고자 하는 인정(人情)은 점점 고조되어 왔다고 할 수 있다.

4 이상의 사정을 감안하면 민법이 규정하는 적출 추정 제도 내지 구조와 진실한 부자의 혈연관계를 호적에도 반영시키고자 하는 인정(人情)을 적절히 조화시키는 것이 필요하다고 생각한다. 그 실현

은 입법적인 수단을 기다리는 것이 바람직하다는 것은 말할 필요도 없지만, 날마다 일어나는 새로운 사태에 대처하기 위해서는 조만간 각 사안별로 적절하고 타당한 해결책을 찾게 할 필요성도 부정할 수 없다. 본건에서는 부부 관계가 파탄에 이르러서 자녀의 출생의 비밀이 드러나 있고 혈연관계가 있는 아버지와의 사이에서 법률상의 친자 관계를 확보할 수 있는 상황에 있다는 점을 중시하여 자녀가 제기한 친자 관계 부존재 확인 소송을 인정하는 것이 상당하다고 생각한다.

◇ 재판장 재판관 白木勇 재판관 桜井龍子 재판관 金築誠志 재판관 横田尤孝 재판관 山浦善樹

(2) 사례 2

본건도 사례 1과 유사한 사안으로 피상고인이 상고인(피상고인의 어머니의 전 남편)에게 피상고인의 어머니는 상고인과의 혼인 중에 피상고인을 임신하여 출산했지만 임신 당시 피상고인의 어머니는 상고인과 성관계를 가지지 않아 피상고인은 상고인의 자녀가 아니라고 하여(민법 772조의 적출 추정이 미치지 않는다고 하여) 피상고인과 상고인 사이에 부자 관계가 존재하지 않는 것의 확인을 요구한 사안이다.

원심은 "적출 추정이 배제되는 경우를 아내가 남편의 아이를 임신할 가능성이 없는 것이 외관상 명백한 경우에 한정하는 것은 상당하지 않다. 민법이 혼인관계에 있는 어머니가 출산한 자녀에 대해서 부자 관계를 다투는 것을 엄격히 제한하려고 하는 취지는 가정 내의 비밀과 평온을 보호하는 동시에, 평온한 가정에서 양육을 받아야 할 자녀의 이익이 부당하게 훼손되는 것을 방지하는 데 있다고 해석되므로, 이러한 취지가 훼손되지 않는 특별한 사정이 인정되고 생물학상 친자 관계의 부존재가 객관적으로 명백한 경우에는 적출 추정이 배제되어야 한다. 상고인과 피상고인 사이의 생물학상 친자 관계의 부존재는 과학적 증거에 의해 객관적이고 명백하게 증명되고 있으며 또한 상고인과 피상고인의 어머니는 이미 이혼하여 별거하고, 피상고인이 친권자인 피상고인의 어머니의 아래에서 감호되고 있는 등의 사정이 인정되므로 본건에서는 적출 추정이 배제된다고 해석하는 것이 상당하고 본건 소는 적법하다고 할 수 있다."고 판시하여 적출 추정이 미치지 않는다고 보았다.

그러나 최고재판소는 "남편과 자녀 사이에 생물학상 부자 관계가 인정되지 않는 것이 과학적 증거에 의해 분명하고 또한 남편과 아내가 이미 이혼하여 별거하고 자녀가 친권자인 아내 밑에서 감호되고 있다는 사정이 있어도 자녀의 신분 관계의 법적 안정을 유지할 필요가 당연히 없어진 것은 아니므로 위 사정이 존재한다고 해도 민법 777조에 의한 적출의 추정이 미치지 않는 것으로 할 수 없으며 친자 관계 부존재 확인 소송으로 당해 부자 관계의 존재 여부를 다투는 것이 가능하지 않다고 해석하는 것이 상당하다."고 판시하여 적출 추정이 여전히 미친다고 보았다.

사례 2의 상고심 판결

재판연월일 平成26年[90] 7月 17日	**재판소명** 최고재판소 제1소법정
사건번호 平25(受)233号	**재판구분** 판결
사 건 명 친자 관계 부존재 확인 청구 사건	**재판결과** 파기자판

주 문

원판결을 파기하고 제1심 판결을 취소한다.

본건 소를 각하한다.

소송의 총 비용은 피상고인이 부담한다.

이 유

상고대리인 고지마 사치호(小島幸保), 도지 히토미(田路仁美)의 상고 수리 신청 이유에 대해서

1 본건은 호적상 상고인의 적출자녀로 되어 있는 피상고인이 상고인에게 제기한 친자 관계 부존재 확인 소송이다.

2 기록에 의해 인정되는 사실 관계의 개요 등은 다음과 같다.

(1) 상고인과 갑은 2004년 ○월 ○일 혼인 신고를 했다.

상고인은 2007년 ○월부터 단신 부임을 하고 있었는데 단신 부임 중에도 갑이 거주하는 집에 월 2, 3회 정도 돌아갔다.

---

90) 2014년

(2) 갑은 2007년 ○월 무렵 을과 알게 되어 을과 친밀하게 교제하게 되었다. 그러나 갑은 그 무렵에도 상고인과 함께 여행을 하는 등 하여 상고인과 갑의 부부의 실태가 상실된 것은 아니었다.

(3) 상고인은 2008년 ○월 ○일 무렵 갑으로부터 임신했다는 사실을 들었다.

갑은 2009년 ○월 ○일 피상고인을 출산했다. 상고인은 피상고인을 위해 보육원 행사에 참가하는 등 하고 피상고인을 감호 · 양육하고 있었다.

(4) 상고인은 2011년 ○월 무렵 갑과 을의 교제를 알았다.

갑은 그 해 ○월경 피상고인을 데리고 집을 나가 상고인과 별거하고 그 해 ○월 무렵부터 피상고인과 함께 을 및 그 전처와의 사이의 아이 둘과 동거하고 있다. 피상고인은 을을 '아버지'라고 부르며 순조롭게 성장하고 있다.

(5) 피상고인 측에서 2011년 ○월에 사적으로 한 DNA 검사 결과에 의하면 을이 피상고인의 생물학상의 아버지일 확률은 99.99%인 것으로 되어 있다.

(6) 갑은 2011년 12월 피상고인의 법정대리인으로 본건 소송을 제기했다.

(7) 갑은 상고인에게 2012년 4월 무렵에 이혼조정을 신청했지만 그 해 5월에 불성립되어 그 해 6월에 이혼 소송을 제기했다.

3 원심은 다음과 같이 판단하여 본건 소의 적법성을 긍정하고 피상고인의 청구를 인용해야 한다고 했다.

본건에서는 위의 DNA 검사 결과에 의하면 피상고인이 상고인의 생물학상의 자녀가 아닌 것은 명백하다. 또한 상고인도 피상고인의 생물학상의 아버지가 을인 것 자체에 대해서 적극적으로 다투지 않은 것이나 현재 피상고인이 갑과 을에게 양육되어 순조롭게 성장하고 있는 것에 비추어 보면 피상고인에게는 민법 772조의 적출 추정이 미치지 않는 특별한 사정이 있는 것으로 인정된다.

4 그러나 원심의 위 판단은 옳다고 인정할 수 없다. 그 이유는 다음과 같다.

민법 772조에 의해 적출의 추정을 받는 자녀에 대해서 적출임을 부인하기 위해서는 남편이 제기하는 적출 부인의 소에 의하여야 하고 이 소송에 대해서 1년의 출소 기간을 정한 것은 신분 관계의 법적 안정을 유지하는 데에서 합리성을 가지는 것이라고 할 수 있다[최고재판소 昭和54年(オ)第1331号 昭和55年 3月 27日 제1소법정 판결 · 재판집 민사 129호 353쪽, 최고재판소 平成8年(オ)第380号 平成12年 3月 14日 제3소법정 판결 · 재판집 민사 197호 375쪽 참조]. 그리고 남편과 자녀 사이에 생물학상 부자 관계가 인정되지 않는 것이 과학적 증거에 의해 분명하고 또한 남편과 아내가 이미 이혼하여 별거하고, 자녀가 친권자인 아내 밑에서 감호되고 있다는 사정이 있어도, 자녀의 신분 관계의 법적 안정을 유지할 필요가 당연히 없어진 것은 아니므로 위 사정이 존재한다고 해도 같은 조에 의한 적출의 추정이 미치지 않는 것으로 할 수 없으며, 친자 관계 부존재 확인 소송으로 당해 부자 관계의 존재 여부를 다투는 것이 가능하지 않다고 해석하는 것이 상당하다. 이렇게 해석하면 법률상 부자 관계가 생물학상 부자 관계와 일치하지 않는 경우가 생기게 되지만 같은 조 및 774조에서 778조까지의 규정은 이러한 불일치가 생기는 것도 허용하고 있는 것으로 해석된다.

무엇보다도 민법 772조 2항 소정의 기간 내에 아내가 출산한 자녀에 대해서 아내가 그 자녀를 임신하였을 시기에, 이미 부부가 사실상의 이혼을 하여 부부의 실체를 잃어버리거나 원격지에 거주하여 부부 사이에 성관계를 가질 기회가 없었던 것이 분명하다는 등의 사정이 존재하는 경우에는 위 자녀는 실질적으로는 같은 조의 추정을 받지 않는 적출자녀에 해당한다고 할 수 있으므로 이 법 774조 이하의 규정에도 불구하고, 친자 관계 부존재 확인 소송으로 남편과 위 자녀 사이의 부자 관계의 존재 여부를 다툴 수 있다고 해석하는 것이 상당하다[최고재판소 昭和43年(オ)第1184号 昭和44年 5月 29日 제1소법정 판결 · 민집 23권 6호 1064쪽, 최고재판소 平成7年(オ)第2178号 平成10年 8月 31日 제2소법정 판결 · 재판집 민사 189호 497쪽, 앞에 기재한 최고재판소 平成12年 3月 14日 제3소법정 판결 참조]. 그러나 본건에서는 갑이 피상고인을 임신한 시기에 이러한 사정이 있었다고는 인정되지 않고 달리 본건 소의 적법성을 긍정할 사정도 인정되지 않는다.

5 이상에 의하면 본건 소는 적법하지 않은 것이라고 하지 않을 수 없고 이것과 다른 원심의 판단에는 판결에 영향을 미치는 것이 분명한 법령 위반이 있다. 논지는 이유가 있고 원판결은 파기를 면치 못한다. 그리고 앞에서 설시한 바에 의하면 제1심 판결을 취소하고 본건 소를 각하해야 한다.

따라서 재판관 가네쓰키 세이지(金築誠志), 시라키 유(白木勇)의 반대의견이 있는 외에 재판관 전원 일치 의견으로 주문과 같이 판결한다. 덧붙여 재판관 사쿠라이 류코(桜井竜子), 야마우라 요시키(山浦善樹)의 보충의견이 있다.

재판관 사쿠라이 류코, 야마우라 요시키의 보충의견

최고재판소 제1소법정 平24(受)1402号 平成26年 7月 17日 판결과 동일하므로 생략한다(이 책 204~209쪽에 기재된 내용과 동일하다).

재판관 가네쓰키 세이지, 시라키 유의 반대의견

가네쓰키 세이지의 반대의견 중 이 책 209쪽의 "1 본건은 아내 A가 남편 B와의 혼인 중에 임신한 자녀에 대해서 B 이외의 남성 C가 그 생물학상의 아버지일 확률이 99.999998%인 것으로 되어 있는

데, 출산 후 약 1년 3개월 후에 A와 B는 자녀의 친권자를 A로 정하여 협의 이혼하여 현재 A는 자녀와 함께 C와 생활하고 있고 자녀가 A를 법정대리인으로 하여 B를 상대로 친자 관계 부존재 확인 소송을 제기한 사안이다." 부분만 "본건은 아내 A가 남편 B와의 혼인 중에 임신한 자녀에 대해서 B 이외의 남성 C가 그 생물학상의 아버지일 확률이 99.99%로 되어 있는데 출산 후 약 2년 후에 B는 A의 불륜을 알고 그로부터 잠시 후에 A는 자녀를 데리고 B와 별거하여 현재 A는 자녀와 함께 C와 함께 생활하고 있으며 A가 제기한 이혼 소송 중인데 자녀가 A를 법정대리인으로 하여 B에 대하여 친자 관계 부존재 확인의 소를 제기한 사안이다."로 바뀌고 나머지 부분은 최고재판소 제1소법정 平24(受)1402号 平成26年 7月 17日 판결과 동일하므로 생략한다(이 책 209~214쪽에 기재된 내용과 동일하다).

◇ 재판장 재판관 白木勇 재판관 桜井竜子 재판관 金築誠志 재판관 横田尤孝 재판관 山浦善樹

3. 배우자에게 속아 친자가 아닌 아이를 친자로 알고 양육한 경우의 위자료 및 부당이득 반환 청구 허용 여부

(1) 피항소인에 대한 위자료 청구

항소인의 배우자인 피항소인은 항소인과 혼인 중에 항소인이 아닌 타인의 자녀인 A를 임신하여 출산한 후 그 후 20년가량에 걸쳐 A가 타인의 자녀인 것을 항소인에게 계속 숨기고 항소인으로 하여금 A를 양육 감호하도록 하였다. 항소인은 이로 인해 정신적 고통을 입었다고 주장하여 피항소인에게 3,700만 엔의 위자료를 청구하였다.

도쿄 고등재판소는 "전소(항소인이 피항소인에게 이혼과 위자료 지급을 청구한 소송) 항소심 판결은 항소인이 주장하는 사실을 인정한 뒤 항소인이 입은 정신적 고통에 대한 위자료로 600만 엔을 인용하고 나머지를 기각했다. 그리고 본소에서 항소인이 불법행위를 기초로 하는 사실로서 주장하는 것은 전소 항소심 판결의 사실과 같은 사실이다. 그렇다면 전소 항소심 판결은 본소의 불법행위를 기초로 하는 사실과 같은 사실을 평가하여 3,700만 엔의 위자료 청구 가운데 600만 엔이 넘는 부분의 위자료 청구를 배척한 것이므로 본소의 제기는 전소에서 주장되어 평가가 들어간 사실에 근거하여 위자료의 지불을 다시 청구하는 것과 다름없다. 한편 피항소인은 전소 항소심 판결에 따라 동일한 사실에 근거하여 위 금액을 넘는 배상 청구를 이제는 요구받는 일 없이 분쟁이 마무리되어 이제는 소송 기타 분쟁이 발생되는 일은 없을 것으로 신뢰하였다고 인정하는 것이 상당하고 그 신뢰는 법제도상 정당한 것으로서 보호되어야 할 것이므로 항소인이 본소를 제기하는 것은 위 신뢰 관계를 침해하는 것이고 적정 · 형평을 현저히 잃은 행위라고 할 수 있다. 본소는 전소에서 충분한 심리를 다한 뒤 사법 판단을 거쳐 마무리한 분쟁을 굳이 다시 반복하는 것이라고 하지 않을 수 없기 때문에 신의칙에 반하여 허용되지 않는 것으로 해석하는 것이 상당하다."고 판시하여 항소인의 위자료 청구 부분의 소를 각하하였다.

(2) 피항소인에 대한 부당이득 반환 청구

항소인은 A의 출생 시부터 A가 20세가 되는 동안에 항소인이 피항소인에게 교부한 A의 양육비 상당액 1,800만 엔을 피항소인이 부당이득 하였다고 주장하며 반환을 요구하였다.

도쿄 고등재판소는 "항소인이 A의 양육비를 지불한 것은 피항소인과의 혼인관계 계속 중의 일인데 법률상 항소인은 처인 피항소인과 적출자녀로 추정 받는 A에 대하여 혼인 비용을 부담하고(민법 760조), 위 양육비용도 그 일부로서 지불되고 있었으므로 이는 피항소인 및 A 어느 쪽과의 관계에서도 법률상의 원인에 근거하여 지급된 것으로 부당이득에 해당하지 않는다. 또한 항소인의 주장에 비추어 보아도 위 비용은 오로지 A의 양육에 투입된 것이라고 해야 하고 따라서 피항소인이 그 이득을 얻은 것이 아님은 분명하기 때문에 이 점에서도 피항소인이 항소인이 지불한 양육비 상당 손해에 대응하는 이득을 얻고 있는 것으로 볼 수 없다."고 판시하여 항소인의 청구를 기각하였다.

재판연월일 平成21年[91] 12月 21日	**재판소명** 도쿄(東京) 고등재판소
사건번호 平21(ネ)2050号	**재판구분** 판결
사 건 명 손해배상 등 청구 항소 사건	**재판결과** 원판결 일부 변경
상 소 등 상고, 상고 수리 신청(이후 상고 기각, 상고 수리 신청 불수리)	

주 문

1 원판결 주문 제1항을 다음과 같이 변경한다.

(1) 항소인의 청구 가운데 위자료 부분에 관한 소를 각하한다.

(2) 항소인의 나머지 청구를 기각한다.

2 항소인이 본 심에서 확장한 예비적 추가 청구에 관한 소를 각하한다.

3 본 심의 소송비용은 항소인이 부담한다.

사실과 이유

제1 청구

1 항소의 취지

(1) 원판결을 취소한다.

(2) 피항소인은 항소인에게 3,300만 엔 및 이 중 1,500만 엔에 대한 2005년 6월 25일부터, 이 중 1,800만 엔에 대한 1983년 10월 9일부터 각 다 갚는 날까지 연 5%의 비율에 의한 돈을 지불하라.

(단, 위 1,800만 엔에 관한 부분은 본 심에서 예비적 추가적으로 확장된 불법행위에 근거한 손해배상청구를 포함한다)

(3) 소송비용은 제1, 제2심 모두 피항소인이 부담한다.

(4) 가집행 선언

91) 2009년

2 항소의 취지에 대한 답변

(1) 본건 항소를 기각한다.

(2) 주문 2항과 같은 취지

(3) 항소비용은 항소인이 부담한다.

제2 사안의 개요

1 본건은 2006년 6월 1일 재판상 이혼이 이루어져 이혼한 전 남편인 항소인과 전처인 피항소인 사이의 이혼 소송이 끝난 후의 소송 사건이며, 항소인은 피항소인에게 아래와 같이 돈을 지불하라고 요구했다.

(1) 항소인의 적출자녀로서 키워 온 A(이하 'A'라 한다)가 항소인의 자녀가 아니라 피항소인과 그 부정행위의 상대 사이의 자녀인 것에 대해서 불법행위에 근거하여 위자료 1,500만 엔 및 이에 대한 불법행위 후의 날인 2005년 6월 25일부터 다 갚는 날까지 민법 소정의 연 5%의 비율에 의한 지연손해금

(2) A가 진실은 항소인의 자녀가 아니었던 것에 대해서 항소인이 A의 양육비 상당액으로 피항소인에게 교부했던 돈이 법률상의 원인 없이 지출한 것으로서 부당이득 반환 청구권에 근거하여 A가 성인에 이르기까지의 20년 동안에 걸쳐 피항소인에게 교부했다고 하는 양육비 상당액으로서 1,800만 엔의 반환 및 이에 대한 A가 출생한 날의 다음날인 1983년 10월 9일부터 다 갚는 날까지 민법 704조 소정의 법정 이자

(3) (본 심에서의 예비적 추가적 청구)

(2)의 양육비 상당액은 피항소인이 진실(A가 항소인의 자녀가 아닌 사실)을 은폐하고 지불할 필요가 없는 지출을 항소인에게 강요한 사기적 불법행위이고 위 1,800만 엔은 이러한 의미에서 불법행위로 인해 입은 재산적 손해라고 하여 (2)와 같은 액수의 금원

2 항소인의 위 각 청구에 대해서 원심은 위자료 청구에 대해서는 본소 사건의 위자료 청구와 전소의 위자료 청구는 소송물이 동일하고 부당이득 반환 청구에 대해서는 권리 남용으로서 허용되지 않는다고 하여 항소인의 청구를 모두 기각했는데 항소인은 이에 불복하여 항소를 제기했다.

3 전제사실(인정 사실 말미에 증거를 기재)

(1) 항소인과 피항소인은 1976년 1월 26일 혼인했다.

(2) 피항소인은 1983년 O월 O일 A를 출산하고 A는 항소인과의 사이에서 장남으로 출생 신고가 되었다.

(3) 피항소인은 2005년 항소인에게 이혼과 위자료의 지불을 청구하는 소[도쿄 가정재판소 平成17年(家ホ)第138号]를 제기하고 이에 대해 항소인은 피항소인에게 이혼과 위자료의 지불을 청구하는 반소[도쿄 가정재판소 平成17年(家ホ)第384号. 이하 본소와 아울러 '전소'라 한다]를 제기했다.

(4) 전소 제1심에서 A의 DNA 감정이 이루어져 2005년 6월 24일 무렵 항소인과 A 사이에 생물학적인 친자 관계는 존재하지 않는다고 하는 감정 결과가 나왔다(갑2, 을1).

(5) 도쿄 가정재판소는 양측의 각 이혼 청구를 인용했지만 위자료 청구에 대해서는 항소인의 피항소인에 대한 청구에 대해서만 400만 엔을 인용했다.

(6) 위 판결에 대해서는 양측에서 항소[도쿄 고등재판소 平成17年(ネ)第5955号, 부대항소 平成18年(ネ)第745号]가 있었고 도쿄 고등재판소는 2006년 5월 17일, 피항소인에게만 위자료 600만 엔 및 이에 대한 지연손해금의 지불을 명하고(이하 '전소 항소심 판결'이라 한다), 항소인과 피항소인은 같은 해 6월 1일 이 판결이 확정되어 재판상 이혼했다.

(7) 항소인이 신청한 친자 관계 부존재 확인 신청사건[도쿄 고등재판소 平成20年(家イ)第5368号]에 대해서 2008년 9월 22일 항소인과 A 사이에 친자 관계가 존재하지 않음을 확인하는 취지의 심판이 이루어졌다(갑2, 을2).

4 쟁점 및 당사자의 주장은 다음과 같이 덧붙이는 외에 원판결 '사실과 이유' 중의 '제5 쟁점에 관한 당사자의 주장'(원판결 4쪽 8줄부터 6쪽 1줄까지)에 기재된 대로이므로 이를 인용한다.

(1) 원판결 4쪽 12줄의 '쟁점 1에 대해서'를 '위자료 청구에 대해서'로 고친다.

(2) 원판결 5쪽 11줄의 '쟁점 2에 대해서'를 '부당이득 반환 청구에 대해서'로 고친다.

(3) 본 심에서의 예비적 추가적 청구에 대한 주장

[항소인]

A가 항소인의 자녀가 아닌 사실 및 그 사실을 A가 성인이 되기까지 은폐해 온 피항소인의 행위는 진실을 알리면 필요 없는 지출을 항소인에게 부득이 하게 한 사기적 불법행위이며 이를 위해 지출된 양육비 상당액은 재산적 손해이기 때문에 이를 청구한다.

[피항소인]

다툰다. 덧붙여 항소인은 전소 사건의 항소심에서 지금까지의 위자료 5,500만 엔의 주장을 경제적 손해 1,800만 엔과 정신적 손해(위자료) 3,700만 엔으로 변경하여 판단을 요구하며 전소 항소심 판결은 이를 판단하여 확정하고 있다.

제3 본 재판소의 판단

1 전술한 전제사실, ≪증거생략≫에 의하면 다음의 사실이 인정된다.

(1) 피항소인은 2005년 항소인에게 혼인을 계속하기 어려운 중대한 사유가 있다고 하여 이혼을 요구하는 동시에 혼인 중의 불법행위에 근거하여 위자료 500만 엔의 지불을 요구하는 소를 제기했다.

이에 대해 항소인은 피항소인에게 혼인을 계속하기 어려운 중대한 사유가 있다고 하여 이혼을 요구하는 동시에 혼인 중의 불법행위에 근거하여 위자료 5,500만 엔 및 항소인이 피항소인에 맡긴 금원을 피항소인이 착복하거나 유흥비로 소비한 데 따른 손해 배상금 1,500만 엔 그리고 이에 대한 지연 손해금을 요구하는 반소를 제기했다(이상이 전소이다).

(2) 전소 제1심의 절차에서 항소인과 A 사이의 친자 관계의 존재 여부에 관해 DNA 감정이 실시되어 2005년 6월 24일 무렵, 두 사람 사이에 생물학적인 친자 관계는 존재하지 않는다고 하는 감정 결과가 나왔다.

(3) 도쿄 가정재판소는 항소인과 피항소인 쌍방의 각 이혼 청구를 모두 인용하고 피항소인의 항소인에 대한 불법행위에 근거한 위자료 청구를 기각하고 항소인의 피항소인에 대한 불법행위에 근거한 위자료 청구에 대해서는 위자료 400만 엔 및 이에 대한 지연손해금의 지불을 요구하는 한도에서 인용하고 나머지 청구를 기각하는 취지의 판결을 선고했다.

(4) 위 판결에 대해서 항소인의 항소 및 피항소인의 부대항소가 있었고 항소인은 항소심에서 제1심에서의 위자료 5,500만 엔의 청구를 경제적 손해 1,800만 엔, 정신적 손해(위자료) 3,700만 엔의 청구로 변경했다. 그리고 경제적 손해에 대해서는 "항소인이 A 때문에 지출한 비용은 본래대로 한다면 부담할 필요가 없었던 것이며, 그 경제적 손해는 월 7.5만 엔(2005년 월 평균 자녀 양육비용)×12개월×20년으로 해서 1,800만 엔을 하회하는 것은 아니다."라고 주장하고 정신적 손해(위자료)에 대해서는 "피항소인은 부정관계를 가지고 그 결과 A를 임신하여 출산하고 그 후 20년 이상에 걸쳐 A가 항소인의 자녀라는 취지로 항소인을 계속 속이고 항소인에게 A를 양육 감호하도록 해 왔다. 이에 따라 항소인은 보통 사람으로서는 상상하기 힘든 정신적 고통을 맛보았고 앞으로도 계속 맛보는 것이다." 등으로서 "항소인이 입은 정신적 고통을 위자하려면 3,700만 엔이 상당하다."고 주장했다.

(5) 도쿄 고등재판소는 2006년 5월 17일, 피항소인에게 위자료 600만 엔 및 이에 대한 지연손해금의 지불을 명한 뒤 항소인의 나머지 청구를 모두 기각하고 피항소인의 부대항소를 기각하는 취지의 전소 항소심 판결을 선고했다. 이 판결은 2006년 6월 1일에 확정되었다.

(6) 전소 항소심 판결 중 항소인의 피항소인에 대한 위자료 청구를 일부 인용한 점에 관한 판시 내용은 "항소인과 피항소인의 혼인관계가 파탄에 이른 주된 원인은 피항소인이 혼인 직후에 부정행위

에 이르고 이어 1982년 무렵에도 부정행위에 이르러 A를 임신하여 출산하고 이를 약 18년 동안 항소인에게 계속 숨겼던 점에 있는 것이라고 해야 하므로 피항소인은 위 중대한 배신행위에 의해 혼인 파탄에 이르게 된 것에 대해서 항소인에게 불법행위에 따른 손해 배상 의무가 있다고 할 수 있다.", "위 피항소인의 불법행위에 의해 항소인이 받은 정신적 고통을 위자하려면 600만 엔이 상당하다고 인정된다."고 하였다. 또한 항소인의 청구에 관한 경제적 손해를 기각한 점에 관한 판시 내용은 "항소인과 A 사이에 생물학적 친자 관계가 없다고 해도 아내인 피항소인이 임신하여 출산한 A는 법률적으로 가족의 일원이자 일가의 주체로서 항소인이 그 생활비를 지출한 것에 대해서 이를 손해라고 할 수는 없다고 할 것이다."라고 하였다.

(7) 그 뒤 항소인은 도쿄 가정재판소에 A를 상대방으로 하여 친자 관계 부존재 확인 신청 사건을 신청하여 재판소는 2008년 9월 22일 항소인과 A 사이에 친자 관계가 존재하지 않음을 확인하는 취지의 심판을 하여 항소인과 A 사이의 법률상의 친자 관계도 부정되었다.

2 위자료 청구에 대해서

(1) 항소인은 전소 항소심 판결은 이혼 자체로 인한 위자료 청구를 인용한 것에 대해서 본소의 위자료 청구는 이혼 원인인 개별 유책 행위에 따른 위자료의 지불을 요구하는 것으로 소송물이 다르다고 주장하여 위 판결에서 인용된 위자료 600만 엔과는 별도로 위자료 1,500만 엔의 지불을 요구하고 있다.

그런데 이혼에 따른 위자료 청구는 상대방의 일련의 유책 행위로 인해 이혼을 피할 수 없게 된 것의 전체를 한 개의 불법행위로 하여 그로부터 생기는 정신적 고통에 대한 손해 배상 청구로 다루는 것이 일반적인데 그 경우 그 동안의 개별 유책 행위가 독립하여 불법행위를 구성하는지에 대해서는 당해 유책 행위가 성질상 독립해서 거론하는 것이 상당하다고 할 정도로 중대한 것인지, 이혼 위자료의 지불을 인정하는 전소에 의해 당해 유책 행위가 모두 평가된 것인지 여부에 의해 결정하는 것이 상당하다.

이를 본건에 대해서 보면 전술한 인정 사실대로 전소는 항소인이, 이혼의 주된 원인은 피항소인의 거듭된 부정행위에 있고 그 결과, 피항소인이 타인의 자녀인 A를 임신하여 출산한 후 그 후 20년 이상에 걸쳐 A가 타인의 자녀인 것을 항소인에게 계속 숨기고 항소인으로 하여금 A를 양육 감호하도록 하였으며 이에 따라 정신적 고통을 입었다고 주장하여 피항소인에게 3,700만 엔의 위자료 청구를 했으며, 전소 항소심 판결은 항소인 주장의 위 사실을 인정한 뒤 항소인이 입은 정신적 고통에 대한 위자료로 600만 엔을 인용하고 나머지를 기각했다는 내용이다. 그리고 본소에서 항소인이 불법행위를 기초로 하는 사실로서 주장하는 것은 전소 항소심 판결의 위 사실과 같은 사실이다.

그렇다면 전소 항소심 판결은 본소의 불법행위를 기초로 하는 사실과 같은 사실을 평가하여 3,700만 엔의 위자료 청구 가운데 600만 엔이 넘는 부분의 위자료 청구를 배척한 것이므로 본소의 제기는 전소에서 주장되어 평가가 들어간 사실에 근거하여 위자료의 지불을 다시 청구하는 것과 다름없다. 한편 피항소인은 전소 항소심 판결에 따라 동일한 사실에 근거하여 위 금액을 넘는 배상 청구를 이제는 요구받는 일 없이 분쟁이 마무리되어 이제는 소송 기타 분쟁이 발생되는 일은 없을 것으로 신뢰하였다고 인정하는 것이 상당하고 그 신뢰는 법 제도상 정당한 것으로서 보호되어야 할 것이므로 항소인이 본소를 제기하는 것은 위 신뢰 관계를 침해하는 것이고 적정 · 형평을 현저히 잃은 행위라고 할 수 있다. 이상의 여러 점에서 보면 본소는 전소와 실질적으로는 분쟁의 실체가 동일하거나 단순히 기판력에 저촉된다는 것에 그치지 않고 전술한 인정과 같이 충분한 심리를 다한 뒤 사법 판단을 거쳐 마무리한 분쟁을 굳이 다시 반복하는 것이라고 하지 않을 수 없기 때문에 신의칙에 반하여 허용되지 않는 것으로 해석하는 것이 상당하다.

(2) 이상의 사정이므로 항소인의 피항소인에 대한 위자료 청구에 관한 부분의 소는 적법하지 않다고 할 수 있다.

3 부당이득 반환 청구에 대해서

(1) 항소인은 전소 항소심 판결 확정 후 항소인과 A 사이에 친자 관계가 존재하지 않음을 확인하는 취지의 심판을 받은 점을 감안해 항소인이 A의 출생 시부터 A가 20세가 되기까지의 사이에 피항소인[92]에게 교부한 A의 양육비 상당액 1,800만 엔은 본래대로 한다면 부담할 필요가 없었던 것으로서 법률상의 원인 없이 지출을 강요당한 것이고 반면 피항소인이 같은 금액의 부당이득을 하고 있다는 취지로 주장한다.

그러나 항소인이 A를 위해서만 어느 시점에서 1,800만 엔에 이르는 양육비를 부담했는지에 대해 주장 입증은 없어 부당이득 반환 청구권에서의 항소인의 손실액 및 피항소인의 이득액의 쌍방에 대해 이를 구체적으로 확정할 수 없는 것이므로 우선 이 점에서 위 청구에는 문제가 있다.

더구나 항소인이 상당액의 위 양육비를 지출한 것은 사실이며 이를 모두 부정할 수는 없지만 그렇다고 해도 이러한 양육비 상당액을 목적으로 하는 부당이득 반환 청구는 법 규범의 요청과 어울리지 않는다고 해야 할 것이며 이러한 청구를 용인할 수 없다. 즉, 우선 항소인이 A의 양육비를 지불한 것은 피항소인과의 혼인관계 계속 중의 일인데 법률상 항소인은 처인 피항소인과 적출자녀로 추정을 받는 A에 대하여 혼인 비용을 부담하고(민법 760조), 위 양육비용도 그 일부로서 지불되고 있었으므로 이는 피항소인 및 A의 어느 쪽과의 관계에서도 법률상의 원인에 근거하여 지급된 것으로 여기에 부당

92) 원문에는 '항소인'으로 되어 있으나 문맥에 비추어 '피항소인'의 오기가 분명하다.

이득의 관념을 넣을 여지는 없고 위 양육비 상당액에 대해서 부당이득에 관계되는 손실 내지 이득을 관념할 수 없다.

또한 항소인의 주장에 비추어 보아도 위 비용은 오로지 A의 양육에 투입된 것이라고 해야 하고 따라서 피항소인이 그 이득을 얻은 것이 아님은 분명하기 때문에 이 점에서도 피항소인이 항소인이 지불한 양육비 상당 손해에 대응하는 이득을 얻고 있다는 것을 관념할 수는 없다.

그리고 무엇보다도 부당이득의 법리는 공평의 이념에 근거하여 법률상의 원인 없이 발생한 이득자와 손실자 사이의 균형을 꾀한다고 하는 것인데 그것은 한쪽이 이득을 얻고 다른 쪽이 그 결과 손실을 입고 있는 상태를 방치해 두는 것을 정당화하지 않는 상태, 즉 전체 법질서가 옳다고 인정하지 않는 위법 상태로 보아 이를 시정하려는 것으로 해석된다. 이러한 부당이득의 위법 상태가 있는지를 본건에 대해 보자. 조사를 마친 전체 증거 및 변론의 전체 취지에 의하면 항소인과 A의 관계는 적어도 A가 친자녀가 아니라는 것이 발각된 거의 성인에 이르는 연령까지는 아버지와 아들로서 양호한 친자 관계가 형성되어 왔고 그 사이 항소인은 친자녀라는 점을 제외하고 보더라도 A를 한 명의 사람으로서 키운 것이며 그 과정에서는 경제적 비용의 부담과 기타 부모로서의 다양한 고민이나 어려움을 느끼면서도 이들의 이른바 대가로서 A가 탄생하여 유아기, 아동기, 소년에서 어른으로의 입구로 자라 가는 과정에 자식을 사랑하고 감호하고 양육하는 사람으로서 관여하면서 그 성장의 나날에 금전과는 바꿀 수 없는 더할 수 없는 기쁨과 감동을 A로부터 받은 것은 부정할 수 없다. 또한 양육을 받은 데 대해서 A에게는 아무런 책임이 없다. 이렇게 보면 항소인이 A에게 양육비를 투입한 결과에 시정을 하지 않으면 법 규범이 허용하지 않는 위법한 불균형 상태가 있다는 등으로 해석할 수는 없다.

물론 스스로의 부정행위에 의해 낳은 타인의 자녀를 그렇다고 알리지 않은 채 이른바 속이고 항소인에게 자신의 자녀로 키우게 한 피항소인의 책임은 가볍지 않지만 이로 인해 항소인에게 준 정신적, 재산적 손해의 회복을 도모하는 민사법상의 법리로서는 불법행위 법리가 준비되어 있는 것이며 이에 의해 책임을 져야 할 것이다. 그리고 위 불법행위 책임에 대해서는 이미 전소 항소심 판결에 의해 해결했으며 항소인이 그 내용에 불만을 품고 있다고 해도 법 제도상으로는 이를 되풀이하는 것은 허용되지 않는다.

이상과 같이 어느 관점에서 검토해 보아도 항소인의 피항소인에 대한 양육비 상당액의 부당이득 반환 청구는 이유가 없다고 할 수 있다.

(2) 항소인은 위 부당이득 반환 청구가 허용되지 않는 경우에 예비적 추가적으로 불법행위에 근거하여 같은 금액의 경제적 손해 배상을 요구하지만 이것은 이미 전소 항소심에서 심리 판단되어 분명한 중복 소송으로 전술한 위자료 청구의 소에 대해서 말했던 대로이고 부적법한 소라고 해야 할 것이다.

4 따라서 항소인의 본건 각 청구 가운데 위자료의 지불을 요구하는 부분은 부적법하므로 이를 각하하고 나머지 청구는 기각해야 하며 항소인의 본건 각 청구의 전부를 기각한 원심 판결 중 이와 다른 부분은 상당하지 않으므로 그러한 취지의 원판결의 주문 제1항을 변경하고 또한 본심에서의 예비적 추가적 청구에 관한 소는 부적법하므로 이를 각하하여 주문과 같이 판결한다.

◇ 재판장 재판관 藤村啓　재판관 坂本宗一　大浜寿美

제10장

인지

1. 사실과 다른 인지를 한 사람의 인지 무효 주장 허용 여부

(1) 사례 1

민법 785조는 "인지한 아버지 또는 어머니는 인지를 취소할 수 없다."고 규정하여 인지한 사람에 의한 인지 취소를 금지하고 있다. 그런데 민법 786조는 "자녀 기타 이해관계인은 인지에 대해서 반대 사실을 주장할 수 있다."고 규정한다. 그렇다면 인지한 사람이 자신이 한 인지에 대해서 사실이 아니라고 하여 인지 무효를 주장할 수 있는지가 문제된다.

본건은 혈연상 부자 관계가 없다는 사실을 알면서도 상고인을 인지한 피상고인이 상고인에게 인지 무효 소송을 제기한 사안이다.

원심은 민법 785조 및 786조는 혈연상의 부자 관계가 없는 경우에도 인지자에 의한 인지 무효 주장을 허용하지 않는다는 취지까지 포함하는 것은 아니라는 등으로 피상고인에 의한 본건 인지 무효 주장을 인정하여 피상고인의 청구를 인용해야 한다고 했다.

최고재판소도 "인지자는 민법 786조에 규정하는 이해관계인에 해당하여 스스로 한 인지의 무효를 주장할 수 있다고 할 수 있다. 이 이치는 인지자가 혈연상의 부자 관계가 없다는 사실을 알면서 인지를 한 경우에도 다를 바는 아니다."라고 판시하였다. 그 논거로서 혈연상의 부자 관계가 없는데도 불구하고 이루어진 인지는 무효라고 해야 하는데 인지자가 인지하기에 이르는 사연은 다양하며 스스로의 의사로 인지한 것을 중시하여 인지자 자신에 의한 무효 주장을 일체 불허한다고 해석하는 것은 상당하지 않다는 점, 혈연상의 부자 관계가 없는데도 불구하고 이루어진 인지에 대해서는 이해관계인에 의한 무효의 주장이 인정되는 이상 인지를 받은 자녀를 보호한다는 관점에서 보아도 구태여 인지자 자신에 의한 무효 주장을 일률적으로 제한할 이유는 없고 구체적인 사안에 따라 필요가 있는 경우에는 권리 남용의 법리 등에 의해 이 주장을 제한할 수도 있다는 점, 그리고 인지자가 당해 인지의 효력에 대해서 강한 이해관계를 갖는다는 것은 분명하고 인지자에 의한 혈연상의 부자 관계가 없음을 이유로 하는 인지의 무효 주장이 민법 785조에 따라 제한된다고 해석할 수도 없다는 점을 들었다.

〈 민법 〉

(인지 취소의 금지)
제785**조** 인지한 아버지 또는 어머니는 인지를 취소할 수 없다.

(인지에 대한 반대 사실의 주장)
제786**조** 자녀 기타 이해관계인은 인지에 대해서 반대 사실을 주장할 수 있다.

재판연월일 平成26年[93] 1月 14日	**재판소명** 최고재판소 제3소법정
사건번호 平23(受)1561号	**재판구분** 판결
사 건 명 인지 무효, 이혼 등 청구 본소, 손해배상 청구 반소 사건	
재판결과 기각	

주 문

본건 상고를 기각한다.

상고 비용은 상고인이 부담한다.

이 유

상고대리인 나카지마 히로키(中島宏樹), 기타다테 아쓰히로(北舘篤広)의 상고 수리 신청 이유 제1에 대해서

1 본건은 혈연상 부자 관계가 없다는 사실을 알면서도 상고인을 인지한 피상고인이 상고인에게 인지 무효 소송을 제기한 사안이다.

2 원심이 적법하게 확정한 사실 관계의 개요 등은 다음과 같다.

(1) 피상고인은 2003년 3월 O일, 상고인의 어머니와 혼인하여 2004년 12월 O일, 상고인(1996년 O월 O일생)의 인지(이하 '본건 인지'라 한다)를 했다. 상고인과 피상고인 사이에는 혈연상 부자 관계는 없고 피상고인은 본건 인지를 한 때 그러한 사실을 알고 있었다.

(2) 상고인과 피상고인은 2005년 10월부터 함께 생활하게 되었지만 일관하여 사이가 좋지 않았으며 2007년 6월경 피상고인이 먼 곳에서 일하게 되었기 때문에 이후 따로 생활하게 되었다. 상고인과 피상고인은 그 후 거의 만나지 않고 있다.

(3) 피상고인은 상고인의 어머니에게 이혼 청구 소송을 제기하고 피상고인의 이혼 청구를 인용하는 판결이 이루어졌다.

93) 2014년

3 원심은 민법 785조 및 786조는 혈연상의 부자 관계가 없는 경우에도 인지자에 의한 인지 무효 주장을 허용하지 않는다는 취지까지 포함하는 것은 아니라는 등으로 피상고인에 의한 본건 인지 무효 주장을 인정하여 피상고인의 청구를 인용해야 한다고 했다.

4 소론은 인지자 자신에 의한 인지 무효 주장을 인정하면 변덕스러운 인지와 제멋대로인 무효 주장을 허용하게 되어 그 결과 인지에 의해 형성된 법률관계를 현저히 불안정하게 하고 자녀의 복지를 해치게 된다는 등으로서 혈연상의 부자 관계가 없다는 사실을 알면서도 본건 인지를 한 피상고인이 그 무효 주장을 하는 것은 허용되지 않는다는 것이다.

5 혈연상의 부자 관계가 없는데도 불구하고 이루어진 인지는 무효라고 해야 하는데 인지자가 인지하기에 이르는 사연은 다양하며 스스로의 의사로 인지한 것을 중시하여 인지자 자신에 의한 무효 주장을 일체 허용하지 않는다고 해석하는 것은 상당하지 않다. 또한 혈연상의 부자 관계가 없는데도 불구하고 이루어진 인지에 대해서는 이해관계인에 의한 무효의 주장이 인정되는 이상(민법 786조), 인지를 받은 자녀를 보호한다는 관점에서 보아도 구태여 인지자 자신에 의한 무효 주장을 일률적으로 제한할 이유는 없고 구체적인 사안에 따라 그 필요가 있는 경우에는 권리 남용의 법리 등에 의해 이 주장을 제한할 수도 있다. 그리고 인지자가 당해 인지의 효력에 대해서 강한 이해관계를 갖는다는 것은 분명하고, 인지자에 의한 혈연상의 부자 관계가 없음을 이유로 하는 인지 무효 주장이 민법 785조에 따라 제한된다고 해석할 수도 없다.

그렇다면 인지자는 민법 786조에서 규정하는 이해관계인에 해당하여 스스로 한 인지의 무효를 주장할 수 있다고 할 수 있다. 이 이치는 인지자가 혈연상의 부자 관계가 없다는 사실을 알면서 인지를 한 경우에도 다를 바는 아니다.

6 이상에 의하면 피상고인은 본건 인지의 무효를 주장할 수 있다고 하여 피상고인의 청구를 인용해야 한다고 한 원심의 판단은 옳다고 인정할 수 있다. 논지는 채용할 수 없다. 따라서 재판관 오하시 마사하루(大橋正春)의 반대의견이 있는 외에 재판관 전원 일치 의견으로 주문과 같이 판결한다. 덧붙여 재판관 기우치 미치요시(木内道祥)의 보충의견, 재판관 데라다 이쓰로(寺田逸郎)의 의견이 있다.

재판관 기우치 미치요시의 보충 의견은 다음과 같다.

나는 다수 의견에 찬성하지만 아래와 같이 보충하여 의견을 말한다.

인지자는 착오의 유무를 불문하고 인지 무효의 주장을 할 수 없다는 해석은 문리상 성립될 수 없는 것은 아니지만 메이지(明治)[94] 민법 입법 시에 인지의 무효 · 취소에 대해서는 충분한 논의가 이루어지고 있었다고는 할 수 없으며, 입법자가 이렇게 해석하고 있었는지 여부는 반드시 명확하지는 않다. 나는 진실에 반하는 인지는 무효이며 진실에 반하는 이상 인지자도 착오의 유무를 불문하고 민법 786조에 의해 인지의 무효를 주장할 수 있고 진실인한, 사기 강박에 의한 인지의 취소도 할 수 없다고 해석한다. 그 이유는 다음과 같다.

친생자 관계가 공익 및 자녀의 복지에 깊이 관련된 것이며, 근본적으로 명확한 기준에 따라 일률적으로 결정되어 있어야 하는 것[최고재판소 平成18年(許)第47号 平成19年 3月 23日 제2소법정 결정 · 민집 61권 2호 619쪽 참조]은 인지에 의한 부자 관계에 대해서도 마찬가지이다. 착오 무효를 인정하는 경우 착오자에게 중대한 과실이 있으면 무효를 주장하지 못하고, 혈연관계에 대한 착오가 아닌 동기의 착오라도 표시되어 있으면 요소의 착오로 되어 무효를 주장할 수 있다는 착오에 대한 법리가 적용될 수 없다고 하는 근거는 없고 이것이 전술한 일의적 · 일률적으로 친자 관계가 결정되어야 하는 요청에 반하는 것은 분명하다. 이와 같은 이유에 의해 사기 강박 등 의사 표시의 하자에 의한 취소가 가능하다는 해석에도 찬성할 수 없다.

인지자가 혈연이 없는 것을 알면서 인지한 경우에 인지 무효 주장을 허용하지 않는 것은 자녀로부터 법률상의 아버지를 빼앗지 않는다는 의미에서 자녀의 복지에 이바지할 수 있지만, 민법 786조는 자녀 이외의 이해관계인도 인지 무효의 주장을 하는 것을 인정하고 있고 이 이해관계인에는 자녀의 어머니, 인지자의 처, 인지에 따라 상속권을 침해받는 사람 등도 포함된다. 또한 이 조항에 의한 인지 무효 주장에 대해서는 기간의 제한도 마련되어 있지 않다. 따라서 인지자의 무효 주장을 제한함으로써 자녀의 아버지를 확보한다는 실효성은 작은 것일 뿐 아니라 그것을 가지고 피인지자의 지위의 불안정을 제거할 수는 없다. 본건에서 피상고인에게 인지 무효 주장이 불허됐다고 해도 피상고인의 소를 배척하는 것에 불과하고 피상고인과 상고인 사이의 법률상의 부자 관계의 존재를 확정하는 것은 아니다. 현재 인지 무효를 주장하는 것이 피상고인뿐이라고 해도 향후 새롭게 이해관계인이 생길 수 있는 것이며, 장래 피상고인 이외의 이해관계인으로부터 인지 무효 소송이 제기되면 피상고인과 상고인 사이의 법률상의 부자 관계는 부인될 수밖에 없다.

법률상의 부자 관계의 성립에 대해서 민법은 부부의 자녀에 대해서는 같은 법 772조에 따라 적출부인의 소에 의해서만 번복할 수 있도록 하는 강력한 부자 관계의 성립의 추정을 하는 것으로서 혈연관계와의 괴리의 가능성을 상당 정도 인정하여 혼인을 부자 관계를 발생시키는 그릇으로 하는 제도로 하고 있다고 할 수 있지만 혼인관계에 있지 않은 남녀로부터 출생한 자녀에 대해서는 같은 법 786조가 인지 무효 주장을 이해관계인에게 널리 인정하고 기간 제한도 두고 있지 않아서 혈연관계와의 괴

94) 1867~1912년

리를 기본적으로 인정하지 않는 것으로 하고 있다고 해석된다.

또한 인지 무효의 소는 혈연관계의 부존재를 원인으로 하는 것이며, 적출 추정을 받지 않는 부자 관계에 대해서 인정되고 있는 친자 관계 부존재 확인의 소와 법적으로는 마찬가지의 기능을 하는 것이라고 해석되지만 친자 관계 부존재 확인의 소에 대해서는 아버지로부터의 제소도 인정되고 있는 것이며 인지 무효에 대해서 이와 다른 해석을 하는 것이 균형을 이루고 있다고는 할 수 없다.

따라서 혈연관계가 없는 것을 알고 인지한 인지자에 대해서도 인지 무효 주장을 허용한다고 해석하는 것이 상당하고 전술한 친자 관계가 일의적 · 일률적으로 정해져야 한다는 요청을 고려하면 일반적인 자녀의 복지라는 관점에서도 그렇게 해석할 수 있다.

덧붙여 원심의 인정에 의하면 상고인에게는 필리핀인인 혈연상의 생부가 존재하여 이미 법률상의 아버지가 존재하는 자녀에 대한 인지로서 그 효력이 문제가 될 수 있는데(이미 존재하는 법률상의 아버지의 상태에 의해서는 후의 인지가 무효인지 취소하여야 할 것인지가 달라질 수 있다. 예를 들면 일본에서 인지 신고가 잘못 수리되었다고 하여 피인지가가 추정을 받는 적출자녀, 인지 판결에 의한 자녀, 이미 임의 인지된 자녀, 추정을 받지 않는 적출 자녀인지에 따라 달라질 수 있다) 본건에서는 그 점을 논할 것도 없이 피상고인의 인지 무효의 청구가 인정되는 것이다.

재판관 데라다 이쓰로의 의견은 다음과 같다.

본건에서 원심의 판단을 옳다고 인정하여야 한다는 다수 의견의 결론에는 찬성하지만 그 이유의 중요한 부분에 대해서 견해를 달리하므로 아래에서 생각을 밝혀 두고 싶다(덧붙여 문장 중의 조문 인용은 특별한 표시가 없는 한 민법 조문이다).

1 다수 의견은 일단 인지를 해 놓으면 후에 실제로는 혈연상의 부자 관계가 아니라고 하여 스스로 그 인지가 무효라고 주장하는 것에 대해서 786조의 적용에 의해 원칙적으로 그것이 허용된다고 하는 해석에 서서 결론을 이끌었지만 이 해석에는 즉시 동조할 수 없다.

(1) 적출이 아닌 자녀와의 부자 관계는 '혈연에 의한 부자'라는 사실 관계가 존재하는 것을 기초로 하는 관계로서 개념화되어 있다고 할 수 있다. 그 확립 과정에 관해서는 이를 규율하는 779조에서 787조의 규정을 통해 보면 아버지라고 주장하는 사람이 그 혈연을 증명하지 않고 신고라는 방식의 의사표시를 함으로써 '인지'라는 형태로의 부자 관계가 생기고 이것이 뒤집히는 것은 자녀나 어머니 등의 이해관계인이 인지 무효의 소를 제기하여 거기에서 그 취지의 증명이 된 경우에 한정되는 것이라고 하는 한편, 인지되지 않은 경우에 자녀 측에서 하는 부자 관계의 요구는 인지의 소로 그 관계의 존재를 증명함으로써 실현을 도모하지 않으면 안 되고, 요구를 받은 사람 측에서 아버지임을 부정하고 싶으면 이 소에서 다투어야 하고 모두 소에서 매듭지어 지면 그 결과가 양측의 관계를 확정하게

된다는 것이 기본 구조라고 해석되고 있다. 이 구조에 대한 이해 아래에서 자녀 기타 이해관계인이 인지에 대해서 반대 사실을 주장할 수 있다는 취지를 규정하는 786조를, 아버지라고 주장하는 사람에 의해 인지가 되었을 때에 이를 뒤집을 수 있는 사람의 범위를 정하여 사실 관계를 기초로 하는 것에서 오는 마무리를 짓는 방법을 밝힌 것이라고 해석하는 것에 전혀 무리한 점은 없다. 그리고 785조도 함께 참조하면 유일하게 자신의 의사에 의해서만 부자 관계를 확립하기 위한 주도권을 가질 수 있는 것으로 되어 있는 아버지가 되는 입장에 있는 사람이 인지를 한 후에 자신의 태도를 번복하고 그 무효를 주장하는 것은 위 규정이 상정하는 상황과는 다른 상황으로 보고 비록 부자 관계가 없음을 이유로 하는 경우에도 그 자체로는 허용될 수 없다는 생각을 기초자가 취하고 있었다고 전해지는 것에도 충분히 긍정할 수 있다. 오히려 적출자녀와의 부자 관계에 대해서 아내가 낳은 자녀와의 부자 관계를 일단 승인한 후에는 이것을 부정하여 적출 부인의 소를 제기하는 것을 허용하지 않는다고 규정하는 776조를 참조한다면 친자 관계를 쓸데없이 불안정하게 하지 않는다는 취지에서 일관적인 자세를 거기에서 찾아낼 수 있는 것이다. 위와 같은 해석은 현재 적어도 전쟁 전에는 유력하였고 대심원 판례도 직접적인 판지 취지라고는 할 수 없을지도 모르지만 이에 따른 일반론을 보였던 것이다[대심원 大正10年(オ)第857号 大正11年 3月 27日 판결 · 민집 1권 137쪽].

(2) 이에 대해서 다수 의견은, 786조의 '이해관계인'에는 인지자 자신이 포함된다고 해석해야 한다고 논하는 것이지만, 거기에는 위와 같은 규정의 구조와 해석을 둘러싼 경위에 거스르면서까지 그렇게 해석하는 것에 대한 적극적인 이유가 제시되어 있다고는 하기 어렵다.

다수 의견에서는 그렇게 해석하는 이유로서 인지자가 인지를 하기에 이르는 사정이 다양하므로 인지자 자신에 의한 무효 주장을 일체 불허하는 것이 상당하지 않은 점, 혈연상의 부자 관계가 없는 경우에는 이해관계인에 의해 그것을 이유로 인지 무효의 주장이 이루어지므로 굳이 인지자 자신에 의한 무효 주장을 제한할 이유는 없는 점, 구체적인 사안에 따라 무효 주장을 제한한다면 권리 남용의 법리 등에 의한 것이 가능한 점의 세 가지를 들고 있다. 인지자 자신에 의한 효력의 부정이 일체 허용되지 않는다고 하는 것은 상당하지 않고 또한 무효 주장이 가능하다고 해도 이를 제한하는 법 기술이 있을 수 없는 것은 아니라는 점에 이론은 없다. 그러나 여기서의 문제는 무효 주장을 허용하는 것을 원칙으로 해야 하는가 허용하지 않는 것을 원칙으로 해야 하는가 하는 것이며 위와 같이 말할 수 있다고 해도, 그래서 인지자 자신이 무효를 주장할 수 있도록 배려해야 하는 적극적인 이유가 제시되어 있다는 것은 아니다. 또한 혈연상의 부자 관계가 없는 경우에는 이해관계인에 의해 그것을 이유로 인지 무효 주장이 이루어지는 것을 고려해야 한다고 해도, 여기에서는 일단 인지가 된 이상은 자녀의 신분 관계의 안정을 고려하여 이해관계인이 인지 무효 주장을 자제하도록 하는 경우가 있고 인지자 자신이 태도를 바꾸어 혈연상의 부자 관계가 없음을 분명히 하여 인지 무효를 주장하는 것을 허용해야 하느냐를 바로 묻지 않으면 안 되는 것으로, 이에 대한 긍정적인 대답 없이는 납득할 수 없다.

(3) 그러한 의미에서는 다수 의견이 실질적으로 고려하고 있는 것은 혈연상의 부자 관계가 없다는 사실 자체가 크게 존중되어야 한다는 것에 불과하지 않나 생각한다. 그러나 혈연상의 부자 관계가 없다는 사실 자체가 존중되어야 하는 것은 그렇다고 하더라도 그것이 여기에서의 결정적인 근거가 되어야 하는지 여부에 대해서는 이론(異論)도 있을 것이다.

인지가 되었지만 실제로는 혈연상의 부자 관계가 없는 경우에 인지자에게 그것에 대한 인식의 잘못이 있었던 때에는 인지된 결과를 시정해야 할 어떤 수단이 준비되어 있어야 할 것이다. 그러나 그것은 인지의 의사표시에 하자가 있는 것으로서 이를 취소하거나 무효로 함으로써 대부분을 해결할 수 있을 것으로 생각된다. 이에 대해서 기우치 재판관은 보충 의견에서 의사표시에 하자가 있는 경우의 무효 · 취소를 인정하는 것에 대해 소극론을 전개하고 있다. 본건과는 직접적인 관계가 없는 부분이므로 구체적인 논의는 피하지만, 인지를 하려는 사람의 의사표시에 따라 인지의 효력이 생기는 것으로 구성하면서, 그 의사표시에 하자가 있는 경우에 효력을 다툴 여지를 인정하지 않을 이유는 없는 것이 아닐까. 그럼 실제로는 부자 관계가 있는 경우에 실체적 사실을 얕보는 것이 된다는 생각인지도 모르지만, 그것은 그 의사가 있는 자녀 측에서 부자 관계가 있다고 주장하며 스스로 인지의 소를 제기함으로써 대응하는 것이 본래의 방식에 따르는 것이라고 할 수 있다.

한편 실제로는 혈연상의 부자 관계가 없는데 인지가 되어 있는 경우에도 애당초 인지자가 그것을 알면서 인지를 하고 있는 경우도 적지 않을 것이다. 예를 들면 남성이 아이의 어머니와의 생활 실태에서 자신의 자녀로서 키우려는 의사가 있어서 인지를 하는 경우가 그것이다. 특히 본건처럼 혼인 · 인지에 의해 준정 적출자녀가 되는 경우(789조)[95]에는 당해 남녀가 협의 후, 적출자녀로 할 목적으로 남성이 인지한 것으로 볼 경우가 많을 것이다. 그러한 경우에 만일 인지는 어울리지 않는다고 제대로 이해하거나 원래 준정의 구조를 결여하였다고 했다면 당사자는 입양에 의해 적출자녀로 하는 대응을 취했을 개연성이 높다. 인지 신고가 사실에 반하는 경우에 입양 신고로서의 효력을 인정할지 여부에 대해서는 인지에는 형식상 당사자의 합의라는 요소가 빠져 있고, 미성년 입양에는 가정재판소의 허가가 필요하다는 점 등을 고려하면 이를 긍정할 수는 없을 것이지만[최고재판소 昭和54年(オ)第498号 昭和54年 11月 2日 제2소법정 판결 · 재판집 민사 128号 87쪽 참조], 당사자의 관계를 실질적으로 보

95) (준정)

제789조 아버지가 인지한 자녀는 그 부모의 혼인에 의해 적출자의 신분을 취득한다.

2 혼인 중 부모가 인지한 자녀는 그 인지 시부터 적출자의 신분을 취득한다.

3 전 2항의 규정은 자녀가 이미 사망한 경우에 대해서 준용한다.

면, 이러한 인지에 대해서 아버지가 된 사람이 스스로 시기를 골라 일방적으로 부자 관계를 해소할 수 있다는 것은 입양에 의한 경우와 너무나도 결과에서 차이가 생기고 마는 점이 우려된다. 다만, 거꾸로 이러한 예에서 부모와의 관계가 악화하여 해소되어 입양이었다면 자녀와의 관계에서 파양을 하도록 요구할 수 있는 상황이 된 경우에도 인지 무효의 주장을 할 수 없다고 하는 이상, 부자 관계를 해소할 수 없게 되는 것이며, 인지 무효의 주장을 원칙적으로 허용해야 한다는 입장에서는 이 불편에 시선이 향하고 있는 것인지도 모른다. 그렇게 되면 위와 같은 관계가 불안정한 데 따른 자녀의 불이익과 안정한 것에 의한 아버지의 불이익이 저울질되는 것이지만, 입양이 아닌 인지에 의하면 결정은 주로 아버지가 되는 인지자의 선택에 따른 것이기 때문에 이 저울이 결과적으로 아버지 측으로 불리하게 기울어져도 어쩔 수 없다. 따라서 여기에서도 인지자인 아버지 측의 인지 무효의 주장을 원칙적으로 허용해야 한다는 입론에 근거를 주는 사정을 확실히 발견하는 것은 아니다.

(4) 이상과 같이 다수 의견의 이 점에 관한 견해는 규정의 구조 등에서 입법 당시부터 취해 져온 유력한 생각을 뒤집을 만큼 실질 있는 근거에 의한 것인지 여부가 의심스럽다. 인지가 되었지만, 실제로는 혈연상의 부자 관계가 없고 인지자가 이에 대한 인식에 잘못이 있는 경우에, 그 결과를 시정해야 할 수단으로서 인지의 의사표시에 하자가 있는 것으로서 이를 취소하거나 무효로 하는 방법에 의하는 것은 해결책으로 충분하지 않으나 인지자가 혈연상의 부자 관계가 실제로는 없음을 알면서 인지를 하는 예가 극히 드물다는 점에 대해서 보다 실증적인 결과가 제시되면 몰라도 그렇지 않은데도 해석으로서 이에 따르기에는 주저를 느낄 수밖에 없는 것이다.

2 위 1에서 한 논의에도 불구하고 오하시 재판관과 달리 본건에서 인지자인 피상고인에게 인지 무효의 주장이 허용되어야 한다는 결론이 정당하다는 것은 본건에는 특수한 사정이 있다고 생각하기 때문이다. 그것은 본건에서는 인지자에 의한 인지가 있던 당시부터 필리핀 국적의 특정된 아버지가 있음이 원심의 인정에서 분명하게 되어 있다는 것이다.

(1) 이 원심의 인정은, 적출이 아닌 자녀의 친자 관계의 성립을 규율하는 법의 적용에 관한 통칙법 29조 1항 본문에 따르면 피인지자인 상고인에게 아버지가 있었는지에 대해서는 출생 당시의 아버지(아버지인지 여부가 문제되는 사람)의 본국법에 따르도록 하고 본건에서는 아버지로 지목되는 남성은 필리핀 국적으로 인정되기 때문에, 필리핀법에 따라야 하는데 필리핀가족법(1988년 시행) 175조, 172조는 "아버지인지 여부는 인지를 거치지 않고 혈연상의 아버지라는 사실 관계가 증명되는지 여부로 결정한다."는 원칙을 취하고 있는 것으로 보이므로 그 취지의 증명이 있음에 의해 당해 남성이 아버지(상고인이 그 적출이 아닌 자녀)로 되며 2008년경 사망한 것으로 되어 있기 때문에 피상고인에 의한

인지가 이루어진 당시인 2004년에 아버지가 존재한 것으로 된다고 해석된다.

(2) 그런데 일본의 민법 아래에서는 인지는 그 성격상, 실제로 아버지가 있는 자녀를 대상으로 할 수 없다고 해석된다. 아버지가 중복되는 일이 있어서는 안 되는 것은 적출자녀의 경우에 한정되지 않고 적출이 아닌 자녀에게도 공통된 제약일 것이며, 이는 친자 관계의 공적인 질서로서 허용되어야 할 것은 아니다. 이 점에 대해서는 명문의 규정이 없지만 보다 일반적으로 부자 관계가 없는 것을 이유로 무효가 되는 것이 786조[96]에서 명확하게 되어 있으므로 사실 더 규정을 두는 것은 피할 수 있었을 것이다. 다만 위와 같이 이 경우에는 일반적으로 부자 관계가 없다는 것을 이유로 무효로 하는 경우와 달리 공적인 질서에 반하는 것이 무효의 근거가 되기 때문에, 예외적으로 인지자 자신도 아버지가 중복되어 있다는 것을 이유로 인지가 무효임을 주장할 수 있다고 해석해야 한다. 그렇다고 하면, 결국 본건의 경우에는 피상고인에 의한 본건 인지가 무효임을 피상고인 본인의 신청에 의해 인정하는 것에는 지장이 없다고 해석해야 한다(주).

| 주 | 779조는 적출이 아닌 자녀는 그 아버지 또는 어머니가 인지할 수 있다는 취지를 정하는데, 이는 적출자녀에 대해서는 인지가 문제되지 않는 것을 전제로 한 다음, 인지의 주체가 그 자녀와 아버지 또는 어머니의 관계에 서 있는 사람들에 한정됨을 규정한 것으로, 이를 반대 해석하여 이미 다른 사람의 '적출이 아닌 자녀'가 되어 있는 자녀를 다른 사람이 인지하는 것이 인정된다고 해석하는 것은 상당하지 않다. 또한 이에 반하는 인지가 무효로 되어야 하는지 여부에 대해서는 본문에 기재한 것처럼 규정이 없는데 혼인의 경우 중혼은 무효가 아니라 취소할 수 있는 것으로 되어 있어(732조, 744조), 이를 유추적용 해야 한다는 생각도 있을 수 있으나 혼인의 경우에는 통상 존재한다고 생각되는 후혼의 경과적 실태를 고려해서 장래에 향해서만 효력을 부정하는 것으로 한 후에 관계의 조정을 꾀하려는 연유로 특별히 취소의 구성을 취하고 있다고 생각되는 반면(748조 참조), 인지의 경우에는 그렇게 실체를 존중해야 할 관계라고는 할 수 없는 사정에 있다. 본건처럼 혈연상의 부자 관계가 없다고 하여 이해관계가 있는 제3자로부터 무효 주장이 되는 경우에 적용되는 것이 상례이기도 하고 적어도 그러한 경우에까지 구태여 인지자로부터의 인지 무효의 소에 따라 효력을 부정할 수 없다고 해석하는 것도 아니라고 생각된다.

(3) 이리하여 본건에서는 원심이 채용한 결론을 유지해야 할 것으로 생각한다.

재판관 오하시 마사하루의 반대 의견은 다음과 같다.

나는 다수 의견과 달리 피상고인은 상고인과의 사이에 혈연상의 부자 관계가 존재하지 않음을 이유로 하여 인지의 무효를 주장할 수 없는 것으로 생각하고 그 이유는 다음과 같다.

피상고인은 상고인이 자신의 친자식이 아님을 인식하고 자유로운 의사에 따라 본건 인지를 했던

96) (인지에 대한 반대 사실의 주장)
제786조 자녀 기타 이해관계인은 인지에 대해서 반대 사실을 주장할 수 있다.

것이고, 본건은 실체에 부합하지 않음을 인식하고 자유로운 의사에 의해 인지를 한 아버지가 반대 사실을 주장하여 인지 무효의 주장을 할 수 있는지 여부가 쟁점이 되고 있는 사안이며, 민법 785조 및 786조의 해석이 문제가 된다. 또한 자녀 기타 이해관계인이 반대 사실을 주장하여 인지의 무효를 주장할 수 있는 것은 당연한 전제가 되고 있는 것이므로 본건에서 따지고 있는 것은, 자녀 기타 이해관계인 모두가 인지의 효력을 다투지 않는 상황에서 실체에 부합하지 않은 인지를 한 아버지에게 혈연상의 부자 관계가 존재하지 않음을 이유로 인지의 무효를 주장하는 것을 허용하느냐 하는 한정된 문제라는 것이다.

대심원 大正10年(オ)第857号 大正11年 3月 27日 판결 · 민집 1권 137쪽은 방론이지만 민법 785조 및 786조와 동일한 내용을 규정하는 昭和22年 법률 제222호에 의한 개정 전의 민법 833조 및 834조에 대해서 "민법 833조는 인지를 한 아버지 또는 어머니는 인지를 취소할 수 없다고 규정하여 인지를 한 아버지 또는 어머니는 임의로 인지를 취소할 수 없고 동시에 인지가 진실에 반하는 사유 때문이라고 해도 또한 이를 취소할 수 없는 것으로 한다. 따라서 이 조항은 인지를 한 아버지 또는 어머니에게 그 인지가 진실에 반한다는 이유로 무효라고 주장하는 것을 허용하지 않는 취지라고 해석할 수 있게 한다[가타카나를 히라가나로 하고 원칙적으로 상용한자표의 자체(字體)로 했다]."고 판시하고 있다[이 취지를 진술한 것으로서 대심원 昭和11年(オ)第2702号 昭和12年 4月 12日 판결 · 대심원 판결전집 4집 8호 16쪽]. 민법 786조가 인지에 대해서 반대의 사실을 주장할 수 있는 사람을 자녀 기타 이해관계인에 한정하고 있는 것, 그 반대 해석으로 인지를 한 아버지는 반대의 사실을 주장할 수 없는 것, 따라서 같은 법 785조는 인지한 아버지는 인지가 사실에 반한다는 것을 이유로 그 무효를 주장하는 것을 허용하지 않는 취지를 정한 것이라고 하는 위 대심원 판결의 해석은 문리적으로도 무리가 없는 것이다. 민법 786조가 반대의 사실을 주장할 수 있는 사람으로서 아버지를 들지 않은 이유로, 인지자 자신이 인지의 무효를 주장하는 것이 상정되어 있지 않았다는 것에 불과하다고 하는 견해가 있는데, 같은 법 785조가 인지한 아버지 자신이 인지의 효력을 부정하는 경우가 있음을 전제로 한 규정임을 생각하면, 입법자가 이를 상정하지 않았다고는 생각하기 어렵고, 같은 법 786조가 아버지를 제외하고 있는 것은 입법자의 분명한 의사를 나타내는 것으로 이해해야 한다. 또한 인지한 아버지에게 반대 사실의 주장을 인정하지 않음으로써 안이한 인지나 변덕에 의한 인지를 방지하고 또한 인지자의 의사에 의해 인지된 자녀의 신분 관계가 불안정하게 되는 것을 방지한다고 하는 입법 이유에는 충분한 합리성이 있다.

나는 법률의 해석은 항상 문리 해석에 의하여야 한다는 입장을 취하는 것은 아니지만, 조문의 문구에서 크게 벗어난 해석을 채용하는 경우에는 이를 정당화할 충분한 실질적인 근거가 필요하다고 생각한다.

이를 본 문제에 대해서 보면, 인지한 아버지도 반대 사실을 주장하여 인지 무효 주장을 하는 것을 인정해야 한다는 논자들이 근거로서 말하는 "가장 이해관계가 깊은 인지자에게도 인정해야 한다."는 것은 충분한 실질적인 근거가 될 수 없다. 여기서 문제가 되는 것은 인지자의 의향에 따라 피인지자의 지위를 불안정하게 하는 것을 허용해도 좋은가 하는 점으로 이 점에서는 인지한 아버지는 자녀 기타의 이해관계인과는 전혀 다른 입장에 서 있으므로 다른 이해관계인에게 인정되므로 당연히 인지한 아버지에게도 인정해야 한다는 것은 아니다. 또한 인지한 아버지에 의한 인지 무효 주장을 인정하지 않는다고 해도 자녀가 인지 무효를 주장하는 것은 막지 못하기 때문에 자녀에 대하여 혈연관계가 없는 부자 관계를 그 불이익으로 강제하는 것으로는 되지 않는다. 본건에서 상고인은 피상고인의 인지에 따라 2005년 12월 O일에 일본 국적을 취득한 이래 오늘까지 오랫동안 일본인으로서 생활을 해온 것으로, 피상고인의 청구가 인정되는 경우에는 일본 국적을 잃고 필리핀으로 강제 송환될 우려가 있으며, 상고인의 지위가 피상고인의 의사에 따라 불안정한 것으로 되는 것은 분명하다. 민법 785조 및 786조는 이러한 사태를 피하기 위해서 인지한 아버지에게 반대 사실을 주장하여 인지 무효 주장을 하는 것을 허용하지 않는다는 취지를 규정한 것이라고 해석해야 한다.

인지한 아버지는 반대 사실을 주장하여 인지 무효 주장을 할 수 없다고 해석하는 것에 대해서는 혈연상의 부자 관계가 존재하지 않는데도 불구하고, 그것이 법률상의 부자 관계로서 존속하는 것을 용인하게 되는데, 법률상의 부자 관계는 혈연상의 부자 관계를 기초로 하는 것이기는 하지만 민법상, 혈연상의 부자 관계가 존재하지 않으면 법률상의 부자 관계도 존재할 수 없는 것으로는 되어 있지 않는 것, 혹은 혈연상의 부자 관계가 존재하면 반드시 법률상의 부자 관계가 존재하는 것으로 되는 것도 아닌 것은 적출부인제도나 인지제도 등에 비추어 보아도 분명하고 이러한 점에서 보아도 위와 같이 해석하여 그 결과로서 혈연상의 부자 관계가 존재하지 않는 법률상의 부자 관계의 존재를 용인하게 되었다고 해도 바로 불합리하다고 할 수 없다(주). 오히려 인지한 아버지에게 반대 사실을 주장하여 인지 무효 주장을 하는 것을 허용하지 않는 것에 합리성이 있음은 전술한 대로이다.

| **주** | 다수 의견도 권리 남용의 법리 등으로 인지한 아버지에 의한 인지 무효 주장이 제한되는 경우가 있음을 인정하지만 이 경우에는 혈연상의 부자 관계가 존재하지 않는 법률상의 부자 관계의 존재가 용인되는 것으로 된다.

따라서 피상고인은 스스로 한 인지의 무효를 주장할 수 있다고 한 원심의 판단에는 판결에 영향을 미치는 것이 분명한 법령 위반이 있어 원판결은 파기를 면치 못한다.

◇ 재판장 재판관 大谷剛彦 재판관 岡部喜代子 재판관 寺田逸郎 재판관 大橋正春 재판관 木内道祥

(2) 사례 2

본건은 1심 피고 B의 남편인 1심 원고가 1심 피고 B의 자녀로서 1심 원고가 인지한 1심 피고 A에게 인지의 무효를 청구함과 동시에 아내인 1심 피고 B에게 이혼과 이에 따른 위자료 160만 엔(부대청구는 판결 확정 후의 지연 손해금)의 지불을 청구한 사안에 관한 항소사건이다.

원판결은 민법 785조의 취지가 인지의 철회를 인정하지 않는다는 점에 그쳐 혈연상의 친자 관계가 존재하지 않는 경우라도 인지자의 인지 취소나 무효 주장을 불허한다는 취지를 포함하지 않는다고 한 후, 같은 법 786조의 이해관계인에는 인지자가 포함된다고 해석되므로 인지자에 의한 인지 무효 청구는 허용된다고 판단했다.

원판결은 ① 1심 원고와 1심 피고들의 동거 기간이 1년 8개월 정도인 점, ② 1심 피고 A가 필리핀에서 친오빠들과 함께 생활하여 1심 원고가 친아버지가 아닌 것을 이해하고 있었던 점, ③ 1심 원고의 인지가 의붓자식을 양자로 하는 것에 가까운데 인지에는 이혼과 같은 사후적인 관계 해소제도가 예정되어 있지 않은 점, ④ 향후 친자 관계의 복원 가능성이 낮은 점을 강조하여 1심 원고의 인지 무효 청구가 권리 남용에 해당하지 않는다고 판단했다.

항소심에서 히로시마 고등재판소도 1심 원고의 1심 피고 A에 대한 인지 무효 청구와 1심 피고 B에 대한 이혼 청구는 모두 정당하기 때문에 인용하고 1심 피고 B에 대한 위자료 청구는 부당하므로 기각해야 한다고 판시하였다.

〈민법〉

(인지 취소의 금지)
제785조 인지한 아버지 또는 어머니는 인지를 취소할 수 없다.

(인지에 대한 반대 사실의 주장)
제786조 자녀 기타 이해관계인은 인지에 대해서 반대 사실을 주장할 수 있다.

재판연월일 平成23年[97] 4月 7日　　**재판소명** 히로시마(広島) 고등재판소
사건번호 平22(ネ)512号
사 건 명 인지무효, 이혼 등 청구 항소 사건
재판구분 판결　　**재판결과** 기각

주 문

1 1심 피고들의 항소 및 1심 원고의 항소를 모두 기각한다.

2 1심 피고 B의 본 심에서의 반소 청구를 기각한다.

3 항소비용은 각자 부담하고 본 심에서의 반소 소송 비용은 1심 피고 B가 부담한다.

사실과 이유

제1 당사자가 요구한 재판

[1심 피고들의 항소]

1 항소 취지

(1) 원판결 중 1심 피고들 패소 부분을 모두 취소한다.

(2) 1심 원고의 청구를 모두 기각한다.

(3) 소송비용은 제1, 2심 모두 1심 원고가 부담한다.

2 항소 취지에 대한 답변

(1) 1심 피고들의 항소를 모두 기각한다.

(2) 항소비용은 1심 피고들이 부담한다.

[1심 원고의 항소]

3 항소 취지

97) 2011년

(1) 원판결 중 1심 원고 패소 부분을 취소한다.

(2) 1심 피고 B는 1심 원고에게 160만 엔 및 이에 대한 이혼 판결 확정일 다음 날부터 다 갚는 날까지 연 5%의 비율에 의한 돈을 지불하라.

(3) 소송비용은 제1, 2심 모두 1심 피고 B가 부담한다.

4 항소 취지에 대한 답변

(1) 1심 원고의 항소를 기각한다.

(2) 항소비용은 1심 원고가 부담한다.

[1심 피고 B의 본 심에서의 반소 청구]

5 반소의 청구 취지

1심 원고의 이혼 청구가 각하, 기각되는 것을 해제 조건으로 하여

(1) 1심 원고는 1심 피고 B에게 160만 엔 및 이에 대한 이혼 판결 확정일 다음 날부터 다 갚는 날까지 연 5%의 비율에 의한 돈을 지불하라.

(2) 반소 소송비용은 1심 원고가 부담한다.

6 본안 전의 답변

(1) 1심 피고 B의 반소 관련 청구를 각하한다.

(2) 반소 소송비용은 1심 피고 B가 부담한다.

7 반소의 청구 취지에 대한 답변

(1) 1심 피고 B의 반소 청구를 기각한다.

(2) 반소 소송비용은 1심 피고 B가 부담한다.

제2 사안의 개요

1 청구의 내용과 소송 경위 등

본건은 1심 피고 B의 남편인 1심 원고가 1심 피고 B의 자녀로서 1심 원고가 인지한 1심 피고 A에게 인지의 무효를 청구함[원심 平成21年(家ホ)第49号]과 동시에 아내인 1심 피고 B에게 이혼과 이에 따른 위자료 160만 엔(부대청구는 판결 확정 후의 지연 손해금)의 지불을 청구한[원심 平成22年(家

ホ)第18号] 사안에 관한 항소사건이다.

본건 중 인지 무효 청구 사건의 쟁점은 ① 이 청구가 민법 785조에 위반되는지, ② 이 청구가 권리 남용이 되는지의 각 점에 있고, 이혼 등 청구 사건의 쟁점은, ③ 1심 피고 B에 의한 악의의 유기 또는 1심 원고와 1심 피고 B와의 혼인관계의 파탄이 인정되는지, ④ 이 청구가 신의칙에 반하는지의 각 점에 있으며, 이들에 관하여 원심은, ①, ②를 부정하고 ③의 혼인관계의 파탄을 인정하고 ④를 부정하는 판단을 한 후, 1심 원고의 1심 피고 A에 대한 인지 무효 청구와 1심 피고 B에 대한 이혼 청구를 모두 인용하고 1심 피고 B에 대한 위자료 청구를 기각하는 원판결을 선고했다.

이에 대해서 1심 피고 A가 인지 무효 청구를 인용한 부분에, 1심 피고 B가 이혼 청구를 인용한 부분에 각각 불복하여 항소하고 또한 1심 원고가 위자료 청구를 기각한 부분에 불복하여 항소한 것이 본건이다.

덧붙여 1심 피고 B는 본 심에서 1심 원고의 이혼 청구가 인용된 경우의 예비적 청구로 1심 원고에게 이혼 위자료 160만 엔의 지불을 요구하는 반소를 제기했다.

2 전제 사실과 쟁점 및 쟁점에 관한 원심에서의 당사자의 주장

다음과 같이 보정하는 외에는 원판결 2쪽 25줄부터 6쪽 18줄에 기재된 대로이므로 이를 인용한다.

(1) 원판결 3쪽 3줄 말미에 "덧붙여 1심 원고는 쇼와(昭和) OO년 OO월 OO일생이고 1심 피고 B는 쇼와 OO년 OO월 OO일 생이다."를, 5줄의 말미에 "1심 원고의 혈액형은 A형, 1심 피고 B의 혈액형은 O형, 1심 피고 A의 혈액형은 B형이며, 1심 원고와 1심 피고 A 사이에는 혈연상의 친자(부자) 관계가 없다(갑 2 내지 4). 또한 1심 피고 A는 일본에 오기 전, 필리핀에서 필리핀인인 혈연상의 친아버지와 함께 생활하고 있었는데 그 친아버지는 2008년경 사망했다."를, 6줄의 "신고"의 다음에 "(이하 '본건 인지'라 하는 경우가 있다)"를 각각 추가하고 7줄의 "일본 국적을 취득했다."를 "2008년 법률 제88호에 의한 개정 전의 국적법 3조 소정의 신고를 함으로써 일본 국적을 취득했지만 생래적(生来的)으로 가지고 있던 필리핀 국적을 상실, 이탈했는지 여부는 분명하지 않다."로 각각 고친다.

(2) 4쪽 5줄부터 6줄에 걸친 "성적 학대"를 "몸을 만지고 음부를 만지는 등의 성적 학대"로 고친다.

3 본 심에서의 당사자의 주장

(1) 1심 피고들

① 인지 무효 청구에 대해서

(가) 민법 785조, 786조의 해석

원판결은 민법 785조의 취지가 인지의 철회를 인정하지 않는다는 점에 그쳐 혈연상의 친자 관계가 존재하지 않는 경우라도 인지자의 인지 취소나 무효 주장을 불허한다는 취지를 포함하지 않는다고 한 후, 같은 법 786조의 이해관계인에는 인지자가 포함된다고 해석되므로 인지자에 의한 인지 무효 청구는 허용된다고 판단했다. 그러나 이 판단은 대심원 大正11年 3月 27日 제2민사부 판결 · 민집 1권 4호 137쪽, 도쿄 고등재판소 昭和63年 8月 31日 판결 · 판례 타임스 694호 161쪽에 반한다.

민법 785조는 변덕스러운 인지를 방지함과 동시에 일단 인지가 이루어진 후의 법적 안정성을 확보하는 점에 있다고 해석되고 본건에서도 인지 무효를 인정함으로써 1심 피고 A의 신분 관계, 거주 관계가 불안정하게 되며, 그로 인해 정신적, 경제적으로 불이익을 받게 되는 것이며 1심 피고 A의 운명은 농락당하고 그 복지가 나빠지는 결과를 초래하게 되기 때문에 원판결과 같은 해석은 타당하지 않다.

(나) 권리 남용

원판결은 ① 동거 기간이 1년 8개월 정도인 점, ② 1심 피고 A가 필리핀에서 친오빠들과 함께 생활하여 1심 원고가 친아버지가 아닌 것을 이해하고 있던 점, ③ 1심 원고의 인지가 의붓자식을 양자로 하는 것에 가까운데 인지에는 이혼과 같은 사후적인 관계 해소제도가 예정되어 있지 않은 점, ④ 향후 친자 관계의 복원 가능성이 낮은 점을 강조하여 1심 원고의 인지 무효 청구가 권리 남용에 해당하지 않는다고 판단했다.

그러나 ①는 1심 원고가 파견사원으로 1년 6개월 동안 도야마(富山)현이나 시즈오카(静岡)현에 일하러 나가 있었기 때문이며 지나치게 강조될 사정이라고는 할 수 없다.

②는 1심 피고 A와 친아버지의 동거 기간이 짧으며 친아버지는 이미 사망한 점이 고려되어야 한다.

③에 대해서는 입양이 아니라 감히 허위 인지라는 범죄를 저지른 것은 1심 원고이고 그 불이익은 1심 원고 자신이 감수해야 한다.

④도 향후 친자관계의 복원 가능성이 낮은 것은 1심 원고의 1심 피고 A에 대한 성적 학대와 폭력이라는 1심 원고 자신의 책망 받아야 할 행위가 원인이 되기 때문에 이에 대해서는 오히려 1심 원고의 청구가 권리 남용이 되는 이유의 하나가 될 수 있는 사정이다.

본건에서 1심 원고의 인지 무효 청구가 권리 남용이 되는지 여부를 판단함에는 1심 원고의 청구가 성적 학대를 피하기 위해 1심 원고의 슬하를 떠난 1심 피고들에 대한 보복 목적에서 이루어지고 있는 점, 1심 원고가 1심 피고 A를 인지한 동기가 성적 흥미의 대상을 곁에 두려고 한 점이 중시되어야 한다. 또한 인지 무효가 인정되지 않는다고 해도 그 불이익을 받는 것은 인지자인 1심 원고 이외에는 존재하지 않는다. 게다가 인지 무효가 인정되면 1심 피고 A는 완전히 일본인으로서 생활하고 있음에도 불구하고 일본 국적을 잃고 필리핀으로 강제 퇴거 당하게 되어 그 불이익은 이루 헤아릴 수 없다.

이상의 사정에 의하면 본건은 인지 무효를 인정하는 것이 현저히 부당한 결과를 초래하는 경우에 해당하므로 1심 원고의 인지 무효 청구는 권리 남용에 해당한다고 할 수 있다.

② 이혼 등 청구에 대해서

(가) 혼인관계의 파탄

1심 피고 B가 1심 원고와 별거한 이유는 1심 원고의 성적 학대로부터 1심 피고 A를 피난시키기 위해서였다. 그렇다면 1심 피고 A가 성장하여 독립하고 1심 원고가 자신의 잘못을 인정하고 태도를 고치면 동거에 장해가 없으므로 향후 혼인관계의 복원 가능성이 전혀 없다고 단정할 수 없다.

따라서 1심 피고 B와 1심 원고의 혼인관계가 파탄에 이르렀다고까지는 할 수 없다.

(나) 신의칙 위반

1심 원고의 이혼 청구가 신의칙에 반하고 있는지 여부를 판단하는 데 가장 고려되어야 할 사정은 1심 원고가 1심 피고 A에게 성적 학대를 가한 것으로 1심 원고가 유책 배우자인 점이다.

1심 원고는 1심 피고 A가 초등학교 3학년인 무렵부터 4학년인 무렵까지 가슴과 사타구니를 만지는 행위를 반복했으며 이 행위는 13세 미만의 남녀에 대한 음란 행위이므로 강제추행죄가 성립된다. 게다가 1심 피고 A에 대해서 허위 인지를 하고 자신의 곁에 두고 성적 학대의 대상으로 한 것은 다른 사람이 아닌 가해자인 1심 원고이다.

또한 1심 원고의 이혼 청구가 허용되면 1심 피고 B는 재류 자격을 잃고 일본에서의 퇴거가 강제될 우려가 발생하고 그렇게 되면 1심 피고 A도 일본에서의 생활을 계속할 수 없게 되는데 이 이상 유책자인 1심 원고의 사정으로 1심 피고들의 운명을 좌우하는 것은 절대로 피해야 한다.

이와 같이 1심 원고의 유책성이 매우 무거운 이상 이혼 청구는 신의칙에 반한다고 할 수 있다.

③ 1심 피고 B의 본 심에서의 반소 청구에 대해서

전술한 것과 같이 1심 원고는 유책 배우자이며, 1심 피고 A에 대한 성적 학대에 기인하여 1심 피고 B는 막대한 정신적 고통을 받아 왔다. 또한 1심 원고의 이혼 청구가 인정되면 1심 피고들은 퇴거를 강제당하는 사태에 빠지고 만다.

그들의 정신적 고통을 위자하기에 족한 금액은 적어도 160만 엔을 밑돌지 않는다.

따라서 1심 피고 B는 1심 원고에게 불법행위로 인한 손해배상으로서 160만 엔 및 이에 대한 이혼 판결 확정일 다음 날부터 다 갚는 날까지 민법 소정의 연 5%의 비율에 의한 지연 손해금을 지불할 것을 요구한다.

(2) 1심 원고

① 위자료 청구에 대해서

원판결은 1심 원고가 1심 피고 A에게 성적 학대를 가했다고 인정하고 혼인관계가 파탄에 이른 주된 책임은 1심 원고에게 있다고 하여, 1심 원고의 위자료 청구를 기각했지만 이 인정과 판단은 잘못되었다.

1심 원고와 1심 피고 B의 혼인관계가 파탄에 이른 원인은, ① 1심 피고 B가 일본에서 계속 체류할 목적으로 1심 원고와 결혼했다고 밖에 생각할 수 없는 점, ② 파친코 등에 의한 1심 피고 B의 현저한 낭비와 이를 원인으로 하는 다수 지인으로부터의 차용금 때문에, 1심 원고까지 상환의 재촉을 받는 등 금전적 갈등에 휘말리게 된 점, ③ 1심 피고 B가 1심 피고 A의 친아버지 장례식에 참석하기 위해 자신의 아이가 숨졌다고 허위 사실을 알리고 귀국 비용을 부담시켜 필리핀으로 되돌아간 점 등에서 1심 원고가 1심 피고 B에 대한 신뢰를 잃었기 때문이다.

또한 1심 피고 B가 2009년 2월 12일에 집을 나간 것은 1심 원고가 실직하고 일자리를 찾을 가능성도 없었기 때문으로 1심 원고와 혼인 생활을 계속할 이유가 사라졌기 때문이다.

이와 같이 혼인관계 파탄의 원인은 1심 피고 B에게 있으며, 게다가 1심 피고 B는 자력이 없는 1심 원고가 생활할 장소까지 잃어버리고 만 것을 인식하고 있으면서 그러한 행동에 이른 것이다.

따라서 1심 원고의 1심 피고 B에 대한 위자료 청구는 인용되어야 한다.

② 1심 피고 B의 본 심에서의 반소 청구에 대한 본안 전의 답변에 대해서

1심 피고 B의 본 심에서의 반소 청구는 항소심에서 이루어진 것이므로 상대방의 동의가 필요하다(민사소송법 300조 1항).

그러나 1심 원고는 이에 동의하지 않으므로 이 청구에 관한 소는 각하되어야 한다.

제3 본 재판소의 판단

1 1심 원고 및 1심 피고들의 항소에 대해서

본 재판소도 1심 원고의 1심 피고 A에 대한 인지 무효 청구와 1심 피고 B에 대한 이혼 청구는 모두 정당하기 때문에 인용하고 1심 피고 B에 대한 위자료 청구는 부당하므로 기각해야 한다고 판단

한다. 그 이유는 다음과 같이 보정하는 외에는 원판결 '사실과 이유', '제3 본 재판소의 판단'에 기재한 대로이기 때문에 이를 인용한다.

(1) 원판결 7쪽 11줄의 최초의 "필리핀법"의 다음에 "(필리핀가족법 175조, 172조, 또한 이 법에는 인지 제도는 존재하지 않는다)"를 추가하고, 21줄의 "9, 10"을 "9 내지 11, 12의 1 내지 3, 14의 1 내지 4"로, 같은 줄의 "을 1 내지 6"을 "을 1 내지 7"로 각각 고친다(덧붙여 서증번호는 모두 인지 무효 청구 사건의 것이다. 이하 같다).

(2) 원판결 8쪽 8줄의 "入局관리국"을 "入国관리국"으로 고치고 11줄부터 12줄에 걸친 "허위의 것" 다음에 "덧붙여 1심 피고 A는 2004년 6월 25일에 1심 원고를 아버지로 하는 출생 등록이 되었지만 그 절차는 1심 피고 B가 하였다."를 추가하고, 12줄의 "피고"를 "1심 원고"로, 15줄부터 16줄에 걸친 "동거를 시작했다."를 "히로시마시 d구 e의 집(1심 피고 B의 근무처의 종업원 기숙사였다)에서 동거하며 일본에서의 생활을 시작했다."로 각각 고친다.

(3) 원판결 8쪽 17줄부터 21줄까지를 아래와 같이 고친다.

"(8) 1심 피고 A는 위와 같이 2005년 10월에 일본에 입국한 후 F 초등학교에 입학했지만, 당시에는 일본어를 자유롭게 구사하지 못하였기 때문에 본래라면 3학년이었지만 1학년 아래인 2학년에 편입되었다. 또한 1심 피고 A는 당시 일본에서의 생활에 익숙하지 못해 젓가락을 사용하지 않고 손으로 음식을 먹는다거나 자신을 '오레[98]'라고 한다거나 했기 때문에 이를 듣고 비난하고 따지는 1심 원고로부터 호되게 질책을 당하여 점차 1심 원고를 역겹게 생각하게 되었다. 그러한 가운데 1심 원고가 금지했음에도 불구하고, 1심 피고 A가 사촌(1심 피고 B의 여동생의 아이)에게 1심 원고의 컴퓨터의 비밀번호를 알려주고 그 사촌이 프로그램에 손을 대게 되어 컴퓨터가 작동하지 않게 된 적이 있었는데 그 때에는 1심 원고도 화를 참지 못하고 1심 피고 A의 머리카락을 잡아당기는 등 한 적이 있었다. 이러한 이유로 1심 원고와 1심 피고 A는 당초부터 줄곧 불화였다.

"덧붙여 1심 피고 B는 1심 피고 A와 동거를 시작하여 3개월 후인 2006년 1월 12일, 히로시마시 아동상담소를 방문하여 다음의 점에 대해서 상담을 하였다.

① 1심 원고가 1심 피고 A에게 함께 목욕하자고 하는데 거절하고 있지만 매일 그래서 걱정이다.

② 1심 피고 A가 학교에서 귀가하면 1심 원고가 꽉 껴안고 키스를 하기 때문에 1심 피고 A가 싫어하고 있다.

---

98) おれ(己 · 俺). '나'라고 자신을 지칭하는 말이나 주로 남자가 동료 또는 아랫사람에게 쓰는 말이므로 초등학생 여자아이인 1심 피고 A가 이 말을 쓰게 되면 일본 사회에서 이상하다는 평가를 받게 된다.

③ 1심 원고가 1심 피고 A의 일상생활에 간섭하고 뜻에 맞지 않으면 비위가 틀리게 된다.

④ 정초에는 1심 피고 A가 떠들었기 때문에 1심 원고가 발로 1심 피고 A를 걷어찼다.

⑤ 1심 원고가 1심 피고 A를 필리핀으로 보내버린다거나 1심 피고 B와 이혼한다고 발언한다."

(4) 8쪽 24줄의 다음에 줄을 바꾸어 아래 내용을 추가한다.

"덧붙여 1심 피고 B는 2007년 7월 4일, 다시 히로시마시 아동상담소를 방문하여 다음의 점에 대해서 상담을 하였다.

① 1심 원고는 1심 피고 B가 있어도 1심 피고 A를 만지기 때문에 1심 피고 A가 싫어하고 있다.

② 1심 피고 B는 이혼해서 이사하고 싶지만 이혼 후에도 1심 피고 A와 함께 히로시마시에 살면서 지금의 가게에서 일하고 싶다.

③ 1심 원고는 이혼을 승낙했지만 이혼 신고서는 아직도 제출하지 않고 있다."

(5) 8쪽 25줄의 "여동생의 남편"을 "여동생의 남편인 C"로 고친다.

(6) 9쪽 4줄 다음에 줄을 바꾸어 아래의 내용을 추가한다.

"덧붙여 1심 원고는 도야마현과 시즈오카현에서 일한 2007년 6월 경부터 2009년 1월까지 1심 피고 B 명의의 우편 저금에 거의 매달 입금(많은 달에 10만 엔, 적은 달에 5,000엔 내지 1만 엔)하여 1심 피고들의 생활비를 지원하고 있었다."

(7) 9쪽 5줄의 "원고와의 동거를 다시 시작하는 것에 공포감을 가지고"를 "사이가 나빴던 1심 원고와의 동거를 다시 시작하는 것을 싫어하고"로, 6줄의 "같은 해"를 "같은 달"로 각각 고치고 16줄의 말미에 "그래서 1심 원고는 당시 전술한 것처럼 파견을 마치게 되어 무직으로 취직자리도 정해지지 않았기 때문에 노동금고에서 파견 종료 지원 자금을 빌려 이사했지만 그 후에도 취직자리를 얻지 못하고 현재에도 복지에 의존하여 생활하고 있다."를 추가한다.

(8) 10쪽 2줄의 "등록"을 "호적의 기재"로 고치고 3줄부터 13줄까지를 아래와 같이 고친다.

"3 그런데 1심 피고들은 1심 원고가 1심 피고 A에 대하여 몸을 만지고 음부를 만지는 등의 성적 학대를 가했다고 주장하며 을 5, 6 및 1심 피고들 각 본인 심문 결과 중에는 이에 따르는 진술 혹은 공술이 있다.

따라서 검토하니 위 각 증거에 의하면 1심 원고가 1심 피고 A에게 성적 학대를 했다는 것은 1심 피고 A가 초등학교 2학년이 끝나는 무렵부터 초등학교 3학년의 시기(을 5의 4쪽, 을 6의 5쪽, 1심 피고 A 본인 59항)라는 것이므로 2005년 연말부터 2007년 3월까지의 사이라고 할 수 있지만, 전술한 인정 사실에 의하면 1심 피고 B는 2006년 1월 12일, 히로시마시 아동상담소를 방문하여 1심 원고와 1심 피고 A의 일에 대해 상담했지만, 그 때의 상담 내용은 1심 원고가 1심 피고 A에게 매일 함께 목욕하자고 말한다든가 1심 피고 A가 학교에서 귀가하면 1심 원고가 (1심 피고 A를) 꽉 껴안고 키스를 한다는 것이지, 1심 피고들이 주장하는 성적 학대에 관한 행위는 아니다. 또한 적어도 일본에서는 아버지가 초등학교 2, 3년생인 딸에게 함께 목욕하자고 하는 것이 기이한 것은 아니고 게다가 1심 원고 본인 심문 결과(203항)에 따르면 1심 피고 A와 함께 목욕한 것은 머릿니를 잡기 위해 들어간 1회 뿐이라는 것이며[이 점에 관한 1심 피고 A의 본인 심문 결과(118항 이하)는 매우 애매하여 채용할 수 없다], 꽉 껴안은 것도 1심 원고 본인 심문 결과(205항)에 의하면 허그(hug)이며, 통상, 친애의 정을 나타내는 것으로 되어 있는 행위이기 때문에 모두 즉각 성적인 행위가 이루어졌다고 할 수는 없다.

따라서 위 을 5 외의 증거는 쉽게 채용할 수 없고 1심 원고가 1심 피고 A에게 2006년 1월 12일까지의 사이에 성적 학대를 했다고 인정할 수 없다.

다음에 그 후 2007년 3월까지 사이의 일인데 위 을 5 외의 증거에 의하면 1심 원고가 1심 피고 A에게 성적 학대를 했다면 그 사이가 가장 가능성이 높은데 위 인정 사실에 따르면 1심 피고 B가 그 사이에 아동상담소를 찾아가 상담을 한 사실은 없고 1심 원고가 파견 사원으로 일하기 위해 도야마현으로 이사하여 1심 피고 A의 피해가 없을 터인 같은 해 7월 4일에 이르러 1심 피고 B는 아동상담소를 찾아간 후 비로소 1심 원고가 1심 피고 A를 만졌다고 호소한 것으로 진정으로 성적 학대가 있었다고 하기에는 너무나 부자연스러운 경위라고 할 수 있고 게다가 그 때에는 1심 피고 B의 이혼이나 이혼 후의 생활에 대해서도 상담하고 있는 것을 감안하면 1심 원고의 1심 피고 A에 대한 성적 학대라는 것은 이혼을 위한 단순한 구실로 끌어낸 것에 불과한 것이 아닌가 의심이 남는다.

따라서 위 을 5 외의 증거는 쉽게 채용할 수 없고 2007년 3월까지의 사이에 대해서도 1심 원고가 1심 피고 A에게 성적 학대를 했다고 인정할 만한 증거는 없다.

또한 전술한 인정 사실에 의하면 2008년 12월, 1심 피고 B의 여동생의 남편인 C가 1심 원고에게 1심 원고가 1심 피고 A의 몸을 만지는 것을 비난한 사실이 있지만, C도 1심 피고들의 말을 믿고 비난했을 뿐으로 위와 같이 1심 피고들의 진술이나 공술의 신용성에 의문이 있는 이상 위와 같은 사실이 있다고 해서 1심 원고가 1심 피고 A에게 성적 학대를 했다고 인정하기에 부족하다.

위 내용과 같으며 1심 피고들의 주장은 이를 인정할 만한 증거가 없다."

(9) 12쪽 5줄의 "부실 보호자"를 "부실 인지자"로, 9줄의 "점을 감안하면"에서 11줄 말미까지를

"후, 개개의 사안에서 구체적 타당성을 잃게 될 경우에는, 후술하는 것과 같이 권리 남용 법리의 적용에 의해 이에 대처할 수 있으며 또한 그렇게 할 수도 있으므로 위 신분 관계의 안정과 부실 인지자에 대한 비난을 이유로 하여 인지자 자신에 의한 인지 무효 청구를 일체 허용하지 않는 것으로 해석하는 것은 상당하지 않다."로, 26줄의 "신분 관계, 거주 관계가 불안정해지고"를 "법률상의 아버지가 없게 되고(덧붙여 1심 피고 A의 혈연상의 친아버지가 이미 사망한 것은 전제 사실에서 확정한 대로이다)"로 각각 고친다.

(10) 13쪽 3줄의 "적극적으로 부실하게 인지한다"에서 7줄 끝까지를 "1심 피고 B(다만, 필리핀에서 1심 원고가 1심 피고 A의 아버지라는 허위 출생 등록 절차를 한 것이 1심 피고 B인 것은 전술한 인정과 같다)와 함께 적극적으로 부실 인지를 하고 있다."로, 10줄의 "피고"를 "1심 피고 A"로, 12줄의 "실제 친자 관계"를 "게다가 1심 원고와 1심 피고 A는 당초부터 줄곧 사이가 좋지 않았던 것이므로 그 관계가 실제 친자 관계"로 각각 고친다.

(11) 13쪽 18줄부터 22줄까지를 아래와 같이 고친다.

"그리고 위 내용에 덧붙여, 1심 원고가 1심 피고 A에게 성적 학대를 했다고 인정할 만한 증거는 없고 달리 성적인 행위를 하였다고도 할 수 없는 것, 1심 원고가 1심 피고 A의 머리채를 끌어당긴 사실이 있다고 해도 1심 원고로서는 나름대로 이유가 있었음은 전술한 인정 사실에서 분명하고 1심 피고 A(50항 이하, 98항 이하)와 1심 피고 B(49항 이하)의 각 본인 심문 결과에 의해서도 달리 1심 원고가 1심 피고 A에게 위법으로 평가될 정도의 폭행을 하고 있었다고는 인정하기 어려운 것도 또한 본건의 권리 남용 법리 적용상 고려되어야 한다.

한편 본건 인지 무효 청구가 인용되면 그로 인해 1심 피고 A와 1심 원고의 법률상의 부자 관계가 1심 피고 A의 출생 시로 소급하여 존재하지 않는 것이 되며, 나아가서는 전술한 신고에 의한 1심 피고 A의 일본 국적 취득도 무효로 된다고 해석되지만, 이미 설시한 바에 의하면, 1심 원고와 1심 피고 A는 일관하여 사이가 좋지 않고, 앞으로도 그 복원 가능성은 거의 생각할 수 없다는 것이며, 1심 피고 A(현재 14세이다)는 8세까지 필리핀에서 친오빠들과 생활해 왔고 게다가 갑 9의 1 내지 4, 1심 원고(50항, 68항 이하, 117항, 152항 이하), 1심 피고 B(138항) 및 1심 피고 A(115항)의 각 본인 심문 결과에 의하면 필리핀에는 친오빠와 할머니가 있는 외에 1심 피고 B와는 모국어인 타갈로그어로 대화하는 일상생활을 하고 있는 것이 인정되기 때문에 1심 피고 A의 일본 국적 취득이 무효가 되어 이로 인해 재류 자격을 상실하여 필리핀으로 강제 퇴거된다고 해도 간과하기 어려울 정도의 중대한 불이익을 입는 것은 아니다.

그렇다면 본건 인지 무효 청구를 인용함으로써 이미 혈연상의 아버지와 사별한 1심 피고 A가 다시 법률상의 아버지를 잃게 되더라도, 그로 인해 1심 피고 A가 입는 정신적, 경제적 불이익이 크다고는 할 수 없고(현재 1심 원고가 복지에 의존하여 생활하고 있는 것은 전술한 인정과 같다), 또한 본건 인지가 1심 원고와 1심 피고 B와의 혼인에 따라 이루어진 의붓자식 입양의 실질을 가진 것이며, 후술하는 대로 그 혼인관계가 파탄 난 경우라도 이를 해소하는 제도가 없다는 점 등의 본건 인지나 그 무효 청구가 이루어진 여러 사정에 비추어 보면 1심 원고에 의한 본건 인지의 무효 청구가 권리 남용에 해당한다고 할 수는 없다."

(12) 13쪽 26줄부터 14쪽 2줄까지를 아래와 같이 고친다.

"1심 원고는 1심 피고 B가 2009년 2월 12일에 1심 원고에게 알리지 않고 집을 나와 이후 자신의 생활 장소 등을 알려 주지 않은 것이 악의의 유기에 해당한다고 주장하지만 1심 피고 B가 집을 나온 것은 일시 보호되어 있던 1심 피고 A와 함께 피난 생활을 하기 위해서였던 것은 전술한 인정과 같으므로 이를 즉시 악의의 유기라고 할 수는 없다."

(13) 14쪽 6줄의 말미에 "1심 피고들은 1심 피고 B와 1심 원고의 혼인관계가 복원 가능성이 전혀 없다고 할 수는 없다고 주장하지만 도저히 갑자기 채용할 수 있는 것은 아니다."를 추가하고, 8줄부터 10줄까지를 삭제하며 11줄의 "그러나"를 "1심 원고가 1심 피고 A에게 성적 학대를 한 것을 인정할 만한 증거가 없는 것은 전술한 바와 같으며, 달리 1심 원고가 유책 배우자로 인정될 사정과 증거는 없다. 한편"으로, 17줄과 18줄을 아래와 같이 각각 고친다.

"1심 원고는 1심 피고 B가 일본에서 계속 체류할 목적으로 1심 원고와 결혼했다고밖에 볼 수 없다거나 1심 피고 B의 낭비와 차용금 때문에 1심 원고까지도 금전적 갈등에 휘말렸다고 주장한다. 그러나 1심 원고와 1심 피고 B가 적어도 4년가량은 실질적인 동거 생활을 한 것은 전술한 대로이기 때문에, 1심 피고 B가 전술한 목적으로 1심 원고와 결혼했다고밖에 볼 수 없다는 1심 원고의 주장을 채용할 수 없고, 1심 피고 B의 차용금 등에 관한 1심 원고의 주장을 인정하기 어려운 것은 이미 설시한 대로이다. 또한 1심 원고는 1심 피고 B가 자신의 아이가 숨졌다고 허위 사실을 알리고, 1심 피고 A의 친아버지의 장례식에 참석했다는 등으로 주장하지만, 그것만으로는 1심 피고 B에게 위자료의 지불을 요구할 정도로 위법이라고까지는 인정되지 않는다.

다음에 1심 원고는 1심 피고 B가 집을 나간 것은 1심 원고가 실직하고 일자리를 발견할 가능성도 없었기 때문이라거나 그 때, 자력이 없는 1심 원고가 사는 곳까지 잃고 만 것을 인식하고 있었다고 주장하지만, 1심 피고 B가 집을 나온 것은 전술한 사정 때문이며 이것이 위법이라고는 인정되지 않는다.

덧붙여 1심 원고가 1심 피고 A에게 성적 학대를 했다는 1심 피고 B의 주장 사실을 인정할 만한 증거가 없는 것은 전술한 바와 같지만 그렇다고 1심 피고 B가 재판소를 기망하려는 등의 부정한 의도 아래에서 굳이 허위 주장을 한 것을 인정할 만한 증거는 없으므로 최고재판소 昭和63年 1月 26日 제3소법정 판결 · 민집 42권 1호 1쪽의 취지에 비추어 보면 1심 피고들이 위 주장을 했다고 해서 이것을 위법으로 인정할 수 없다.

이상과 같으며 1심 원고의 1심 피고 B에 대한 위자료 청구는 부당하다."

2 1심 피고 B의 본 심에서의 반소 청구에 대해서

본건에서는 1심 원고의 1심 피고 B에 대한 이혼 청구를 인용해야 하기 때문에 1심 피고 B의 본 심에서의 반소 청구에 대해서 판단한다.

(1) 본안 전의 답변에 대해서

1심 원고는 1심 피고 B의 본 심에서의 반소 청구에 동의하지 않으므로 이 청구에 관한 소는 각하되어야 한다고 주장하지만, 인사소송법 18조에 따르면 인사소송에 관한 절차에서는 민사소송법 300조의 규정에 불구하고 항소심의 구두 변론 종결에 이르기까지, 반소를 제기할 수 있다는 내용이 규정되어 있으므로 1심 원고의 위 주장은 부당하다.

(2) 본안에 대해서

1심 원고가 유책 배우자라고 인정할 수 없는 것은 이미 설시한 대로이며 또한 1심 피고 B와 1심 원고의 혼인관계가 파탄에 이른 것에 관하여 1심 원고에게 위자료의 지불을 요구할 정도의 위법한 행위가 있었음을 인정할 사정도 증거도 없다.

따라서 1심 피고 B의 1심 원고에 대한 위자료 청구도 또한 부당하다.

제4 결론

따라서 원심 판결은 상당하고 본건 항소는 모두 이유가 없으므로 기각하고 1심 피고 B의 본 심에서의 반소 청구는 이유가 없으므로 기각하며 항소비용 및 소송비용의 부담에 대해서 민사소송법 61조를 적용하여 주문과 같이 판결한다.

◇ 재판관 近下秀明 재판관 松葉佐隆之

재판장 재판관 広田聡는 퇴임으로 인해 서명 날인할 수 없다. 재판관 近下秀明

2. 인지에 관한 호적 정정 허가 신청에 대한 취급

항고인은 인지에 관한 호적 정정 허가 신청을 하였는데 원심판은 호적법 113조에 의한 가정재판소의 허가에 근거하여 호적 정정은 호적의 기재 자체로부터 바로잡아야 할 사항이 명백한 경우 또는 호적의 기재 자체에서는 명백하지 않지만, 바로잡아야 할 사항이 경미하여 친족법, 상속법상의 신분관계에 중대한 영향을 미칠 염려가 없는 경우 허용되는 것으로, 이에 해당되지 않는 경우에는 호적법 116조 1항에 따르지 않으면 안 된다는 취지로 판단하여 항고인의 신청을 각하했다.

나고야 고등재판소도 본건에서 항고인이 정정을 요구하는 호적의 기재사항은 항고인에 의한 태아인지 및 이에 근거한 항고인과 본건 태아 인지의 상대방 사이의 부자 관계의 존부라는 중대한 법률관계에 관한 사항이지만 그 정정에 대하여 본건 태아 인지의 상대방이나 그 어머니의 동의가 존재하는지 여부에 대해서는 아무런 소명이 없고 호적법상의 본건 태아 인지의 기재는 그 상대방의 일본 국적 취득 가부에 대해서도 영향을 미칠 우려가 있다고 생각되어 명백성, 경미성의 요건이 인정되지 않는 것이 상당하여 이와 같은 취지로 한 원심판의 판단은 정당하다고 판시하였다.

항고인은 러시아법상의 인지를 나타내는 첨부서류에 오류가 있다는 취지로 주장하나 첨부서류의 잘못을 뒷받침하는 전문가가 서면으로서 제출한 소명 자료는 ① 러시아법에 태아 인지 제도가 존재하는 것, ② 러시아에서는 시민등록국에 출생 등록을 함으로써 러시아 연방 가족법 47조 소정의 확립한 법질서에서 확인되고 있는 아이의 출생 기원을 취득할 수 있음을 나타내는 것에 지나지 않고, 그것 이외에 본건 첨부서류 내지 그 번역에 과오가 있다거나 본건 태아 인지가 무효라는 등의 지적 사항은 포함되어 있지 않았다. 오히려 소명자료에는 항고인과 본건 태아 인지의 상대방의 부자 관계는 규정된 법질서에서 확인되고 있다는 취지가 기재되어 있고 전문가도 본건 태아 인지의 효력에 긍정적인 모습을 보였다. 나고야 고등재판소는 이러한 사실에 비추어 본건에서 항고인이 정정 허가를 요구하는 호적의 기재가 법률상 허용되지 않는 것인 점 또는 그 기재에 착오 혹은 누락이 있는 점에 대해서 명백성 내지 경미성의 요건이 구비되어 있다고 인정할 수 없고 항고인의 주장도 채용할 수 없다고 하면서 항고를 기각하였다.

〈호적법〉

제113조 호적의 기재가 법률상 허용되지 않는 것이라는 점 또는 그 기재에 착오 또는 누락이 있는 점을 발견한 경우에는 이해관계인은 가정재판소의 허가를 얻어 호적 정정을 신청할 수 있다.
제116조 확정판결에 의해 호적의 정정을 해야 하는 때에는 소를 제기한 사람은 판결이 확정된 날로부터 1개월 이내에 판결 등본을 첨부하여 호적 정정을 신청해야 한다.

재판연월일 平成21年[99] 4月 14日	**재판소명** 나고야(名古屋) 고등재판소
사건번호 平21(ラ)35号	**재판구분** 결정
사 건 명 호적 정정 허가 신청 각하 심판에 대한 즉시항고 사건	
재판결과 기각	**상 소 등** 허가항고 기각, 확정

주 문

본건 항고를 기각한다.

이 유

제1 항고의 취지와 이유

별지 즉시항고 신청서 및 즉시항고 이유서에 기재된 대로이다.

제2 본 재판소의 판단

1 본 재판소도 항고인의 본건 호적 정정 허가 신청은 이유가 없다고 판단한다. 그 이유는 다음 항 이하와 같고 항고 이유에 대한 판단을 덧붙이는 외에는 원심판 이유 란의 '제3 본 재판소의 판단'의 1과 같으므로 이를 인용한다.

2 (1) 항고인은 아래 ① 내지 ③과 같이 주장한다.

① 원심판은 호적법(이하 '법'이라 한다) 113조에 의한 가정재판소의 허가에 근거하여 호적 정정은 호적의 기재 자체로부터 바로잡아야 할 사항이 명백한 경우 또는 호적의 기재 자체에서는 명백하지 않지만, 바로잡아야 할 사항이 경미하여 친족법, 상속법상의 신분 관계에 중대한 영향을 미칠 염려가 없는 경우 허용되는 것으로, 이들에 해당되지 않는 경우에는 법 116조 1항에 따르지 않으면 안 된다는 취지로 판단하여 항고인의 신청을 각하했다.

② 그러나 법 113조는 이 조항에 의한 가정재판소의 허가에 대해서 원심판이 진술하는 것처럼

99) 2009년

한정을 추가하지 않는다. 호적의 기초가 되는 법률행위의 존부는 직권주의적으로 판단되어야 할 것이고, 진실에 반하는 호적 기재는 당연히 말소되어야 하며 법 116조와 같은 당사자주의적 대립 구조에 의해 판단될 것은 아니다.

③ 본건은 호적의 기재에 착오가 있는 경우로 법 113조에 해당한다. 또한 인사소송법 2조는 인지 부존재 확인 소송의 형식을 인정하지 않기 때문에 법 113조에 의할 필요가 있다고 할 수 있다.

(2) 그러나 호적의 기재는 친족법, 상속법만이 아니라 다방면에 걸친 법률상의 신분 관계의 기초가 되는 것으로 그 기재에 공신력을 인정할 수 없지만 호적의 기재는 일응 진실이라는 사실상의 추정을 받는다(최고재판소 昭和28年[100] 4月 23日 제1소법정 판결 · 민집 7권 4호 396쪽).

이러한 호적 기재의 중요성 및 그 변경에 의해 법률상 사실상 불이익을 입은 상대방 당사자, 관계자의 실체법상 절차법상의 권리 이익을 고려하면 상대방의 절차 관여가 이루어지지 않는 법 113조의 절차에 의해 호적 정정의 허용된 범위에 대해서는 자연히 제약이 있고 정정의 대상 사항이 호적의 기재 자체로부터 명백한 경우(명백성의 요건) 또는 호적의 기재 자체로부터 명백하지 않다 해도 관계자의 동의가 있는 등 그 사항이 경미하여 정정이 법률상 중대한 영향을 미칠 우려가 없는 경우(경미성의 요건)에 한정된다고 해석하는 것이며, 이러한 취지는 종래부터 일본의 판례가 판시하여 왔던 바이다(대심원 大正5年 2月 3日 결정 · 민록 22집 156쪽, 대심원 大正5年 4月 19日 결정 · 민록 22집 774쪽 등).

(3) 본건에서 항고인이 정정을 요구하는 호적의 기재사항은 항고인에 의한 태아 인지(이하 '본건 태아 인지'라 한다) 및 이것에 근거한 항고인과 본건 태아 인지의 상대방 사이의 부자 관계의 존부라는 중대한 법률관계에 관한 사항이지만, 그 정정에 대한 본건 태아 인지의 상대방이나 그 어머니의 동의가 있는지 여부에 대해서는 아무런 소명이 없다.

또한 호적법상의 본건 태아 인지의 기재는 그 상대방의 일본 국적 취득 가부에 대해서도 영향을 미칠 우려가 있다고 생각된다(국적법 2조).

(4) 이상을 종합하면 본건에서는 위 (2)의 명백성, 경미성의 요건이 인정되지 않는 것이 상당하고 이와 같은 취지로 한 원심판의 판단은 정당하다.

(5) 또한 항고인은 인사소송법 2조가 인지 부존재 확인 소송의 형식을 인정하고 있지 않다고 주장

100) 1953년

하지만, 이 조항 각호는 인사소송법상의 인사소송으로 인정되는 전형적인 경우를 열거한 것에 그치는 것으로 이 조항 본문이 각호 소정 이외의 인사소송을 금지하는 취지라고는 해석되지 않으며 항고인의 위 주장에서 이상의 판단을 좌우할 수는 없다.

3 (1) 또한 항고인은 아래 ① 내지 ④와 같이 주장한다.

① 만약 법 113조에 의한 호적 정정에 명백성의 제한을 가한다고 해도 보고적 신고에 있어서는, 그 첨부서류에 따라 호적 정정이 이루어지고 있으므로 '호적의 기재 자체로부터 바로잡아야 할 사항이 명백한 경우'란 제출된 첨부서류도 포함하여 판단해야 한다.

② 본건에서는 본건 태아 인지의 상대방의 어머니에 의해 이루어진 러시아법상의 인지를 나타내는 첨부서류(이하 '본건 첨부서류'라 한다)의 번역 과오는 항고인이 제출한 전문가의 번역에 따라 뒷받침되고 있으며, 호적에 기재된 날에 태아 인지가 존재하지 않는 것은 분명하다(게다가 태아 인지가 있었다고 하는 시기부터 상당히 경과하였고 태아 인지의 상대방의 출생 후에 호적의 기재가 이루어진 사실에서 보면, 태아 인지가 있으면 국적을 취득할 수 있음을 의식하여 고의로 잘못된 번역이 이루어졌을 가능성이 높다).

③ 또한 본건 첨부서류의 러시아 영사관의 증명은 단지 서명을 증명하고 있는 것일 뿐이므로 본건 첨부서류가 러시아법에 근거한 태아 인지의 존재를 나타내는 것이 아님은 명백하다.

④ 만일 러시아법에 근거한 태아 인지 제도의 유무에 대해서 의문이 있다고 해도, 법률에 관한 문제는 본래 재판소가 직권으로 판단하여야 하므로 러시아법에 관한 부분에 대해서는 명백성의 판단에서 제외되어야 하고 원심판에는 이상의 점에 대해서 판단을 잘못한 위법이 있다.

(2) 그러나 항고인이 본건 첨부서류의 잘못을 뒷받침하는 전문가의 서면으로서 제출하는 소명 자료(갑1의3의1 내지 7)는 ① 러시아법에 태아 인지 제도가 존재하는 것, ② 러시아에서는 시민등록국에 출생 등록을 함으로써, 러시아 연방 가족법 47조 소정의 확립한 법 질서에서 확인되고 있는 아이의 출생 기원을 취득할 수 있음을 나타내는 것에 지나지 않고, 그것 이외에 본건 첨부서류 내지 그 번역에 과오가 있다거나 본건 태아 인지가 무효라는 등의 지적 사항은 포함되어 있지 않다.

오히려 갑1의3의6(번역문은 갑1의3의7)에는 항고인과 본건 태아 인지의 상대방과의 부자 관계는 규정된 법질서에서 확인되고 있는 취지가 기재되어 있고(덧붙여 여기에서 법질서라는 것은 위 ②의 러시아 연방 가족법 소정의 법질서를 가리키는 취지로 해석된다), 전문가도 본건 태아 인지의 효력에 긍정적인 모습을 엿볼 수 있다.

(3) 따라서 본건에서 항고인이 정정 허가를 요구하는 호적의 기재가 법률상 허용되지 않는 것인 점 또는 그 기재에 착오 혹은 누락이 있는 점(법 113조)에 대해서 명백성 내지 경미성의 요건이 구비되어 있다고 인정할 수 없고 항고인의 위 (1)의 주장도 채용할 수 없다.

제3 결론

따라서 항고인의 호적 정정 신청은 이유가 없고 이를 기각한 원심판은 상당하므로 본건 항고를 기각하여 주문과 같이 결정한다.

◇ 재판장 재판관 岡光民雄 재판관 夏目明德 光吉恵子

별지는 모두 생략하였다.

제11장

성년인 자녀의 아버지에 대한 대학 재학 중 부양료 청구

본건은 성년의 대학생이 아버지에게 자신이 대학교를 졸업할 때까지 부양료를 지급하라고 청구한 사건이다.

오사카 고등재판소는 "일반적으로 성년이 된 자녀는 심신에 특별한 문제가 없는 한 자조(自助)를 내용으로 하여 자활해야 할 것이고 또한 성년이 된 자녀에 대한 부모의 부양 의무는 생활 부조 의무에 그치는 것으로 생활 부조 의무로서는 물론 생활 유지 의무라고 해도 부모가 성년이 된 자녀가 받는 대학 교육을 위한 비용을 부담해야 한다고는 바로 말하기 어렵다. 그렇다고는 하지만 현재 남녀를 불문하고 4년제 대학 진학률이 상당히 높아지고 있으며, 이러한 현황에서는 자녀가 4년제 대학에 진학한 후 면학을 우선으로 하여 다른 한편으로 어쩔 수 없이 학비나 생활비가 부족하게 되는 경우에 학비나 생활비의 부족을 어떻게 해소 · 경감해야 할지에 관해서 부모 자식 간에 부양 의무의 분담 비율, 즉, 부양의 정도 또는 방법에 대하여 협의를 할 수 있고 아직 협의가 이루어지지 않은 때 또는 부모 자식 간에 협의할 수 없는 때에는 자녀의 수요, 부모의 재력 기타 모든 사정을 고려하여 가정재판소가 이를 정하게 된다."고 하면서 아버지에게 대학생인 자녀가 대학을 졸업할 때까지 부양료를 지급하라고 판시하였다.

〈민법〉

(부양의무자)

제877**조** 직계혈족 및 형제자매는 서로 부양을 할 의무가 있다.

2 가정재판소는 특별한 사정이 있는 때에는 전항에 규정하는 경우 외에 3촌 이내의 친족 간에도 부양 의무를 지울 수 있다.

3 전항의 규정에 의한 심판이 있은 후 사정에 변경이 생긴 때에는 가정재판소는 그 심판을 취소할 수 있다.

(부양의 순위)

제878**조** 부양을 할 의무가 있는 사람이 여러 명 있는 경우에 부양을 할 사람의 순위에 대해서 당사자 사이에 협의가 이루어지지 않는 때 또는 협의를 할 수 없는 때에는 가정재판소가 이를 정한다. 부양을 받을 권리가 있는 사람이 여러 명 있는 경우에 부양의무자의 자력이 그 전원을 부양하기에 부족한 때의 부양을 받아야 할 사람의 순위에 대해서도 마찬가지로 한다.

(부양의 정도 또는 방법)

제879**조** 부양의 정도 또는 방법에 대해서 당사자 간에 협의가 이루어지지 않는 때 또는 협의를 할 수 없는 때에는 부양권리자의 수요, 부양의무자의 자력 기타 모든 사정을 고려하여 가정재판소가 이를 정한다.

재판연월일 平成22年[101] 7月 30日	**재판소명** 도쿄(東京) 고등재판소
사건번호 平22(ラ)683号	**재판구분** 결정
사 건 명 부양료 신청 각하 심판에 대한 항고 사건	
재판결과 취소, 인용	**상 소 등** 확정

주 문

1 원심판을 취소한다.

2 상대방은 항고인에게 15만 엔을 지불하라.

3 상대방은 항고인에게 2010년 ×월부터 2012년 ×월까지 매월 말일까지 1개월당 3만 엔을 지불하라.

이 유

제1 사안의 개요 등

1 본건은 항고인(원심 신청인)이 아버지인 상대방(원심 상대방)에 대해서 항고인에게 부양료로 1개월당 11만 5,000엔을 항고인이 재적하고 있는 대학을 졸업하는 날이 속하는 달까지 지불할 것을 요구한 사안이다.

2 원심판은 항고인의 신청을 각하했기 때문에 항고인이 이에 불복하여 항고를 했다.

3 당사자의 주장은 원심판의 '이유' 중의 '제1 신청의 취지 및 신청의 실정'의 2 및 '제2 상대방의 주장'에 기재된 대로이므로 이를 인용한다.

또한 본건 항고의 취지와 이유는 별지 기재 대로이다.

제2 본 재판소의 판단

본 결정에서의 약칭은 새로 붙이는 것 이외에 원심판의 것을 사용한다.

---

101) 2010년

1 본 재판소는 상대방에게 항고인의 부양료로 15만 엔 및 2010년 ×월부터 2012년 ×월까지 매월 말일까지 1개월당 3만 엔을 항고인에게 지불하도록 명하는 것이 상당하다고 판단한다. 그 이유는 다음과 같다.

2 일건 기록 및 심문의 전체 취지에 의하면 원심판의 '이유' 중의 '제3 본 재판소의 판단'의 1에 기재된 각 사실이 인정되므로 이를 인용한다. 단, 원심판 4쪽 11줄의 '2학년'을 '3학년'으로 고친다.

3 (1) 위 인정 사실에 근거하여 검토한다.

일반적으로 성년이 된 자녀는 심신에 특별한 문제가 없는 한 자조를 내용으로 하여 자활해야 할 것이고 또한 성년이 된 자녀에 대한 부모의 부양 의무는 생활 부조 의무에 그치는 것으로 생활 부조 의무로서는 물론 생활 유지 의무라고 해도 부모가 성년이 된 자녀가 받는 대학 교육을 위한 비용을 부담해야 한다고는 바로 말하기 어렵다.

그렇다고는 하지만 현재 남녀를 불문하고 4년제 대학 진학률이 상당히 높아지고 있으며(심문의 전체 취지. 덧붙여 대학에서의 고등교육을 받았는지 여부가 일자리의 선택이나 취직률, 임금의 액수 등에 차이를 가져오는 현실이 존재하는 것도 부정하기 어렵다), 이러한 현황에서는 자녀가 4년제 대학에 진학한 후 면학을 우선으로 하여 다른 한편으로 어쩔 수 없이 학비나 생활비가 부족하게 되는 경우에 학비나 생활비의 부족을 어떻게 해소 · 경감해야 할지에 관해서 부모 자식 간에 부양 의무의 분담 비율, 즉 부양의 정도 또는 방법을 협의함에는 위와 같은 부족이 생긴 경위, 부족한 금액, 장학금의 종류, 금액 및 수령 방법, 자녀가 아르바이트를 통해 얻는 수입이 있는지 여부 및 있다면 그 금액, 자녀가 대학 교육을 받는 것에 대한 자녀 자신의 의향 및 부모의 의향, 부모의 재력 그리고 본건처럼 부모가 이혼한 경우에는 부모 자신의 재혼 유무, 가족의 상황 기타 제반 사정을 고려해야 하지만 아직 협의가 이루어지지 않은 때 또는 부모 자식 간에 협의할 수 없는 때에는 자녀의 수요, 부모의 재력 기타 모든 사정을 고려하여 가정재판소가 이를 정하게 된다(민법 878조, 879조, 가사심판법 9조 1항 을류 8호).

(2) 그래서 우선 항고인의 현황을 보자.

① 앞에서 인정한 것과 같이 어머니 A가 상대방과 이혼한 후 재산분할로서 상대방으로부터 수령한 돈으로 아파트 한 채를 구입한 것은 어머니 A를 위해서 뿐만 아니라 항고인 및 동생 B(이하 세 사람을 아울러 '어머니 A들'이라 한다)의 생활 기반을 안정화하는 데 이바지하는 측면이 있지만(심문의 전체 취지), 위 아파트는 항고인이 소유하는 재산은 아니므로 즉시 항고인에게 재력이 있다고는

말하기 어렵고 또한 이혼 급부금을 가지고 위 아파트를 구입한 것도 그 사실의 적부 또는 당부를 항고인의 책임으로 돌려야 할 성질의 것이라고 할 수도 없다.

② 그러나 일건 기록에 의하면 어머니 A들의 한 달 생활비는 항고인의 학비 등을 제외하고도 30만 엔 가량인 것으로 보인다[갑1에 기재된 필요액 28만 3,614엔에 고정 자산세 및 국민 건강 보험의 1개월당의 각 환산액 9,700엔 및 7,883엔(1엔 미만 절사)을 더하면 30만 1,197엔이다]. 그리고 그 금액은 항고인이 성년에 이르기까지의 수입 합계 34만 엔(어머니 A의 2008년 수입 총액의 1개월당 환산액 11만 엔(약 132만 엔÷12개월) 및 두 사람분의 양육비 1개월당 23만 엔의 합계액)에 가깝고 상대방으로부터 지급된 양육비가 모두 그 본래의 취지에 따라 소비되었는지는 의문인 것, 상대방과 어머니 A의 이혼 판결(이하 '전소 판결'이라 한다)이 확정된 시점에서 어머니 A 및 당시 17세였던 항고인은 항고인이 성년에 이르면 상대방이 항고인에게 양육비를 지불하지 않게 된다는 것을 알고 있었고 또한 항고인의 장래 진로나 그에 필요한 비용 등에 대해서 미리 검토할 수 있었을 것으로 인정되는 점을 감안하면 앞에서 인정하는 것과 같이 생활비가 부족한 상태에 이르렀던 것에 대해서는 동거하는 친권자인 어머니 A 및 항고인 본인의 생활 설계 및 그 생활 방식에 기인하는 부분이 전혀 없다고 할 수 없으며, 어머니 A는 항고인을 대학에 진학시키기 위해 필요한 재력을 일단은 유지할 수 있었던 것임은 부인하기 어렵다.

③ 그러나 어머니 A들의 생활비를 절약한다고 해도 현재의 수입액(어머니 A의 1개월당의 시간제 근로 수입 11만 엔, B의 양육비 11만 5,000엔의 합계는 22만 5,000엔이며, 항고인이 받는 1개월당 4만 5,000엔의 장학금과 3만 엔 정도의 아르바이트 수입 및 B의 1개월당 3만 엔의 장학금을 합쳐도 33만 엔이다)으로 세 사람의 생활비 및 학교 관계 비용을 조달할 수 있는 개연성이 있다는 점을 인정할 만한 딱 들어맞는 자료는 없다. 또한 어머니 A가 전직 등을 통해 보다 고액의 수입을 얻는 것도 기대하기 어렵다.

그러한 경우에는 동거 부모인 어머니 A가 항고인을 부양하는 것은 어렵다고 할 수밖에 없다.

(3) 항고인의 자조 노력 기타를 본다.

항고인은 앞에서 인정한 것처럼 현재 대학 3학년생이며 전술한 장학금 및 아르바이트 수입을 얻고 있지만 일건 기록 및 심문 전체 취지에 의하면 항고인은 또한 매일 학업에 쫓기고 있으며, 앞으로도 마찬가지의 상황이 이어질 전망이라는 점이 인정되고 그러한 상황에서는 아르바이트를 하는 시간을 현재 이상으로 늘리는 등 하는 경우에는 학업에 영향을 미칠 우려가 있으며 항고인이 큰 부담을 지지 않고 보다 많은 아르바이트 수입 등을 얻기는 쉽지 않을 것이라고 해야 하고 달리 학업에의 영향을 피하면서 수입을 증가시킬 수 있다는 점을 인정할 만한 딱 들어맞는 자료는 찾아내기 어렵다.

그렇다면 항고인은 향후 한층 자조 노력을 하는 것이 요구된다고 해도 또한 부양이 필요한 상태에 있다는 점은 부정하기 어렵다고 할 수 있다.

(4) 상대방에 관한 재력 기타를 본다.

① 상대방은 앞에서 인정한 것과 같이 어머니 A와 이혼한 후 항고인과의 사이에서 면접 교섭 등은 하지 않았고 항고인이 대학에 진학한 것을 알지 못하였던 것이며, 미리 항고인의 대학 진학에 대해서 적극적인 지지를 하거나 동의를 한 사실은 인정되지 않는다.

② 또한 상대방은 앞에서 인정한 것과 같이 재산분할로서 판결에서 명령 받은 금액을 지불하였고 항고인 및 항고인의 동생 B의 양육비도 게으름을 피우지 않고 지불해 왔으며 상대방은 항고인에 대해서 부모로서의 생활 유지 의무를 이행하고 있다.

③ 상대방의 현재 연수입액이 1,500만 엔을 넘는다는 점은 앞에서 인정한 것과 같지만 앞으로도 이 정도의 수입을 얻을 것이 전망된다(심문의 전체 취지). 그러나 앞에서 인정한 것과 같이 상대방은 2008년 ×월 ×일에 재혼하여 2009년 O월 O일에 자녀가 태어났으므로 자녀의 성장에 따라 더욱 생활비, 주거비, 교육비 등의 금전적 부담이 증가할 것으로 보이고 여전히 약 2년 반 정도 B의 양육비를 지불하여야 하므로 반드시 그 수입이나 자산에 큰 여력이 있다고까지 인정되지는 않는다.

④ 일건 기록 및 심문의 전체 취지에 의하면 상대방은 대학을 졸업한 사람인데 앞에서 언급한 것처럼 요즘 대학 진학의 상황에서 보면 항고인의 능력 및 학업 성적에 비추어 보아 상대방에게도 항고인의 대학 진학이 예상된 일이라고 인정되고 전혀 예기치 않은 것이라고 인정할 특별한 사정을 엿볼 수 있을 만한 딱 들어맞는 자료는 찾을 수 없다.

또한 전소 판결에서 양육비의 지불 기한이 항고인 및 B가 성년에 이르는 날이 속하는 달까지로 된 것에 대해서는 자녀들의 대학 진학 후의 모든 비용 부담을 전제로 한 것은 아니었던 것으로 보이지만 대학 진학을 배척하는 취지가 포함되어 있지 않은 것은 분명하다.

⑤ 그런데 상대방은 항고인이 2009년 ×월 ×일에 원심 재판소에 본건 심판의 신청을 한 후 그 해 ×월 ×일 제3회 기일에서 "타협에 의한 해결이라면 1개월당 3만 엔을 한도로 하여 지불할 용의가 있다."는 취지로 말하였고(이 기일 조서 참조), 이듬해인 2010년 ×월 ×일 제4회 기일에서는 이를 수정하여 "최대 월 3만 엔. 단 과거분은 주지 않는다."는 취지의 진술서(을 4)와 같다고 말했다(이 기일 조서 참조). 상대방의 관련 진술은 그 한도에서는 상대방이 부양료를 지불할 의향이 있다는 것과 동시에 상대방에게 부양 능력이 있다는 점의 징표라고 인정된다.

그렇다면 재판소는 본건에 대해서 당사자 간에 협의가 이루어지지 않는 때 등에서 가사심판 사항에 관한 절차 중에 상대방의 위 의향 기타 전술한 일체의 사정을 고려하여 부양 의무의 분담 비율,

즉 부양 정도 및 방법을 결정해야 하므로 일정한 한도에서 상대방에게 항고인의 부양료를 부담시키는 것이 상당하다고 해석한다. 아래에서 이 점에 대해서 검토한다.

(5) ① 항고인의 1년 간 학비 관련 비용은 다음 각 금원의 합계인 약 65만 엔이다(앞에서 언급한 인정 사실, 일건 기록).

㉮ 학비 53만 5,800엔

㉯ 교통비 8만 2,320엔

㉰ 교재비 3만 엔

한편 항고인이 받고 있는 장학금은 1개월당 4만 5,000엔(연액 54만 엔)이고 연액 11만 엔[1개월당 9,166엔(1엔 미만 절사)]이 부족하다.

② 한편 학비 관련 비용을 제외한 생활비 등의 부족분에 대해서는 항고인이 어머니 A 및 B와 동거하고 있기 때문에 항고인 한사람 분을 산출하는 것은 어렵지만 편의상 종전의 양육비(1개월당 11만 5,000엔)를 기준으로 양육비 산정에서 학교 교육비로서 고려된 것으로 인정되는 학교 교육비(15세 이상의 자녀에 대해서 1년에 33만 3,844엔)를 공제하면, 위 부족분은 다음의 계산식에 따라 5만 7,179엔이다.

(계산식)

11만 5,000엔(월액 양육비)－33만 3,844엔(연액 학교 교육비)÷12개월－3만 엔(항고인의 월액 아르바이트 수입)=5만 7,179엔(1엔 미만 절사)

4 앞에서 언급한 제반 사항의 검토에 덧붙여 상대방이 원심 제3회 및 제4회 기일에서 타협에 의한 경우라는 유보를 붙이면서도 "1개월당 3만 엔을 한도로 부양료 지불에 응하지만 2010년 ×월의 전달인 그 해 O월분까지의 과거분을 지불할 의사는 없다."는 취지의 의향을 가지는 것으로 인정되는 점을 함께 감안하면 본건 사실 관계 아래에서는 상대방은 항고인에게 위 학교 관련 비용의 부족액 9,166엔 및 생활비 등의 부족액 5만 7,179엔의 합계 6만 6,345엔 중 3만 엔을 부양료로서 2010년 ×월부터 항고인이 재적하는 대학을 졸업한다고 예상되는 달인 2012년 ×월까지 매월 말일까지 지불하는 것으로 하는 것이 상당하다.

5 따라서 본 재판소는 상대방에게 항고인의 부양료로 ① 15만 엔(1개월당 3만 엔에 항고인이 성년에 이르는 날이 속하는 달의 다음 달 이후이고 항고인이 원심 재판소에 본건 심판의 신청을 하고 부양료 지불을 요구하겠다는 의사를 명확히 한 날이 속하는 달인 2009년 ×월의 다음 달인 2010년

×월분부터 같은 해 ×월분까지의 5개월을 곱한 금액) 및 ② 2010년 ×월부터 앞에서 언급한 2012년 ×월까지 매월 말일까지 1개월당 3만 엔을 항고인에게 지급하도록 명하는 것으로 한다.

제3 결론

이상의 사정으로 원심판은 상당하지 않으므로 이것을 취소한 후 주문과 같이 결정한다.

◇ 재판장 재판관 稲田竜樹 재판관 金子順一 内堀宏達

제12장
적출

1. 적출자녀와 비적출자녀의 구별

(1) 출생 신고서에 신생아의 적출자녀 여부를 기재하도록 하는 호적법 조항의 위헌 여부

〈호적법〉

제49조 출생 신고는 14일 이내(국외에서 출생한 때에는 3개월 이내)에 이를 해야 한다.

2 신고서에는 다음 사항을 기재해야 한다.

① 자녀의 남녀 구별 및 적출자녀 혹은 적출이 아닌 자녀의 구별

② 출생의 연월일시분 및 장소

③ 부모의 성명과 본적, 아버지 또는 어머니가 외국인인 때에는 그 성명과 국적

④ 기타 법무성령으로 정하는 사항

호적법 제49조 제2항은 출생 신고서에 기재하여야 할 사항을 열거하고 있는데 제1호에서 태어난 신생아의 성별과 적출자녀인지 적출이 아닌 자녀인지를 구별해 기재하도록 하고 있다.

상고인 아버지와 상고인 어머니는 혼인신고를 하지 않았을 뿐 부부로서 동거하면서 상고인 X3을 출산했는데 법률혼 상태가 아닌 부부 사이에서 출생한 X3은 출생 신고서에 '적출이 아닌 자녀'로 기재될 수밖에 없었다. 자신의 아이를 '적출이 아닌 자녀'로 기재하는 것은 싫었는지 항고인들이 출생 신고서에 적출 구별을 기재하지 않았고 이러한 신고서를 받은 구청장은 위 신고를 수리하지 않아 상고인 X3에 대한 호적과 주민표가 기재되지 않았다.

상고인들이 호적법 제49조 제2항 제1호의 규정 중 신고서에 적출자녀 또는 적출이 아닌 자녀의 구별을 기재해야 한다고 정하는 부분(이하 이 부분을 '본건 규정'이라 한다)은 헌법 14조 1항(평등권)에 위반하는 것이라는 등으로 주장하여 피상고인 국가에 대하여 본건 규정을 철폐하지 않는 입법 부작위의 위법을 이유로, 피상고인 세타가야구(世田谷区)에 대하여 상고인 X3에 관한 주민표의 기재를 하지 않은 부작위의 위법을 이유로, 각각 국가배상법 제1조 제1항에 근거하여 위자료를 지불하라고 요구하였다.

최고재판소는 본건 규정은 적출자녀와 적출이 아닌 자녀 사이의 신분 관계상 및 호적 처리상의 차이를 바탕으로 호적 사무를 관장하는 시정촌장의 사무 처리의 편의에 이바지하는 것으로서 출생 신고에 관한 신고서에 적출자녀 또는 적출이 아닌 자녀의 구별을 기재해야 하는 것을 정하고 있는 것에 그치므로 본건 규정 자체에 의해 적출이 아닌 자녀에 대해서 적출자녀와의 사이에서 자녀 또는 그 부모의 법적 지위에 차이가 생기는 것이라고는 할 수 없어 위헌이 아니라고 판시하였다.

상고인 X3에 관한 주민표의 기재를 하지 않은 부분은 아비코시(我孫子市) 시장이 직권으로 X3에 관한 호적 기재를 하고 세타가야구 구청장에게 통보하여 이 구청장이 상고심 진행 중에 상고인 X3에 관한 주민표의 기재를 하여 상고인들이 이 부분에 대한 상고는 취하하였다.

재판연월일 平成25年[102] 9月 26日	**재판소명** 최고재판소 제1소법정
사건번호 平24(行ツ)399号	**재판구분** 판결
사 건 명 주민표 기재 의무화 등 청구 사건	**재판결과** 상고 기각

주 문

1. 본건 상고를 기각한다.
2. 상고비용은 상고인들이 부담한다.

이 유

제1 사안의 개요

1 본건은 상고인 X1(이하 '상고인 아버지'라 한다)이 상고인 X2(이하 '상고인 어머니'라 하고 상고인 아버지와 함께 '상고인 부모'라 한다)와의 사이의 자녀인 상고인 X3(이하 '상고인 자녀'라 한다)에 관한 출생 신고를 했지만, 호적법 49조 2항 1호 소정의 신고서의 기재 사항인 적출자녀 또는 적출이 아닌 자녀의 구별을 기재하지 않았기 때문에 세타가야(世田谷) 구청장(이하 '구청장'이라 한다)이 위 신고를 수리하지 않아 상고인 자녀에 관한 호적과 주민표가 기재되지 않았는데 상고인들이 위 호의 규정 중 신고서에 적출자녀 또는 적출이 아닌 자녀의 구별을 기재해야 한다고 정하는 부분(이하 이 부분을 '본건 규정'이라 한다)은 헌법 14조 1항에 위반하는 것이라는 등으로 주장하여 피상고인 국가에 대하여 본건 규정을 철폐하지 않는 입법 부작위의 위법을 이유로, 피상고인 세타가야구(世田谷区)에 대하여 상고인 자녀에 관한 주민표의 기재를 하지 않은 부작위의 위법을 이유로, 각각 국가배상법 1조 1항에 근거하여 위자료를 지불하라고 요구하는 사안이다. 덧붙여 상고인들은 당해 심에서 나머지 청구 등에 관한 상고를 취하하여 당해 심의 심리 판단 대상은 위의 각 청구에 관한 부분에 한정되고 있다.

2 원심이 적법하게 확정한 사실 관계 등의 개요는 다음과 같다.

---

102) 2013년

(1) ① 상고인 부모는 1999년 이후 도쿄도 세타가야구 내에서 사실상의 부부로서 공동생활을 하고 있다. 상고인 부모 사이에는 2005년 3월 O일 상고인 자녀가 출생하여 상고인 아버지는 이에 앞선 그 해 2월 24일, 상고인 어머니의 본적지인 지바현(千葉県) 아비코시(我孫子市)의 시장에게 상고인 자녀에 관한 태아 인지 신고를 하여 수리되었다.

② 상고인 아버지는 2005년 4월 11일, 구청장에 대하여 자신을 신고인으로 하여 상고인 자녀에 관한 출생 신고(이하 '본건 신고'라 한다)를 했지만 그 신고서 중 적출자녀 또는 적출이 아닌 자녀의 구별을 기재하는 란을 공란인 채로 했다. 구청장은 상고인 아버지에 대하여 그 미비의 보정을 요구했지만 (상고인 아버지가) 이를 거부하였고 게다가 구청장이 인정한 사항을 기재한 부전(附箋)을 신고서에 첨부해 내부 처리를 하여 수리하는 방법을 제안했지만 이 제안도 (상고인 아버지가) 거절했으므로 본건 신고를 수리하지 않기로 했다.

③ 상고인 아버지는 2005년 5월 19일 구청장에 대하여 상고인 자녀에 관한 주민표의 기재를 요구하는 신청을 했지만 구청장은 본건 신고가 수리되지 않았다는 이유로 위 기재를 하지 않는다는 취지의 답변을 했다.

④ 그 후 출생 신고에 관한 신고서에 적출자녀 또는 적출이 아닌 자녀의 구별이 기재되지 않은 경우의 취급에 대하여 2010년 3월 24일자로 2010년[103] 법무성 民一 제729호 법무국 민사 행정부장 및 지방법무국장 앞으로 법무성 민사국 민사 제1과장 통지(이하 '2010년 통지'라 한다)가 발표되어 ㉮ 신고서에 적출자녀 또는 적출이 아닌 자녀의 구별을 기재하도록 보정을 요구해도 신고인이 이에 응하지 않는 경우에는 신고서의 '기타' 란에 자녀가 칭할 성 또는 입적할 호적을 명확하게 하는 방법에 의한 보정을 요구하고 ㉯ 신청인이 그 보정 요구에 응하지 않는 경우에도 신고서, 첨부서류 및 호적부의 기재와 대조를 하는 등 하여 보정해야 하는 내용을 인정할 수 있는 때에는 당해 신고서의 부전 또는 여백에 인정한 내용을 명확하게 한 다음, 당해 신고를 수리한다는 취지를 각 법무국 및 지방법무국의 관할에 속하는 지국장 및 관내의 시정촌장에게 주지하는 것으로 되었다.

⑤ 2010년 통지의 발표 후에도 상고인 자녀의 출생에 관한 신고 의무자(호적법 52조 2항)인 상고인 어머니는 상고인 자녀에 관한 출생 신고를 하지 않았다.

⑥ 상고인들은 2011년 3월 8일 본건 소송을 제기했다.

본건 상고 제기 후 구청장은 상고인 어머니에게 2012년 11월 22일, 호적법 44조 1항에 근거하여 상고인 자녀에 관한 출생 신고를 하도록 최고하고 그 해 12월 7일, 같은 조 2항에 근거하여 다시 최고를 하였지만 소정의 각 기간 내에 상고인 어머니는 상고인 자녀에 관한 출생 신고를 하지 않았다. 그래서 구청장은 그 달 25일, 같은 조 3항에서 준용하는 같은 법 24조 3항에 근거하여 아비코시장에게

103) 平成22年

상고인 자녀의 출생에 관한 신고 의무자에 의한 신고가 되지 않았다는 통지를 했는데 이 시장은 같은 법 44조 3항에서 준용하는 같은 법 24조 2항에 근거하여 직권에 의해 상고인 자녀에 관한 호적 기재를 했다. 이에 따라 이 시장이 구청장에게 주민기본대장법 9조 2항에 근거하여 통보를 했기 때문에 구청장은 2013년 1월 21일, 같은 법 시행령 12조 2항 1호의 규정에 의해 상고인 자녀에 관한 주민표의 기재를 했다.

이들 조치를 받고 상고인들은 위 1과 같이 본건 소송 중 상고인 자녀에 관한 주민표 기재의 의무화를 요구하는 청구 등에 관한 상고를 취하했다.

(2) 호적법은 출생 신고에 관한 신고서에 기재해야 할 사항을 정하고 있으며(29조, 49조 2항), 그 기재를 결여한 신고는 하자가 있는 것으로 되는 한편, 특히 중요하다고 인정하는 사항의 기재를 결여한 것이 아닌 한 그 신고를 수리할 수 있도록 되어 있다(34조 2항 참조). 위 (1)④의 2010년 통지는 이러한 호적법의 규정 아래에서 출생 신고에 관한 신고서의 기재 사항 중 적출자녀 또는 적출이 아닌 자녀의 구별이 기재되지 않은 경우의 신고의 수리에 관한 운용 방식에 대하여 관계 기관에 주지하기 위해 발표된 것이다.

또한 호적법은 44조 1항 및 2항의 최고를 해도 신고가 되지 않는 경우 및 위 최고를 할 수 없는 경우에 시정촌장이 관할 법무국장 또는 지방법무국장의 허가를 얻어 직권으로 호적을 기재할 수 있다고 하고 있다(같은 조 3항, 24조 2항). 위 (1)⑥의 아비코시장의 직권에 의한 상고인 자녀에 관한 호적 기재는 위 규정에 따라 이루어진 것이다.

제2 상고대리인 후지오카 쓰요시(藤岡毅)의 상고 이유(三1, 五 및 六을 제외한다)에 대하여

1 상고 이유 중 본건 규정이 헌법 14조 1항에 위반한다는 취지를 말한 부분에 대하여

(1) 논지는 출생 신고에 관한 신고서에 적출자녀 또는 적출이 아닌 자녀의 구별을 기재해야 한다고 정하는 본건 규정은 혼외자를 부당하게 차별하는 것으로서 헌법 14조 1항에 위반한다는 취지를 말한 것이다.

(2) 헌법 14조 1항은 법 아래의 평등을 정하고 있어 이 규정은 불합리한 차별적 취급을 금지하는 취지라고 해석해야 하는 것은 본 재판소 대법정 판결이 나타내는 대로이다(최고재판소 昭和37年(オ)第1472号 昭和39年[104] 5月 27日 대법정 판결 · 민집 18권 4호 676쪽 등).

104) 1964년

출생 신고는 자녀의 출생 사실을 보고하는 것으로 신고에 의해 신분관계의 발생 등 법적 효과를 발생시키는 것은 아니고 출생한 아이가 적출자녀 또는 적출이 아닌 자녀의 어느 쪽인지 또한 적출이 아닌 자녀인 경우에 어떠한 신분 관계상의 지위에 놓일지는 민법의 친자 관계 규정에 의해 결정된다. 그리고 민법은 혼인은 호적법이 정하는 바에 의해 신고함으로써 그 효력을 발생시키는 것으로 하여 법률혼주의를 채택하고(739조 1항), 이를 전제로 하여 부모의 혼인관계의 유무에 의해 법률상의 부자 관계 등 자녀의 신분 관계에 대하여 다른 규율을 정하고 있다. 즉 민법은 적출자녀에 대해서는 혼인 중의 아내의 임신 사실에서 당연히 남편과의 부자 관계가 추정되는 것으로 하여 적출 추정 제도(772조)를 채용하여 부모의 성을 칭한다(790조 1항)는 등으로 하는 한편, 적출이 아닌 자녀에 대해서는 인지에 의해 부자 관계가 발생하는 것으로 하여 인지제도를 채용하고(779조, 787조), 어머니의 성을 칭한다(790조 2항)는 등으로 하고 있다. 또한 호적법은 호적 편제에 대해서 한 부부 및 이와 성을 같이 하는 자녀마다 편제하도록 하고 있는데(6조) 원칙적으로 적출자녀에 대해서는 부모의 호적에 들어가는 것으로 하고(18조 1항), 적출이 아닌 자녀에 대해서는 어머니의 호적에 들어가는 것으로 한다(같은 조 2항)는 등으로 하고 있다.

이와 같이 민법 및 호적법에서 법률상의 부자 관계 등이나 자녀에 관한 호적상의 취급에 대해서 정해진 규율이 부모의 혼인관계의 유무에 따라 다른 것은, 법률혼주의 제도 아래에서의 신분 관계상의 차이 및 이를 전제로 하는 호적 처리상의 차이이며, 본건 규정은 이러한 신분 관계상 및 호적 처리상의 차이를 바탕으로, 호적 사무를 관장하는 시정촌장의 사무 처리의 편의에 이바지하는 것으로서 출생 신고에 관한 신고서에 적출자녀 또는 적출이 아닌 자녀의 구별을 기재해야 하는 것을 정하고 있는 것에 그친다. 그리고 신고서에 이것이 기재되지 않는 경우, 당해 신고에 관한 자녀가 적출자녀 또는 적출이 아닌 자녀의 어느 쪽이라도 그 기재의 흠결로 인해 신고를 불수리하여야 할 이유가 될 수 있는 하자가 있게 되는 한편, 전술한 제1의 2(2)에서와 같이 신고의 수리 및 직권에 의한 호적의 기재도 가능하다. 이러한 점에 비추어 보면, 본건 규정 그 자체에 의해 적출이 아닌 자녀에 대해서 적출자녀와의 사이에서 자녀 또는 그 부모의 법적 지위에 차이가 생기는 것이라고는 할 수 없다.

또한 호적법이 신고서의 개시(開示)에 대해서는 호적의 개시보다도 엄격한 요건을 정하고 있는 것(48조 2항, 10조, 10조의2)에 비추어 보면, 출생 신고에 관한 신고서에 적출자녀 또는 적출이 아닌 자녀의 구별을 기재함으로써, 그 내용이 제3자와의 관계에서 보다 쉽게 알 수 있는 상태에 놓이게 될 것이라고 할 수도 없다.

덧붙여 당해 신고에 관한 자녀가 적출자녀 또는 적출이 아닌 자녀의 어느 쪽인지는 시정촌장이 호적부 기재와의 대조 등의 방법에 의해서도 알 수 있는 것이고(전술한 제1의 2(1)④ ㉯ 참조), 신고서에 적출자녀 또는 적출이 아닌 자녀의 구별을 기재하는 것을 신고인에게 의무화 하는 것이 시정촌장의 사무 처리상 불가결한 요청이라고까지는 할 수 없다고 해도 적어도 그 사무 처리의 편의에 이바지하는 것임은 부정하기 어려우며 아주 합리성을 결여하는 것이라고 할 수는 없다.

소론은 본건 규정에서 '적출이 아닌 자녀'라는 문구를 사용하고 있는 것 자체가 혼외 자녀에 대한 불합리한 차별적 취급이라고도 하지만 민법 및 호적법에서 '적출이 아닌 자녀'라는 용어는 법률상의 혼인관계에 있지 않은 남녀 사이에 출생한 자녀를 의미하는 것으로서 이용되는 것이고 소론은 법령상의 관련 용어에 대하여 그 표현의 당부를 논하는 것으로 귀결하여 채용할 수 없다.

위와 같은 이유로 본건 규정은 적출이 아닌 자녀에 대해서 적출자녀와의 관계에서 불합리한 차별적 취급을 정한 것이라고는 할 수 없으며, 헌법 14조 1항에 위반하는 것은 아니다.

이는 전술한 대법정 판결의 취지에 비추어 보아 명백하다. 원심의 판단은 이와 같은 취지를 말하는 것으로서 옳다고 인정할 수 있고 논지는 채용할 수 없다.

2 그 외의 상고 이유에 대해서

논지는 위헌과 이유의 불비 · 오류를 말하지만 그 실질은 단순한 법령 위반을 말하는 것 또는 그 전제를 결여한 것으로 민사소송법 312조 1항 및 2항에 규정하는 사유의 어느 것에도 해당하지 않는다.

따라서 재판관 전원 일치 의견으로 주문과 같이 판결한다. 덧붙여 재판관 사쿠라이 류코(桜井竜子)의 보충 의견이 있다.

재판관 사쿠라이 류코의 보충 의견은 다음과 같다.

본건 규정이 적출이 아닌 자녀에 대한 불합리한 차별적 취급에 해당하는 것은 아니고 헌법 14조 1항에 위반하는 것은 아니라고 하는 법정 의견에 찬성하지만 제도의 본연의 모습에 대해서는 별도의 고려가 필요하다고 생각되므로 이 점에 대해서 보충 의견을 말해 두고 싶다.

본건에 대해서는 상고인 자녀의 출생 신고서를 제출할 때에 그 신고서에 '적출자녀 또는 적출이 아닌 자녀의 구별'이 기재되지 않았다는 점에서 수리되지 않아 결과적으로 상고인 자녀가 출생하여 7년 이상에 걸쳐 호적에 기재되지 않고 나아가 주민표도 작성되지 않는 사태가 발생하였다.

그 후 법무성이 2010년에 신청인이 보정 요구에 응하지 않는 경우에도 신고서, 첨부서류 및 호적부 기재와의 대조 등에 의해 보정해야 하는 내용을 인정할 수 있는 때에는 부전 등에 그 내용을 분명하게 한 다음 신고를 수리하는 것으로 하는 취지를 통지한 것은 법정 의견에 적시한 것과 같다.

일본 국적을 가지는 사람이지만 아직 호적에 기재되지 않은 사람을 신속하게 호적에 기재하여야 하는 것은 호적법이 요청하는 바이며, 호적의 기재가 되어 있지 않는 사람에게는 각종 불이익이 생길 수 있는 것은 분명하다. 출생 신고의 기재 방식이라는 자녀 본인의 의사로 좌우할 수 없는 사정에 기인하는 호적이 없는 상태 때문에, 자녀 자신에게 여러 가지 불이익과 불편함이 생기는 사태는 확실히 피해야 할 사태라고 할 것이다.

출생 신고에 자녀가 적출인지 아닌지의 기재를 요구하는 것이 호적 사무 처리의 편의에 이바지하는 것임은 인정된다고 하더라도 2010년 통지에 기술되어 있는 대로 달리 확인 수단이 있기 때문에 반드시 사무 처리상 불가결한 기재라고까지는 할 수 없을 것이다. 그렇다면 본건과 같은 사태에 빠진 적출이 아닌 자녀의 문제 발생을 장래에 걸쳐 극력 피하기 위해서는 부모의 혼인관계 유무에 관한 기재 내용의 변경이나 삭제를 포함하여 출생 신고에 대해서 호적법의 규정을 포함한 제도의 본연의 모습에 대해서 적절한 재검토를 하는 것이 바람직하다.

◇ 재판장 재판관 横田尤孝　재판관 桜井竜子　재판관 金築誠志　재판관 白木勇　재판관 山浦善樹

(2) 적출자녀와 비적출자녀의 상속분 차별

① 기존의 최고재판소 판례(합헌)

기존의 최고재판소 판례는 "비적출자녀의 상속분을 적출자녀의 상속분의 2분의 1로 정한 민법 900조 4호 단서 전단의 규정이 헌법 14조 1항(평등권)에 위반하는 것이 아니다."는 취지로 판시하였다.

〈민법〉

(법정 상속분)

제900조 같은 순위의 상속인이 여러 명 있는 때에는 그 상속분은 다음 각호가 정하는 바에 의한다.

① 자녀 및 배우자가 상속인인 때에는 자녀의 상속분 및 배우자의 상속분은 각 2분의 1로 한다.

② 배우자 및 직계 존속이 상속인인 때에는 배우자의 상속분은 3분의 2로, 직계 존속의 상속분은 3분의 1로 한다.

③ 배우자 및 형제자매가 상속인인 때에는 배우자의 상속분은 4분의 3으로, 형제자매의 상속분은 4분의 1로 한다.

④ 자녀, 직계존속 또는 형제자매가 여러 명 있는 때에는 각자의 상속분은 같은 것으로 한다. 단, 부모의 일방만이 같은 형제자매의 상속분은 부모의 쌍방이 같은 형제자매의 상속분의 2분의 1로 한다.

재판연월일 平成21年[105] 9月 30日 **재판소명** 최고재판소 제2소법정
사건번호 平20(ク)1193号 **재판구분** 결정
사 건 명 유산 분할 신청 사건의 심판에 대한 항고기각 결정에 대한 특별항고 사건
재판결과 기각

주 문

본건 항고를 기각한다.

항고비용은 항고인들이 부담한다.

이 유

항고대리인 나카소네 다다마사(仲宗根忠真)의 항고 이유에 대해서

비적출자녀의 상속분을 적출자녀의 상속분의 2분의 1로 정한 민법 900조 4호 단서 전단의 규정이 헌법 14조 1항에 위반하는 것이 아닌 것은 본 재판소의 판례이며[최고재판소 平成3年(ク)第143号 平成7年 7月 5日 대법정 결정 · 민집 49권 7호 1789쪽] 헌법 14조 1항 위반을 말하는 논지는 채용할 수 없다.

그 외의 논지는 분명히 민사소송법 336조 1항에 규정하는 사유에 해당하지 않는다.

따라서 재판관 이마이 이사오(今井功)의 반대의견이 있는 외에 재판관 전원 일치 의견으로, 주문과 같이 결정한다. 또한 재판관 다케우치 유키오(竹内行夫)의 보충 의견이 있다.

재판관 다케우치 유키오의 보충 의견은 다음과 같다.

1 (1) 법정상속분을 결정하는 데 있어서는, 상속 발생 시에 유효하게 존재한 법령이 적용되는 것이기 때문에, 본건 민법 900조 4호 단서 전단의 규정(이하 '본건 규정'이라 한다)의 헌법 적합성 판단 기준 시는 상속이 발생한 2000년 6월 30일(이하 '본건 기준일'이라 한다)로 된다. 따라서 다수 의견은 어디까지나 본건 기준일에 본건 규정이 헌법 14조 1항에 위반하지 않는다는 것으로, 본건 기준일 이후의 사회 정세의 변동 등으로 그 후 본건 규정이 위헌 상태에 이르렀을 가능성을 부정하는 것은 아니라

105) 2009년

고 해석된다.

(2) 본건 기준일 이후에도 본건 규정의 헌법 적합성에 대해서 판단을 하기 위한 고려 요소가 될 사회 정세, 가족생활과 부모 자식 관계의 실태, 일본을 둘러싼 국제적 환경 등은 계속 변화하고 있다.

민법 시행 후의 사회 경제 구조의 변화에 따라 농사를 짓는 가족에서 전형적으로 볼 수 있는 가족 구성원의 협동에 의해 형성된 재산을 피상속인의 사망을 계기로 가족 구성원인 상속인에게 그 잠재적인 지분을 분배하는 형태의 상속이 감소하고 상속의 사회적 의미가 피상속인이 개인적으로 형성한 재산의 분배라고 하는 색채가 강한 것이 되어 왔다고 할 수 있다. 덧붙여 본건 기준일 이후에 한해서도 예를 들어 인구 동태 통계에 따르면 비적출자녀의 출생 비율은 2000년에는 출생 총수의 1.63%였던 것이, 2006년에는 2.11%로 증가하고 있는 것은 일본의 가족관의 변화를 보여 주는 것이라고 할 수 있고, 2001년에 프랑스에서 간생자(혼인 중의 사람이 낳은 비적출자녀)의 상속분을 적출자녀의 2분의 1로 하는 규정이 폐지되어 적출자녀와 비적출자녀의 상속분을 평등하게 하는 것은 세계적 추세이며 국제연합의 자유권 규약 위원회와 아동 권리 위원회가 일본에 적출자녀와 비적출자녀의 상속분을 평등하게 하도록 권고하고 있는 것 등은 일본을 둘러싼 국제적 환경의 변화를 나타내는 것이라고 할 수 있다.

(3) 그리고 비적출자녀에게 상속권을 인정하는 것이 그다지 일반적이지 않았던 시절에는, 비적출자녀에게도 일정한 법정 상속분을 인정하는 본건 규정은 법률혼의 존중과 비적출자녀 보호의 조정을 도모하는 것으로서 그 정당성을 긍정할 수 있었다. 하지만 이러한 사회 정세 등의 변화를 고려하면 본건 규정이 적출자녀와 비적출자녀의 상속분에 차이를 만드는 것을 정당화하는 근거는 없어지고 있는 한편, 본건 규정은 비적출자녀가 적출자녀보다 열위의 존재라는 인상을 주고 비적출자녀가 사회에서 차별적인 시선을 받는 것의 중요한 원인이 되고 있다는 문제점이 강하게 지적되게 된 것이다. 그렇다면 적어도 현 시점에서는 본건 규정은 위헌 소지가 매우 강하다고 하지 않을 수 없다.

2 (1) 그런데 본건 규정은 상속 제도의 일부분을 구성하는 것으로서 국민 생활에 부단히 기능하고 있는 것이기 때문에 이를 위헌으로 하여 적용을 배제하려면 그 효과나 관련 규정과의 정합성의 문제 등에 대해서 충분한 검토가 필요하다[전술한 대법정 결정의 오니시 가쓰야(大西勝也), 소노베 이쓰오(園部逸夫), 지쿠사 히데오(千種秀夫), 가와이 신이치(河合伸一) 각 재판관의 보충의견, 최고재판소 平成11年(オ)第1453号 平成12年 1月 27日 제1소법정 판결 · 재판집 민사 196호 251쪽의 후지이 마사오(藤井正雄) 재판관의 보충의견 및 최고재판소 平成14年(オ)第1963号 平成15年 3月 31日 제1소법정 판결 · 재판집 민사 209호 397쪽의 시마다 니로(島田仁郎) 재판관의 보충의견 참조].

마찬가지로 최고재판소가 과거로 거슬러 올라간 특정한 날을 기준으로 하여 본건 규정은 위헌 무효로 된 것으로 판단한 경우에는 해당 기준일 이후에 발생한 상속으로서 상속인 중에 적출자녀와 비적출자녀가 포함되는 사안에서 본건 규정을 적용한 판결(최고재판소의 판결도 포함한다)과 유산 분할 심판, 본건 규정이 유효하게 존재하는 것을 전제로 하여 성립한 유산 분할 조정, 유산 분할 협의 등의 효력에 의문이 발생하고 새로운 분쟁이 일어나며 게다가 본건 규정을 전제로 하여 형성된 권리 의무 관계가 복멸하게 될 수도 있다. 이러한 사태는 본건 규정에 따라 행동한 사람에게 예기치 못한 불이익을 줄 우려가 있고 법적 안정성을 해치는 것이 현저하다고 하지 않을 수 없다. 특히 본건에서는 본건 기준일로부터 이미 9년 이상이 경과하고 있다는 사정이 있으므로 본건 규정이 위헌 무효였다고 판단한 경우에 그 효력에 의문이 생기는 판결 등은 상당수에 이른다고 생각되는 것이다.

전술한 대법정 결정의 다섯 명의 재판관의 반대 의견은 본건 규정의 유효성을 전제로 하여 이루어진 종전의 재판, 합의의 효력을 유지해야 한다고 하지만 위헌 판단의 효력을 소급시키지 않고 종전의 재판 등의 효력을 유지하는 것의 법적 근거에 대해서는 위 반대 의견은 분명하게 해 두지 않고 학설에서도 충분한 논의가 이루어졌다고는 하기 어려운 상황이다. 또한 위 반대 의견에 따르면 같은 시기에 상속이 발생했음에도 불구하고, 본건 규정이 적용되는 사안과 그렇지 않은 사안이 생기게 된다는 문제도 발생할 수 있다.

(2) 이에 대해 입법부가 본건 규정을 개정한다면 상속을 둘러싼 관련 규정의 정비를 도모한 후 명확한 적용 기준시를 정하고 적절한 경과 규정을 두는 것으로 쉽게 이들 문제와 불편을 회피할 수 있다. 그리고 1996년에는 법제심의회에 의해 비적출자녀의 상속분을 적출자녀의 상속분과 동등하게 한다는 민법 개정안이 답신되고 있는 것이다. 이러한 것을 고려하면 나는 전술한 1(2)와 같은 사회 정세 등의 변화에 비추어 입법부가 본건 규정을 개정하는 것이 강하게 요망되고 있다고 생각한다.

(3) 덧붙여 내가 위에서 말한 것은 입법에 의한 해결이 바람직하다는 생각으로 입법에 의한 해결이 바람직하다는 점을 이유로 최고재판소는 위헌 판단을 하는 것을 삼가야 한다는 취지가 아님은 말할 필요도 없다.

재판관 이마이 이사오의 반대 의견은 다음과 같다.

나는 비적출자녀의 상속분을 적출자녀의 상속분의 2분의 1로 하는 본건 규정은 헌법 14조 1항에 위반된다고 생각하므로 이를 합헌으로 한 원결정을 파기하고 본건을 원심으로 환송해야 한다고 생각한다. 그 이유는 다음과 같다.

1 다수 의견이 인용하는 전술한 대법정 결정은, 본건 규정은 합리적 이유가 없는 차별이라고 할 수 없으며 헌법 14조 1항에 위배되지 않는다고 하고 있다. 그 이유로 이 결정은, 본건 규정의 입법 이유는 법률혼의 존중과 비적출자녀 보호의 조정을 도모한 것으로 해석된다고 한 후 이러한 본건 규

정의 입법 이유에도 합리적 근거가 있다고 할 것이기 때문에, 비적출자녀의 법정 상속분을 적출자녀의 2분의 1로 한 것이 입법 이유와 관련해서 현저하게 불합리하고 입법부에 부여된 합리적인 재량 판단의 한계를 넘어선 것이라고 할 수 없다고 하고 있다.

2 헌법 13조는 "모든 국민은 개인으로서 존중된다."고 규정하고, 헌법 24조 2항은 "상속, (중략) 및 가족에 관한 기타 사항에 관해서는 법률은 개인의 존엄과 양성의 본질적 평등에 입각하여 제정되어야 한다."고 규정하고 있다.

헌법 14조 1항은 법 앞의 평등을 정하고 있고 이 규정은 사안의 성질에 맞는 합리적인 근거에 기반을 두지 않은 한, 법적인 차별적 취급을 금지하는 취지라고 해석해야 한다.

본건 규정은 상속분에 대해서 적출자녀와 비적출자녀 사이에 차별을 두고 있다. 이 차별은 피상속인의 자녀가 적출자녀인지 비적출자녀인지 환언하면, 혼인관계에서 출생한 자녀인지 그렇지 않은지를 이유로 하여 상속분을 달리한 것이다. 그 입법 목적은 전술한 대법정 결정의 진술대로 법률혼의 존중이라는 점에 있다. 그러나 법률혼의 존중이라는 입법 목적이 합리적이라고 해도 그 입법 목적에서 보아 상속분에서 적출자녀와 비적출자녀 사이에 차이를 두는 것에 합리성이 있는 것일까. 헌법 24조 2항은, 상속에서 개인의 존엄을 입법상의 원칙으로 하는 것을 규정하고 있지만 자녀의 출생에 대해 책임을 지는 것은 피상속인이며 비적출자녀에게는 아무런 책임도 없다. 혼인관계에서 출생할지 아닐지는 자녀가 자신의 의사나 노력에 의해서는 어떻게도 할 수 없는 일이다. 이러한 것을 이유로 하여 상속분에서 차별하는 것은 개인의 존엄과 맞지 않다. 법률혼의 존중이라는 입법 목적과 상속분의 차별 사이에는 합리적인 관련성을 인정할 수 없다고 하지 않을 수 없다.

최고재판소 平成18年(行ツ)第135号 平成20年 6月 4日 대법정 판결 · 민집 62권 6호 1367쪽은, 일본 국적의 취득에 대해서 정한 국적법의 규정에 대해서 마찬가지로 일본 국민인 아버지로부터 인지된 자녀임에도 불구하고, 준정자녀는 국적을 취득할 수 있는데 비준정자녀는 국적을 취득할 수 없다고 한 당시의 국적법 3조 1항의 규정을 합리적인 이유 없는 차별로 헌법 14조 1항에 위배된다고 판단한 것인데 이것은 본건과 같은 상속분의 차별에 대해서도 타당하다고 해야 한다.

3 비적출자녀의 상속분을 적출자녀의 2분의 1로 하는 규정은 메이지[106](明治)의 구(舊) 민법 당시에 마련된 것이며, 태평양 전쟁 후 민법의 개정에서도 유지되어 현재에 이르고 있다. 그 당시에는 합리적인 것으로서 옳다고 인정될 여지도 있었던 점은 인정할 수밖에 없지만, 그 후의 사회의식의 변화, 여러 외국의 입법 동향, 국내에서의 입법 움직임 등에 비추어 당초 합리적이었다고 여겨진 구별이

106) 1867~1912년

그 후 합리성을 결여하게 되기에 이른 사례가 있는 것은 국적법에 대한 위 대법정 판결에서도 드러나고 있다.

우선 일본의 사회적, 경제적 환경의 변화 등에 따라 부부 공동생활 방식을 포함한 가족생활과 부모 자식 관계에 관한 의식도 한결같지 않게 되었으며 오늘날에는 출생수 중에 비적출자녀 비중이 증가하는 등 가족생활과 부모 자식 관계의 실태도 변화하고 다양화하고 있음을 지적해야 한다. 또한 유럽을 비롯한 많은 나라에서도 비적출자녀의 상속분이 적출자녀의 상속분과 동등하다는 내용의 입법이 되어 있다. 일본에서도 후에 설명하듯이 비적출자의 상속분이 적출자의 상속분과 동등하다는 내용의 민법 개정 의견이 있고 1996년 법제심의회 총회가 그러한 취지의 개정안 요강을 결정하여 법무대신에게 답신했지만 아직 개정이 이루어지지 않고 있는 상황이다.

4 본건 규정은 친족 상속 제도의 일부분을 구성하는 것이므로 이것을 변경하는 데 있어서는 이들 제도의 전반에 걸친 배려와 관련한 제반 규정에 대한 파급과 정합성 검토가 필요하다. 또한 본건 규정에 의한 상속 관계의 처리는 장기에 걸쳐 이루어져 온 것이기 때문에 본건 규정을 변경하는 경우에는 그 효력 발생 시기 등에 대해서도 신중한 검토가 필요하고 이것은 본래 국회에서의 입법에 의해 이루어지는 것이 바람직하다고 해야 한다. 이것은 위 대법정 결정의 지쿠사 히데오, 가와이 신이치 재판관의 보충 의견에서 기술되어, 그 후의 본건 규정을 합헌으로 판단한 최고재판소의 소법정 판결의 보충 의견에서도 지적되고 있는 대로이고[전술한 平成12年 1月 27日 제1소법정 판결에서의 후지이 마사오 재판관의 보충 의견, 전술한 平成15年 3月 31日 제1소법정 판결에서의 시마다 니로 재판관의 보충 의견 참조], 나도 이들 의견에 공감한다.

이처럼 원래 입법이 바람직하다고 해도 재판소가 위헌이라고 판단한 규정에 대해 그 규정에 의해 권리를 침해당하고 그 구제를 요청하고 있는 사람에 대하여 구제를 해 주는 것은 재판소의 책무이며 국회에서의 입법이 바람직하다는 것을 이유로 하여 위헌 판단을 하지 않는 것은 상당하지 않다.

덧붙여 본건 규정을 위헌 무효라고 판단한다고 해도 그로 인해 본건 규정을 적용한 확정 판결과 확정 심판에 재심 사유가 있는 것으로는 되지 않고 본건 규정이 유효하게 존재하는 것을 전제로 하여 성립한 유산 분할의 조정과 유산 분할 협의의 효력이 즉시 없어지는 것은 아니다. 유산 분할의 조정과 협의는 당사자의 의도나 양보 등 다양한 사정을 감안하여 성립하는 것이므로 본건 규정이 무효임으로 인해 당연히 착오가 있다는 것은 아니다. 본건 규정을 위헌이라고 판단하여 법적 안정성을 해칠 우려가 있음을 부정할 수 없지만 그 정도는 보충 의견이 진술하는 정도로 현저한 것이라고 할 수 없다고 생각한다.

5 비적출자녀의 상속분이 적출자녀의 상속분과 차이가 있는 것의 문제성은 오래 전부터 거론되어 1979년 법제심의회 민법부회 신분법 소위원회의 심의를 거쳐, "비적출자녀의 상속분은 적출자녀의 상속분과 동등하다."는 취지의 개정 요강 시안이 발표되었지만 개정이 연기되었다. 또한 1994년에 이 취지의 개정 요강 시안이 공개되어 1996년 2월 법제심의회 총회에서 이 취지의 법률안 요강이 결정되어 법무대신에게 답신되었지만 법안의 국회 제출이 지연되어 현재에 이르고 있다. 전술한 대법정 결정 당시에는 개정 요강 시안에 근거한 심의가 법제심의회에서 이루어지고 있었으며 개정이 이루어질 것이 예상되던 시기였다. 그런데 법제심의회에 의한 위 답신 이후 십 수 년이 경과했지만 법률 개정은 이루어지지 못한 채 현재에 이르고 있는 것이고 이제 입법을 기다리는 것은 허용되지 않는 시기에 이르렀다고 할 수 있다.

6 이러한 이유로 나는 본건 규정은 헌법 14조 1항에 위반된다고 생각하여 이와 다른 원결정을 파기하여 본건을 원심으로 환송해야 한다고 생각하는 것이다.

◇ 재판장 재판관 古田佑紀 재판관 今井功 재판관 中川了滋 재판관 竹内行夫

② 변경된 최고재판소 판례(위헌)

민법 제900조 제4호 단서는 "부모의 일방만이 같은 형제자매의 상속분은 부모의 쌍방이 같은 형제자매의 상속분의 2분의 1로 한다."고 규정하여 적출이 아닌 자녀의 상속분을 적출자녀의 상속분의 2분의 1로 하고 있는데 이 부분의 위헌 여부가 문제된 사안이다.

최고재판소는 "1947년 민법 개정 시부터 현재에 이르기까지의 사회 동향, 일본의 가족 형태의 다양화 및 이에 따른 국민 의식의 변화, 여러 외국의 입법 추세 및 일본이 비준한 조약의 내용과 이에 기초하여 설치된 위원회의 지적, 적출자녀와 적출이 아닌 자녀의 구별에 관련된 법제 등의 변화 등을 종합적으로 고찰하면 가족이라는 공동체 속에서의 개인의 존중이 보다 명확히 인식되어 온 것은 분명하다고 할 수 있다. 그리고 위와 같은 인식 변화에 따라 위 제도 아래에서 부모가 혼인관계에 있지 않았다고 하는, 자녀에게는 스스로 선택 내지 수정할 여지가 없는 사정을 이유로 하여 그 자녀에게 불이익을 미치는 것은 허용되지 않으며 자녀를 개인으로서 존중하고 그 권리를 보장해야 한다는 생각이 확립되어 온 것이라고 할 수 있다."고 하면서 "적출자녀와 적출이 아닌 자녀의 법정 상속분을 구별하는 합리적인 근거는 상실되었다고 할 수 있어서 본건 규정은 늦어도 2011년 7월 당시에 헌법 14조 1항을 위반한 것이라고 해야 한다."고 판시하였다. 다만 선례로서의 사실상의 구속성과 관련하여서는 "본 결정의 위헌 판단은 A의 상속 개시 시부터 본 결정까지의 사이에 개시된 다른 상속에 대해 본건 규정을 전제로 하여 이루어진 유산 분할의 심판 기타의 재판, 유산 분할의 협의 기타 합의 등에 의해 확정적인 것으로 된 법률관계에 영향을 미치는 것은 아니라고 해석하는 것이 상당하다."고 판시하여 제한을 두었다.

〈민법〉

(법정 상속분)

제900조 같은 순위의 상속인이 여러 명 있는 때에는 그 상속분은 다음 각호가 정하는 바에 의한다.

1 자녀 및 배우자가 상속인인 때에는 자녀의 상속분 및 배우자의 상속분은 각 2분의 1로 한다.

2 배우자 및 직계 존속이 상속인인 때에는 배우자의 상속분은 3분의 2로, 직계 존속의 상속분은 3분의 1로 한다.

3 배우자 및 형제자매가 상속인인 때에는 배우자의 상속분은 4분의 3으로, 형제자매의 상속분은 4분의 1로 한다.

4 자녀, 직계존속 또는 형제자매가 여러 명 있는 때에는 각자의 상속분은 같은 것으로 한다. 단, 부모의 일방만이 같은 형제자매의 상속분은 부모의 쌍방이 같은 형제자매의 상속분의 2분의 1로 한다.

재판연월일 平成25年[107] 9月 4日	**재판소명** 최고재판소 대법정
사건번호 平24(ク)984号 · 平24(ク)985号	**재판구분** 결정
사 건 명 유산 분할 심판에 대한 항고 기각 결정에 대한 특별항고 사건	
재판결과 파기환송	

주 문

원결정을 파기한다.

사건을 도쿄 고등재판소로 환송한다.

이 유

항고인 Y1의 항고이유 제1 및 항고인 Y2의 대리인 오다와라 마사유키(小田原昌行), 시카다 마사시(鹿田昌), 야규 유키코(柳生由紀子)의 항고이유 3(2)에 대해서

1 사안의 개요 등

본건은 2001년 7월 OO일에 사망한 A의 유산에 대해 A의 적출자녀(그 대습상속인을 포함한다)인 상대방들이, A의 적출이 아닌 자녀인 항고인들에게 유산 분할의 심판을 신청한 사건이다.

원심은 민법 900조 4호 단서의 규정 중 적출이 아닌 자녀의 상속분을 적출자녀의 상속분의 2분의 1로 하는 부분(이하 이 부분을 '본건 규정'이라 한다)은 헌법 14조 1항에 위반되지 않는다고 판단하여 본건 규정을 적용하여 산출된 상대방들 및 항고인들의 법정상속분을 전제로 A의 유산을 분할해야 한다고 했다.

논지는 본건 규정은 헌법 14조 1항에 위반하여 무효라는 것이다.

2 헌법 14조 1항 적합성의 판단 기준에 대해서

헌법 14조 1항은 법 앞의 평등을 규정하고 있고 이 규정이 사정의 성질에 따른 합리적인 근거에

107) 2013년

의한 것이 아닌 한, 법적인 차별적 취급을 금지하는 취지라고 해석해야 하는 것은 본 재판소의 판례이다[최고재판소 昭和37年(オ)第1472号 昭和39年 5月 27日 대법정 판결 · 민집 18권 4호 676쪽, 최고재판소 昭和45年(あ)第1310号 昭和48年 4月 4日 대법정 판결 · 형집 27권 3호 265쪽 등].

상속제도는 피상속인의 재산을 누구에게 어떻게 승계시킬지를 정하는 것이지만 상속제도를 정함에 있어서는 각 나라의 전통, 사회사정, 국민감정 등도 고려하여야 한다. 게다가 현재의 상속제도는 가족을 어떻게 생각하는가와 밀접하게 관계하고 있는 것으로 그 나라의 혼인 내지 친자 관계에 대한 규율, 국민 의식 등을 떠나서 이를 정할 수는 없다. 이들을 종합적으로 고려한 후에 상속제도를 어떻게 정할지는 입법부의 합리적인 재량 판단에 맡기고 있다. 이 사건에서 묻고 있는 것은 이렇게 하여 정해진 상속제도 전체 가운데, 본건 규정에 의해 적출자녀와 적출이 아닌 자녀 사이에 생기는 법정 상속분에 관한 구별이 합리적 이유 없는 차별적 취급에 해당하는지 여부이며 입법부에 부여된 전술한 재량권을 고려해도 그러한 구별을 하는 것에 합리적인 근거가 인정되지 않는 경우에는 그 구별은 헌법 14조 1항을 위반하는 것으로 해석하는 것이 상당하다.

3 본건 규정의 헌법 14조 1항 적합성에 대해서

(1) 헌법 24조 1항은 '혼인은 양성의 합의에만 기초를 두어 성립하며 부부가 동등한 권리를 가지는 것을 기본으로 하고 상호 협력에 의해 유지되어야 한다.'고 규정하며, 같은 조 2항은 '배우자의 선택, 재산권, 상속, 주거의 선정, 이혼과 혼인 및 가족에 관한 기타 사항에 관해서는 법률은 개인의 존엄과 양성의 본질적 평등에 입각하여 제정되어야 한다.'고 정하고 있다. 이것을 받아서 민법 739조 1항은 '혼인은 호적법(중략)이 정하는 바에 의해 신고함으로써 그 효력이 생긴다.'고 규정하여 이른바 사실혼주의를 배제하고 법률혼주의를 채용하고 있다. 한편, 상속제도에 대해서는 1947년 법률 제222호에 의한 민법의 일부 개정(이하 '1947년 민법 개정'이라 한다)에 의해 '이에(家)'제도[108]를 지탱해 온 가독(家督) 상속이 폐지되어 배우자와 자녀가 상속인이 되는 것을 기본으로 하는 현재의 상속제도가 도입되었으나 가족의 사망에 의해 개시하는 유산 상속에 관하여 적출이 아닌 자녀의 법정 상속분을 적출자녀의 법정 상속분의 2분의 1로 하는 규정(1947년 민법 개정 전의 민법 1004조 단서)은 본건 규정으로서 현행 민법에도 이어졌다.

(2) 최고재판소 平成3年(ク)第143号 平成7年 7月 5日 대법정 결정 · 민집 49권 7호 1789쪽(이하

108) 메이지(明治) 민법에 채용된 가족 제도이며 호주(戸主)를 중심으로 그와 가까운 친족관계가 있는 사람들을 가족(家族)으로 한 집(一家, 일가)에 속하게 하여 호주에게 이에(家)의 통솔권한을 부여한 제도이다. 에도시대(江戸時代)에 발달한 무사 계급의 가부장적 가족제도를 기반으로 하고 있다.

'1995년 대법정 결정'이라 한다)은 본건 규정을 포함하는 법정 상속분의 정함이 법정 상속분대로 상속이 이루어져야 한다는 것을 규정한 것은 아니고 유언에 의한 상속분의 지정 등이 없는 경우 등에 보충적으로 기능하는 규정임을 고려되는 사정으로 한 후, 전술한 2와 같은 취지의 판단 기준 아래에서 적출이 아닌 자녀의 법정 상속분을 적출자녀의 법정 상속분의 2분의 1로 정한 본건 규정에 대해 '민법이 법률혼주의를 채용하고 있는 이상, 법정 상속분은 혼인관계에 있는 배우자와 그 자녀를 우대하여 이를 정하지만 한편, 비적출자녀에게도 일정한 법정 상속분을 인정하여 그 보호를 도모한 것이다.'라고 하여 그 규정이 입법부에 부여된 합리적인 재량 판단의 한계를 넘어선 것이라고 할 수는 없다고 하여 헌법 14조 1항에 반하는 것은 아니라고 판단했다.

그러나 법률혼주의 아래에서도 적출자녀와 적출이 아닌 자녀의 법정 상속분을 어떻게 정하느냐 하는 것에 대해서는 전술한 2에서 설시한 사항을 종합적으로 고려하여 결정하여야 할 것이며 또한 이들 사항은 시대와 함께 변천하는 것도 있으므로 그 정함의 합리성에 대해서는 개인의 존엄과 법 앞의 평등을 정하는 헌법에 비추어 끊임없이 검토되고 음미되어야 한다.

(3) 전술한 2에서 설시한 사항 중 중요하다고 생각되는 사실에 대하여 1947년 민법 개정 이후의 변천 등의 개요를 보면 다음과 같다.

① 1947년 민법 개정의 경위를 보면 그 배경에는 '이에(家)'제도를 지탱해 온 가독 상속은 폐지되었지만 상속재산은 적출인 자손에게 승계시키고 싶다는 기풍과 법률혼을 정당한 혼인으로 하여 존중하고 보호하는 반면 법률혼 이외의 남녀 관계 혹은 그 가운데에서 태어난 자녀에 대한 차별적인 국민 의식이 작용하고 있던 것이 엿보인다. 또한 이 개정법안의 국회 심의에서는 본건 규정의 헌법 14조 1항 적합성의 근거로서 적출이 아닌 자녀에게는 상속분을 인정하지 않는 등 적출자녀와 적출이 아닌 자녀의 상속분에 차이를 두고 있던 당시의 여러 외국의 입법례의 존재가 반복하여 거론되고 있어 현행 민법에 본건 규정을 마련함에 있어서 위 여러 외국의 입법례가 영향을 주고 있었던 것이 인정된다.

그러나 1947년 민법 개정 이후 일본에서는 사회, 경제 상황의 변동에 따라 혼인이나 가족 실태가 변화하고 그 본연의 모습에 대한 국민의 의식 변화도 지적되고 있다. 즉, 지역이나 직업의 종류에 따라 차이가 있지만 요약하면, 전후(戰後) 급속한 경제 발전 속에서 직업 생활을 지탱할 최소 단위로서 부부와 일정 연령까지의 자녀를 중심으로 하는 형태의 가족이 증가함과 동시에 고령화의 진전에 따라 생존 배우자의 생활 보장의 필요성이 높아져, 자손의 생활 수단으로서의 의의가 컸던 상속재산이 가진 의미에도 큰 변화가 생겼다. 1980년 법률 제51호에 의한 민법의 일부 개정에 의해 배우자의 법정 상속분이 인상되는 등 한 것은 이러한 변화를 반영한 것이다. 게다가 1975년 무렵까지는 감소 경향에 있던 적출이 아닌 자녀의 출생수는 그 후 현재까지 증가세가 이어지고 있는 외에 1990년대에 접어든

후에는 이른바 만혼화, 비혼화, 저출산화가 진행되어 이에 따라 중장년층의 미혼 자녀가 부모와 동거하는 가구나 단독 가구가 증가하는 동시에, 이혼 건수, 특히 미성년 자녀를 가진 부부의 이혼 건수 및 재혼 건수도 증가하는 등 하고 있다. 이러한 점에서 결혼, 가족 형태가 현저하게 다양해지고, 이에 따라 결혼, 가족의 본연의 모습에 대한 국민 의식의 다양화가 크게 진전되고 있는 점이 지적되고 있다.

② 전술한 ①과 같이 본건 규정의 입법에 영향을 준 여러 외국의 상황도 크게 변화하여 왔다. 즉, 여러 외국, 특히 유럽의 여러 나라에서는 과거에는 종교상의 이유에서 적출이 아닌 자녀에 대한 차별 의식이 강하여 1947년 민법 개정 당시에는 많은 나라가 적출이 아닌 자녀의 상속분을 제한하는 경향이었고 그것이 본건 규정의 입법에 영향을 준 것이다. 그러나 1960년대 후반 이후 이들 많은 나라에서 자녀의 권리 보호의 관점에서 적출자녀와 적출이 아닌 자녀와의 평등화가 진행되어 상속에 관한 차별을 폐지하는 입법이 되어 1995년 대법정 결정 시점에서 이 차별이 남아 있던 주요 국가 가운데, 독일에서는 1998년의 "비적출자녀의 상속법상의 평등화에 관한 법률"에 의해, 프랑스에서는 2001년의 "생존 배우자 및 간통으로 인해 태어난 자녀의 권리 및 상속법의 여러 규정의 현대화에 관한 법률"에 의해 적출자녀와 적출이 아닌 자녀의 상속분에 관한 차별이 각각 철폐되었다. 현재 일본 이외에서 적출자녀와 적출이 아닌 자녀의 상속분에 차이를 두고 있는 나라는 유럽 여러 나라에는 없고 세계적으로도 한정된 상황이다.

③ 일본은 1979년에 "시민적 및 정치적 권리에 관한 국제규약"(1979년 조약 제7호)을, 1994년에 "아동의 권리에 관한 조약"(1994년 조약 제2호)을 각각 비준했다. 이들 조약에는 아동이 출생에 의해 어떤 차별도 받지 않는다는 내용의 규정이 마련되어 있다. 또한 국제연합 관련 조직으로서 전자의 조약에 의해 자유권 규약 위원회가, 후자의 조약에 의해 아동 권리 위원회가 설치되어 있으며, 이들 위원회는 위 각 조약의 이행 상황 등에 대해 체약국에 의견 표명, 권고 등을 할 수 있도록 되어 있다.

일본의 적출이 아닌 자녀에 관한 위 각 조약의 이행 상황 등에 대해서는 1993년에 자유권 규약 위원회가 포괄적으로 적출이 아닌 자녀에 관한 차별적 규정을 삭제할 것을 권고하고 그 후 위 각 위원회가 구체적으로 본건 규정을 포함한 국적, 호적 및 상속에서의 차별적 규정을 문제 삼아 우려 표명, 법 개정 권고 등을 거듭했다. 최근에도 2010년에 아동 권리 위원회가 본건 규정의 존재를 우려한다는 견해를 거듭 보이고 있다.

④ 전술한 ② 및 ③과 같은 세계적인 상황의 변화 속에서 일본의 적출자녀와 적출이 아닌 자녀의 구별에 관한 법제 등도 변화해 왔다. 즉, 주민표의 세대주와의 관계를 기재하는 것을 둘러싸고 1988년에 소송이 제기되어 그 항소심이 계속 중인 1994년에 주민 기본 대장 사무 처리 요령의 일부 개정(1994년 12월 15일 自治振 제233호)이 이루어져 세대주의 자녀는 적출자녀인지 적출이 아닌 자녀인지를 구별하지 않고 일률적으로 '자녀'라고 기재하게 되었다. 또한 호적 기재에서 적출이 아닌 자녀의

부모와의 관계란의 기재를 둘러싸고도 1999년에 소송이 제기되어 그 제1심 판결 선고 후인 2004년에 호적법 시행규칙의 일부 개정(2004년 법무성령 제76호)이 이루어져, 적출자녀와 마찬가지로 "장남(장녀)" 등으로 기재하게 되어 이미 호적에 기재되어 있는 적출이 아닌 자녀의 부모와의 관계란의 기재도, 통고(2004년 11월 1일자 법무성 民一 제3008호 민사국장 통고)에 의해 그 기재를 신청에 의해 위와 같이 경정하게 되었다. 게다가 최고재판소 平成18年 (行ツ)第135号 平成20年 6月 4日 대법정 판결·민집 62권 6호 1367쪽은 적출이 아닌 자녀의 일본 국적의 취득에 대해 적출자녀와 다른 취급을 정한 국적법 3조 1항의 규정(2008년 법률 제88호에 의한 개정 전의 것)이 늦어도 2003년 당시의 헌법 14조 1항에 위반한 것이라고 판시하여 이 판결을 계기로 한 국적법의 개정에 즈음해서는 그 해 이전에 일본 국적 취득 신고를 한 적출이 아닌 자녀도 일본 국적을 취득할 수 있는 것으로 되었다.

⑤ 적출자녀와 적출이 아닌 자녀의 법정 상속분을 평등한 것으로 해야 하는 것이 아닌가 하는 문제에 대해서도 일찌감치 의식하고 있어서 1979년에 법무성 민사국 참사관실이 법제심의회 민법부회 신분법 소위원회 심의에 따라 공표한 "상속에 관한 민법 개정 요강 시안"에서 적출자녀와 적출이 아닌 자녀의 법정 상속분을 평등하게 하는 내용의 안(案)이 제시되었다. 또한 1994년에 마찬가지로 위 소위원회 심의에 따라 공표된 "혼인제도 등에 관한 민법 개정 요강 시안" 및 이를 더욱 검토한 후에 1996년에 법제심의회가 법무대신에게 답신한 "민법의 일부를 개정하는 법률안 요강"에서 양자의 법정 상속분을 평등하게 하는 내용이 명기되었다. 나아가 2010년에도 정부가 국회에 제출하는 것을 목표로 하여 위 요강과 같은 취지의 법률안을 준비하였다. 하지만 모두 국회 제출에는 이르지 못하였다.

⑥ 전술한 ③의 각 위원회에서 우려 표명, 법 개정 권고 등이 된 점에 대해 위 ④와 같이 개정이 이루어진 결과, 일본에서도 적출자녀와 적출이 아닌 자녀의 차별적 취급은 대체로 해소되어 왔지만 현재에도 본건 규정의 개정은 이루어지지 않고 있다. 그 이유에 대해 고찰하면, 유럽 여러 나라의 대부분은 전체 출생아 수에서 차지하는 적출이 아닌 자녀의 비율이 현저히 높고 그 중에는 50% 이상에 이르고 있는 나라도 있는 것과 대조적으로, 일본에서는 적출이 아닌 자녀의 출생수가 해마다 증가하는 경향에 있다고는 하나 2011년에도 2만 3000여명, 비율로서는 약 2.2%에 불과하고 혼인신고서 제출 여부의 판단이 첫째 자녀의 임신과 깊이 연관되어 있다고 보이는 등, 전체적으로 적출이 아닌 자녀로 하는 것을 피하려는 경향이 있는 것, 환언하면 가족 등에 관한 국민 의식이 다양화 하면서도 법률혼을 존중하는 의식은 널리 침투한 것으로 보이는 점이 위 이유의 하나가 아닌가 싶다.

그러나 적출이 아닌 자녀의 법정 상속분을 적출자녀의 법정 상속분의 2분의 1로 하는 본건 규정의 합리성은 전술한 2 및 (2)에서 설시한 대로 여러 가지 요소를 종합 고려하여 개인의 존엄과 법 앞의 평등을 규정한 헌법에 비추어 적출이 아닌 자녀의 권리가 부당하게 침해되고 있는지 여부라는 관점에서 판단해야 할 법적 문제이며, 법률혼을 존중하는 의식이 널리 침투해 있다는 것과 적출이 아닌 자녀의 출생수의 다과(多寡), 여러 외국과 비교한 출생 비율의 대소는 위 법적 문제의 결론에 즉시 연결되는 것이라고 할 수는 없다.

⑦ 본 재판소는 1995년 대법정 결정 이후 결론으로서는 본건 규정을 합헌으로 하는 판단을 표명해왔지만 1995년 대법정 결정에서 이미 적출이 아닌 자녀의 입장을 중시해야 한다고 하여 다섯 명의 재판관이 반대 의견을 말한 외에, 혼인, 친자 또는 가족 형태와 이에 대한 국민 의식의 변화, 나아가 국제적 환경의 변화를 지적하고, 1947년 민법 개정 당시의 합리성이 상실되어 가고 있다는 보충 의견이 제시되고 그 후의 소법정 판결 및 소법정 결정에서도 같은 취지의 개별 의견을 거듭 말해 왔다[최고재판소 平成11年(オ)第1453号 平成12年 1月 27日 제1소법정 판결 · 재판집 민사 196호 251쪽, 최고재판소 平成14年(オ)第1630号 平成15年 3月 28日 제2소법정 판결 · 재판집 민사 209호 347쪽, 최고재판소 平成14年(オ)第1963号 平成15年 3月 31日 제1소법정 판결 · 재판집 민사 209호 397쪽, 최고재판소 平成16年(オ)第992号 平成16年 10月 14日 제1소법정 판결 · 재판집 민사 215호 253쪽, 최고재판소 平成20年(ク)第1193号 平成21年 9月 30日 제2소법정 결정 · 재판집 민사 231호 753쪽 등]. 특히 전술한 최고재판소 平成15年 3月 31日 제1소법정 판결 이후의 본 심판례는 보충 의견의 내용을 고려하면 본건 규정을 합헌이라고 하는 결론을 간신히 유지한 것으로 볼 수 있다.

⑧ 위 ⑦의 본 심판례의 보충 의견 중에는 본건 규정의 변경은 상속, 혼인, 친자 관계 등의 관련 규정과의 정합성이나 친족 · 상속제도 전반을 배려한 종합적인 판단이 필요하며 또한 위 변경의 효력 발생 시기 또는 적용 범위의 설정도 신중히 해야 한다고 한 후, 이들은 국회의 입법 작용에 의해 적절히 할 수 있는 사안이라는 취지로 말하거나 조속한 입법 조치를 기대한다는 내용을 말한 것이다.

이들 보충 의견이 부가된 것은 위 ⑤에서 설시한 것처럼 1979년 이후 간헐적으로 본건 규정의 재검토 움직임이 있어, 1995년 대법정 결정 전후에도 법률안 요강이 작성되는 상황이었던 것 등이 크게 영향을 미친 것으로 볼 수 있으나 어쨌든 친족 · 상속제도 중 어떤 사항이 적출이 아닌 자녀의 법정 상속분의 차별을 재검토하는 것과 관련되는가 하는 것은 반드시 분명하지 않고 적출자녀와 적출이 아닌 자녀의 법정 상속분이 평등하다는 내용을 포함한 전술한 ⑤의 요강 및 법률안에도 법정 상속분의 평등화에 대해 배우자 상속분의 변경 기타 관련되는 친족 · 상속 제도를 개정하는 것으로 되어 있지 않다. 그렇다면 관련 규정과의 정합성을 검토할 필요성은 본건 규정을 당연히 유지하는 이유가 되지 않는다고 하여야 하고 위 보충 의견도 재판에서 본건 규정을 위헌이라고 판단할 수 없다는 취지를 말하는 것으로는 해석되지 않는다. 또한 재판에서 본건 규정을 위헌으로 판단해도 법적 안정성 확보와의 조화를 도모할 수 있는 것은 후술하는 4에서 설시하는 바와 같다.

또한 전술한 (2)에서와 같이 1995년 대법정 결정에서는 본건 규정을 포함한 법정 상속분의 규정이 유언에 의한 상속분 지정 등이 없는 경우 등에서 보충적으로 기능하는 규정임을 고려하여야 하는 사정으로 하고 있다. 그러나 본건 규정의 보충성에서 보면 적출자녀와 적출이 아닌 자녀의 법정 상속분을 평등하게 하는 것도 어떠한 불합리가 없다고는 할 수 없는 이상 유언에 의해서도 침해할 수 없는 유류분에 대해서는 본건 규정은 명확한 법률상 차별이라고 해야 하는 것과 함께 본건 규정의 존재 자체가 출생 시부터 적출이 아닌 자녀에 대한 차별 의식을 불러일으킬 수 있음을 고려하면, 본건 규정이 위와 같이 보충적으로 기능하는 규정인 것은 합리성 판단에서 중요성을 가지지 않는다고 해야 한다.

(4) 본건 규정의 합리성에 관한 전술한 여러 가지 상황의 변천 등은 그 중 어느 하나를 파악하여 본건 규정에 의한 법정 상속분의 구별을 불합리하다고 해야 할 결정적인 이유로 할 수 있는 것은 아니다. 그러나 1947년 민법 개정 시부터 현재에 이르기까지의 사회 동향, 일본의 가족 형태의 다양화 및 이에 따른 국민 의식의 변화, 여러 외국의 입법 추세 및 일본이 비준한 조약의 내용과 이에 기초하여 설치된 위원회의 지적, 적출자녀와 적출이 아닌 자녀의 구별에 관련된 법제 등의 변화, 나아가 그 동안의 본 심판례에서의 잦은 문제의 지적 등을 종합적으로 고찰하면, 가족이라는 공동체 속에서의 개인의 존중이 보다 명확히 인식되어 온 것은 분명하다고 할 수 있다. 그리고 법률혼이라는 제도 자체는 일본에 정착하고 있다고 해도 위와 같은 인식 변화에 따라 위 제도 아래에서 부모가 혼인관계에 있지 않았다고 하는, 자녀에게는 스스로 선택 내지 수정할 여지가 없는 사정을 이유로 하여 그 자녀에게 불이익을 미치게 하는 것은 허용되지 않으며 자녀를 개인으로서 존중하고 그 권리를 보장해야 한다는 생각이 확립되어 온 것이라고 할 수 있다.

이상을 종합하면 늦어도 A의 상속이 시작된 2011년 7월 당시에 입법부의 재량권을 고려해도 적출자녀와 적출이 아닌 자녀의 법정 상속분을 구별하는 합리적인 근거는 상실되었다고 할 수 있다.

따라서 본건 규정은 늦어도 2011년 7월 당시에 헌법 14조 1항을 위반한 것이라고 해야 한다.

4 선례로서의 사실상의 구속성에 대해서

본 결정은 본건 규정이 늦어도 2011년 7월 당시에 헌법 14조 1항을 위반했다고 판단하는 것이며 1995년 대법정 결정 및 전술한 3(3)⑦의 소법정 판결 및 소법정 결정이 이전에 상속이 시작된 사건에 대해서 그 상속 개시 시점에서의 본건 규정의 합헌성을 긍정한 판단을 변경하는 것은 아니다.

한편 헌법에 위반하는 법률은 원칙적으로 무효이며 그 법률에 따라 이루어진 행위의 효력도 부정되어야 할 것이라는 점에서 보면, 본건 규정은 본 결정에 따라 늦어도 2011년 7월 당시에 헌법 14조 1항을 위반했다고 판단되는 이상, 본 결정의 선례로서의 사실상의 구속력에 의해 위 당시 이후는 무효인 것으로 되고 또한 본건 규정에 따라 이루어진 재판이나 합의의 효력 등도 부정되는 것으로 될 것이다. 그러나 본건 규정은 국민 생활과 신분 관계의 기본법인 민법의 일부를 구성하여 상속이라는 일상적인 현상을 규율하는 규정이고 2011년 7월부터 이미 약 12년의 기간이 경과하고 있는 것에서 보면, 그 사이에 본건 규정의 합헌성을 전제로 하여 많은 유산 분할이 이루어졌고 다시 그것을 토대로 새로운 권리 관계가 형성되는 사태가 널리 발생해 왔음을 쉽게 추측할 수 있다. 특히 본 결정의 위헌 판단은 장기에 걸친 사회 상황의 변화에 비추어 본건 규정이 합리성을 잃은 것을 이유로 하여 위헌성을 본 재판소가 처음으로 밝히는 것이다. 그럼에도 불구하고, 본 결정의 위헌 판단이 선례로서의 사실상의 구속성이라는 형태로 이미 이루어진 유산 분할 등의 효력에도 영향을 미쳐 말하자면 해결된 사안에도 효과가 미친다고 하는 것은 현저하게 법적 안정성을 해치게 된다. 법적 안정성은 법에 내재하는 보편적인 요청이고 본 재판소의 위헌 판단도 그 선례로서의 사실상의 구속성을 한정하여 법적 안정성 확보와의 조화를 도모하는 것이 필요하다고 하지 않을 수 없고 이것은 재판에서 본건 규정을 위헌으로 판단하는 것의 적부라는 점에서도 문제가 될 수 있다고 할 수 있다[전술한 3(3)⑧ 참조].

이상의 관점에서 보면 이미 관계자 사이에서 재판, 합의 등에 의해 확정적인 것으로 되었다고 할 수 있는 법률관계까지도 현 시점에서 뒤집는 것은 상당하지 않지만, 관계자 사이의 법률관계가 그러한 단계에 이르지 않은 사안이라면 본 결정에 의해 위헌 무효로 된 본건 규정의 적용을 배제한 다음에 법률관계를 확정적인 것으로 하는 것이 상당하다고 할 수 있다. 그리고 상속 개시에 의해 법률상 당연히 법정 상속분에 따라 분할되는 가분채권 또는 가분채무에 대해서는 채무자로부터 지불을 받거나 채권자에게 변제를 함에 있어서, 법정 상속분에 관한 규정의 적용이 문제가 될 수 있는 것이므로 상속 개시에 의해 즉시 본건 규정이 정하는 상속분 비율에 의한 분할이 이루어진 것으로서 법률관계가 확정적인 것으로 되었다고 보는 것은 상당하지 않고 그 후의 관계자 사이에서 재판의 종국, 명시 또는 묵시의 합의 성립 등에 의해 위 규정을 새롭게 적용할 필요가 없는 상태가 되었다고 할 경우에 비로소 법률관계가 확정적인 것으로 되었다고 보는 것이 상당하다.

따라서 <u>본 결정의 위헌 판단은 A의 상속 개시 시부터 본 결정까지의 사이에 개시된 다른 상속에 대해 본건 규정을 전제로 하여 이루어진 유산 분할의 심판 기타의 재판, 유산 분할의 협의 기타 합의 등에 의해 확정적인 것으로 된 법률관계에 영향을 미치는 것은 아니라고 해석하는 것이 상당하다.</u>

5 결론

이상에 의하면 2011년 7월 OO일에 개시한 A의 상속에 관해서는 본건 규정은 헌법 14조 1항을 위반하여 무효이며 이를 적용할 수 없다고 할 수 있다. 이에 반하는 원심의 전술한 판단은 이 조항의 해석을 잘못한 것으로 옳다고 인정할 수 없다. 논지는 이유가 있어 나머지 논지에 대해서 판단할 것도 없이 원결정은 파기를 면치 못한다. 그래서 더욱 심리를 다하게 하기 위해서 본건을 원심으로 환송하기로 한다.

따라서 재판관 전원 일치 의견으로 주문과 같이 결정한다. 또한 재판관 가네쓰키 세이지(金築誠志), 지바 가쓰미(千葉勝美), 오카베 기요코(岡部喜代子)의 보충의견이 있다.

재판관 가네쓰키 세이지의 보충의견은 다음과 같다.

법정의견 중 본 결정의 선례로서의 사실상의 제한에 관한 판시는 이제까지의 본 심의 판례에는 없었던 것으로 장래에 걸쳐 일반적 의의가 있고 여러 가지 논란이 있을 수 있다고 생각되므로 내가 이해하는 바를 말해 두고자 한다.

본 결정과 같은 생각이 어떻게 가능한 것인가. 이 문제를 검토함에 있어서는 일본의 위헌 심사 제도에서 확립된 원칙인 이른바 부수적 위헌 심사제와 위헌 판단에 관한 개별적 효력설을 전제로 해야 할 것이다.

부수적 위헌 심사제는 당해 구체적 사안의 해결에 필요한 한도에서 법령의 헌법 적합성 판단을 하는 것인데 본건의 상속에서 문제가 되는 것은 그 상속 개시 시에 실체적인 효력을 발생시키고 있는 법정 상속분의 규정이므로 그 심사는 이 상속이 개시한 때를 기준으로 해야 한다. 본 결정도 본건의 상속이 개시한 당시를 기준으로 하여 본건 규정의 헌법 적합성을 판단하고 있다.

또한 개별적 효력설에서는 위헌 판단은 당해 사건에 한하는 것으로 최고재판소의 위헌 판단이라 해도 위헌으로 된 규정을 일반적으로 무효로 하는 효력이 없으므로 입법에 의해 당해 규정이 삭제 또는 개정되지 않는 한, 다른 사건을 담당하는 재판소는 당해 규정의 존재를 전제로 하여 다시 헌법 판단을 해야 한다. 개별적 효력설의 위헌 판단은 다른 사건에 대해서는 선례로서의 사실상의 구속성밖에 가지지 않는 것이다. 그렇다고는 하더라도 늦어도 본건의 상속 개시 당시에는 본건 규정은 헌법 14조 1항을 위반하고 있었다는 판단이 최고재판소에서 된 이상, 법의 평등한 적용이라는 관점에서는 그 이후의 상속 개시에 관련된 다른 사건을 담당하는 재판소는 이 판단에 따라 본건 규정을 위헌으로 판단하는 것이 상당하다. 그러한 의미에서 본 결정의 위헌 판단의 효과는 소급하는 것이 원칙이다.

그러나 선례로서의 사실상의 구속성은 동종의 사건에 동일한 해결을 줌으로써 법의 공평·평등한 적용이라는 요구에 응하는 것이므로 헌법 14조 1항의 평등 원칙이 합리적인 이유에 의한 예외를 인정하는 것처럼 합리적인 이유에 근거한 예외가 허용된다. 또한 선례로서의 사실상의 구속성은 동종의 사건에 동일한 해결을 줌으로써 법적 안정성의 실현을 도모하는 것인데 구속성을 인정하는 것이 오히려 법적 안정성을 해치는 때에는 그 역할을 후퇴시켜야 할 것이다. 본 결정의 위헌 판단에 의해 이미 이루어진 유산 분할 등의 효력이 영향을 받도록 하는 것이 현저히 법적 안정성을 해치는 것에 대해서는 법정 의견이 설시하는 것과 같지만, 특히 기존 최고재판소 판례가 합헌이라고 하여 온 법령에 대해 위헌 판단을 하는 본건과 같은 경우에는 기존의 판례에 근거해서 이루어진 행위의 효력을 부정하는 것은 법적 안정성을 해치는 정도가 더욱 크다.

소급효를 제한할 수 있는지 여부는 재판소에 의한 법의 해석이 올바른 법의 발견에 그치는 것인가 법의 창조적 기능을 가지는 것인가 하는 문제와 관련하는 점이 크다는 견해가 있다. 확실히 당해 사건을 벗어나서 특정한 법 해석의 적용 범위를 결정하는 행위는 입법과 비슷한 점이 있다고 해야 한다. 재판소에 의한 법 해석은 바른 법의 발견에 그친다고 생각하면, 소급효의 제한에 대해서도 부정적인 견해로 기울어지게 될 것이다. 원래 다른 사건에 대한 법 적용의 본연의 모습에 대해 판시하는 것의 당부를 문제로 하는 경향도 있을지 모른다.

그러나 본 결정의 이러한 점에 관한 판시는 예측되는 혼란을 회피하는 방도를 보여주지 않고 본건 규정을 위헌이라고 판단하는 것은 상당하지 않다는 견지에서 이루어진 것으로 해석되고 위헌 판단과 밀접하게 관련된 것이므로 단순한 방론으로 평가해서는 안 된다. 또한 재판소에 의한 법 해석은 바른 법의 발견에 머문다고 하는 생각에 대해서는 법 해석의 실태로서는 사안에 따라 정도 · 양태에 차이는 있어도 보통 어느 정도인가 법 창조적인 측면을 동반하는 것은 불가피하다고 생각되므로, 재판소에 의한 법 해석의 본연의 모습을 위와 같이 한정하는 것이 상당하다고는 생각하지 않는다. 코먼로(common law)의 전통을 계승하는 미국에서도 판례의 불소급적인 변경을 인정하고 있다.

또한 판례의 불소급적인 변경은 헌법 판단의 경우에 한정되는 문제는 아니지만, 법령의 규정에 관한 헌법 판단의 변경에 법적 안정성의 확보 요청이 보다 심각하고 광범위한 문제로서 출현하는 것은 이미 말한 대로이다. 법령의 위헌 심사에 대해서는 그 영향의 크기에 비추어 법령을 합헌적으로 한정 해석하는 등 겸양 · 자제적인 방법을 취하는 경우가 있지만 소급효의 제한을 하는 것은 위헌 판단이 미치는 범위를 한정하자고 하는 것이므로 위헌 심사권의 겸양 · 자제적인 행사라고 볼 수도 있을 것이다.

어쨌든 위헌판단은 개별적 효력밖에 가지지 않는 것이므로 그 판단의 소급효에 관한 판시를 포함하여 선례로서의 사실상의 구속성을 가진 판단으로서, 다른 재판소 등에 의해 존중되어 따름으로써 효과를 가지는 것이다. 그러한 의미에서도 입법과는 다른 것이지만 실제로도 향후 어떠한 형태로 관련한 분쟁이 생길지는 예측할 수 없어 본 결정은 위헌 판단의 효과가 미치지 않는 경우에 대해서 망라적으로 판시하고 있는 것은 아니다. 각 재판소는 본 결정의 판시를 지침으로 하면서도 위헌 판단의 필요 여부 등도 포함하여 사안의 타당한 해결을 위해 적절한 판단을 할 필요가 있다고 생각한다.

재판관 지바 가쓰미의 보충 의견은 다음과 같다.

나는 법정의견의 본건의 위헌 판단의 소급효에 관한 판시와 위헌 심사권과의 관계에 대해서 약간의 소견을 보충하고 싶다.

1 법정의견은 본건 규정에 대해 늦어도 본건의 상속이 발생한 당시에 위헌이고 그 이후는 무효라고 했지만, 본 결정의 위헌 판단의 선례로서의 사실상의 구속성의 점에 대해서는 법적 안정성을 해치지 않도록 이미 해결한 형태가 된 것에는 미치지 않는다고 해서 그 효과가 미치는 범위를 일정 정도로 제한하는 판시(이하 '본건 소급효의 판시'라 한다)를 하고 있다.

이 판시에 대해서는 일본의 최고재판소에 의한 위헌 심사권 행사가 이른바 부수적 심사제를 채용하여 위헌 판단의 효력에 대해서는 개별적 효력설로 하는 것이 일반적인 이해인 이상, 본건의 위헌 판단에 대한 소급효의 유무, 범위 등을 그것이 선례로서의 사실상의 구속성이라고 하는 형태라고 해도 대상이 되는 사건의 처리와는 분리하여 다른 동종 사건의 향후 처리 방법에 관한 것으로서 미리 제시하는 점에서 이례적인 것이라고도 할 수 있다. 그러나 이것은 법령을 위헌 무효로 하는 것은 통상은 그것을 전제로 이루어진 많은 법률관계 등을 복멸시키는 위험을 발생시키기 때문에 그러한 법적 안정성을 크게 저해하는 사태를 피하기 위한 조치이며, 이 점의 배려가 필요한 사건에서 최고재판소가 법령을 위헌 무효라고 판단하는 때에는 기본적으로는 항상 필요 불가결한 설시라고 해야 한다. 그러한 의미에서 본건 소급효의 판시는 이른바 방론(obiter dictum)이 아니라 판지(ratio decidendi)로서 취급해야 한다.

2 다음으로 위헌 무효로 된 법령에 대해서 입법에 의해 폐지 조치를 실시할 때에는 폐지를 규정한 개정법의 시행 시기와 경과 조치에 대해서 법적 안정성을 뒤집는 것의 폐해 등을 고려하여, 개정법의 부칙 규정에 따라 필요한 조치를 하는 것이 상정되고 있는데 본건 소급효의 판시는 이 작용(입법에 의한 개정법의 부칙에 의한 조치)과 유사하며 사법작용으로서 가능한지 여부 혹은 적당한지 여부가 문제될 우려가 없는 것은 아니다.

헌법이 최고재판소에 부여한 위헌 심사권은 법령을 대상으로 하기 때문에 그것이 위헌 무효라고 판단되면 개별적 효력설을 전제로 했다고 해도 선례로서의 사실상의 구속성이 널리 미치게 되기 때문에 그대로는 법적 안정성이 훼손되는 사태가 생기는 일은 당연히 예상된다. 이 점에서 생각하면 이러한 사태를 피하기 위해 위헌 판단의 소급효의 유무, 시기, 범위 등을 일정 정도 제한하는 권능, 즉, 입법이 개정법의 부칙으로 그 시행 시기 등을 정하는 것에 준하는 작용도 위헌 심사권 제도의 일부로서 당초부터 예정되어 있는 것이며, 본건 소급효의 판시는 최고재판소의 위헌 심사권 행사에 성질상 내재하거나 혹은 이에 부수하는 권한 또는 제도를 지지하는 원리, 작용의 일부이며, 헌법은 이를 위헌 심사권 행사의 사법 작용으로 미리 승인하고 있는 것으로 생각해야 한다.

재판관 오카베 기요코의 보충 의견은 다음과 같다.

본건 사안에 비추어 본건 규정의 헌법 적합성 문제와 일본에서 법률혼을 존중하는 의식과의 관계에 대해서 약간 보충한다.

1 1995년 대법정 결정은 민법이 법률혼주의를 채용한 결과 혼인에서 출생한 적출자녀와 적출이 아닌 자녀의 구별이 발생하며 친자관계의 성립 등에 대해 달리 규율 되어도 어쩔 수 없다고 한다. 친자의 성립 요건에 대해서 아내가 혼인 중에 임신한 자녀에 대해서는 아무런 절차 없이 출생과 동시에 그 남편이 아버지인 적출자녀로 법률상 추정되는 것이고(민법 772조), 이 점에서 인지에 의해 부자관계가 성립하는 적출이 아닌 자녀와 다른데 그 구별은 혼인관계에 근거를 두는 것이고 합리성을 가진다고 할 수 있다. 그러나 상속분의 정함은 친자관계의 효과의 문제인데 혼인관계에서 출생한 적출자녀를 적출이 아닌 자녀보다 우대해야 한다는 결론은 위 친자관계의 성립 요건의 구별에 근거가 있다는 의미에서 논리적으로 당연하다고 설명할 수는 없다.

혼인의 존중이란 적출자녀를 포함한 혼인공동체의 존중이며 그 존중은 당연히 상속분에 있어서의 존중을 의미한다는 견해도 존재한다. 그러나 법정의견이 설시하는 것처럼 상속제도는 다양한 사항을 종합 고려하여 정해지는 것이며, 그들 사항은 시대와 함께 변천하는 것인 이상, 만일 민법이 혼인에 대해서 위와 같은 견해를 채용하여 본건 규정도 그 하나의 표현이라고 해도 상속에 있어서 혼인공동체의 존중을 피상속인의 적출이 아닌 자녀와의 관계에서 적출자녀의 상속분을 우대함에 따라 관철하는 것이 헌법상 허용되는지 여부에 대해서는 끊임없이 검토되어야 하는 것이다.

2 부부 및 그 사이의 자녀를 포함한 혼인공동체의 보호라는 생각의 실질적인 근거로서 혼인기간 중에 혼인 당사자가 얻은 재산은 실질적으로는 혼인공동체의 재산으로 본래 그 안에 있는 적출자녀에게 승계되어야 한다는 견해가 있다.

확실히 부부는 혼인공동체를 유지하기 위해 일하고 혼인공동체를 유지하기 위해 협력하는 것이며 (부부에 대해서는 법적인 협력 부조 의무가 있다) 그 협력에는 장기에 걸친 부단한 노력이 필요하다고 할 수 있다. 사회적 사실이라 하더라도 많은 경우 부부는 서로 생계를 유지하기 위해 일하고 집안일을 부담하고 친척이나 이웃과의 교제를 하고 여러 잡일을 하거나 장기간의 육체적, 경제적 부담을 수반하는 육아를 하고 고령이 된 부모 기타의 친족을 돌보는 경우도 있다. 적출자녀는 부부의 협력에 의해 부양되고 양육되어 성장하며 그리고 자녀 자신도 부부 사이의 협력과 성질 · 정도는 다르지만 사실상 이들에 협력하는 것이 일반적일 것이다.

이것이 기본적으로 일본의 하나의 가족상으로 여겨져 왔던 것이고 이러한 가족상을 기반으로 하여 법률혼을 존중하는 의식이 널리 공유되어 왔다고 할 수 있을 것이다. 1995년 대법정 결정이 대상으로 한 상속의 개시 시점인 1988년 당시에는 위와 같은 가족상이 널리 침투하여 본건 규정의 합리성을 지탱하고 있던 것이라 생각되지만, 현재에도 위와 같은 가족상은 여전히 어느 정도 침투해 있는 것으로 생각되고, 그러한 상황 아래에서 혼인공동체의 구성원이 그곳에 속하지 않는 적출이 아닌 자녀의 상속분을 구성원인 적출자녀와 동등하게 하는 것에 부정적인 감정을 품는 것도 이해할 수 있다.

그러나 오늘날 여러 가지 이유로 인해 이러한 가족상에 변화가 생기고 있는 것은 법정의견이 지적하는 대로다. 동시에 적출이 아닌 자녀는 태어나면서 선택의 여지가 없이 위와 같은 혼인공동체의 일원이 될 수 없다. 물론 법률혼의 형태를 취하지 않겠다는 부모의 뜻에 따라 실태는 혼인공동체와 다르지 않지만 적출자녀가 될 수 없는 경우도 있지만 대부분의 경우는 혼인공동체에 참여하고 싶어도 하지 못하고 혼인공동체 유지를 위해 노력하고 싶어도 할 수 없는 지위에 태어나면서부터 처해있는 것이라고 하는 것이 실태일 것이다. 그리고 법정의견이 말하는 1947년 민법 개정 이후의 국내외 사정의 변화는 자녀를 개인으로서 존중해야 한다는 생각을 확립시켜 혼인공동체의 보호 자체에는 충분히 이유가 있다고 해도 그 때문에 혼인공동체만을 당연히 하고 일반적으로 혼인 외 공동체보다 우대하는 것의 합리성 또는 혼인공동체의 보호를 이유로 하여 그 구성원인 적출자녀의 상속분을 비구성원인 적출이 아닌 자녀의 상속분보다 우대하는 것의 합리성을 감소시켜 온 것이라고 할 수 있다.

이러한 관점에서 보면 전체적으로 법률혼을 존중하는 의식이 널리 침투하고 있다고 해서 적출자녀와 적출이 아닌 자녀의 상속분에 차별을 두는 것은 이미 상당하지 않다고 할 수 있다.

◇ 재판장 재판관 竹崎博允 재판관 桜井竜子 재판관 竹内行夫 재판관 金築誠志 재판관 千葉勝美
재판관 横田尤孝 재판관 白木勇 재판관 岡部喜代子 재판관 大谷剛彦
재판관 大橋正春 재판관 山浦善樹 재판관 小貫芳信 재판관 鬼丸かおる
재판관 木内道祥

제13장
입양

1. 특별입양의 성립 요건을 충족하는지 여부

본건은 아동상담소에서 소개를 받아 사건본인과 면회 등의 교류를 계속하고 있던 항고인들이 사건본인의 특별입양을 신청한 사안이다.

본건 신청 시에 사건본인의 나이가 7세 11개월이어서 양자가 될 사람의 연령 제한을 규정한 민법 제817조의5 본문의 요건을 충족하지 못하였다. 원심 재판소가 이를 이유로 본건 신청을 각하했기 때문에 항고인들이 이에 불복하여 즉시항고를 하였다.

후쿠오카 고등재판소는 "항고인들은 사건본인이 6세에 이르기 이전부터 사건본인에게 상당한 정도 직접적인 감호를 실시할 기회가 있었으며 항고인들뿐만 아니라 본건 기관 그리고 본건 시설에서도 항고인들이 양부모로서 사건본인과 만나고 있는 것으로 인식했음을 인정할 수 있다. 항고인 Y가 일상생활에 돌아와서 사건본인과 밀접한 교류를 재개한 2008년 ×월 무렵부터는 항고인들에 의한 사건본인의 감호가 이루어지고 있었다고 할 수 있다."고 사실 인정을 하여 사건본인이 6세에 이르기 전부터 양부모가 되는 사람에게 감호되어 있었던 것이므로 민법 제817조의5 단서의 요건을 충족하게 된다고 하면서 즉시항고를 인용하는 결정을 하였다.

그리고 사건본인은 부모를 알 수 없으므로 특별입양을 하면서 민법 제817조의6 소정의 동의는 필요 없고 항고인들에 의한 사건본인의 감호 상황은 양호하며 이것을 시험 양육에 충분한 기간으로 볼 수 있다고 판단하였다.

〈민법〉

(특별입양의 성립)

제817**조의**2 가정재판소는 다음 조에서 제817조의7까지 정하는 요건이 있는 때에는 양부모가 되는 사람의 청구에 의해 실제 혈족과의 친족관계를 종료하는 결연(특별입양)을 성립시킬 수 있다.

2 전항에 규정하는 청구를 함에는 제794조 또는 제798조의 허가를 얻을 필요는 없다.

(양자로 되는 사람의 연령)

제817**조의**5 제817조의2에 규정하는 청구 시에 6세에 이르고 있는 사람은 양자가 될 수 없다. 다만 그 사람이 8세 미만이며 6세에 이르기 전부터 계속 양부모가 되는 사람에게 감호되고 있는 경우에는 그러하지 아니하다.

(부모의 동의)

제817**조의**6 특별입양의 성립에는 양자로 되는 사람의 부모의 동의가 있어야 한다. 단, 부모가 그 의사를 표시할 수 없는 경우 또는 부모에 의한 학대, 악의의 유기 기타 양자로 되는 사람의 이익을 현저히 해하는 사유가 있는 경우에는 그러하지 아니하다.

재판연월일 平成24年[109] 2月 23日	**재 판 소 명** 후쿠오카(福岡) 고등재판소
사 건 번 호 平23(ラ)115号	**재 판 구 분** 결정
사 건 명 특별입양 성립 신청 각하 심판에 대한 즉시항고 사건	
재 판 결 과 취소, 인용	**상 소 등** 확정

주 문

1 원심판을 취소한다.

2 사건본인 A를 항고인 X와 Y의 특별양자로 한다.

이 유

제1 항고의 취지와 이유

본건 항고의 취지와 이유는 별지 '즉시항고 신청서'와 같기 때문에 이를 인용한다.

제2 본 재판소의 판단

1 본건은 아동상담소에서 소개를 받아 사건본인과 면회 등의 교류를 계속하고 있던 항고인들이 사건본인의 특별입양을 신청한 사안이다.

원심이 본건 신청 시에는 사건본인이 6세에 이르고 있어 항고인들에 의한 사건본인의 감호는 사건 본인이 6세가 되면서 받은 양부모 위탁 결정에 의한 것이므로 특별입양 중 연령에 관한 요건(민법 817조의5)을 충족시키지 못한다고 하여 본건 신청을 각하했기 때문에 항고인들이 이에 불복하여 즉시 항고를 하였다.

2 일건 기록에 의해 인정되는 사실 관계는 후술하는 (1) 내지 (5)와 같이 원심판을 보정하는 외에는 원심판의 '이유'란의 2(1)에 판시한 대로이므로 이를 인용한다(덧붙여 아래에서 원심판을 적시 내지 인용하는 경우에는 '원심판 2(1)'과 같이 표기하고 본 심에서 보정이 있는 때에는 보정 후의 것에 의한다).

---

109) 2012년

(1) 2쪽 9줄의 '센터'의 다음에 '(아동복지법 12조에 규정하는 아동상담소, 이하 「본건 기관」이라고도 한다)'를 덧붙인다.

(2) 2쪽 10줄의 '이 센터에서'의 다음에 '출생 후 곧 「a 유아원」(아동복지법 37조에 규정하는 유아원, 이하 「본건 시설」이라 한다)에 입소했던'을 덧붙인다.

(3) 2쪽 14줄의 '계속하고 있었는데'의 다음에 '2008년 ×월 무렵, 그 달 하순 무렵에는 양부모 위탁 결정이 되어 같은 해 ×월 초 무렵부터 입양되는 사람(사건본인)을 감호할 예정이었다. 그러나 양친이 되어야 하는 항고인 Y가 수술을 받을 필요가 생겨서 이것이 연기되었다. 항고인 Y는 그 해 ×월에는 직장에 복귀했지만 양부모 위탁 결정이 되지 않은 동안에'를 덧붙인다.

(4) 2쪽 19줄의 '~라고 하는 것이었다'를 '~라는 것이고 그 후에도 거의 매주 주말에 1박 2일의 외박을 하고 특히 2008년 ×월 ×일부터 2009년 ×월 ×일까지는 4박 5일로 외박을 하고 있다'로 고친다.

(5) 2쪽 30줄의 '사건본인은'의 앞에 '항고인들은 본건 기관으로부터 사건본인과의 특별입양이 인정될 가능성이 있다는 이야기를 들어 왔는데'를 덧붙인다.

3 특별양자가 되는 사람의 나이는 원칙적으로 신청 시에 6세 미만으로 되어 있고(민법 817조의5 본문), 6세에 이르기 전부터 계속해서 양부모가 되는 사람에게 감호되고 있는 경우에는 예외적으로 2년 동안의 유예 기간을 두고 신청 시에 8세 미만이어도 가능한 것으로 되어 있다(같은 조 단서). 이는 특별양자가 되는 사람이 6세 미만인 때부터 양부모로 될 사람에게 현실적으로 감호되고 있는 경우에는 그 때부터 사실상의 친자 관계가 있다고 할 수 있는 것이므로 연령 요건의 완화를 인정한 것에 따른 것이다.

본건 신청 시(2010년 ×월 ×일)에는 사건본인의 나이가 7세 11개월이므로 양자가 될 사람의 연령 제한을 규정한 민법 817조의5 본문의 요건을 충족하지 못하게 된다. 그래서 나아가 같은 조 단서의 경우에 해당하는지 여부에 대해서 보면, 전 판시[위 인용에 관련된 원심판 2(1)]와 같이 항고인들은 특별입양을 이용하는 것을 상정하여 양부모 등록을 하고 사건본인과 교분을 쌓고 있었는데 2008년 ×월에는 본건 기관에서도 사건본인을 항고인들에게 양부모 위탁하는 결정을 예정하고 있었던 것, 그 후 항고인 Y의 입원 때문에 이 결정이 연기되었지만 이에 따라 이 결정 자체가 무산된 것은 아니고 항고인들은 항고인 Y가 일상생활에 복귀한 그 해 ×월 이후 양부모 위탁 결정을 손꼽아 기다리고 사건본인은 주말마다 항고인들 쪽으로의 외박을 포함하여 항고인들과 종전 이상의 빈도 내지 밀도를 가지고 교류를 갖고 있던 것이 인정된다.

덧붙여, 본 심에서의 조사 촉탁 결과에 의하면 사건 본인은 2007년 ×월 무렵부터 항고인들을 '아버지', '어머니'라고 부르게 되었고 항고인들 쪽으로 주말의 외박을 거듭하는 동안에 항고인들 쪽을 집으로 인식하기 시작하여 2008년 ×월 무렵에는 집에 계속 있고 싶다는 등으로 항고인들 쪽에서의 생활을 원하게 된 것, 항고인들도 사건본인과 부모로서 만나며 좋은 관계를 맺을 수 있었던 것, 본건 기관에서도 항고인들이 사건본인을 특별입양할 것으로 인식하고 그러한 지도를 하고 있던 것이 인정된다.

이러한 사실들에 의하면 항고인들은 사건본인이 6세에 이르기 이전부터 사건본인에게 상당한 정도 직접적인 감호를 실시할 기회가 있었으며 항고인들뿐만 아니라 본건 기관, 그리고 본건 시설에서도 항고인들이 양부모로서 사건본인과 만나고 있는 것으로 인식했음을 인정할 수 있는 것이다. 항고인 Y가 일상생활에 돌아와서 사건본인과 밀접한 교류를 재개한 2008년 ×월 무렵부터는 항고인들에 의한 사건본인의 감호가 이루어지고 있었다고 할 수 있다.

따라서 사건본인은 6세에 이르기 전부터 양부모가 되는 사람에게 감호되어 있었던 것이므로 민법 817조의5 단서의 요건을 충족하게 된다.

4 그리고 사건본인은 부모를 알 수 없으므로 특별입양을 하면서 그 동의가 필요 없고(민법 817조의6 단서), 본 심에서의 조사 촉탁 결과 2009년 ×월 ×일부터 항고인들에 의한 사건본인의 감호 상황은 양호하며 이것을 시험 양육에 충분한 기간으로 볼 수 있다.

또한 사건본인은 출생 후 곧 기아로서 보호되어 본건 시설에 입소한 이후 부모를 알 수 없는 상태이며, 전 판시[위 인용에 관련된 원심판 2(1)]와 같이 항고인들과 교분을 쌓고 있고 양부모 위탁 결정이 된 후의 감호 상황도 양호하므로 본건에 대해서는 특별입양을 성립시키는 것이 사건본인의 이익을 위해 특별히 필요하다고 판단된다.

5 위 2 내지 4에 의하면 본건 신청에 대해서 특별입양을 성립시키는 요건을 충족하고 있음은 분명하므로 본건 신청은 이유가 있다.

6 따라서 가사심판규칙 19조 2항에 따라 원심판을 취소하고 심판을 대신하는 재판을 하는 것이 상당하므로 주문과 같이 결정한다.

◇ 재판장 재판관 西謙二 재판관 足立正佳 石山仁朗

2. 상속인에 대한 상속을 저지할 목적으로 입양 의사 없이 한 입양의 효과

A는 자신의 형인 피항소인이 G와의 교제에 반대한다거나 의료 보호 입원을 시킨다거나 후견 개시 신청을 한 것 등에 대해서 반감을 보이고 있었다. 그러던 중 병원에서 결핵 치료를 받는 과정에서 항소인을 알게 되어 함께 퇴원하여 2개월가량 항소인과 동거를 한 후 항소인을 A의 양자로 하는 입양 신고를 하였다. 그러나 항소인이 A의 양자라는 사회 일반의 신분 관계를 의식한 행동을 보인 흔적은 보이지 않고 항소인과 A 사이에 친족 관계의 형성을 전제로 한 대화가 이루어진 것과 같은 경위는 없으며 항소인 자신이 자신과 A가 본건 입양을 하는 목적이나 이유, 취지를 이해하고 있는 것으로도 인정되지 않는다. 이러한 사정에 비추어 A는 피항소인에 대한 사려를 결여한 반발 감정에서 입양 의사 없이 오로지 피항소인으로의 상속을 저지할 목적으로 항소인을 입양한 것으로 여겨진다.

민법 제802조에 의하면 입양 의사가 없이 입양을 한 경우에 그 입양은 무효가 된다. 그리고 입양에 있어서의 입양 의사는 사회 통념에 비추어 진정으로 양친자 관계를 생성시키려는 의사에 의한 것임이 필요하다고 할 수 있고 이러한 의사 없이 단순히 어떠한 방편으로 입양의 형식을 이용한 것에 불과한 경우에는 입양 의사가 결여된 것으로서 그 입양은 무효라고 할 수 있다.

나고야 고등재판소는 "본건 입양은 A가 항소인과의 양친자 관계라는 진정한 신분 관계를 형성하려는 의사 없이 피항소인으로의 상속을 막기 위한 방편으로 항소인의 입양이라는 형식을 이용한 것에 불과한 것으로 인정되므로 전 판시와 같이 입양 의사를 결여한 것이라고 해야 하고 무효라고 하지 않을 수 없다."고 판시하였다.

〈민법〉

(입양의 무효)

제802조 입양은 다음에 열거된 경우에만 무효로 한다.

① 사람을 착각하였다거나 기타 사유에 의해 당사자 사이에 입양을 할 의사가 없는 때

② 당사자가 입양 신고를 하지 않은 때. 단, 신고가 제799조에서 준용하는 제739조 제2항에 정하는 방식을 잃었을 뿐인 때에는 입양은 그 때문에 그 효력을 방해받지 않는다.

재판연월일 平成22年[110] 4月 15日	**재판소명** 나고야(名古屋) 고등재판소
사건번호 平21(ネ)1151号	**재판구분** 판결
사 건 명 입양 무효 확인 청구 항소 사건	**재판결과** 기각

주 문

1 본건 항소를 기각한다.

2 항소비용은 항소인이 부담한다.

사실과 이유

제1 항소의 취지

1 원판결을 취소한다.

2 피항소인의 청구를 기각한다.

3 소송비용은 제1, 2심 모두 피항소인이 부담한다.

제2 사안의 개요

1 본건은 망 A의 형인 피항소인이 A와 항소인과의 사이에서 입양(본건 입양)이 이루어진 당시, A에게는 의사능력이 없었고 또한 본건 입양에는 합리적 동기가 없다는 등으로 본건 입양의 무효 확인을 요구한 사안이다.

원심은 피항소인의 청구를 인용했다.

2 그 외의 사안의 개요는 다음과 같이 보정하고 본 심에서의 항소인의 주장을 덧붙이는 외에 원판결의 '사실과 이유'란의 제2의2 및 3에 기재된 대로이므로 이를 인용한다.

(1) 원판결 3쪽 1줄의 '공원묘지가 비싸다거나'를 '도쿄도에 대하여 공원묘지가 비싸다고 클레임을 걸거나 호텔에 대하여'로 고친다.

---

110) 2010년

(2) 원판결 3쪽 5줄의 '자신의 주변'의 앞에 '청소, 빨래, 쓰레기 버리는 것 등의'를 덧붙인다.

(3) 원판결 3쪽 6줄의 '죽었다고 말을 꺼낸다'를 '죽었다고 말하고 부의(賻儀) 봉투를 준비한다'로 고친다.

(4) 원판결 3쪽 14줄의 '을 6의1'의 다음에 '(항소인 대리인 변호사의 E 사법서사에 대한 질문과 이 사법서사의 답변 문서)'를 덧붙인다.

(5) 원판결 4쪽 3줄의 '거듭된 요구에도'를 '조정위원으로부터의 거듭된 요청에도'로 고친다.

(6) 원판결 4쪽 6줄의 '끌어냈다'에 이어서 '(그 일부는 위 조정 사건의 계속 중에 이루어졌는데 항소인은 통장을 도난당했다는 등으로 거짓말을 하며 술책을 부리고 있다)'를 덧붙인다.

(7) 원판결 5쪽 13, 14줄의 '결혼 약속을 하였으며 이 사람들이 결혼 이야기를 하지 말자고'를 '결혼 약속을 하였으나 결혼 이야기는 알지 못한다고'로 고친다.

(8) 원판결 6쪽 3, 4줄의 '절차가 효력에 대해서'를 '절차나 효력에 대해서'로 고친다.

[본 심에서의 항소인의 보충적 주장]

(1) 피항소인은 A를 정신병원에 집어넣는다거나 A와 약혼자(G)와의 교제를 방해한다거나 함으로써 A로부터 미움을 받고 있었다. 본건 입양은 재산을 피항소인에게 상속시키지 않고 A의 생활을 편리하고 풍요롭게 만들겠다는 목적에서 이루어진 것이다.

(2) A는 치매로 인한 조증상태 등이 아니었다. 의사이면서 정신병원에 입원 당한 정신적 쇼크, 굴욕감에서 반항적 태도로 나온다거나 검사를 거부하는 등 했을 뿐이다. A는 사법서사와도 상담하는 등 하고 숙고한 뒤 본건 입양 신고를 한 것이며 또한 스스로 자동차를 사는 등 하고 사망한 어머니 명의의 부동산을 2007년 5월에 매각할 때에도 사법서사에게 의사가 확인되는 등 하여 본건 입양 당시 의사능력이 결여된 점은 없었다.

(3) 피항소인이 A와 G의 교제에 반대한다거나 A에 대해서 후견 개시 신청을 한다거나 본건 입양의 무효 확인 소송을 제기한다거나 하는 것은 A의 재산을 상속하고 싶은 욕망의 표현이다.

제3 본 재판소의 판단

본 재판소도 피항소인의 청구에는 이유가 있는 것으로 판단한다. 그 이유는 다음과 같이 보정하는 외에 원판결 '사실과 이유'란 제3의1 내지 3에 기재한 대로이므로 이를 인용한다.

(1) 원판결 7쪽 3줄 말미에 이어서 줄을 바꾼 뒤 다음과 같이 덧붙인다.

'피항소인 및 A의 어머니인 O가 2005년 3월 17일에 사망한 이후에는 피항소인이 A의 유일한 추

정 상속인이었다.'

(2) 원판결 11쪽 3줄의 '플러스 3'을 '3 플러스'로 고친다.

(3) 원판결 11쪽 6줄의 'P'를 'I'로 고친다.

(4) 원판결 12쪽 4줄의 '유가증권'에 이어서 '2007년 6월 무렵의 평가액)'을, '예저금'에 이어서 '2007년 11월 무렵의 잔고)'를 각각 덧붙인다.

(5) 원판결 12쪽 19줄부터 14쪽 6줄까지를 다음과 같이 고친다.

'입양에 있어서의 입양 의사는 사회 통념에 비추어 진정으로 양친자 관계를 생성시키려는 의사에 의한 것임이 필요하다고 할 수 있고 이러한 의사를 포함하지 않고 단순히 어떠한 방편으로 입양의 형식을 이용한 것에 불과한 경우에는 입양 의사가 결여된 것으로서 그 입양은 무효라고 할 수 있다. 물론 양친자 관계의 사회적인 모습은 다양하므로 위 양친자 관계를 생성시키려는 의사의 내용을 일의적으로 말하는 것은 어렵지만 적어도 친자로서의 정신적 유대를 형성하고 거기에서 본래 생기는 법률적 또는 사회적인 효과의 전부 또는 일부를 목적으로 하는 것일 필요가 있다고 해석하는 것이 상당하다.

① 위 인정의 여러 경과에 의하면 항소인은 2007년 8월 무렵, A와 D 병원에서 결핵 치료 중에 알게 되어 친해져서 그 해 10월 26일에 퇴원하여 A쪽에서 숙박을 시작하여 같은 달 말경 A도 퇴원하여 항소인과 동거하게 되었는데 그로부터 불과 2개월 정도 후인 그 해 12월 27일에 본건 입양 신고가 이루어진 것, 항소인은 2008년 2월 12일부터 같은 해 4월 30일까지 M 병원에 입원하였고 A도 그 해 5월 8일에 D 병원에 입원한 후, 같은 해 6월 27일에 사망하여 결국 항소인과 A가 A쪽에서 동거한 것은 통산 4개월에도 미치지 못하는 것, 그 동안 항소인이 혈연관계도 없는 A의 간호나 일상의 뒷바라지에 신경을 쓴 것과 같은 경과는 보이지 않고 전술한대로 A가 그 해 5월 8일, D 병원에 입원한 때에는 보건소 직원이 입원을 시킬 정도로 위독한 상태에 빠져 있던 것, 또한 A의 장례식 때, 항소인은 부의(賻儀)를 받았음에도 불구하고 부의를 받은 답례도 하지 않고 한편 항소인은 그 동안 A의 자산을 바탕으로 고급 외제차를 갈아타는 등의 낭비 행위라고도 볼 수 있는 행위에 이르고 있는 것 등, 항소인이 A의 자산에 의존한 소비 행동을 보이고 있는 것 외에는 항소인이 (A의) 양친자라는 사회 일반의 신분 관계를 의식한 행동을 보인 흔적은 어떠한 것도 엿볼 수 없다. 그리고 원심에서의 항소인 본인 심문 결과에 의해서도 항소인과 A 사이에 친족 관계의 형성을 전제로 한 대화가 이루어진 것과 같은 경위는 보이지 않고 항소인 자신이 자신과 A가 본건 입양을 하는 목적이나 이유, 취지를 이해하고 있는 것으로는 인정되지 않는다.

② 다른 한편 A는 본건 입양에 근접한 시점에서 전두측두엽형 치매가 의심되고 있으며 조증상태에 의한 탈억제, 인격변화가 인정되며 병식의 결여에서 문제 행동도 일으키는 등 하고 있으며 합리적인

판단능력이 상당히 감퇴한 상태에 있었다고 인정되는 것, A는 피항소인이 G와의 교제에 반대한다거나 의료 보호 입원을 시킨다거나 후견 개시 신청을 한 것 등에 대해서 반감을 보이고 있으며, 이러한 피항소인에 대한 사려를 결여한 반발 감정에서 피항소인으로의 상속을 저지할 목적으로 본건 입양에 이른 것으로 보이는데 그것 이상으로는 항소인과의 사이에 양친자라는 친족 관계를 형성할 의사가 있었음을 추정케 하는 경위는 일체 인정되지 않는다. A가 본건 입양에 있어서 항소인과 함께 사법서사에게 상담한 것도 법률적, 절차적인 상담을 내용으로 하는 것으로 위의 판단을 좌우하는 것은 아니다.

③ 그렇다면 본건 입양은 A가 항소인과의 양친자 관계라는 진정한 신분 관계를 형성하는 의사와는 달리, 피항소인으로의 상속을 막기 위한 방편으로 항소인의 입양이라는 형식을 이용한 것에 불과한 것으로 인정되므로 전 판시와 같이 입양 의사를 결여한 것이라고 해야 하고 무효라고 하지 않을 수 없다.'

제4 결론

이상과 같이 피항소인의 청구를 인용한 원심 판결은 상당하고 본건 항소는 이유가 없으므로 이를 기각하는 것으로 하여 주문과 같이 판결한다.

◇ 재판장 재판관 中村直文 재판관 福井美枝 재판관 下嶋崇

3. 특별입양에 대한 부모의 동의권 남용

사건본인과 친형은 친부모 밑에서 이른바 방치(neglect) 상태에 놓여 함께 아동상담소에의 통보 및 유아원 입소 조치 등이 반복되고 있었다. 이후 사건본인은 2004년 ×월 ×일부터 신청인 부부에게 입양 위탁되어 5년 이상 계속 신청인 부부에게 감호 양육되고 있다.

사건본인의 생모는 신청인 부부가 사건본인을 특별입양 하는 것에 대해서 동의서를 제출하여 이에 동의하였으나 생부는 자신이 사건본인을 거두고 싶다고 하면서 특별입양에 동의하지 않고 있다. 하지만 생부는 생모와 이혼한 후 재혼하여 가정을 꾸렸음에도 불구하고 재혼 가정의 자녀들을 학대하여 이 자녀들이 아동양호시설의 입소와 양부모 위탁 등을 반복하고 있다. 또한 사건본인의 특별입양에 반대하고 친권자 변경의 절차를 밟겠다고 한 후 사건본인을 인수하기 위한 절차를 아무 것도 하고 있지 않다.

재판소는 이러한 사정들을 종합하여 "현재 사건본인을 5년 이상 안정적으로 양육해 온 신청인 부부의 가정에서 갈라놓는 것은 사건본인에게 혼란과 타격을 줄 뿐으로 그 복지에 따르지 않는 반면 생부의 과거 사건본인과 친형에 대한 감호 상황 및 현재 가정에서의 아이들에 대한 감호 환경은 아이의 복지라는 관점에서는 문제가 있다고 하지 않을 수 없고 사건본인을 거둔다고 하면서 아무런 절차도 밟지 않을 뿐 아니라 사건본인의 장래에 아주 중요한 본건의 조사나 심판 기일에 아무런 응답도 하지 않고 사건본인의 양호한 생육 상황을 어느 정도 인식하면서 장난으로 특별입양에 반대하는 생부의 행동은 동의권의 남용에 해당한다."고 판시하였다.

〈민법〉

(특별입양의 성립)

제817**조의**2 가정재판소는 다음 조에서 제817조의7까지 정하는 요건이 있는 때에는 양부모가 되는 사람의 청구에 의해 실제 혈족과의 친족관계가 종료하는 결연(특별입양)을 성립시킬 수 있다.

2 전항에 규정하는 청구를 함에는 제794조 또는 제798조의 허가를 얻을 필요는 없다.

(양자로 되는 사람의 연령)

제817**조의**5 제817조의2에 규정하는 청구 시에 6세에 이르고 있는 사람은 양자로 될 수 없다. 다만 그 사람이 8세 미만이며 6세에 이르기 전부터 계속 양부모가 되는 사람에게 감호되고 있는 경우에는 그러하지 아니하다.

(부모의 동의)

제817**조의**6 특별입양의 성립에는 양자로 되는 사람의 부모의 동의가 있어야 한다. 단, 부모가 그 의사를 표시할 수 없는 경우 또는 부모에 의한 학대, 악의의 유기 기타 양자로 되는 사람의 이익을 현저히 해하는 사유가 있는 경우에는 그러하지 아니하다.

재판연월일	平成21年[111] 5月 21日		
재판소명	아오모리(青森) 가정재판소 고쇼가와라(五所川原) 지부		
사건번호	平19(家)117号	**재판구분**	심판
사 건 명	특별입양 성립 신청사건	**상 소 등**	확정
재판결과	인용		

주 문

사건본인 C를 신청인 두 사람의 특별양자로 한다.

이 유

1 일건 기록에 의하면 다음의 각 사실이 인정된다.

(1) 신청인 X1 및 X2[이하 각각 '신청인(남편)', '신청인(처)'라 하고 두 사람을 아울러 '신청인 부부'라 한다]는 1991년 ×월 ×일에 혼인한, 모두 25세 이상의 부부이다. 신청인 부부는 자녀가 생기지 않는 등의 이유로 1996년 ×월 ×일 OO아동상담소에 양부모 등록을 했다.

신청인 부부 사이에는 OO년 O월 O일, 장남 F(이하 '친아들'이라 한다)가 출생했지만 두 사람은 몇 년 동안 양부모로서의 연수 등을 받는 가운데, 학대 받거나 육아 방기(放棄)를 어쩔 수 없이 받게 되는 아이들의 실태를 알고, 여전히 생육 환경이 좋지 않는 아이를 친자식처럼 키우고 싶다는 생각을 가지기에 이르러 양부모 등록을 계속했다.

(2) 사건본인 D(이하 '생부'라 한다) 및 E(이하 '생모'라 한다)는 1999년 ×월 ×일에 혼인하여 두 사람 사이에는 OO년 O월 O일, 장남 G(이하 '친형'이라 한다)가, OO년 O월 O일 사건본인 C(이하 '사건본인'이라 한다)가 출생했다.

사건본인은 2003년 ×월 ×일 무렵, 감기 때문에 외조부모에 이끌려 병원에서 진찰을 받았는데 체중이 생후 11개월인데 7.5kg으로 적고[영유아(남자) 체중 발육 퍼센타일(percentile) 곡선의 분포에서 벗어났다], 필요한 예방 접종 등도 받지 않았던 것 등에서 OO아동상담소에 통보되어, 그 후 같은 해

---

111) 2009년

×월 ×일에 유아원에 긴급 일시 보호, 같은 달 ×일에 이곳에 입소 조치되었다. 또한 친형에 대해서도 2000년 ×월과 2001년 ×월에 아동상담소에 이른바 방치(neglect)로 통보되어 2002년 ×월 ×일 유아원에 입소 조치가 되고, 그 후 아동양호시설을 거쳐 2004년 ×월 이후 OO시 내의 양부모에게 입양 위탁되어 있다.

(3) 생부와 생모는 2003년 ×월 ×일 이혼하고 생모가 친형 및 사건본인의 친권자가 되었다.

생모는 이혼 후 교제 상대인 당시 17세의 소년 집에 몸을 의탁하는 등 했지만 2004년 ×월 무렵 OO현으로 이사하여 도시락 제조 작업이나 패스트푸드 아르바이트 등을 하면서, 다른 남성과 동거하는 등의 생활을 하고 있다. 생모는 신청인 부부가 사건본인을 특별입양 하는 것에 대해서 동의서를 제출하여 이에 동의하였다.

생부는 2003년 ×월 무렵, 생모의 교제 상대였던 소년의 누나인 H 및 그 의붓자식인 I와 △△현으로 이주하고 2004년 ×월 ×일, H와 혼인함과 동시에 그 해 O월 O일에 H가 출산한 J를 입양했다(덧붙여 생부는 2008년 ×월 ×일, J를 H와의 사이의 장녀로서 인지했다). 생부와 H 사이에는 OO년 O월 O일 차녀 K(같은 해 O월 O일 사망)가, OO년 O월 O일 삼녀 L이, OO년 O월 O일 장남 M이 태어났다. 생부는 가족들과 같은 현 내에서 이사를 반복하고 파견 회사와 주유소 등에서 일하고 있다. 생부는 사건본인을 거두고 싶다는 취지로 말하고 사건본인과 신청인 부부와의 특별입양에 동의하지 않는다.

(4) 사건본인은 2004년 ×월 ×일부터 신청인 부부에게 입양 위탁되어 현재까지 계속 신청인 부부에게 감호 양육되고 있다.

신청인(남편)은 OO현 직원, 신청인(아내)은 전업 주부이고 주소지에 친아들 및 사건본인을 위한 방이 있는 2층 가옥을 소유하고 있다. 신청인(아내)은 사건본인의 주된 양육자로서 항상 느긋하고 대범한 태도로 사건본인의 양육에 있어서 사건본인은 둘도 없는 가족의 일원으로, 그 성장에 따라 다양한 일이 일어날 것이라고 생각하지만 가족으로 힘을 합쳐 헤쳐 나가고 싶다는 취지로 말하고 있다. 신청인(남편)도 사건본인의 양육에 대해서 협력적이고 친아들과 사건본인이 형제로서 상승효과를 발휘하면서 자라기를 기대하는 취지 및 가족의 인연의 소중함을 가르쳐 가고 싶다는 취지를 말하고 있다.

사건본인은 체격적으로 다소 작지만 운동면, 언어면, 신변 처리 능력 등에서 나이에 상응하는 발달을 하고 있고 신청인들에게 강한 애착을 드러내고 친아들과도 친형제처럼 친화하고 있다. 사건본인은 2009년 4월부터 초등학교에 입학하여 건강하게 통학하고 있다.

(5) 덧붙여 신청인 부부는 2004년 ×월 ×일 사건본인을 특별입양하는 심판의 신청을 했는데[본 재판소 平成16年(家)OO号 특별입양 사건, 이하 '전건'이라 한다] 생부의 동의를 얻지 않았으므로 2006년 ×월 ×일 특별입양의 연령 제한에 맞추어 다시 신청을 하는 것을 전제로 하여 전건을 취하했다.

2 이상에 의하면 신청인 부부는 경제적 · 사회적으로 안정되어 있고 함께 사건본인에 대한 충분한 애정이 뒷받침된 강한 양육 의욕을 나타내면서 사건본인에 대해서 적절한 감호 양육을 계속하고 있다. 사건본인은 그러한 신청인 부부 및 친아들도 포함한 양호한 가족 관계 속에 있고 1세 10개월 때부터 현재까지 5년 이상 동안에 걸쳐 순조롭게 생육하고 있다. 한편 위와 같은 생부 및 생모의 각 실정(생부에 대해서는 후술하는 점도 포함한다)에서 보면, 생부 또는 생모가 사건본인을 감호하는 것은 현저히 곤란하거나 부적당하다고 인정되어 사건본인을 신청인 부부의 특별양자로 하는 것이 그 이익을 위해 특히 필요하다고 할 수 있다.

3 생부의 동의가 없는 점에 대해서 본 재판소는 아래와 같이 판단한다.

(1) 실제 혈족과의 친족관계가 종료된다는 특별입양의 효과에서 양자로 되는 사람의 부모의 동의를 얻지 못하는 경우, 가볍게 특별입양이 인정되어서는 안 되는 것은 말할 필요도 없다. 그러나 본건에서는 아래와 같은 사정이 인정된다.

전술한 1(2)에 기재된 것처럼 사건본인 및 친형은 친부모 밑에서 이른바 방치(neglect) 상태에 놓여 함께 아동상담소에의 통보 및 유아원 입소 조치 등이 반복되고 있다.

또한 일건 기록에 의하면 H의 의붓자식인 I는 2005년 ×월 무렵, △△아동상담소에 학대 통보되어 그 후에도 아동양호시설 입소 등을 거듭하고 있고 더욱이 생부와 H의 장녀인 J에 대해서도 2006년 무렵부터 아동양호시설에의 입소와 양부모 위탁 등이 이루어지고 있다.

생부는 본건 절차의 당초부터도 사건본인의 특별입양에 반대하고 친권자 변경의 절차를 밟을 생각이라는 취지의 응답을 하고 있지만 실제로는 전건에서 같은 응답을 한 이후 현재까지 아무런 인수를 위한 절차를 밟고 있지 않다.

생부는 그 후, 가정재판소 조사관의 조회서(△△가정재판소 또는 생부 쪽으로 조사관이 찾아가 면회하기 위한 일시 장소 등의 의향을 문의함. 2008년 ×월 ×일자 및 같은 해 ×월 ×일자)나 전화 연락 등에 전혀 응답하지 않고 있으며 또한 가정재판소 조사관이 사전에 일시 장소를 지정하고 곤란하면 연락을 구한다는 취지를 기재한 연락 문서(2008년 ×월 ×일자)를 송달한 후, 2008년 ×월 ×일, △△가정재판소에 출장 조사에 들어간 때에도 아무런 연락도 없이 나오지 않고 나아가 2009년 ×월 ×일, 생부의 진술을 듣기 위해 지정된 심판 기일에도 연락 없이 나오지 않았다.

또한 일건 기록에 의하면, 생부는 전건에 있어서의 가정재판소 조사관과의 문서 교환 및 본건에서 신청인 부부가 생부 앞으로 보낸 편지 등을 통하여 사건본인의 양호한 생육 상황에 대해 어느 정도의 정보를 얻은 것으로 추인된다.

(2) 이상의 사실들에서 보면 현재 사건본인을 5년 이상 안정적으로 양육해 온 신청인 부부의 가정에서 갈라놓는 것은 사건본인에게 혼란과 타격을 줄 뿐으로 그 복지에 따르지 않는 반면 생부의 과거의 사건본인과 친형에 대한 감호 상황 및 현재의 가정에서의 아이들에 대한 감호 환경은 아이의 복지라는 관점에서는 문제가 있다고 하지 않을 수 없고 또한 동의할 수 없다는 생부의 의향은 부모로서의 마음의 표현인 면을 부정은 할 수 없지만 사건본인을 거둔다고 하면서 아무런 절차도 밟지 않을 뿐 아니라 사건본인의 장래에 아주 중요한 본건의 조사나 심판 기일에 아무런 응답도 하지 않고 사건본인의 양호한 생육 상황을 어느 정도 인식하면서 장난으로 특별입양에 반대하는 생부의 행동은 그 기분에도 불구하고, 사건본인의 장래에 걸친 안정적인 생육 환경을 저해하는 결과를 낳는 것 밖에 안 되는 것으로 이른바 동의권의 남용에 해당하는 것이다.

부동의를 둘러싼 이들 사실 관계는 양자로 되는 사건본인의 건전한 생육의 현저한 방해가 되는 것으로 그 이익을 현저히 해하는 사유가 있는 경우에 해당한다고 할 수 있다.

(3) 그렇다면 본건에 대해서는 생부의 동의 없이 특별입양을 성립시키는 것이 상당하다.

4 따라서 본건 신청을 상당하다고 인정하고 주문대로 심판한다.

◇ 가사심판관 小川直人

제14장

친권

1. 생모와 양부의 공동친권에서 생부의 단독친권으로 친권자 변경 허가 가능 여부

민법 제819조는 부모가 이혼하거나 아버지가 인지를 한 경우에 친권자를 정하는 방법에 대하여 규정하고 있다. 그런데 이혼하여 친권자가 된 친부모 중 일방이 재혼하고 그 재혼 상대가 그 자녀를 입양하여 당해 생부와 양모(혹은 생모와 양부)의 공동친권에 복종하는 경우에 친부모의 다른 일방으로 친권자를 변경할 수 있도록 하는 규정은 없다.

A의 생부인 항고인은 A의 친권자를 생모인 B 및 양부인 C에서 항고인으로 변경하는 심판을 받았다. 하지만 그 심판은 민법 제819조 제6항에 의해서는 친권자를 위와 같이 변경할 수 없음에도 불구하고 변경을 인정한 것으로서 이 조항을 잘못 해석한 위법한 것이다.

한편, 심판에 의한 친권자 변경은 신고에 의해 친권자 변경의 효력이 생기는 것은 아니고 심판이 확정되면 형성적으로 친권자 변경의 효력이 생기기 때문에 가령 당해 심판이 잘못된 법령 해석에 의한 것이라 해도 당해 심판이 무효이기 때문에 그 판단 내용과 관련한 효력이 생기지 않는 경우를 제외하고는 확정 심판의 형성력에 의해 친권자 변경의 효력이 발생하여 당해 심판에 의해 친권자로 된 사람은 자녀의 친권자로서 친권을 행사할 수 있게 된다.

최고재판소는 이처럼 위법한 심판이라고 하더라도 호적사무를 관장하는 사람은 친권자 변경 확정 심판에 따른 호적 신고에 대해서 당해 심판이 무효이기 때문에 그 판단 내용과 관련한 효력이 생기지 않는 경우를 제외하고, 당해 심판이 법령을 위반하였다는 것을 이유로 위 신고를 불수리하는 처분을 할 수 없다고 판시하였다.

따라서 상대방(호적 사무 관장자인 시정촌장)은 본건 신고를 불수리할 수 없는데도 불구하고 이를 불수리하는 처분을 한 것이므로 상대방에 의한 위 처분은 위법하다고 하였다.

〈민법〉

(이혼 또는 인지의 경우 친권자)

제819**조** 부모가 협의상 이혼을 하는 때에는 그 협의로 일방을 친권자로 정해야 한다.

2 재판상 이혼의 경우에는 재판소는 부모의 일방을 친권자로 정한다.

3 자녀의 출생 전에 부모가 이혼한 경우에는 친권은 어머니가 행사한다. 단, 자녀의 출생 후에 부모의 협의로 아버지를 친권자로 정할 수 있다.

4 아버지가 인지한 자녀에 대한 친권은 부모의 협의로 아버지를 친권자로 정한 때에 한하여 아버지가 행사한다.

5 제1항, 제3항 또는 전항의 협의가 성립되지 않는 때 또는 협의를 할 수 없는 때에는 가정재판소는 아버지 또는 어머니의 청구에 의해 협의에 대신하는 심판을 할 수 있다.

6 자녀의 이익을 위해 필요하다고 인정되는 때에는 가정재판소는 자녀의 친족의 청구에 의해 친권자를 다른 일방으로 변경할 수 있다.

재판연월일 平成26年[112] 4月 14日	**재 판 소 명** 최고재판소 제1소법정
사 건 번 호 平25(許)26号	**재 판 구 분** 결정
사 건 명 시정촌장 처분 불복 신청의 심판에 대한 항소심의 취소 결정에 대한 허가항고 사건	
재 판 결 과 파기자판	

주 문

1. 원결정을 파기하고 원원심판에 대한 항고를 기각한다.

2. 본 심에서의 항고비용은 상대방이 부담한다.

이 유

항고대리인 와타나베 가즈코(渡辺和子)의 항고 이유에 대해서

1. 본건은 A의 생부인 항고인이 A의 친권자를 그 생모인 B 및 양부인 C에서 항고인으로 변경하는 심판(이하 '별건 심판'이라 한다)에 근거하여 친권자 변경 신고(이하 '본건 신고'라 한다)를 했는데 호적 사무 관장자인 상대방이 본건 신고를 불수리하는 처분을 한 것이 부당하다고 하여 호적법 121조에 근거하여 상대방에게 본건 신고의 수리를 명할 것을 신청한 사안이다.

2. 기록에 의하면 본건의 경과 등은 다음과 같다.

(1) 항고인과 B는 2002년 8월 O에 결혼하여 같은 해 O월 O일에 A를 낳았지만 2006년 10월 O일 A의 친권자를 B로 하여 협의 이혼을 했다.

B는 2008년 1월 O일 C와 재혼하고 C는 같은 해 3월 O일 A를 입양했다. 이로써 A는 생모인 B와 양부인 C의 공동 친권에 복종하게 되었다.

(2) C는 예의범절 교육을 빙자하여 등 긁개나 주먹으로 A의 몸을 때린다거나 오랜 시간 무릎을 꿇고 앉아 있게 하는 등의 체벌을 거듭하여 2011년 1월 O일 A가 다니는 초등학교에서 아동상담소 및 경찰에 학대 통고가 되었다. A는 이날부터 그 해 4월 O일까지 아동상담소에 일시 보호 되었다.

112) 2014년

C가 A에게 위와 같은 체벌을 한 사실을 알게 된 항고인이 A의 친권자를 B 및 C에서 항고인으로 변경하도록 요구하는 조정을 후쿠시마(福島) 가정재판소에 신청하여 심판으로 이행한 후 이 재판소는 2012년 1월 O일 A의 친권자를 B 및 C에서 항고인으로 변경하는 별건 심판을 하였다. B 및 C는 별건 심판에 대해서 즉시항고를 했지만 센다이(仙台) 고등재판소는 같은 해 3월 O일 위 즉시항고를 기각하는 결정을 하여 별건 심판이 확정되었다.

(3) 항고인은 별건 심판의 확정 후인 2012년 3월 O일 본건 신고를 했지만 상대방은 본건 신고를 불수리하는 처분을 하고 같은 해 5월 O일 항고인에게 불수리 증명서를 교부하였다.

위 불수리 증명서에는 "당해 친권자 변경 신청을 청구할 수 있는 법률상 근거가 없고 또한 당해 신청에 의한 심판에 근거한 신고도 호적법상 허용되지 않기 때문에 수리하지 않았다는 것을 증명한다."라고 기재되어 있다.

3. 원심은 다음과 같이 판단하여 본건 신청을 인용한 원원심판을 취소하고 본건 신청을 각하하였다.

(1) 이혼하여 친권자가 된 친부모 중 일방이 재혼하고 그 재혼 상대가 그 자녀를 입양하여 당해 생부와 양모(혹은 생모와 양부)의 공동친권에 복종하는 경우 민법 819조 6항에 근거한 친권자 변경을 할 수 없기 때문에 B 및 C로부터 항고인으로 친권자 변경을 인정한 별건 심판은 이 조항을 잘못 해석한 위법한 것이다.

(2) 별건 심판은 민법이 예정하지 않는 신청을 인용한 것으로 실체법규에 반하는 것임이 형식상 명백하므로 상대방이 본건 신고를 불수리하는 처분을 한 것에 위법은 없다.

4. 그러나 원심의 위 3(1)의 판단은 시인할 수 있지만 위 (2)의 판단은 시인할 수 없다. 그 이유는 다음과 같다.

(1) 민법 819조는 1항부터 5항까지에서 부모가 이혼하는 경우 등에는 자녀는 부 또는 모 일방의 단독 친권에 복종하는 것을 전제로 하여 친권자의 지정 등에 대해서 규정하고, 이들 규정을 받아 6항에서 친권자의 변경에 대해서 규정하며 친권자를 다른 일방으로 변경할 수 있도록 하고 있다. 이러한 이 조항의 규정 구조나 같은 조 6항 규정의 문맥에 비추어 보면 자녀가 친부모의 일방인 생부(혹은 생모) 및 양모(혹은 양부)의 공동 친권에 복종하는 경우, 자녀의 친권자를 다른 일방인 생모(혹은 생부)로 변경하는 것은 이 조항이 예정하지 않은 것이라고 할 수 있다. 한편 위 경우에 친권자에 의한 친권행사가 부적절한 것이어서 자녀의 보호 관점에서 무엇인가 조치를 취할 필요가 있는 때에는 친권 상실 심판 등을 통하여 자녀의 보호를 도모하는 것도 가능하다.

그렇다면 자녀가 친부모의 일방인 생부(혹은 생모) 및 양모(혹은 양부)의 공동 친권에 복종하는 경우, 민법 819조 6항의 규정에 근거하여 자녀의 친권자를 다른 일방의 친부모로 변경할 수 없다고 할 수 있다. 따라서 별건 심판에는 민법 819조 6항의 해석 적용에 대한 법령 위반이 있고 이와 같은 취지의 원심의 위 3(1)의 판단은 옳다고 인정할 수 있다. 이 점에 관한 논지는 채용할 수 없다.

(2) 그러나 심판에 의한 친권자 변경은 그 신고에 의해 친권자 변경의 효력이 생기는 것은 아니고 심판이 확정되면 형성적으로 친권자 변경의 효력이 생기기 때문에 가령 당해 심판이 잘못된 법령 해석에 의한 것이라 해도 당해 심판이 무효이기 때문에 그 판단 내용과 관련한 효력이 생기지 않는 경우를 제외하고는 확정 심판의 형성력에 의해 친권자 변경의 효력이 발생하여 당해 심판에 의해 친권자로 된 사람은 자녀의 친권자로서 친권을 행사할 수 있게 된다. 그런데 이러한 친권자 변경이 호적에 반영되지 않는다고 하면 자녀의 친권에 관하여 쓸모없는 분쟁을 초래하여 자녀의 복지에 반하는 것이 될 우려가 있으며 신분관계를 공증하는 호적의 기능을 해치는 결과도 되는 것이다. 또한 호적사무를 관장하는 사람은 호적 신고에 대해서 법령 위반 유무를 심사하는 권한을 가지는데 법령상 재판소가 판단해야 하는 것으로 되어 있는 사항에 대한 확정 심판에 근거한 호적 신고의 경우에는 그 심판에 관한 심사 범위는 당해 심판의 무효를 초래하는 중대한 법령 위반 유무에 한정되는 것으로 풀이된다. 그렇다면 호적사무를 관장하는 사람은 친권자 변경 확정 심판에 따른 호적 신고에 대해서 당해 심판이 무효이기 때문에 그 판단 내용과 관련한 효력이 생기지 않는 경우를 제외하고, 당해 심판의 법령 위반을 이유로 위 신고를 불수리하는 처분을 할 수 없다고 할 수 있다.

이를 본건에 대해서 보면 별건 심판은 민법 819조 6항에 대해서 위 (1)과는 다른 해석을 받아들여 C가 A에게 예의범절 교육이라는 미명 아래 체벌을 거듭해 온 것 등으로 인해 A의 친권자를 B 및 C에서 다른 쪽의 친부모인 항고인으로 변경한 것인데 이러한 해석을 받아들인 것을 가지고 즉시 별건 심판이 무효가 되는 것이라고 할 수는 없다.

따라서 상대방은 본건 신고를 불수리할 수 없는데도 불구하고 이를 불수리하는 처분을 한 것이므로 상대방에 의한 위 처분은 위법이라고 해야 할 것이다. 그런데 원심은 위 처분에 위법이 없다고 하여 본건 신청을 각하한 것이므로 원심의 위 판단에는 재판에 영향을 미치는 것이 분명한 법령 위반이 있다. 논지는 위 취지를 지적하는 한도에서 이유가 있다.

5. 이상에 의하면 나머지 항고이유에 대해서 판단할 것도 없이 원결정은 파기를 면치 못한다. 그리고 위에서 설시한 바에 의하면 본건 신청을 인용한 원원심판은 결론에서 옳다고 인정할 수 있으므로 원원심판에 대한 항고를 기각하기로 한다.

따라서 재판관 전원 일치 의견으로 주문과 같이 결정한다.

◇ 재판장 재판관 白木勇 재판관 桜井竜子 재판관 金築誠志 재판관 横田尤孝 재판관 山浦善樹

2. 친권자의 자녀 학대 위험으로 아동양호시설 등에 자녀의 입소를 승인한 사례

아동복지법 제28조 제1항 제1호는 친권자가 아동을 학대하거나 현저하게 그 감호를 소홀히 한다거나 기타 친권자에게 감호하도록 하는 것이 현저하게 당해 아동의 복지를 해치는 경우에 아동을 유아원, 아동양호시설 등에 입소시키는 것에 친권자가 반대하는 경우 도도부현이 그 아동을 유아원, 아동양호시설 등에 입소시킬 수 있다고 규정하고 있다.

본 사안에서는 친권자 아버지가 사건본인들에게 성적 학대를 하였다는 정황이 있어서 재판소는 사건본인들을 즉각 친권자 부모의 감호에 복종하게 하는 것은 사건본인들의 복지를 현저히 해칠 우려가 있다고 할 수 있고 친권자 부모가 사건본인들을 감호 양육하기에 앞서 1년 정도의 준비 기간이 필요하다고 인정된다고 하면서 이 준비 기간을 확보하기 위해 항고인(아동상담소장)이 사건본인들을 아동양호시설 등에 입소시키는 것을 승인하는 것이 상당하다고 판시하였다.

〈아동복지법〉

제28조 보호자가 그 아동을 학대하거나 현저하게 그 감호를 소홀히 한다거나 기타 보호자에게 감호하도록 하는 것이 현저하게 당해 아동의 복지를 해치는 경우에 제27조 제1항 제3호의 조치를 취하는 것이 아동의 친권을 행사하는 사람 또는 미성년후견인의 뜻에 반하는 때에는 도도부현은 다음 각호의 조치를 취할 수 있다.

① 보호자가 친권을 행사하는 사람 또는 미성년후견인인 때에는 가정재판소의 승인을 얻어 제27조 제1항 제3호의 조치를 취하는 것

② 보호자가 친권을 행사하는 사람 또는 미성년후견인이 아닌 때에는 그 아동을 친권을 행사하는 사람 또는 미성년후견인에게 인도하는 것. 단, 그 아동을 친권을 행사하는 사람 또는 미성년후견인에게 인도하는 것이 아동의 복지를 위해 부적당하다고 인정되는 때에는 가정재판소의 승인을 얻어 제27조 제1항 제3호의 조치를 취하는 것

2~5 (생략)

제27조 도도부현은 전조 제1항 제1호의 규정에 의한 보고 또는 소년법 제18조 제2항의 규정에 의한 송치된 아동에 대해 다음 각호 중 하나의 조치를 취해야 한다.

①~② (생략)

③ 아동을 소규모 주거형 아동양육사업을 하는 사람 혹은 양부모에게 위탁하거나 유아원, 아동양호시설, 장애아 입소시설, 정서장애아 단기치료시설 혹은 아동자립지원시설에 입소시키는 것

④ (생략)

재판연월일 平成21年[113] 9月 7日	**재판소명** 오사카(大阪) 고등재판소
사건번호 平21(ラ)488号	**재판구분** 결정
사 건 명 아동복지시설 입소 승인 신청 각하 심판에 대한 항고사건	
재판결과 취소, 인용	**상 소 등** 확정

주 문

1. 원심판을 취소한다.

2. 항고인이 사건본인 A를 아동양호시설에, 사건본인 B를 유아원 또는 아동양호시설에 입소시키는 것을 모두 승인한다.

3. 항고비용은 항고인이 부담한다.

이 유

제1 항고의 취지와 이유

항고인[114]은 오사카(大阪) 가정재판소 기시와다(岸和田) 지부 平成20年(家)第1345号, 平成20年(家)第1346号 아동복지법 28조 1항 1호에 근거한 승인 신청 사건인 2009년 4월 3일자 심판을 취소하고 항고인이 사건본인 A를 아동양호시설에, 사건본인 B를 유아원 또는 아동양호시설에 입소시키는 것을 모두 승인한다는 결정을 요구하였는데 항고이유로 원심은 친권자 아버지에 의한 사건본인들에 대한 성적 학대의 위험성을 과소평가 하는 한편 친권자들의 감호 의욕에 대해서 과대평가 하고 있는 점, 사건본인들을 친권자들에게 감호하게 하는 것은 현저하게 사건본인들의 복지를 해치는 점 등을 주장하였다.

제2 본 재판소의 판단

1 사실 관계

113) 2009년

114) a아동상담소장 X

다음과 같이 덧붙여 정정하는 외에는 원심판 2쪽 9줄부터 6쪽 16줄까지에 기재된 대로이므로 이를 인용한다.

(1) 2쪽 18줄의 '이 어머니는'의 다음에 '2002년 ×월 무렵부터 동거하게 되고'를 덧붙인다.

(2) 2쪽 20줄의 '친권자 아버지는'의 다음에 '친권자 어머니와 혼인하기 전에'를 덧붙인다.

(3) 2쪽 22줄의 '친권자 어머니는'의 다음에 '친권자 아버지와 혼인하기 전에'를 덧붙인다.

(4) 2쪽 25줄의 '신청인'에서 3쪽 1줄의 '제ooo호'까지를 '2005년 ×월 ×일, 친권자를 전 남편으로 변경한다는 조정이 성립하여[원심 平成17年(家イ)第ooo号]'로 고친다.

(5) 3쪽 1줄 말미의 다음에 줄을 바꾸어 다음을 덧붙인다.

'カ 친권자 부모는, 2004년 ×월부터 E 및 친권자 아버지의 자녀인 F와 동거하게 되었지만, ○○가 같은 달 ×일 E가 친권자 아버지로부터 학대받고 있다는 의심이 든다는 통지를 항고인에게 하였다. 그래서 항고인은 E를 일시 보호한 후 담당자가 친권자 아버지와 면접했는데 친권자 아버지는 불을 방금 끈 라이터로 E의 손에 화상을 입힌 적이 있는 점, 애정표현 내지 스킨십을 할 속셈으로 E가 입고 있는 바지의 허리춤을 푼다거나 가슴을 만진다거나 한 점 등을 말했다. 또한 E는 같은 해 ×월 ×일 산부인과에서 성폭력으로 상해를 입은 것이 의심된다는 진단을 받았다. 항고인은 친권자 아버지에 의한 성적 학대의 우려가 있다는 등을 들어 E에 대해서 아동복지법 28조 1항 1호에 근거한 승인을 요구하는 신청을 했지만[원심 平成17年(家)第ooo号], 위와 같이 E의 친권자가 전 남편으로 변경되었기 때문에 이를 취하했다.

(6) 3쪽 4줄의 '보낸 후'의 다음에 '그 여자(아이)를 시설에 입소시키는 것을 친권자 어머니가 항고인에게 요구한 것에서'를 덧붙인다.

(7) 3쪽 5줄의 '×월'을 '×월 ×일, 연령 초과에 따라'로 고친다.

(8) 3쪽 8줄의 '결국'을 '인근의 보육소에 입소하기로 결정된 것도 있어서'로 고친다.

(9) 3쪽 10줄의 '~을 약속하게 한'에서 12줄의 '합리적이다)'까지를 '~의 지도를 한'으로 고친다.

(10) 3쪽 13줄의 '보육소에 다니고 있는데'를 '동거하고 있는 친권자 아버지와 둘이서 목욕한 적도 있었지만'으로 고치고, '2006년 ×월 ×일'의 다음에 '산부인과에서 진료를 받았는데 성폭력으로 상해를 입은 후 △△라고 진단을 받고'를 덧붙인다.

(11) 3쪽 14줄 말미의 다음에 줄을 바꾸어 다음을 덧붙인다.

"A는 위 산부인과 의사로부터 '아버지가 손가락을 넣었어?', '아팠어?'라는 질문을 받고 모두 고개를 끄덕여 긍정적인 대답을 한 외에, 2006년 ×월 ×일에는 항고인의 담당자에게도 친권자 아버지(당시는 비친권자)가 성기를 만졌다는 취지로 말했다.

위 산부인과 의사는 친권자 아버지의 형사 사건[아래(3)]에서 증인이 되었고, 위 상해는 질 입구에서 질 내를 향해 물체를 삽입함으로써 생기는 것이며 사람의 손가락을 삽입함으로써 생긴다고 생각해도 모순이 없다는 것, 몸을 씻는 때에 그 부위를 손톱으로 세게 할퀴는 것으로 같은 상해가 생길 가능성이 절대로 없다고 할 수는 없는 것 등을 진술하였다.

또한 의사 G는 위 손상에 대해서 질 입구에서 질 내를 향해 어느 정도의 지름을 가진 물체가 진입한 데서 생겼을 가능성이 높은 것, 몸을 씻는 등의 과정에서 우연히 생기는 손상이라고는 생각하기 어려운 것 등을 기재한 의견서를 작성했다{덧붙여 이 의견서는 친권자 아버지의 형사사건[아래(3)]의 판결 선고 후에 작성된 것이다}."

(12) 3쪽 16줄의 '신청인은'의 다음에 '2007년 ×월 ×일'을 덧붙인다.

(13) 4쪽 4줄의 '2004년 ×월 ×일'의 다음에 '무렵'을 덧붙인다.

(14) 4쪽 5줄의 '강요하여'의 다음에 '적어도'를 덧붙인다.

(15) 4쪽 9줄의 '오사카부'의 다음에 'OO시'를 덧붙인다.

(16) 4쪽 10줄의 '전치'의 다음에 '약'을 덧붙인다.

(17) 4쪽 22줄 말미의 다음에 줄을 바꾸어 다음을 덧붙인다.

"항고인은 친권자 아버지가 체포된 후 친권자 어머니와 신뢰 관계를 맺을 수 없게 되었는데 위 무죄판결에 의해 친권자 부모의 태도는 더욱 강경하게 되었고 항고인은 친권자 부모로부터 지도와 원조를 얻을 수 없게 되었을 뿐만 아니라 친권자 부모의 현황을 파악하지도 못하게 되었다."

(18) 5쪽 3줄의 '출생아는 초미숙아였지만'을 '출생 시에는 초미숙아였고'로 고친다.

(19) 5쪽 4줄의 '다가오고 있다'의 다음에 '그러나 지적발달은 더 뒤처져 있다.'를 덧붙인다.

(20) 5쪽 11줄의 '많았다'의 다음에 '그러나 친권자 어머니보다 할머니가 적극적으로 B를 돌보고 친권자 어머니와 B의 정서적 관계를 보완하고 있었다.'를 덧붙인다.

(21) 5쪽 14줄의 '늦어도'에서 22줄의 '선고 받고'까지 및 22줄부터 23줄에 걸친 '친권자 부모는'을 삭제한다.

(22) 5쪽 26줄의 '2칸이 있으며'의 다음에 'A, B의 사진과 A의 상장이 벽에 걸려 있다.'를 덧붙인다.

(23) 6쪽 1줄의 말미의 다음에 '인근 보육소 또는 유치원에 B가 입학할 수 없으므로 친권자 어머니가 집에서 B를 감호 양육할 예정이다. 또한 A가 초등학교로 통학하는 데에는 도보로 30분이 걸리므로 친권자 어머니가 A를 보내고 맞이하고 할 예정이다.'를 덧붙인다.

(24) 6쪽 2줄의 '친권자 아버지는'의 다음에 '철도의'를 덧붙인다.

(25) 6쪽 3줄의 '00만 엔에서 00만 엔'을 '00만 엔에서 00만 엔'으로 고친다.

(26) 6쪽 4줄의 '있었지만'의 다음에 '□□의 치료에 전념하기 위해 휴직하고 그 후에도 몸이 회복되지 않았으므로 퇴직하고'를 덧붙인다.

(27) 6쪽 5줄의 '보이고 있다.'의 다음에 '친권자 부모는 모두 2003년 무렵에 개인 파산을 했지만 그 뒤에도 돈을 빌려 쓰고 현재에는'을 덧붙인다.

(28) 6쪽 10줄의 '신청인'을 '항고인'으로 고친다.

(29) 6쪽 12줄부터 13줄에 걸친 '생각하고 있다고 진술한 후 친권자 아버지와 A들을 함께 목욕시키지 않는다.'를 '알고 있어, 친권자 아버지와의 사이에서 성적 학대를 의심 받지 않도록 하기 위한 구체적 방안에 대해서 논의한 적도 없다고 진술한 후 사건본인들의 목욕을 친권자 아버지에게는 되도록 부탁하지 않도록 하고 되도록 스스로 사건본인들을 목욕시키는'으로 고친다.

2 위 사실 관계를 근거로 검토한다.

(1) 항고인은 사건본인들과 친권자 부모가 가족으로서 재통합하기 위한 조정 기간으로 대체로 1년 정도를 확보하기 위해 사건본인들을 계속 아동양호시설 등에 입소시키는 것의 승인을 요구하고 그 이유로 친권자 부모의 감호 능력 등에서 보면 사건본인들을 즉각 친권자 부모에게 인도하는 것이 현저하게 사건본인들의 복지를 해친다고 주장하며 친권자 부모는 사건본인들을 즉각 인도받기를 희망하고 본건 신청의 각하를 요구하고 있다.

(2) 위 1의 사실에 의하면, 친권자 부모는 지금까지도 사건본인들을 유아원 또는 아동양호시설에 맡기는 등 했던 것이 스스로 사건본인들의 육아를 한 경험이 부족한 것이나 E가 친권자 아버지에게서 피해를 받고 친권자 어머니는 이것을 막지 못한 것 등을 고려하면 감호 능력 및 감호자로서의 적격성에 의문이 있고 덧붙여 사건본인들은 초미숙아로서 출생하여 현재도 심신의 발달에 지연이 있으며 b병원에서 정기적으로 검진을 받고 있는 것으로 사건본인들을 친권자 부모가 적절히 감호 양육할 수 있을지에 대해서는 불안을 해소할 수 없다.

또한 친권자 아버지는 야근이 많으므로 친권자 어머니가 육아의 주체가 될 것으로 예상되지만 친권자 어머니는 □□으로 몸이 시원찮아 업무에 복귀 하지도 못하는 상태이며 건강 면에도 불안이 있다.

게다가 친권자 부모가 A를 집에서 양육하던 때에는 보육소에 의한 육아 원조가 있었지만, 친권자 부모는 B를 보육소[115]에 입소시키지 않고 집에서 감호 양육 할 의향을 가지고 있으므로 향후 B의 육아에 대한 지원은 항고인이 주축이 될 수밖에 없는데 항고인과 친권자 부모 사이에 신뢰 관계가 구축되어 있다고는 말하기 어렵다.

이상에 의하면 친권자 부모가 즉각 사건본인들을 거둘 수 있는 상태라고는 하기 어렵고 친권자

---

115) 원문은 '保育断'으로 기재되어 있으나 '保育所'의 오기로 보인다.

부모가 사건본인들을 받아들이기 위한 준비와 환경 정비를 위한 기간이 필요하다고 할 수 있다.

(3) 또한 항고인은 친권자 아버지가 사건본인들에게 성적 학대를 할 위험이 있다고 주장한다.

위 1의 사실에 의하면 친권자 아버지는 E에 대한 강제 추행 혐의로 유죄 판결을 받았으며, 친권자 어머니가 A를 거둔 뒤 A가 △△의 상해를 입고 그 원인에 대한 의사의 의견이나 A의 의사에 대한 응답에서 보면 형사 사건의 판결이 있어도 친권자 아버지의 성적 학대를 의심하는 사정이 있음은 부정할 수 없다. 그런데 친권자 어머니는 향후 사건본인들의 목욕을 가급적 친권자 아버지에게 부탁하지 않도록 하겠다고는 하고 있으나 친권자 아버지에게 사건본인들의 목욕을 의뢰하지 않겠다고까지 말하지는 않았고 또한 친권자 어머니는 향후 친권자 아버지에 의한 성적 학대를 의심 받지 않기 위한 대책에 대해 부부 사이에 논의조차 하지 않았다.

이상에 의하면 친권자 아버지가 현재 집행유예 중임을 고려하더라도 친권자 어머니만으로 사건본인들이 성적 학대의 피해를 당하는 것을 방지할 수 있을지에 대해서는 아직 의문을 갖지 않을 수 없고 어느 정도의 기간 (동안) 항고인이 친권자 부모에 대한 적절한 지도를 실시할 필요가 있다고 할 수 있다.

(4) 항고인은 친자의 재통합을 위해서는 최저 약 1년간의 친자 재통합 프로그램을 실시할 필요가 있다고 주장하는데 일건 기록에 의하면 친권자 아버지의 재판이 계속되고 있었던 것도 있고 항고인이 친권자 부모와의 신뢰 관계를 구축하지 못해 이 프로그램의 시작에 이르지 않고 있는 것이 인정된다.

(5) 이상을 종합하면 사건본인들을 즉각 친권자 부모의 감호에 복종하게 하는 것은 사건본인들의 복지를 현저히 해칠 우려가 있다고 할 수 있고 친권자 부모가 사건본인들을 감호 양육하기에 앞서 1년 정도의 준비 기간이 필요하다고 인정된다. 따라서 이 준비 기간을 확보하기 위해 항고인이 사건본인들을 아동양호시설 등에 입소시키는 것을 승인하는 것이 상당하다.

3 결론[116)]

따라서 본건 항고는 이유가 있으므로 가사심판규칙 19조 2항에 의해 원심판을 취소하고 심판에 대신한 재판을 하기로 하여 주문과 같이 결정한다.

◇ 재판장 재판관 松本哲泓 재판관 田中義則 岡口基一

116) 이 차례는 필자가 추가한 것이다.

제15장

사인증여에서 유언 능력이 문제된 사안

원고들과 피고는 형제자매 사이인데 원고들이 피고에게 ① 원고들 및 피고의 아버지인 B와 피고와의 사이에 체결된 부담부 사인증여 계약 공정증서에 의한 부담부 사인증여 계약은 B가 치매에 의해 의사능력이 없는 상태에서 체결된 것이라고 하여 그 무효 확인을 요구한 사안이다.

재판소는 D 의사가 B를 치매로 판단했지만 이를 가지고 B가 항상 의사능력이 없는 상태였다고는 인정되지 않으며 B는 병원에 입원했을 때에는 '요개호도(要介護度) 1'[117]로 판정되었고 그 해 12월 18일에는 요개호도 2로 변경되었지만 요개호도는 인지능력뿐 아니라 신체능력도 아울러 판단하는 것으로 인정되어 요개호도 1이나 2로 인정된 사람이 항상 의사능력이 없는 상태에 있다고는 인정되지 않는다고 판단하였다.

또한 A 공증인은 본건 공정증서 작성 시에 B의 의사능력에 문제가 없음을 확인한 뒤 작성에 들어간 것, B는 본건 공정증서 작성 중에 대상 물건의 주거 표시와 등기부상의 기재의 차이에 대해서 지적

117) 개호보험제도에서는 피보험자가 지원 혹은 개호(介護)를 필요로 하는 정도에 따라서 가장 가벼운 '요지원(要支援) 1'에서 가장 중증인 '요개호(要介護) 5'까지 7단계를 마련하고 있다. 요지원은 1, 2의 2단계로 나뉘고 요지원보다 심한 수준인 요개호는 1~5까지 5단계로 나뉜다. 각 단계마다 기준시간, 유지 · 개선 가능성이 있는지에 관한 심사 여부, 구분지급한도 기준액이 달리 설정되어 있다[위키피디아 일어판(http://www.wikipedia.org/)의 검색내용].

하거나 날인하는 인감이 실인인지 여부를 궁금해 하거나 한 적이 인정되어 B에게 의사능력이 없었다고 인정할 수 없다고 판시하였다.

〈민법〉

(부담부증여)

제553조 부담부증여에 대해서는 본 절에 정하는 것 외에 그 성질에 반하지 않는 한, 쌍무계약에 관한 규정을 준용한다.

(사인증여)

제554조 증여자의 사망에 의해 효력이 발생하는 증여에 대해서는 그 성질에 반하지 않는 한, 유증에 관한 규정을 준용한다.

재판연월일 平成22年[118] 7月 13日	**재 판 소 명** 도쿄(東京) 지방재판소
사 건 번 호 平20(ワ)11142号 · 平20(ワ)33492号	**재 판 구 분** 판결
사 건 명 부담부 사인증여 계약 무효 확인 등 청구 사건, 부당이득 반환 청구 사건	
재 판 결 과 일부인용	**상 소 등** 항소(항소 후 화해)

주 문

1 피고는 원고 X1에게 216만 6,666엔을 지불하라.

2 피고는 원고 X2에게 216만 6,666엔을 지불하라.

3 원고 X1은 피고에게 318만 543엔 및 이 중 200만 5,088엔에 대한 2008년 12월 19일부터, 이 중 117만 5,455엔에 대한 2009년 7월 15일부터, 각 다 갚는 날까지 연 5%의 비율에 의한 돈을 지불하라.

4 원고 X2는 피고에게 318만 543엔 및 이 중 200만 5,088엔에 대한 2008년 12월 19일부터, 이 중 117만 5,455엔에 대한 2009년 7월 16일부터, 각 다 갚는 날까지 연 5%의 비율에 의한 돈을 지불하라.

5 제2사건 피고 회사는 피고에게 23만 3,333엔 및 이에 대한 2008년 12월 19일부터 다 갚는 날까지 연 5%의 비율에 의한 돈을 지불하라.

6 원고 X1 및 원고 X2의 나머지 청구를 모두 기각한다.

7 피고의 나머지 청구를 모두 기각한다.

8 소송비용은 제1사건 및 제2사건을 통해서 이를 5분하여 그 3을 원고 X1 및 원고 X2가 부담하고 그 1을 피고가 부담하고, 나머지를 제2사건 피고 회사가 부담한다.

9 이 판결은 제1항 내지 제5항에 한하여 가집행할 수 있다.

사실과 이유

제1 청구

1 제1사건

[주위적 청구]

(1) 도쿄 법무국 소속 공증인 A 작성에 관한 2007년 제219호 부담부 사인증여 계약 공정증서에

118) 2010년

의한 B와 피고 사이의 부담부 사인증여 계약은 무효임을 확인한다.

(2) 피고는 별지 물건 목록 기재 1 및 2의 부동산에 대해서 별지 등기 목록 기재 1의 시기부 소유권 이전 가등기 및 같은 목록 기재 2의 소유권 이전 등기의 각 말소 등기 절차를 이행하라.

(3) 피고는 별지 물건 목록 기재 3 및 4의 부동산에 대해서 별지 등기 목록 기재 3의 조건부 소유권 이전 가등기 및 같은 목록 기재 4의 소유권 이전 등기의 말소 등기 절차를 이행하라.

(4) 피고는 별지 물건 목록 기재 5의 부동산에 대해서 별지 등기 목록 기재 5의 시기부 B 지분 전부 이전 가등기 및 같은 목록 기재 6의 B 지분 전부 이전 등기의 말소 등기 절차를 이행하라.

(5) 유한회사 야나기다(柳田) 상회[본점: 도쿄도 도시마구(豊島区) <이하 생략. 이하 '야나기다 상회'라 한다]에 대해서 B가 가지고 있던 주식 1,600주는 원고 X1 및 원고 X2(이하, 아울러 '원고들'이라 한다) 및 피고의 준공유임을 확인한다.

(6) 피고는 원고 X1에게 243만 9,354엔을 지불하라.

(7) 피고는 원고 X2에게 243만 9,354엔을 지불하라.

(8) B와 피고와의 사이에서 2007년 12월 5일에 체결된 별지 '부담부 사인증여 계약'에 기재된 내용의 부담부 사인증여 계약은 무효임을 확인한다.

(9) 피고는 별지 물건 목록 기재 6 내지 8의 부동산에 대해서 별지 등기 목록 기재 7의 시기부 B 지분 전부 이전 가등기 및 같은 목록 기재 8의 B 지분 전부 이전 등기의 말소 등기 절차를 이행하라.

(10) 피고는 별지 물건 목록 기재 9의 부동산에 대해서 별지 등기 목록 기재 5의 시기부 B 지분 전부 이전 가등기 및 같은 목록 기재 6의 B 지분 전부 이전 등기의 말소 등기 절차를 이행하라.

[예비적 청구]

(11) 야나기다 상회에 대해서 B가 가지고 있던 주식 2,900주는 원고들과 피고의 준공유임을 확인한다.

2 제2사건

(1) 원고 X1은 피고에게 512만 3,805엔 및 이 중 366만 8,464엔에 대한 2008년 12월 19일(제2사건의 소장 송달일의 다음날)부터 이 중 145만 5,341엔에 대한 2009년 7월 15일(피고의 2009년 7월 16일자 청구 변경 신청서 송달일의 다음날)부터 각 다 갚는 날까지 연 5%의 비율에 의한 돈을 지불하라.

(2) 원고 X2는 피고에게 512만 3,805엔 및 이 중 366만 8,464엔에 대한 2008년 12월 19일(제2사건의 소장 송달일의 다음날)부터 이 중 145만 5,341엔에 대한 2009년 7월 16일(피고의 2009년 7월 16일자 청구 변경 신청서 송달일의 다음날)부터 각 다 갚는 날까지 연 5%의 비율에 의한 돈을 지불하라.

(3) 제2사건 피고 회사는 피고에게 23만 3,333엔 및 이에 대한 2008년 12월 19일(제2사건의 소장

송달일의 다음날)부터 다 갚는 날까지 연 5%의 비율에 의한 돈을 지불하라.

제2 사안의 개요

제1사건은 원고들이 피고에게 ① 원고들 및 피고의 아버지인 B(이하 'B'라 한다)와 피고와의 사이에 체결된 2007년 12월 3일자 공정증서에 의한 부담부 사인증여 계약(이하 '본건 제1계약'이라 한다) 및 같은 달 5일자 부담부 사인증여 계약(이하 '본건 제2계약'이라 하고 본건 제1계약과 본건 제2계약을 아울러 '본건 증여 계약'이라 한다)은 B가 치매에 의해 의사능력이 없는 상태에서 체결된 것이라고 하여, 그 무효 확인을 요구하고 ② 본건 증여 계약에 근거하여 별지 물건 목록 기재 1 내지 9의 부동산(이하 각각의 부동산을 '물건 1 내지 9'라 한다)에 대해서 이루어진 시기부 소유권 이전 가등기, 조건부 소유권 이전 가등기, 소유권 이전 등기, 시기부 지분 전부 이전 가등기 및 지분 전부 이전 등기의 말소 등기 절차를 요구하고 ③ B가 사망 전에 소유하고 있던 야나기다 상회의 주식에 대해서 원고들 및 피고의 준공유임의 확인을 요구하고 ④ 피고가 B의 생전에 B의 은행 예금을 인출했다고 하여 이 돈 중 원고들의 각 법정 상속분에 대해서 부당이득 반환을 요구하는 것이다.

제2사건은 ① 피고가 원고들에 대해서 B의 융자 채무, B의 의료비, B의 장례비용, 물건 1 내지 9와 관련한 경비 등에 대해서 원고들이 부담해야 할 몫의 지급을 피고가 하였다고 하여 원고들의 부담분에 대해서 부당이득 반환을 요구하고 ② 피고가 제2사건 피고 회사에 대해서 B의 생전에 제2사건 피고 회사가 B가 당시 소유하고 있던 물건 2의 임차인으로부터 갱신료를 받았다고 하여 이 갱신료 중 피고의 법정 상속분에 대해서 부당이득 반환을 요구하고 ③ 피고가 본건 제1계약에 근거하여 B로부터 물건 2의 증여를 받은 후 제2사건 피고 회사가 임차인으로부터 수령한 임대료의 부당이득 반환을 요구하는 것이다.

1 다툼이 없는 사실 등(증거 등을 기재한 부분 외에는 당사자 사이에 다툼이 없다.)

(1) 당사자

B는 쇼와(昭和) ○년 ○월 ○일에 태어났다. C(이하 'C'라 한다)는 B의 아내였는데 2007년 6월 27일에 사망했다. 그 후, B는 2008년 2월 8일에 사망했다. B의 상속인은 장남인 피고, 차남인 원고 X1, 삼남인 원고 X2의 세 사람이다.

(2) 부동산의 소유 및 등기 관계

① 물건 1, 2에 대해서는 B는 생전에 단독으로 소유하고 있었는데, 후술하는 본건 제1계약에 근거

하여 별지 등기 목록 1에 기재된 시기부 소유권 이전 가등기가 경료되고 B의 사망 후, 별지 등기 목록 2에 기재된 소유권 이전 등기가 경료되었다.

② 물건 3, 4에 대해서는 B는 생전에 단독으로 소유하고 있었는데, 후술하는 본건 제1계약에 근거하여 별지 등기 목록 3에 기재된 조건부 소유권 이전 가등기가 경료되고 B의 사망 후, 별지 등기 목록 4에 기재된 소유권 이전 등기가 경료되었다.

③ 물건 5 내지 9에 대해서는 C의 생전에 B 및 C가 각각 2분의 1의 지분을 가지고 있었는데, C가 2007년 6월 27일에 사망함에 따라 B, 원고들 및 피고는 이 각 부동산의 C의 지분에 대해서 각각 법정 상속분에 따라 상속하여 B는 12분의 9의 지분을, 원고들 및 피고는 각 12분의 1의 지분을 가지게 되었다. 그 후 물건 5 및 물건 9에 대해서는 후술하는 본건 제2계약에 근거하여 별지 등기 목록 5에 기재된 시기부 B 지분 전부 이전 가등기가 경료되고 B가 사망한 후, 별지 등기 목록 기재 6의 B 지분 전부 이전 등기가 경료되었다. 또한 물건 6 내지 8에 대해서는 별지 등기 목록 기재 7의 시기부 B 지분 전부 이전 가등기가 경료되고 B의 사망 후 별지 등기 목록 기재 8의 B 지분 전부 이전 등기가 경료되었다. 이 결과, 현재는 물건 5 내지 9에 대해서는 등기 기록상, 피고의 지분이 12분의 10, 원고 X1 및 원고 X2의 지분이 각 12분의 1이 되었다.

④ B가 생전에 단독으로 소유하고 있던 네리마구(練馬区) <이하 생략>의 부동산(이하 '물건 10'이라 한다) 및 도시마구 <이하 생략>의 토지 위 건물 및 이 토지의 차지권(이하 '물건 11'이라 한다)에 대해서는 B의 사망에 의해 법정 상속분에 따라 원고들 및 피고가 각 3분의 1의 지분을 상속에 의해 취득했다.

⑶ 야나기다 상회

야나기다 상회는 1970년 8월 25일에 설립된 유한 회사이며, 발행 완료 주식의 총수는 3,000주이다. 등기부상, 야나기다 상회의 대표이사는 피고로 되어 있다(을 4).

⑷ 본건 제1계약

도쿄 법무국 소속 공증인 A는 2007년 12월 3일, 당시 B가 폐렴으로 입원해 있던 재단법인 도쿄도 보건의료공사 오쿠보(大久保) 병원(이하 '오쿠보 병원'이라 한다)에서 증여자를 B, 수증자를 피고로 하는 부담부 사인증여 계약(본건 제1계약)에 관련된, 2007년 제219호 부담부 사인증여 계약 공정증서(을 2. 이하 '본건 공정증서'라 한다)를 작성했다. 본건 제1계약에는 아래의 내용이 포함된다.

1조 갑(B)은 소유하는 후술하는 물건을 다음의 약정으로 B의 장남인 수증자 을(피고)에게 증여하기로 약속하고 피고는 이를 승낙했다.

2조 본건 증여는 B의 사망에 의해 효력을 발생하며 이와 동시에 후술하는 물건의 소유권은 당연히 피고에게 이전한다.

3조 B는 후술하는 물건 중 1 내지 5의 부동산에 대해서 피고를 위해 시기부 소유권 이전 가등기를 하기로 하고 B는 피고가 이 등기 절차를 신청하는 것을 승낙했다.

4조 피고는 본건 증여를 받는 부담으로서 B의 생존 중, 생활 지원을 함과 동시에 의료, 간병 등을 포함한 B의 요양 간호에 관해서 성심껏 노력할 것을 약속한다.

5조 B는 본 계약의 집행자로서 피고를 지정한다.

1 물건 1

2 물건 2

3 물건 3

4 물건 4

5 물건 5(단, B의 지분이 2분의 1로 되어 있다)

6 야나기다 상회에 대해서 B가 보유하는 지분 전부(1,600주)

7 예금 채권

① 미츠비시(三菱) 도쿄 UFJ 은행 니시이케부쿠로(西池袋) 지점 B 명의의 예금채권 전부

② 미즈호(みずほ) 은행 다카다노바바(高田馬場) 지점 B 명의의 예금채권 전부

③ 스가모(巣鴨) 신용금고 와세다(早稲田) 지점 B 명의의 예금채권 전부

(5) 본건 제2계약

증여자를 B, 수증자를 피고로 하고 B 및 피고 이름의 서명 날인이 있는, 2007년 12월 5일자 부담부 사인증여 계약서(을 3. 이하 '본건 증여 계약서'라 한다)가 존재하고, 2008년 1월 25일의 확정일자가 부여되어 있다. 본건 증여 계약서에는 아래의 내용이 포함되어 있다.

1조 갑(B)은 소유하는 아래 물건을 무상으로 을(피고)에게 증여하기로 약속하고 피고는 이를 승낙했다.

2조 본건 증여는 증여자의 사망에 의해 효력을 발생하며 이와 동시에 증여 물건의 소유권은 당연히 피고에게 이전한다.

3조 피고는 본건 증여를 받는 부담으로 아내 C의 사망을 원인으로 하는 C 명의의 상속재산에서 증여자가 요구하는 권리와 주장을 엄수하고, 그 권리의 집행에 대해서 법정 상속분 취득의 등기를

신청하기로 약속하고, 증여자에 대해서 그 생존 중 생활 지원 및 의료 관리, 요양 간호에 관하여 성의를 가지고 본 조의 부담을 이행하기로 약속한다.

4조 B는, 피고를 집행자로 지정한다.

1 물건 6(단, B의 지분이 12분의 9로 되어 있다)

2 물건 7(단, B의 지분이 12분의 9로 되어 있다)

3 물건 8(단, B의 지분이 12분의 9로 되어 있다)

4 물건 9(단, B의 지분이 12분의 9로 되어 있다)

5 시즈오카현(静岡県) 후토시(富戸市) <이하 생략> 임야 429㎡(B의 지분 12분의 9)

6 야나기다 상회에 대해서 B가 보유하는 지분 전부(2,900주)

2 쟁점 및 쟁점에 관한 당사자의 주장

(1) 본건 증여 계약의 효력 및 본건 증여 계약서 위조 유무에 대해[제1사건]

[원고들의 주장]

① 본건 제1계약 및 본건 제2계약은 B가 의사능력이 없는 상태에서 체결된 것이며 무효이다.

㉮ B는 본건 증여계약 체결 당시, 치매를 앓고 있어 의사능력이 없었다. B의 입원 경과 기록(갑 7의 1 내지 28)에 기재된 B의 행위에서도, B가 행위의 결과를 제대로 판단할 능력이 없었던 것은 분명하다.

또한 본건 증여계약에 관해서는 단순히 통상의 생활에 필요한 능력이 아니라 자기의 재산에 대해서 구체적으로 누구에게 무엇을 증여하는지에 대한 고도의 판단능력이 필요하였지만, 치매를 앓는 B에게는 그와 같은 고도의 판단능력이 있었다고 할 수 없다. 더욱이 본건 증여 계약서에 찍힌 확정일자는 2008년 1월 25일이며 이 계약서가 2007년 12월 5일에 작성됐는지 여부도 불분명하고 B가 사망하기 직전인 2008년 1월 하순이 되어 작성되었을 가능성도 있다.

㉯ 본건 증여 계약에서 대상으로 된 부동산은 높은 가치를 가지고 있으며, B가 그것을 세 자녀 중 한 사람에게 증여하면, 분쟁이 생기는 것은 분명하다. 또한 B는 물건 2의 방 하나에 원고 X2가 거주하는 것을 알고 있었는데, 물건 2를 피고에게 증여하면 원고 X2와 피고 사이에서 분쟁이 생기는 것도 분명하다. 정상적인 판단능력을 가진 사람이면, 관련 행위를 할 리 없고 이것으로부터도 B는 정상적인 판단능력이 결여되어 있었다고 할 수 있다.

㉰ 본건 공정증서, 본건 증여 계약서, 2007년 11월 27일자 서면(을 9의 1), 2007년 11월 27일자

서면(을 9의 2), 2007년 12월 2일자 서면(을 9의 3) 및 2007년 12월 4일자 서면(을 9의 4)의 B의 각 서명 필적은 각각 크게 다르며, 또한 각 서명의 문자도 모두 고르지 않아 균형 감각이 결여되었다고 할 수 있으므로 본건 증여 계약 체결 당시, B가 정신적으로 비정상인 상태였음은 분명하다.

㉣ B의 생전에 B와 원고들은 사이가 좋았던 데 비해 B와 피고는 사이가 나빠 절연 상태에 있었으며, B 및 C는 원고들에게 소유하는 부동산 등 재산을 평등하게 상속하도록 하겠다는 취지로 이야기했기 때문에, B가 피고에게만 재산을 증여하는 일은 있을 수 없다.

② 만일, 본건 증여 계약이 무효가 아니라고 해도, 본건 증여 계약서(을 3)의 B의 서명은, 그 작성일이 본건 공정증서가 작성된 날로부터 이틀 후임에도 불구하고, 본건 공정증서의 서명과 크게 다른 것으로 B가 서명 날인한 것이 아니다. 따라서 이 계약서는 위조된 것이므로 본건 제2계약은 성립하지 않는다.

[피고의 주장]

① 본건 증여 계약의 무효 확인의 소는 부적법하여 각하해야 한다. 즉 급부의 소가 가능한 경우에는 확인 소송에 대해서는 확인의 이익이 없고 허용해서는 안 되므로 본건 증여 계약의 무효 확인의 소는 확인의 이익이 없으니 각하해야 한다.

② 본건 증여 계약은 유효하다.

㉮ B는 본건 증여 계약 체결 시, 본건 증여 계약을 체결하기에 충분한 의사능력이 있었다. 공증인은 B의 의사를 확인하고, 본건 공정증서를 작성했는데 만약 의사능력에 의심이 있으면, 수탁을 받지 않거나 또는 의심이 있다고 기록에 남겼을 터이지만, 공증인은 이러한 절차를 취하고 있지 않으므로, B의 의사능력에 의심이 없었다. 또한 B의 주치의인 의사 D(이하 'D 의사'라 한다)도 본건 증여 계약 체결 당시, B에게는 의사능력이 있었다는 의견을 말한다. 더욱이 당시 B는 본건 증여 계약 당시 개호구분 1의 상태일 뿐이고 이것은 배설 후의 뒤처리, 목욕, 의류 입고 벗기 등 생활의 일부에 대해서 개호가 필요하고 또한, 보행 등이 불안정하다는 것일 뿐, 의사능력에는 문제가 없었다. 원고 X2 자신도 2007년 11월 22일, 병실에 있던 B를 찾아가 B 자신에게 임대차 계약서에 서명 날인하도록 하였다.

㉯ B와 C는 생전에 원고들에게 응분의 원조를 해 왔음에도 불구하고 원고 X2는 C가 사망했을 때, B에게 C의 예금을 달라고 요구하거나 장례식 때, 제멋대로 스님을 부르거나 했다. 또한 원고 X1도 B에게 예금의 지불을 요구하거나 유언서 작성을 강요하거나 새 자동차를 구입하면서 B가 아끼던 차를 시타도리(下取り)[119]로 줄 것을 강하게 요구하는 등의 행위를 했다. 한편, 피고는 B와 C로부터 원조를 받은 적은 없었는데 피고와 그 아내는 C와 B의 간병 등을 하고 있었기 때문에, B는 피고를 가업의 상속자로 하는 것을 결의하게 됐다. 또한 C의 사망 후, B는 C가 미츠비시 도쿄 UFJ 은행에 대해서

119) 신품(新品)의 대금 일부로 고품(古品)을 판매자가 인수하는 일

부담하고 있던 차입 채무와 관련하여 피고에게 연대 보증인이 되라고 애원하여 피고는 이에 동의했다. 이처럼 B가 피고에게 증여하는 것에 대해서는 동기가 있다.

㉰ 원고들이 제출한 B의 필적에 관한 사적 감정서(갑 18)는 B가 자유로운 자세에서 이들 서명을 했다는 전제를 취하고 있는데, B는 신체 구속을 받고 있던 시기가 있으며, 그러한 상황에서 서명이 이루어지면 필적이 다른 것처럼 보일 가능성이 높다. 또한 위 사적 감정서의 감정인에게 제공된 자료는 원본이 아닌 사본이며 감정서의 신용성에는 의문이 있다.

㉱ 본건 증여 계약서는 B가 서명 날인한 것이며, 진정으로 성립한 것이다.

(2) 물건 1 내지 9의 부동산에 관한 소유권 이전 등기 등의 말소 등기 절차 청구의 가부[제1 사건 청구 (2) 내지 (4), (9) 및 (10)]

[원고들의 주장]

전술한 (1) '원고들의 주장'과 같이 본건 증여 계약은 B가 의사능력이 없는 상태에서 체결된 것으로 무효이기 때문에 본건 증여 계약에 근거하여 이루어진, 별지 등기 목록 기재의 시기부 소유권 이전 가등기, 조건부 소유권 이전 가등기, 소유권 이전 등기, 시기부 지분 전부 이전 가등기 및 지분 전부 이전 등기는 모두 무효이다. 원고들은 물건 1 내지 9에 관한 B의 소유권 또는 지분을 상속분에 따라 취득하였으므로 위 각 가등기 및 각 등기의 말소 등기 절차를 요구한다.

[피고의 주장]

전술한 (1) '피고의 주장'과 같이 피고와 B 사이에서 체결된 본건 증여 계약은 유효하다.

(3) 야나기다 상회 주식의 준공유 확인[제1 사건 청구 (5) 및 (11)]

[원고들의 주장]

B는 생전에 야나기다 상회의 주식 1,600주를 가지고 있었다. 전술한 (1)과 같이 본건 증여 계약은 무효이기 때문에, B의 사망으로 원고들 및 피고는 법정 상속분에 따라 위 주식을 상속했다.

그러나 피고는 위 1,600주를 자기 소유라고 주장한다.

[피고의 주장]

야나기다 상회는, B가 창업자이고 전체 주식의 출자자였다. 법인세의 신고서 등에는 C의 사망 당시에 C가 1,400주, B가 1,600주를 보유하고 있다고 되어 있지만 B는 C 명의의 주식은 명의 차용 주식이라고 인식하고 있었다. B는 2007년 7월 31일, 피고에게 자신이 소유한 야나기다 상회의 주식 중 우선 100주를 증여하고, 본건 제2계약에 의해 나머지 2,900주를 피고에게 증여했다. 본건 제2계약은 유효하며 피고는 야나기다 상회의 3,000주를 보유하고 있다.

(4) 원고들의 피고에 대한, 피고가 인출한 예금에 대한 부당이득 반환 청구의 가부[제1사건 청구 (6) 및 (7)]

[원고들의 주장]

피고는 B의 생전에 B 명의의 미즈호 은행 다카다노바바 지점의 보통예금 계좌 및 미츠비시 도쿄 UFJ 은행 니시이케부쿠로 지점의 보통예금 계좌에서 합계 731만 8,063엔을 인출했다. 이 예금 채권에 대해서 원고들은 법정 상속분에 따라 각 3분의 1을 상속했는데, 피고는 원고들에게 각 243만 9,354엔의 부당이득 반환 의무를 진다.

[피고의 주장]

피고는 2008년 1월 15일, 미즈호 은행 다카다노바바 지점의 B 명의의 예금 계좌에서 250만 엔, 미츠비시 도쿄 UFJ 은행 니시이케부쿠로 지점의 B 명의의 예금 계좌에서 400만 엔 합계 650만 엔의 환급을 받았는데, 이는 B의 지시에 의해 야나기다 상회 명의의 미즈호 은행 다카다노바바 지점의 당좌예금 계좌에 입금을 한 것으로 피고가 이득한 것은 아니다.

(5) 피고의 원고들에 대한 부당이득 반환 청구의 가부[제2사건 (1) 및 (2)]

[피고의 주장]

피고는 각 원고에 대해서 부당이득 반환 청구권에 근거하여 다음 각 항목의 각 원고의 부담액 합계 512만 3,805엔 및 이 중 366만 8,464엔에 대한 소장 송달일 다음 날부터 다 갚는 날까지, 이 중 145만 5,341엔에 대한 피고의 2009년 7월 16일자 청구 변경 신청서 송달일 다음 날부터 다 갚는 날까지, 각각 민법 소정의 연 5%의 비율에 의한 지연손해금의 지불을 청구할 수 있다.

≪제2사건 소장에 기재된 청구분≫

① 융자 채무 : 원고들 각 부담액(이하 같다) 115만 2,821엔

피고는 C가 생전에 지불 의무를 지는, 그 사후, B가 채무를 인수한 은행 융자 채무 및 B가 생전에 지불 의무를 지고 있었던 은행 융자 채무에 대해서 별표 ①과 같이 합계 345만 8,463엔을 지불했다.

B가 생전에 부담하고 있던 은행 융자의 지불 채무는 원고들 및 피고가 법정 상속분에 따라 3분의 1씩 상속하는 것이므로 원고들은 각각, 피고에게 위 피고의 지불 합계액의 3분의 1인 115만 2,821엔에 대해 부당이득 반환 의무를 진다.

② B의 장례비용 등 : 153만 2,923엔

피고는 B의 장례비용 등에 대해서 별표 ②과 같이 합계 459만 8,768엔을 지불했다.

장례비용 등은 상속인이 법정 상속분에 따라 부담해야 할 것이므로 원고들은 각각 피고에게 위 피고의 지불 합계액의 3분의 1인 153만 2,923엔의 부당이득 반환 의무를 진다.

③ B의 의료비 : 8만 6,313엔

피고는 B의 의료비에 대해서 별표 ③과 같이 합계 25만 8,940엔을 지불했다.

B의 생전의 의료비 지급 채무는 원고들 및 피고가 법정 상속분에 따라 상속하는 것이므로, 원고들은 각각 피고에게 위 피고의 지불 합계액의 3분의 1인 8만 6,313엔에 대해서 부당이득 반환 의무를 진다.

④ B의 생전의 경비 : 13만 7,766엔

피고는 B의 생전의 경비에 대해서 별표 ④와 같이 합계 41만 3,299엔을 지불했다.

B의 생전의 경비 지급 채무는 원고들 및 피고가 법정 상속분에 따라 상속하는 것이므로, 원고들은 각각, 피고에게 위 피고 지불액의 각 3분의 1인 13만 7,766엔에 대해서 부당이득 반환 의무를 진다.

⑤ 본건 증여 계약서 작성 비용 : 1만 3,067엔

피고는 피고와 B의 본건 증여 계약의 계약서 작성 경비에 대해서 별표 ⑤와 같이 합계 7만 8,400엔을 지불했다.

계약서 작성 비용은 피고와 B가 반분해야 하는 것으로 원고들 및 피고는 B의 피고에 대한 3만 9,200엔의 체당비 지급 채무를 법정 상속분으로 상속하였기 때문에 원고들은 각각 피고에게 위 피고의 지불 합계액의 2분의 1인 B의 체당비 지급 채무 중 3분의 1인 1만 3,067엔에 대해서 부당이득 반환 의무를 진다.

⑥ B의 생전의 세금 등 : 33만 533엔

피고는 B의 생전의 소득에 드는 소득세, 특별구민 사업세 등에 대해서 별표 ⑥과 같이 합계 99만 1,600엔을 지불했다.

B의 생전의 세금 등 지급 채무는 원고들 및 피고가 법정 상속분에 따라 상속하는 것이므로, 원고들은 각각 피고에게 위 피고의 지불 합계액의 3분의 1인 33만 533엔에 대해서 부당이득 반환 의무를 진다.

⑦ 상속 등기 비용 등 : 13만 5,558엔

㉮ B는 생전에 물건 10을 단독으로 소유하고 있었다. B의 사망으로 이 물건은 원고들과 피고가 지분 3분의 1의 비율로 공유하게 되었다.

㉯ B는 생전에 물건 11을 단독으로 소유하고 있었다. B의 사망으로 이 물건은 원고들과 피고가 지분 3분의 1의 비율로 공유하게 되었다.

㉰ 피고는 물건 10, 물건 11, 물건 5 및 물건 9, 물건 6 또는 물건 8에 대해서 상속 등기를 하기

위해 별표 ⑦과 같이 상속 등기 비용 등을 지불했다.

물건 6 내지 물건 8, 물건 5 및 물건 9의 각각에 대해서 원고들은 각 12분의 1의 지분을 가지므로, 이 부동산의 상속 등기 비용에 대해서는 각 12분의 1을 부담해야 하고 그 외의 비용에 대해서는 원고들은 각 3분의 1을 부담해야 하므로 원고들은 각각 피고에게 13만 5,558엔의 부당이득 반환 의무를 진다.

⑧ 고정 자산세 : 26만 327엔

피고는 C 명의의 부동산 및 B 명의의 부동산에 대해서 지불하지 않은 2007년도의 고정자산세, 도시계획세 및 2008년의 이들 세금을 별표 ⑧과 같이 지불했다.

C, B의 생전의 것에 대해서는 상속 채무이므로 원고들은 법정 상속분에 기초하여 각 3분의 1을 부담해야 한다. 또한 그 뒤의 것에 대해서는 각각의 소유 지분에 따라 또한 원고들이 취득하지 않은 물건 1 내지 4의 부동산에 대해서는 B의 생전의 이들 세금에 대해서 상속 채무로서 법정 상속분에 기초하여 각 3분의 1을 부담해야 한다. 원고들의 부담액은 각 26만 327엔이다.

⑨ B의 사후의 물건 5 및 물건 9의 경비 : 8,393엔

피고는 B의 사후에 물건 5 및 물건 9의 경비에 대해서 별표 ⑨와 같이 합계 10만 720엔을 지불했다.

원고들은 이들 부동산에 대해서 각 12분의 1의 지분을 가지므로 각각 피고에게 위 피고의 지불 합계액의 12분의 1인 8,393엔에 대해서 부당이득 반환 의무를 진다.

⑩ B의 사후의 물건 11의 경비 : 1만 763엔

피고는 B의 사후에 물건 11의 경비에 대해서, 별표 ⑩과 같이 합계 3만 2,288엔을 지불했다.

원고들은 이들 부동산에 대해서 각 3분의 1의 지분을 가지므로 각각 피고에게 위 피고 지불액의 3분의 1인 1만 763엔에 대해서 부당이득 반환 의무를 진다.

≪청구의 변경 신청서 기재의 추가 청구분≫

⑪ B의 융자 채무 : 106만 194엔

피고는 전술한 ①에 기재한 C 및 B의 은행 융자에 대해서 별표 ⑪과 같이 추가로 합계 318만 584엔을 지불했다.

B가 생전에 부담하고 있던 은행 대출의 지급 채무는 원고들 및 피고가 법정 상속분에 따라 3분의 1씩 상속 받는 것이기 때문에 원고들은 각각 위 피고의 지불 합계액의 3분의 1인 106만 194엔에 대해서 부당이득 반환 의무를 진다.

⑫ 물건 11의 지대에 대해서 : 27만 9,885엔

B가 임차하고 있는 물건 11의 지대에 대해서는 B의 생전부터 유한회사 야나기다 상회의 계좌에서

이체가 되고 있었지만 지대 지불 의무자는 B 및 상속인이기 때문에, 별표 ⑫의 지대 중 원고들은 각각 피고에게 위 피고의 지불 합계액의 3분의 1인 27만 9,885엔에 대해 부당이득 반환 의무를 진다.

⑬ B의 의료비 및 소득세 : 5만 3,801엔

피고는 2009년 3월 31일, B의 오쿠보 병원의 미불의 치료비 9만 8,390엔을, 수수료 315엔을 지불하여 송금했다.

또한 피고는 2009년 3월 3일, B의 소득세 6만 2,700엔을 지불했다.

B의 생전의 의료비 및 소득세의 지급 채무는 원고들 및 피고가 법정 상속분에 따라 상속하는 것이므로 원고들은 각각 피고에게 위 피고의 지불 합계액의 3분의 1인 5만 3,801엔에 대해서 부당이득 반환 의무를 진다.

⑭ 물건 5 및 9의 경비 : 1만 9,643엔

피고는 물건 5 및 9의 경비에 대해서 별표 ⑬과 같이 합계 23만 5,710엔을 지불했다. 원고들은 이 각 물건에 대해서 각 12분의 1의 지분을 가지고 있으므로 원고들은 각각 피고에게 위 피고의 지불 합계액의 12분의 1인 1만 9,643엔에 대해서 부당이득 반환 의무를 진다.

⑮ 물건 6 내지 8의 경비 : 2,425엔

피고는 물건 6 내지 8의 고정 자산세로 별표 ⑭와 같이 합계 2만 9,100엔을 지불했다. 원고들은 이 각 부동산에 대해서 각 12분의 1의 공유지분을 가지므로 각각 피고에게 위 피고의 지불 합계액의 12분의 1인 2,425엔에 대해서 부당이득 반환 의무를 진다.

⑯ 물건 11의 경비 : 3만 4,260엔

피고는 별표 ⑮와 같이 물건 11의 경비를 지불했다. 이 물건에 대해서 피고 및 원고들은 각 3분의 1의 공유지분을 가지는데, 원고들은 각각 피고에게 피고 지불 합계액의 3분의 1인 각 3만 4,260엔에 대해서 부당이득 반환 의무를 진다.

⑰ 물건 10의 경비 : 5,133엔

피고는 2009년 6월 17일 물건 10의 고정 자산세 1만 5,400엔을 지불했다. 이 물건에 대해서 피고 및 원고들은 각 3분의 1의 지분을 가지는데, 원고들은 각각 피고에게 위 피고 지불액의 3분의 1인 5,133엔에 대해서 부당이득 반환 의무를 진다.

[원고들의 주장]

① 피고가 대신 부담했다고 주장하는 금액을 합하면 1,136만 5,831엔이 되지만 피고가 이것을 모두 자비로 지급했다고는 도저히 생각할 수 없다.

② 융자 채무에 대해서

만일 본건 증여 계약이 유효하다고 하면 이 계약의 목적물로 되어 있는 부동산 등을 구입하기 위해 진 융자 채무는 부동산을 기증 받은 피고가 지는 것이 공평하고 피고가 원고들에 대하여 상속분에 대해서 청구하는 것은 신의칙상 상당하지 않고 또한 그렇게 해석하는 것이 이 계약의 당사자의 합리적인 의사로서 상당하다. 따라서 본건 증여 계약이 유효할 경우에는 피고가 원고들에게 융자 채무에 대해서 부당이득 반환 청구를 할 수는 없다고 해야 한다.

③ B의 장례비용에 대해서

장례비용에는 초이렛날, 사십구제의 법요에 관한 비용은 포함되지 않으므로 그것들의 비용에 대해서는 원고들이 부담하지 않는다.

장례비용은 부의로 지불되어야 할 것이다. 부의에서도 장례비용을 감당하지 못하는 경우에는 상주가 부담해야 하는데 상주는 피고이다. 만일, 상주가 장례비용을 부담해야 하지 않을 때에는 상속재산에서 지급되어야 한다. 또한 사십구일 법요의 비용은 그것을 집전한 피고가 부담해야 한다.

피고는 장례비용을 부담하기에 충분한 금원을 가지고 있지 않았는데 피고가 이 비용을 경제적으로 부담한 것은 아니므로 피고에게 손실은 없고 원고들은 부당이득 반환 의무를 지지 않는다.

④ B의 의료비에 대해서

B의 의료비는 B의 부담으로 지급된 것으로 피고가 부담한 것은 아니므로 피고에게 손실은 없고 원고들은 부당이득 반환 의무를 지지 않는다.

⑤ B의 생전의 경비에 대해서

B의 생전의 비용이므로 B가 지불을 해야 할 것인데 B의 상속재산에서 지급해야 하는 것으로 피고는 상속재산에서 지급한 것이다.

⑥ 본건 증여 계약서 작성비

본건 증여 계약서가 무효이므로 B가 그 작성 비용을 지불해야 하는 것은 아니다.

⑦ B의 생전의 세금에 대해서

B의 생전의 비용이므로 B가 지불을 해야 할 것인데 B의 상속재산에서 지급해야 하는 것으로 피고는 상속재산에서 지급한 것이다.

⑧ 등기 비용 등에 대해서

부담부 사인증여는 유효성이 확정되어 있지 않고 유산 분할 논의도 이루어지지 않았으므로 피고가 주장하는 지분이 되는 것에 대해서 다툰다.

⑨ 부동산의 고정 자산세 등에 대해서

B의 생전의 비용이므로 B가 지불을 해야 할 것인데 B의 상속재산에서 지급해야 하는 것으로 피고는 상속재산에서 지급한 것이다.

⑩ 물건 11의 지대에 대해서는 인정한다.

(6) 피고의 제2사건 피고 회사에 대한 부당이득 반환 청구 가부[제2사건 청구(3)]

[피고의 주장]

① B는 생전에 물건 2를 소유하고, 이것을 제3자에게 임대하고 있었다.

제2사건 피고 회사는 2008년 1월 27일 무렵, 이 물건의 일실(101호실)의 임차인으로부터 갱신료로 16만 엔을 수령했다. 당시 제2사건 피고 회사는 중개 업무를 수탁하지 않았기 때문에 임대인인 B가 수령해야 하고 제2사건 피고 회사가 이 갱신료를 수령할 법률상의 원인은 없다. 따라서 제2사건 피고 회사는 피고에게 부당이득한 이 갱신료 16만 엔의 3분의 1인 5만 3,333엔을 반환해야 한다.

② B는 피고와의 사이에서 본건 제1계약을 체결하고 피고에게 물건 2를 증여했다. 이로 인해 피고는 물건 2의 소유권을 취득하는 동시에 B의 임대인의 지위를 승계했다.

제2사건 피고 회사는 2008년 2월 25일 무렵 및 그 해 3월 25일 무렵 물건 2의 일실(201호실)의 임차인으로부터 월세 각 9만 엔을 수령했다. 이는 피고가 임대인으로서 수령해야 하는 것으로, 제2사건 피고 회사가 임대료를 수령할 법률상의 원인은 없다. 따라서 제2사건 피고 회사는 피고에게 부당이득한 위 임대료 합계 18만 엔을 반환해야 한다.

[제2사건 피고 회사의 주장]

① 물건 2의 201호실은 원고 X2가 B로부터 사용대차를 하여 E에게 임대했던 것인데 B는 그 임대차를 승낙했다.

② 제2사건 피고 회사는, 갱신 절차의 중개를 하여 임차인으로부터 16만 엔을 맡고서 그 중 8만 엔을 갱신 절차 수수료로서 수령하고 잔금을 보관하고 있다.

③ 본건 제1계약은 B의 의사 무능력에 의해 무효이므로 피고는 임대인의 지위를 승계하지 않았다.

제3 본 재판소의 판단

1 쟁점(1)의 본건 증여 계약의 효력 및 본건 증여 계약서의 위조 유무에 대해서

(1) 원고들은 사인증여 계약인 본건 제1계약 및 본건 제2계약의 무효 확인을 요구하고 있으며 이는 과거의 법률관계의 확인을 요구하는 청구이다.

그러나 사인증여는 유증에 유사한 성질을 가지는데(민법 554조 참조), 유언의 무효 확인의 소는 그 유언이 유효하다고 하면, 그로부터 생기는 현재의 특정한 법률관계가 존재하지 않음의 확인을 요구하는 것으로 해석되는 경우에, 원고가 이러한 확인을 요구하는 것에 대해서 법률상의 이익을 가질 때에는 적법하다고 해석해야 하고(최고재판소 昭和47年 2월 15일 제3소법정 판결 · 민집 26권 1호 30쪽 참조), 사인증여 계약에 대해서도 위 요건을 충족시킬 경우에는 그 무효 확인을 청구하는 소는 적법하다고 해석해야 한다. 그리고 전술한 제2의 1의 다툼 없는 사실 등 및 제2의2의 각 항의 원고들의 주장을 고려하면 본건 제1계약 및 본건 제2계약의 무효 확인의 소는 확인의 이익이 있고 적법하다고 인정하는 것이 상당하다.

(2) 각 항 말미에 기재된 증거(모든 서면 증거도 그 성립의 진정에 대해서는 다툼이 없다) 및 변론의 전체 취지에 의하면 다음의 사실이 인정된다.

① 피고 및 그 아내는 2007년 9월경, 이케부쿠로 공증 사무소에 가서 공증인 A(이하 'A 공증인'이라 한다)에게 부담부 사인증여 계약서 작성을 의뢰했다. 그 후, 피고들은 A 공증인에게 증여 계약 내용을 전달하고 이 공증인은 이를 토대로 부담부 사인증여 계약서의 안(案)을 작성하여 피고에게 교부했다[을 11, 13(10쪽), 피고 본인(4, 24 내지 26쪽)].

② 그 해 11월 14일, B는 폐렴으로 오쿠보 병원에 입원했다. 입원 절차는 피고가 밟았다[갑 10, 증인 D, 원고 X1(13쪽), 피고 본인(23쪽)].

③ B는 오쿠보 병원에 입원한 그 해 11월 14일부터 같은 해 12월 말경에 걸쳐서, 기저귀 안에 실금하면서 본인은 그것을 인식하지 못하거나 경찰을 부르고 싶다는 취지로 말하거나 집에 돌아갈 것이라고 말하고 흥분하여 바지를 벗거나 병원 내의 퇴식대의 잔반이나 찻상의 가운데에 있는 찻잎을 입에 넣거나 하는 말의 앞뒤가 맞지 않거나 자신이 있는 곳이나 일시를 이해하지 못하거나 하는 적이 있었다. 그러나 한편 간호사로부터 밤이니 주무시라고 지시를 받으면 납득하여 침소로 돌아오거나 간호사가 아프냐, 힘드냐는 등으로 물으면 아프지 않다, 힘들지 않다 등으로 답하는 등, 간호사 등이 하는 질문을 이해한 후 정확한 답변과 대응을 하는 때도 있고 B와의 의사소통이 가능한 때와 어려운 때가 있었다(갑 7의 1 내지 28).

④ B는 같은 해 11월 14일 오쿠보 병원에 입원했을 때, 도시마 구청장으로부터 '요개호 1'[120)]의 판정을 받고 있었는데 그 해 12월 18일, 요개호 2로 요개호 상태 구분이 변경되었다(갑 12).

⑤ 그 해 11월 하순 무렵, 피고는 A 공증인에게 부담부 사인증여 계약의 공정증서 작성을 위해서 B가 입원한 오쿠보 병원에 오도록 의뢰했다. A 공증인은 그 해 12월 3일 이 병원에 들러서 이 병원 내의 식당에서, B, 피고 및 그 아내, A 공증인과 동행한 이케부쿠로 공증사무소 사무원이 동석한 상황에서 계약 내용 등을 확인한 후, B에게 서명 날인하도록 하는 등 하여, 본건 공정증서를 작성했다.

---

120) 요개호(要介護) 1 : 개호보험제도에서는 피보험자가 지원 혹은 개호(介護)를 필요로 하는 정도에 따라서 가장 가벼운 '요지원(要支援) 1'에서 가장 중증인 '요개호(要介護) 5'까지 7단계를 마련하고 있다. 요지원은 1, 2의 2단계로 나뉘고 요지원보다 심한 수준인 요개호는 1~5까지 5단계로 나뉜다. 각 단계마다 기준시간, 유지 · 개선 가능성이 있는지에 관한 심사 여부, 구분지급한도 기준액이 달리 설정되어 있다[위키피디아 일어판(http://www.wikipedia.org/)의 검색내용].

A 공증인이 B와 만난 것은 이때가 처음이었다[을 11, 13(12, 13쪽), 피고 본인(5, 6, 26, 27쪽)].

⑥ 그 해 12월 14일, D 의사는 B에게 개호 노인 보건 시설로 보낼 진료 정보 제공서(갑 10)를 작성해 주었는데, 진단명으로서 ㉮ 간경변(알코올성), ㉯ 간암, ㉰ 당뇨병, ㉱ 왼쪽 흉수, ㉲ 치매로 기재했다. 치매의 치료 경과, 치료 방침으로서는 세레네스(serenace), 수면제에 의해 치료하고 있다고 썼다. 게다가 '이해 및 기억'란에는 단기 기억에 문제가 있고 인지능력은 다소 어려움, 전달 능력은 다소 어려움에 체크를 했다(갑 10).

(3) 본건 증여 계약의 효력에 대해서

① B의 의사능력의 유무에 대해서

원고들은 B가 본건 증여 계약 체결 당시, 치매이며, 의사능력이 없었다고 주장하고 이 주장에 따르는 원고 X2의 진술서[갑 21(4, 5쪽)] 및 원고 X1의 진술서[갑 22(6쪽)]를 제출하는 동시에, 각 원고 본인 신문에서 위 주장에 따르는 진술을 한다[원고 X1(2, 3쪽), 원고 X2(4 내지 6쪽)].

확실히, 전술한 (2) ③에서 인정한 대로 오쿠보 병원 입원 후, B에게는 통상인에게서는 볼 수 없는 듯한 언행이 있었음이 인정되며, D 의사가 2007년 12월 14일 작성한, B에 관한 진료 정보 제공서에도 진단명에 치매라고 기재되어 있다.

그러나 D 의사는 증인 신문에서 B가 입원 중인 때에는 매일 B를 진찰했지만 B는 D 의사가 말을 걸면 대개는 어떤 답변이 오지만 병이 악화되어 있을 때에는 의식이 몽롱하여 대답이 없는 적도 있었다든가, 상대의 말을 이해하여 대화가 성립될 때도 있지만 상대의 말을 이해할 수 없는 때도 있는 변동이 있는 상태였다고 진술한다(4 내지 6, 10쪽). 이 진술을 전제로 하면 D 의사는 B를 치매로 판단했지만 이를 가지고 B가 항상 의사능력이 없는 상태였다고는 인정되지 않는다.

덧붙여 전술한 (2) ④에서 인정한 대로 B는 오쿠보 병원에 입원했을 때에는 요개호도 1로 판정되었고 그 해 12월 18일에는 요개호도 2로 변경되었지만 증거[증인 D(9, 10쪽)]에 의하면 요개호도는 인지능력뿐 아니라 신체능력도 아울러 판단하는 것으로 인정되어 요개호도 1이나 2로 인정된 사람이 항상 의사능력이 없는 상태에 있다고는 인정되지 않는다.

또한 증거(을 11)에 의하면 A 공증인은 본건 공정증서 작성 시에 B의 의사능력에 문제가 없음을 확인한 뒤 작성에 들어간 것, B는 본건 공정증서 작성 중에 대상 물건의 주거 표시와 등기부상의 기재의 차이에 대해서 지적하거나 날인하는 인감이 실인인지 여부를 궁금해 하거나 한 적이 인정된다.

게다가 증거(갑 18, 을 2, 3)에 의하면, 본건 공정증서가 작성된 날로부터 이틀 뒤인 2007년 12월 5일자의 본건 증여 계약서에는 본건 공정증서와 동일한 B 이름의 인영(印影)이 존재하는 것이 인정되고 위 계약서가 2007년 12월 5일보다 뒤에 작성된 것을 보여 주는 사실을 인정할 만한 증거는 없다.

덧붙여 본건 증여 계약서에는 공증인의 2008년 1월 25일의 확정 일자가 존재하지만 이에 따라 즉각 같은 날 무렵에 본건 증여 계약서가 작성되었다고까지는 인정되지 않는다.

그리고 원고 X2는 본인 심문에서 B가 무슨 병으로 입원했는지 알지 못한다는 취지로 진술했고(11쪽), 이 진술에 비추어 보면 원고 X가 정기적으로 B를 문병하러 오쿠보 병원에 들러서 B의 상태를 확인했는지에 대해서 의문이 들고 B의 병세에 관한 원고 X2의 전술한 진술 또는 본인 심문의 진술은 즉시 신용할 수 없다.

이상의 사정을 종합하면, 본건 제1계약 체결 당시 및 본건 제2계약 체결 당시 모두, B에게 의사능력이 없었다고 인정할 수 없다.

② 원고들은 C의 사망 전후를 통해 피고와 B는 거의 절연 상태였고 피고는 B의 집에 거의 가지 않고, B에게 폭언을 하는 등 하고 있었던 것으로 B가 피고에게 재산을 증여할 동기가 없다고 주장한다.

확실히 C의 일기(갑 9의 1 내지 3)에 따르면 C가 생전에 피고와 B의 사이를 불안하게 생각하고 있던 것이 인정되지만, 그것만으로 피고와 B가 절연 상태에 있었다고 인정할 수 없고 또한 C가 사망한 이후에 두 사람의 사이가 나빴다고 인정할 만한 증거도 없다.

증거[갑 7의 5, 6, 16, 24, 25 및 28, 을 10(5장째), 원고 X1 본인(13쪽), 피고 본인(23쪽)]에 의하면, 피고가 B의 입원을 위한 절차 및 그 의료비의 지불 행위를 한 것, 병원이 피고 부부를 B의 입원 중의 협력자로서 인식한 것, B의 입원 중에 피고 및 그 아내는 몇 번 문병을 가서 아내와 간호사와의 사이에서 피고의 아내는 B의 입원 전부터, B가 사고 등을 일으키지 않도록 주의를 주고 행동을 보고 있고 또한 B의 입원 중에, B가 퇴원 후에 어디에서 사느냐는 것 등에 대해서 논의가 이루어진 것이 인정된다. 이들 사실에서 보면, 적어도 B가 2007년 11월 14일에 오쿠보 병원에 입원한 이후, 피고와 B가 절연 상태였다고는 인정되지 않고 B가 피고에게 재산을 증여할 동기가 없었다고까지는 인정되지 않는다. 따라서 원고들의 위 주장은 채용할 수 없다.

③ 원고들은 본건 공정증서, 본건 증여 계약서(을 3)를 포함한 복수의 서면(을 9의 1 내지 4)에 존재하는 B의 서명의 필적이 각각 크게 다르다는 것은, B의 정신 상태가 비정상이었음을 보여 준다고 주장하며 이에 따른 증거로 필적 감정서(갑 18)를 제출한다.

그러나 위 감정서에서 다루어지고 있는 B의 서명은, 수첩에서 발췌한 B의 친필로 되어 있는 것 이외에는 B가 오쿠보 병원에 입원 중에 기재된 것으로 인정되는데, 증거(갑 7의 1 내지 28, 20의 1 내지 4)에 따르면 B는, 오쿠보 병원에 입원 중, 신체가 구속되었던 시기도 있음이 인정된다. 그리고 입원 중의 침대 위에 있거나 신체가 구속되어 있는 등, B가 서명했을 때의 자세에 따라 필적에 차이가 나는 것도 충분히 생각할 수 있고 복수의 서명의 필적이 다르다는 것을 가지고, B의 정신 상태가 이상하였다든가 B가 의사능력을 잃고 있었다고까지는 인정할 수 없다.

또한 원고들은, 본건 증여 계약서(을 3)의 B의 서명이 위조된 것이라고 주장한다. 그러나 본건 증여 계약서의 B의 서명과 본건 공정증서의 B의 서명을 대조하면, 필적이 비슷하다고 할 수 있고 전술한 (2) ⑤에서 인정한 사실에 의하면 본건 공정증서의 B의 서명은 B에 의해 쓰여 진 것이기 때문에, 본건 증여 계약서의 B의 서명도, B에 의해 쓰여 진 것으로 인정할 수 있다. 그리고 전술한 감정서(갑 18)도 본건 증여 계약서의 B의 서명이 B에 의해 쓰여 진 것이 아니라는 의견은 말하지 않은 것을 아울러 고려하면, 본건 증여 계약서의 B의 서명이 위조라고는 인정되지 않는다. 따라서 원고들의 위 주장은 채용할 수 없다.

④ 원고들은 B 및 C가 생전에 원고들에게 유산을 자식들에게 평등하게 상속하겠다는 취지로 말했다고 주장하고 이 주장에 따르는 증거로 C의 2006년 3월 5일의 일기(갑 9의 1)를 제출한다.

이 증거에 따르면 C가 생전에 원고들 및 피고에게 C의 유산을 평등하게 상속하겠다는 희망을 가지고 있던 것이 인정되지만, C의 사후, B가 자신의 유산을 자식들에게 평등하게 상속하겠다는 의사를 가지고 있었다고 인정할 만한 증거는 없다.

⑤ 이상에 의하면 본건 증여 계약은 모두 유효하게 성립했다고 할 수 있다.

2 쟁점(2)의 물건 1 내지 9의 부동산에 관한 소유권 이전 등기 등의 말소 등기 절차 청구의 가부에 대해서

전술한 1에서 말한 대로, 본건 증여 계약은 유효하다고 인정되므로 이 계약에 따라 물건 1 내지 9에 대해서 이루어진, 별지 등기 목록 기재의 시기부 소유권 이전 가등기, 조건부 소유권 이전 가등기, 소유권 이전 등기, 시기부 지분 전부 이전 가등기, 지분 전부 이전 등기는 모두 유효한 것이다. 따라서 전술한 각 등기에 대한 말소 등기 청구는 인정할 수 없다.

3 쟁점(3)의 야나기다 상회 주식의 준공유 확인에 대해서

(1) 전술한 제2의 1의 다툼 없는 사실 등 (3) 외, 각 항목 말미에 기재된 증거(모든 서면 증거도 그 성립의 진정에 대해서는 다툼이 없다) 및 변론의 전체 취지에 따르면 다음의 사실이 인정된다.

① 야나기다 상회의 창업자는 B이다[을 13(1, 14쪽)].

② 야나기다 상회의 발행 완료 주식 총수는 3000주이며, 이 회사가 설립되었을 때에 정해진 정관에서는 사원과 그 출자구수는 B 1200구, C 600구, F 400구, G 400구, H 400구로 정해져 있었다(을 5).

③ 1997년 8월까지는 F의 지분은 C에게 양도되어 1998년 7월 31일 시점에서는 B가 1200구, C가 1,000구, G 및 H가 각각 400구를 가지고 있었다(갑 28).

④ G는 2003년 9월 30일, B에게 그 출자구수 400구에 대해서 실제로 지불을 한 것은 B이기 때문

에, B가 야나기다 상회에 대해서 명의개서 청구를 하는 것에 이의가 없다는 동의를 분명하게 했다(을 6의 2).

⑤ H는 2003년 9월 30일, C에게 그 출자구 400구에 대해서 실제로 지불을 한 것은 C이므로, C가 야나기다 상회에 대해서 명의개서 청구를 하는 것에 이의가 없다는 동의를 분명하게 했다(을 6의 1 · 3).

⑥ B는 2007년 7월 31일, 피고에게 소유하는 야나기다 상회의 주식 중 100주를 증여하겠다고 약속했다(을 1).

(2) 전술한 (1)의 인정 사실에 따르면 G와 H는 각각의 지분에 대한 출자자인 B와 C에게 명의 대여를 하고 있었음을 인정할 수 있다. 그렇다고 하면, C의 생전에는 B가 1600주, C가 1400주를 가지고 있었다고 인정할 수 있다.

피고는 C 명의 주식에 대해서도 B가 출자한 것으로 실질적으로는 피고의 소유라고 주장하지만 이 사실을 인정할 만한 증거는 없다.

그리고 전술한 (1)의 인정 사실에 따르면 B가 소유하는 야나기다 상회의 주식 1,600주 중, 2007년 7월 31일, 100주가 피고에게 증여되고 본건 증여 계약에 의해 나머지 1,500주가 피고에게 증여된다.

이 점에 비추어 제1계약에서는 B가 소유한 주식 1,600주를 증여하는 것으로 합의되고 제2계약에서는, B가 소유하는 주식 2,900주를 증여하는 것으로 합의되었지만 제2계약은 B가 소유하는 전술한 1,500주의 한도에서 그 증여의 합의로서 유효하다고 해야 하는 것이다.

이상에 의하면 B가 소유했던 야나기다 상회의 주식이 원고들과 피고의 준공유에 속하는 것의 확인을 요구하는 원고들의 청구는 이유가 없다. 또한 원고들은 C가 소유했던 전술한 1,400주의 주식에 대해서는 확인 청구를 하고 있지 않으므로 판단하지 않는다.

4 쟁점(4)의 원고들의 피고에 대한, 피고가 인출한 B 명의의 예금에 관한 부당이득 반환 청구의 가부에 대해서

피고가 2008년 1월 15일, 미즈호 은행의 B 명의의 계좌에서 250만 엔, 미츠비시 도쿄 UFJ 은행의 B 명의의 계좌에서 400만 엔 합계 650만 엔의 환급을 받은 것에 대해서는 원고들과 피고 사이에 다툼이 없다. 무엇보다도 피고가 650만 엔이 넘는 731만 8,063엔을 인출했다는 사실을 인정할 만한 증거는 없다. 그리고 B의 예금 채권은 본래 B의 사망에 따라 당연히 분할되어 원고들 및 피고는 법정 상속분에 따라 예금 채권을 취득하는 것이기 때문에, 피고에게는 이 인출금 중 원고들의 법정 상속분 상당액의 금원에 대해서 이득이 인정된다.

이에 대해서 피고는 전술한 650만 엔은 B의 지시에 의해 야나기다 상회 명의의 미즈호 은행 다카다노바바 지점의 당좌예금 계좌에 예금을 한 것이므로, 피고가 이득한 것이 아니라고 주장하지만 위 예금의 사실을 인정할 만한 증거는 없다. 그리고 달리 B가 피고에 대해서 B 명의의 전술한 각 예금 계좌에서 총 650만 엔의 금원을 인출하는 권한을 부여하고 있었다고 인정할 만한 증거도 없다.

따라서 원고들은 피고에게 각각 650만 엔의 3분의 1인 216만 6,666엔의 부당이득 반환을 청구할 수 있다.

5 쟁점 (5)의 피고의 원고들에 대한 부당이득 반환 청구권의 가부에 대해서

(1) 제2사건 소장에 기재된 청구분

① 융자 채무 115만 2,821엔

증거[을 13(26쪽), 병 3의 1 · 2, 4의 1 내지 3, 5, 6, 피고 본인(15 내지 17쪽) 및 변론의 전체 취지]에 따르면 C 명의로 1987년 7월 15일 이루어진 미츠비시 도쿄 UFJ 은행으로부터의 차입이 있고 C 명의의 예금 계좌에서 매달 상환액이 인출되고 있었지만, B의 사후에 위 예금 계좌의 잔액이 부족하게 되었고, 피고가 이 계좌에 돈을 입금하는 등 하여 자신의 자금을 예치하여 이것을 가지고 C 명의의 차입금 상환에 충당하게 되었고, 이렇게 해서 2008년 10월 16일까지 피고의 자금에 의해 상환에 충당한 금액은 합계 55만 6,052엔(별표 ①의 'C부분')인 것, B 명의로 1987년 7월 15일 및 1988년 2월 19일에 각각 이루어진 미츠비시 도쿄 UFJ 은행으로부터의 차입이 있고 B 명의의 예금 계좌에서 매달 상환액의 이체가 되고 있었지만, B의 사후에 위 예금 계좌 잔액이 부족하게 되었고, 피고가 이 계좌에 돈을 입금하는 등 하여 자신의 자금을 예치하여 이를 가지고 B 명의의 차입금의 상환에 충당하게 되었고, 이렇게 해서 2008년 10월 16일까지 피고의 자금에 의해 상환된 금액은 합계 290만 2,411엔(별표 ①의 'B부분')인 것이 인정된다.

B가 생전에 부담하고 있던 융자의 지급 채무는 원고들 및 피고가 법정 상속분에 따라 3분의 1씩 상속 받은 것이며, C 명의 대출 지급 채무에 대해서도 이를 B, 원고들 및 피고가 법정 상속분에 따라 상속한 뒤 B가 상속한 채무를, B의 사망으로 원고들 및 피고가 상속하고 결과적으로 원고들 및 피고가 3분의 1씩 상속 받은 것이기 때문에, 원고들은 각각, 피고의 전술한 지불액의 합계 345만 8,463엔의 3분의 1인 115만 2,821엔에 대해서 법률상의 원인 없이 이득을 얻고 있다고 할 수 있고 피고는 이에 대해서 부당이득 반환 청구를 할 수 있다.

이 점에 대해서 원고들은 만일 본건 증여 계약이 유효하다고 하면, 이 계약의 목적물이 되는 부동산 등을 구입하기 위해 부담한 융자 채무는 부동산을 증여받은 피고가 부담하는 것이 공평하고 피고가 원고들에게 상속분에 대해서 청구하는 것은 신의칙상 상당하지 않고 또한 그렇게 해석하는 것이

이 계약 당사자의 합리적인 의사로서 상당하다고 주장한다.

본건 증여 계약은 전술한 1과 같이 유효하지만, B 명의의 전술한 차입 및 C 명의의 전술한 차입이 본건 증여 계약에서 피고에게 증여된 부동산에 관련된 대출이라 할지라도, 이 계약에서 명시적인 합의가 이루어지지 않은 본건에서는 부동산의 증여를 받은 피고에게 이 채무를 부담시키는 합의가 있었다고 해석할 수 없고, 법정 상속분에 따라 채무를 상속시키는 것이 현저히 불공정하고 신의에 어긋난다고 할 수 없으므로 원고들의 위 주장은 채용할 수 없다.

② B의 장례비용 등 : 0엔

㉮ 증거(각 항 말미에 기재한다) 및 변론의 전체 취지에 따르면 다음의 사실이 인정된다.

a B의 장례에서는 피고가 상주를 맡았다. 장례에는 원고들도 참석했다. 장례 참석자에 의한 조의금은 피고가 수령했다[을 13(23쪽), 피고 본인(13쪽), 변론의 전체 취지].

b 2008년 2월 중순 무렵 피고는 장례비용의 지불에 충당하기 위해, 야나기다 상회 명의의 예금계좌에서 돈을 인출하려 하였는데 원고 X2가 은행에 피고가 B와 야나기다 상회의 통장과 도장 등을 가져갔다고 하고, 계좌 동결을 제의하고 있었기 때문에, 금전을 인출할 수 없었다. 이 때문에 피고는 자기 자금으로 장례비용을 지불했다[을 13(24쪽), 17(3쪽), 원고 X2(15쪽), 피고 본인(8, 9쪽)].

c 2008년 3월 초순 무렵, 피고와 원고 X1은 전화로 말다툼을 하고 피고는 원고 X1에게 B의 사십구제의 법요 이후에는 원고 X1을 만나지 않겠다거나 1주기를 피고가 치를 생각이 없다는 취지의 발언을 했다. 이 논쟁의 뒤, 원고 X1이 피고에게 연락을 하려고 해도 피고가 응답을 하지 않았다. 피고는 원고 X1에게 사십구제 법요의 일시와 장소를 전하지 않았지만, 원고 X1은 절에 확인하여 법요의 일시와 장소를 알았다[갑 22(1쪽), 26(10 내지 13쪽), 변론의 전체 취지].

d 원고들은 B의 사십구제의 법요에 출석하지 않았다[을 13(25쪽), 원고 X1(9쪽), 원고 X2(16쪽)].

e 피고는 B의 장례와 사십구제의 법요에 관련되는 비용, 1주기와 니이혼(新盆)[121] 시주 등으로서 별표 ②과 같이 합계 459만 8,768엔을 지불했다(병 7의 1 내지 25).

㉯ 피고의 원고들에 대한 B의 장례비용 등에 관한 청구에 대해서 피고는 원고들도 참석했고 그 비용은 B의 아들인 원고들도 부담해야 한다고 주장한다.

그러나 전술에서 인정한 대로 피고는 장례 참석자로부터 부의를 받았다. 이는 장례비용 등에 충당되는 금원으로 피고도 부의를 장례비용 등에 충당한 것으로 생각되지만 피고는 수령한 조의금 액수를 밝히지 않는다. 따라서 부의를 장례비용 등에 충당한 다음에 피고가 스스로의 자금을 얼마나 지불했

121) 망인의 사망 후 처음 맞는 우란분(盂蘭盆). 우란분은 음력 7월 보름을 중심으로 조상의 영혼을 제사 지내는 불교 행사이다.

는지가 불분명하다. 그러면 장례비용 등에 대해서는, 피고의 원고들에 대한 부당이득액이 입증되지 않았다고 하지 않을 수 없다.

㉰ B의 사십구제 법요에 대해서는 전술한 ㉮ c와 같이 피고는 원고 X1에게 그 일시와 장소를 연락하지 않은 것이 인정된다. 이 무렵 피고와 원고 X2와의 관계도 악화되었던 것(갑 21, 24, 25, 을 13, 17, 원고 X2, 피고 본인)에서 보면, 피고는 원고 X2에 대해서도 B의 사십구제 법요의 일시와 장소를 알려주지 않았다고 추인된다. 그러면 피고는 원고들과는 관계 없이 B의 사십구제 법요를 치르겠다는 의향을 원고들에게 제시하고, 실제로 이를 지낸 것이라고 해야 하는 것이다. 그렇다면 원고 X1은 다른 사람을 통해 위 법요의 시간 등을 인식한 것, 피고가 원고들에게 위 법요의 시간 등을 전달하지 않은 것은 원고 X2의 신청에 의해 야나기다 상회 명의 은행 예금이 동결되어 이 예금을 B의 장례자금에 사용하지 못한 것이 하나의 원인이라고 생각되는 것을 감안하더라도 피고는 원고들에게 사십구제 법요의 비용 부담을 요구할 수 없다고 할 수 있다.

그리고 이상의 판단에 비추어 보면 1주기 법요의 시주 및 니이혼(新盆)[122]의 시주에 대해서도, 피고가 원고들과 관계없이 1주기의 법요 등을 실시한 것이라고 해야 하기 때문에, 원고들이 B의 상속인으로서 비용을 부담해야만 했다고 하여 부당이득 반환 청구를 할 수는 없다고 할 수 있다.

㉱ 가타미와케(形見分け)[123]의 배송료로 소요된 비용의 지불에 대해서는 이를 당연히 상속인이 평등하게 부담해야 할 근거가 분명하지 않다.

㉲ 이상에 의하면, B의 장례비용 등에 대한 별표 ②의 지불에 대해서 피고가 원고들에게 부당이득 반환 청구를 할 수는 없다.

③ B의 의료비 : 8만 6,313엔

증거[을 13(27쪽), 병 8의 1 내지 8]에 의하면, 피고는 B의 의료비에 대해서 별표 ③과 같이[단, 5,080엔을 지불한 것은 B의 사망 후인 2008년 6월 13일이고(병 8의 1)], 합계 25만 8,940엔을 지불한 사실이 인정된다.

B의 사망 전에 피고가 지불한 B의 의료비에 대해서는 B는 피고에게 체당금 채무를 부담하고 이를 원고들 및 피고가 법정 상속분에 따라 상속했고, B의 사망 후에 피고가 지불한 것에 대해서는 B의 생전의 의료비 지급 채무를 원고들 및 피고가 법정 상속분에 따라 상속한 것이기 때문에, 원고들은 각각 피고의 전술한 지불 합계액의 3분의 1인 8만 6,313엔에 대해서 법률상의 원인 없이 이익을 얻고

122) 망인의 사망 후 처음 맞는 우란분(盂蘭盆). 우란분은 음력 7월 보름을 중심으로 조상의 영혼을 제사지내는 불교 행사이다.

123) 죽은 사람의 유품을 친척 · 친지에게 나누어 주는 것

있다고 할 수 있고 피고는 동액에 대해서 부당이득 반환 청구를 할 수 있다.

원고들은 B의 의료비에 대해서 피고가 부담한 것이 없으므로 피고에게 손실은 없고 원고들은 부당이득 반환 의무를 부담하지 않는다고 주장한다. 그러나 전술한 것과 같이 피고가 B의 의료비를 지불한 사실에 비추어 보면 피고에게 손실이 없다고 하는 것으로는 되지 않으며 이 주장은 채용할 수 없다.

④ B의 생전의 경비 : 13만 7,766엔

증거(병 9의 1 내지 19) 및 변론의 전체 취지에 따르면, 피고는 B의 사망 후, B가 채무자로 된 각종 경비에 대해서, 별표 ④와 같이 합계 41만 3,299엔을 지불한 사실이 인정된다.

B가 채무자로 된 각종 경비 지급 채무는 원고들 및 피고가 법정 상속분에 따라 상속한 것이기 때문에, 원고들은 각각 위 피고의 지불 합계액의 3분의 1인 13만 7,766엔에 대해서 법률상의 원인 없이 이득을 얻고 있다고 할 수 있고 피고는 이에 대해 부당이득 반환 청구를 할 수 있다.

원고들은 위 경비에 대해서 B의 상속재산에서 지급해야 하는 것이고 피고는 상속재산에서 지급한 것이라고 주장하지만, 피고가 지불한 원자금이 B의 상속재산이라고 인정할 만한 증거는 없으므로, 이 주장은 채용할 수 없다.

⑤ 본건 증여 계약서 작성 비용 : 0엔

피고는 피고와 B가 체결한 본건 증여 계약의 계약서 작성비에 대해서 별표 ⑤와 같이 합계 7만 8,400엔을 지불했지만, 이는 피고와 B가 반분해야 하는 것으로, B의 피고에 대한 3만 9,200엔의 체당비 지급 채무를 원고들 및 피고가 법정 상속분에 따라 상속한 것이기 때문에, 원고들은 각각 위 피고 지불액의 2분의 1인 B의 체당비 지급 채무 중, 3분의 1인 1만 3,066엔에 대해서 법률상의 원인 없이 이익을 얻고 있다고 주장한다.

그러나 이러한 증여 계약의 계약서 작성에 필요한 비용을 당연히 증여자와 수증자가 반분해야 하는 것은 아니다. 본건 증여 계약은 피고가 수증자인 것, 본건 증여 계약 체결 시, 혹은 B의 사망 전에, 피고가 B에게 계약서 작성 비용을 청구했다고 인정할 만한 증거가 없음을 감안하면, 피고는 본건 증여 계약의 계약서 작성 비용을 스스로 부담할 의사를 가지고 있었다고 추인하는 것이 상당하다. 따라서 본건 증여 계약의 계약서 작성 비용에 관련된, 피고의 원고들에 대한 부당이득 반환 청구는 이유가 없다.

⑥ B의 생전의 세금 등 : 33만 533엔

증거(병 10의 1 내지 11)에 의하면, 피고는 B의 생전의 소득에 드는 소득세, 특별구민세 등에 대해서 별표 ⑥과 같이 합계 99만 1,600엔을 지불한 사실이 인정된다.

B의 생전의 세금 등의 지급 채무는 원고들 및 피고가 법정 상속분에 따라 상속한 것이기 때문에, 원고들은 각각 위 피고의 지불액의 3분의 1인 33만 533엔에 대해서 법률상의 원인 없이 이익을 얻고 있다고 할 수 있고 피고는 이에 대해 부당이득 반환 청구를 할 수 있다.

원고들은 B의 생전의 세금 등에 대해서는 B의 생전의 비용이므로 B가 지불해야 하고 B의 상속재산에서 지급해야 하는 것으로, 피고는 상속재산에서 지급한 것이라고 주장하지만, 피고가 지불한 원자금이 상속재산이라고 인정할 만한 증거는 없으므로 이 주장은 채용할 수 없다.

⑦ 상속 등기 절차 비용 : 8만 7,145엔

㉮ 증거(병 11의 1 · 2)에 의하면, 피고는 원고들 및 피고가 각 3분의 1의 공유 지분을 가진 물건 10에 대해서 동인들의 지분에 대해서 상속 등기 절차를 밟기 위해, 2008년 1월 16일, 인지대로 8만 2,800엔을 지불한 사실이 인정된다.

원고들은 각각 피고의 지불액의 3분의 1인 2만 7,600엔에 대해서 법률상의 원인 없이 이익을 얻고 있다고 할 수 있고 피고는 이 액수에 대해서 부당이득 반환 청구를 할 수 있다.

㉯ 증거(병 11의 6)에 의하면, 피고는 원고들 및 피고가 각 3분의 1의 공유 지분을 가진 물건 11에 대해서 동인들의 지분에 대해서 상속 등기 절차를 밟기 위해, 2008년 1월 25일, 인지대로 11만 4,000엔을 지불한 사실이 인정된다.

원고들은 각각 피고의 지불액의 3분의 1인 3만 8,000엔에 대해서 법률상의 원인 없이 이익을 얻었다고 할 수 있고 피고는 이 액수에 대해서 부당이득 반환 청구를 할 수 있다.

㉰ 증거(병 11의 3 내지 5)에 의하면, 피고는 원고들이 각 12분의 1, 피고가 12분의 10의 공유 지분을 가진 물건 5 내지 9에 대해서 동인들의 지분에 대해서 상속 등기 절차를 밟기 위해서 2008년 1월 16일부터 같은 달 18일까지, 인지대로 합계 6만 4,900엔을 지불한 사실이 인정된다.

원고들은 각각, 피고의 지불액의 12분의 1인 5,408엔에 대해서 법률상의 원인 없이 이익을 얻고 있다고 할 수 있다.

㉱ 피고는 상속 등기 절차 비용으로 다음과 같이 합계 19만 3,650엔을 지불한 사실이 인정된다.

2008년 2월 18일 1만 3,500엔 호적 발급(병 11의 7)
이날 2,000엔 인지대(병 11의 8)
같은 달 19일 1,800엔 주민표(병 11의 9)
같은 달 28일 7만 2,000엔 법무사 수수료(병 11의 10)
이날 9만 5,100엔 등록 면허세(병 11의 11)

이날 5,000엔 호적 발급 수수료(병 11의 12)

이날 4,250엔 호적 발급 인지대(병 11의 13)

변론의 전체 취지에 따르면, 위의 비용은 위 물건 5 내지 11에 공통되는 비용이라고 인정되는데 물건마다 원고들의 지분은 다르고 원고들은 위 비용 중 적어도, 물건 5 내지 9에 대해서 가지는 지분에 상당하는 12분의 1에 대해서는 부담해야 한다고 할 수 있고 각각 1만 6,137엔에 대해서 법률상의 원인 없이 이익을 얻고 있다고 할 수 있어 피고는 이 액수에 대해 부당이득 반환 청구를 할 수 있다.

이 점에 대해서 원고들은, 본건 증여 계약은 유효성이 확정되어 있지 않고 유산 분할 논의도 이루어지지 않은 점에서, 피고가 주장하는 지분이 되는 것을 다투고 있지만, 본건 증여 계약은 유효하므로 B의 사망으로 인한 원고들 및 피고의 지분 비율에 대해서는 확정되었다고 할 수 있어 원고들의 주장은 채용할 수 없다.

⑧ 고정 자산세 : 19만 1,355엔

증거(병 12의 1 내지 10)에 의하면, 피고는 C 명의의 부동산 및 B 명의의 부동산에 대해서 2007년도의 고정 자산세, 도시 계획세 및 2008년도 이들 세금을 별표 ⑧과 같이 지불한 것이 인정된다.

B 명의의 부동산에 관한 고정 자산세 등에 대해서는, B의 사망 전의 기간에 상당하는 부분에 대해서는 원고들 및 피고가 당해 납세 의무의 3분의 1을 각각 상속하고, 원고들 및 피고가 상속에 의해 지분을 취득한 부동산에 대해서는 그 지분에 따라 원고들 및 피고가 납세 의무를 진다고 해석하는 것이 상당하다. 그러면 원고들은 B 명의였던 각 부동산에 대해서 별표 ⑧ 중 'B 명의'의 표의 '피고들 각자 부담액'란에 기재한 금액을 부담[단, 부동산 3, 4에 관한, '나카노 2008년 일괄'의 31만 2,200엔에 대해서는, 2008년의 B의 생존 기간이 39일이기 때문에, 원고들 각각의 부담액은 1만 1,119엔(312,200×39/365×1/3≒ 11,119)이다]하는 것이 되어, 원고들은 각각 위 부담액의 합계액인 19만 1,355엔에 대해서 법률상의 원인 없이 이익을 얻고 있다고 할 수 있다.

이 점에 대해 원고들은 고정 자산세는 B의 생전의 비용이므로 B가 그 지불을 해야 할 것이고 B의 상속재산에서 지급해야 하는 것으로, 피고는 상속재산에서 지급한 것이라고 주장하지만, 피고가 지불한 원자금이 B의 상속재산이라고 인정할 만한 증거는 없으므로 이 주장은 채용할 수 없다.

한편 피고는 C 명의의 부동산에 대해서 피고가 지불한 고정 자산세 등에 관해서도, 원고들이 그 일부를 부담해야 한다고 주장한다. 그러나 위 부동산에 관한 고정 자산세 등의 통지(병 12의 1 · 2)에서는 이들 부동산이 구체적으로 어느 부동산이며, B의 사망 후에 원고들이 그 지분을 가지기에 이르렀는지 여부가 분명하지 않다. 그렇다면 이들 부동산에 대해서는 피고가 지불한 고정 자산세 등에 관하여, 피고의 원고들에 대한 부당이득 반환 청구를 인정할 수 없다고 할 수 있다.

⑨ B의 사후의 물건 5, 9의 경비 : 8,393엔

증거(병 13의 1 내지 11)에 의하면, 피고는 B의 사후에 물건 5 및 물건 9의 경비에 대해서, 별표 ⑨와 같이 합계 10만 720엔을 지불한 사실이 인정된다.

원고들은 이 각 부동산에 대해서 각 12분의 1의 지분을 가지므로 각각 위 피고의 지불액의 12분의 1인 8,393엔에 대해서, 법률상의 원인 없이 이익을 얻고 있다고 할 수 있고 피고는 이에 대해서 부당이득 반환 청구를 할 수 있다.

⑩ B의 사후의 물건 11의 경비 : 1만 762엔

증거(병 14의 1 내지 9)에 의하면, 피고는 B의 사후에 물건 11의 경비에 대해서, 별표 ⑩과 같이, 합계 3만 2,288엔을 지불한 사실이 인정된다.

원고들은 그 부동산에 대해서 각 3분의 1의 지분을 가지므로, 각각 위 피고 지불액의 3분의 1인 1만 762엔에 대해서, 법률상의 원인 없이 이익을 얻고 있다고 할 수 있고 피고는 이에 대해서 부당이득 반환 청구를 할 수 있다.

⑵ 청구의 변경 신청서 부분

⑪ B의 융자 채무 106만 194엔

증거[을 13(26쪽), 병 18의 1 내지 16, 19의 1 내지 8, 피고 본인(15 내지 17쪽)]에 의하면, 피고는 전술한 ①에 기재한 융자에 대해서, 2008년 11월 17일 이후, 별표 ⑪과 같이 합계 318만 584엔을 지불한 사실이 인정된다.

전술한 ①과 마찬가지로 B가 생전에 부담하고 있던 융자의 지급 채무는 원고들 및 피고가 법정상속분에 따라 3분의 1씩 상속 받는 것이기 때문에, 원고들은 각각 위 피고 지불액의 3분의 1인 106만 194엔에 대해서, 법률상의 원인 없이 이익을 얻고 있다고 할 수 있고 피고는 이에 대해서 부당이득 반환 청구를 할 수 있다.

⑫ 물건 11의 지대에 대해서 : 0엔

이 물건에 대해서는 B가 생전에 임차하여 그 지대는 유한회사 야나기다 상회 명의의 계좌에서 이체가 이루어지고 있는 사실은 당사자 사이에 다툼이 없지만, 이 지대를 피고가 체당 지불을 했다는 사실에 대해서는 주장 및 입증이 이루어지고 있지 않으므로, 피고에게는 그 손실을 인정할 수 없다. 따라서 이 지대에 대해서 부당이득 반환을 요구할 수는 없다.

⑬ B의 의료비 및 소득세 : 5만 3,801엔

증거(병 21의 1 · 2)에 의하면, 피고는 2009년 3월 31일, B의 오쿠보 병원의 치료비 9만 8,390엔을 수수료 315엔을 지불하여 송금한 사실이 인정된다. 또한 증거(병 22)에 의하면, 피고는 2009년 3월 3일 B의 소득세 6만 2,700엔을 지불한 사실이 인정된다.

B의 생전의 의료비 및 소득세의 지급 채무는 원고들 및 피고가 법정 상속분에 따라 상속하는 것이므로 원고들은 각각, 위의 피고 지불 합계액의 3분의 1인 5만 3,801엔에 대해서 법률상의 원인 없이 이익을 얻고 있다고 할 수 있고 피고는 이 금액에 대해서 부당이득 반환 청구를 할 수 있다.

⑭ 물건 5 및 9의 경비 : 1만 9,642엔

증거(병 23의 1 내지 23)에 의하면, 피고는 물건 5 및 9의 경비에 대해서 별표 ⑬과 같이 합계 23만 5,710엔을 지불한 사실이 인정된다.

원고들은 이 각 물건에 대해서 각 12분의 1의 지분을 가지고 있으므로 원고들은 각각 위의 피고 지불액의 12분의 1인 1만 9,642엔에 대해서 법률상의 원인 없이 이익을 얻고 있다고 할 수 있고 피고는 이에 대해서 부당이득 반환 청구를 할 수 있다.

⑮ 물건 6 내지 8의 경비 : 2,425엔

증거(병 24의 1 · 2)에 의하면, 피고는 물건 6 내지 8에 관련된 고정 자산세 등의 세금으로 별표 ⑭와 같이 합계 2만 9,100엔을 지불한 사실이 인정된다.

원고들은 이 각 부동산에 대해서 각 12분의 1의 공유지분을 가지므로 각각 위 피고 지불액의 12분의 1인 2,425엔에 대해서 법률상의 원인 없이 이익을 얻고 있다고 할 수 있고 피고는 이 액수에 대해서 부당이득 반환 청구를 할 수 있다.

⑯ 물건 11의 경비 : 3만 4,260엔

증거(병 25의 1 내지 10)에 의하면 피고는 물건 11의 경비로, 별표 ⑮와 같이 합계 10만 2,780엔을 지불한 사실이 인정된다. 이 물건에 대해서 피고 및 원고들은 각 3분의 1의 공유 지분을 가지는데, 원고들은 각각 이 경비의 3분의 1인 각 3만 4,260엔에 대해서 법률상의 원인 없이 이득을 얻고 있다고 할 수 있고 피고는 이 액수에 대해서 부당이득 반환 청구를 할 수 있다.

⑰ 물건 10의 경비 : 5,133엔

증거(병 26)에 의하면 피고는 2009년 6월 17일, 물건 10의 고정 자산세 1만 5,400엔을 지불한 사실이 인정된다. 이 물건에 대해서 피고 및 원고들은 각 3분의 1의 지분을 가지는데, 원고들은 각각 위 피고 지불액의 3분의 1인 5,133엔에 대해서 법률상의 원인 없이 이익을 얻고 있다고 할 수 있고 피고는 이 액수에 대해서 부당이득 반환 청구를 할 수 있다.

(3) 이상에서 피고는 원고 X1에게 부당이득 반환 청구권에 근거하여 318만 543엔 및 이 중 200만 5,088엔에 대한 소장 송달 다음날인 2008년 12월 19일부터, 이 중 117만 5,455엔에 대한 피고의 2009년 7월 16일자 청구 변경 신청서 송달 다음날인 2009년 7월 15일부터 각 다 갚는 날까지 민법 소정의 연 5%의 비율에 의한 지연손해금의 지급 청구권을 가진다고 인정된다.

또한 피고는 원고 X2에게 부당이득 반환 청구권에 근거하여 318만 543엔 및 이 중 200만 5,088엔에 대한 소장 송달 다음날인 2008년 12월 19일부터, 이 중 117만 5,455엔에 대한 피고의 2009년 7월 16일자 청구 변경 신청서 송달 다음날인 2009년 7월 16일부터 각 다 갚는 날까지 민법 소정의 연 5%의 비율에 의한 지연손해금의 지급 청구권을 가진다고 인정된다.

6 쟁점(6)의 피고의 제2사건 피고 회사에 대한 부당이득 반환 청구 가부에 대해서

B가 생전에 물건 2를 소유한 것은 피고와 제2사건 피고 회사와의 사이에 다툼이 없고 증거[병 16, 17, 28, 원고 X2(17쪽)] 및 변론의 전체 취지에 따르면 제2사건 피고 회사가, 2008년 1월 27일경, 아파트인 이 물건의 101호실의 임차인으로부터 갱신료로 16만 엔을 받고, 2008년 2월 25일 무렵 및 그 해 3월 25일 무렵, 이 물건의 201호실의 임차인으로부터 그 해 3월분 및 4월분 임대료로 각 9만 엔 합계 18만 엔을 수령한 것이 인정된다.

또한 전술한 제2의 1의 다툼 없는 사실 등 (4) 및 전술한 1의 인정과 같이 B는 피고에게 본건 제1계약을 체결하여 이 물건을 증여한 것이 인정되고 이에 의해 피고는 이 물건의 소유권을 취득하는 동시에, B의 임대인의 지위를 승계한 것이다.

우선 전술한 2008년 3월분 및 4월분 임대료에 대해서는 물건 2의 소유권을 취득한 피고가 이를 수령할 권한을 가지는 것이며, 피고는 제2사건 피고 회사에게 위 임대료에 대해서 부당이득 반환 청구를 할 수 있다.

한편, 증거[갑 21(1쪽), 병 16, 17, 28]에 따르면 제2사건 피고 회사는 2008년 1월 시점에서 물건 2의 관리를 하고 있으며, 물건 2의 201호실 임차인은 계약의 갱신료를 제2사건 피고 회사 명의의 은행 계좌에 입금한 것이 인정된다. 그러면 제2사건 피고 회사가 201호실의 임차인으로부터 갱신료의 지불을 받은 것은 이 회사의 업무에 따른 것이었다고 인정된다. 그러나 갱신료는 물건 2의 소유자인 B가 수령할 권한을 가지고 있어, 제2사건 피고 회사는 이를 B에게 인도해야 한다. 제2사건 피고 회사는 전술한 16만 엔 중 8만 엔은 갱신 절차 수수료로 수령했다고 주장하지만, 이 금액을 갱신 절차 수수료로 제2사건 피고 회사가 수령할 권한을 가지는 취지, 제2사건 피고 회사와 B 사이에서 합의가 성립했다고 인정할 만한 증거는 없다. 그러면 본건에서는 제2사건 피고 회사가 지불을 받은 갱신료 16만 엔 전액에 대해서 B에게 인도할 의무가 있었다고 인정하는 것이 상당하고 피고는 법정 상속분에 따라 위 갱신료의 3분의 1인 5만 3,333엔에 대해서 제2사건 피고 회사에 대해서 부당이득 반환 청구를 할 수 있다.

제4 결론

이상에 의하면, 제1사건에 대해서 원고들의 청구는 각각 피고에 대해서 부당[124]이득 반환 청구권에 따라 216만 6,666엔의 지불을 요구하는 한도에서 이유가 있으므로 이들을 인용하고 그 외의 청구는 이유가 없으므로 이들을 모두 기각한다.

또한 제2사건에 대해서 피고의 원고 X1에 대한 청구는 X1에 대해서 부당이득 반환 청구권에 근거하여 318만 543엔 및 이 중 200만 5,088엔에 대한 2008년 12월 19일부터, 이 중 117만 5,455엔에 대한 2009년 7월 15일부터, 각 다 갚는 날까지 연 5%의 비율에 의한 금전의 지불을 요구하는 한도에서 이유가 있으므로 이를 인용하고, 그 외의 청구는 이유가 없으므로 이를 기각한다. 또한 피고의 원고 X2에 대한 청구는 X2에 대해서 부당이득 반환 청구권에 근거하여 318만 543엔 및 이 중 200만 5,088엔에 대한 2008년 12월 19일부터, 이 중 117만 5,455엔에 대한 2009년 7월 16일부터, 각 다 갚는 날까지 연 5%의 비율에 의한 금전의 지불을 요구하는 한도에서 이유가 있으므로 이를 인용하고, 그 외의 청구는 이유가 없으므로 이를 기각한다. 그리고 피고의 제2사건 피고 회사에 대한 청구는 피고 회사에 대해서 부당이득 반환 청구권에 근거하여 23만 3,333엔 및 이에 대한 2008년 12월 19일부터 다 갚는 날까지 연 5%의 비율에 의한 금원의 지불을 요구할 수 있고 이 청구는 이유가 있으므로 이를 인용한다.

이상과 같은 이유이므로 소송비용 부담에 대해서 민사소송법 64조 1항 본문, 61조를, 가집행 선고에 대해서 같은 법 259조 1항을 각각 적용하여 주문과 같이 판결한다.

◇ 재판장 재판관 大段亨 재판관 水野正則 재판관 伊東あさか

<이하 생략>

124) 원문에는 '불법'으로 기재되어 있으나 '부당'의 오기로 보인다.

제16장

유언

1. 재산 상속 취지의 유언과 대습상속의 인정 여부

A에게는 상속인으로 두 자녀인 B 및 피상고인이 있고 B에게는 자녀인 상고인들이 있다. A는 1993년 2월 17일, A 소유인 재산 전부를 B에게 상속시킨다는 취지를 기재한 조항 및 유언집행자 지정에 관한 조항의 2개 조로 구성된 공정증서 유언을 했다.

B는 2006년 6월 21일에 사망하였고 그 후 A가 같은 해 9월 23일에 사망했다.

본건은 피상속인인 A의 자녀인 피상고인이 유산의 전부를 A의 또 다른 자녀인 B에게 상속시킨다는 취지의 A의 유언은 B가 A보다 먼저 사망하였기 때문에 효력이 발생하지 않고, 피상고인이 A의 유산에 대해 법정 상속분에 상당하는 지분을 취득했다고 주장하여 B의 자녀인 상고인들에게 A가 지분을 가지고 있던 부동산에 대해 피상고인이 위 법정 상속분에 상당하는 지분 등을 가진다는 확인을 요구하는 사안이다.

이에 대해서 상고인들은 본건 유언에서 A의 유산을 상속받기로 되어 있던 B가 A보다 먼저 사망한 경우라고 해도 B의 대습자인 상고인들이 본건 유언에 근거하여 A의 유산을 대습상속하게 되고 본건 유언은 효력을 잃는 것은 아니라는 취지로 주장한다.

최고재판소는 “본 사안과 같은 ‘상속시킨다’는 취지의 유언은 그 유언에 의해 유산을 상속 받게 되는 추정 상속인이 유언자의 사망 이전에 사망한 경우에는 당해 ‘상속시킨다’는 취지의 유언에 관한 조항과 유언장의 다른 기재와의 관계, 유언장 작성 당시의 사정 및 유언자가 처해 있던 상황 등에서 유언자가 위와 같은 경우에는 당해 추정 상속인의 대습자 기타 사람에게 유산을 상속시키려는 취지의 의사를 가지고 있었다고 봐야 할 특별한 사정이 없는 한 그 효력이 발생하지 않는다고 해석하는 것이 상당하다.”고 판시하였다.

재판연월일 平成23年[125] 2月 22日	**재판소명** 최고재판소 제3소법정
사건번호 平21(受)1260号	**재판구분** 판결
사 건 명 토지 건물 공유지분권 확인 청구 사건	
재판결과 상고기각	

주 문

본건 상고를 기각한다.

상고비용은 상고인들이 부담한다.

이 유

상고대리인 오카다 스스무(岡田進), 나카니시 유이치(中西祐一)의 상고 수리 신청 이유(다만, 배제된 것을 제외한다)에 대하여

1 본건은 피상속인인 A의 자녀인 피상고인이 유산의 전부를 A의 또 다른 자녀인 B에게 상속시킨다는 취지의 A의 유언은 B가 A보다 먼저 사망하였기 때문에 효력이 발생하지 않고, 피상고인이 A의 유산에 대해 법정 상속분에 상당하는 지분을 취득했다고 주장하여 B의 자녀인 상고인들에게 A가 지분을 가지고 있던 부동산에 대해 피상고인이 위 법정 상속분에 상당하는 지분 등을 가진다는 확인을 요구하는 사안이다.

2 원심이 적법하게 확정한 사실관계의 개요는 다음과 같다.

(1) B 및 피상고인은 모두 A의 자녀이며 상고인들은 모두 B의 자녀이다.

(2) A는 1993년 2월 17일, A 소유인 재산 전부를 B에게 상속시킨다는 취지를 기재한 조항 및 유언집행자 지정에 관한 조항의 2개 조로 구성된 공정증서 유언을 했다(이하, 이 유언을 '본건 유언'이라 하고 본건 유언에 관한 공정증서를 '본건 유언장'이라 한다). 본건 유언은 A의 유산 전부를 B에게 단독으로 상속시킨다는 취지의 유산 분할 방법을 지정하는 것으로 당해 유산이 A의 사망 시에 즉시 상속

125) 2011년

에 의해 B에게 승계되는 효력을 가지는 것이다.

(3) B는 2006년 6월 21일에 사망하였고 그 후 A가 같은 해 9월 23일에 사망했다.

(4) A는 사망 시에 제1심 판결 별지 목록 1 및 2에 기재된 각 부동산에 대해 지분을 가지고 있었다.

3 원심은 본건 유언은 B가 A보다 먼저 사망함에 따라 효력이 발생하지 않게 되었다고 판단하여 피상고인의 청구를 인용했다.

4 소론은 본건 유언에서 A의 유산을 상속받기로 되어 있던 B가 A보다 먼저 사망한 경우라고 해도 B의 대습자인 상고인들이 본건 유언에 근거하여 A의 유산을 대습상속하게 되고 본건 유언은 효력을 잃는 것은 아니라는 취지로 주장한다.

5 피상속인 소유 유산의 승계에 관한 유언을 하는 사람은 일반적으로 각 추정 상속인과의 관계에서 그 사람과 각 추정 상속인의 신분 관계 및 생활 관계, 각 추정 상속인의 현재 및 장래의 생활 형편 및 자산 기타 경제력, 특정 부동산 기타 유산에 대한 특정한 추정 상속인의 관계 유무, 정도 등 제반 사정을 고려하여 유언을 한다. 이것은 유산을 특정한 추정 상속인에게 단독으로 상속시킨다는 취지의 유산 분할 방법을 지정하고 당해 유산이 유언자의 사망 시에 즉시 상속에 의해 당해 추정 상속인에게 승계되는 효력을 가지는 '상속시킨다'는 취지의 유언이 이루어지는 경우라고 해도 다른 것은 아니고 이러한 '상속시킨다'는 취지의 유언을 한 유언자는 보통 유언 시에 특정한 추정 상속인에게 당해 유산을 취득시키겠다는 의사를 가지는 것에 그치는 것으로 해석된다.

따라서 이러한 '상속시킨다'는 취지의 유언은 그 유언에 의해 유산을 상속 받게 되는 추정 상속인이 유언자의 사망 이전에 사망한 경우에는 당해 '상속시킨다'는 취지의 유언에 관한 조항과 유언장의 다른 기재와의 관계, 유언장 작성 당시의 사정 및 유언자가 처해 있던 상황 등에서 유언자가 위와 같은 경우에는 당해 추정 상속인의 대습자 기타 사람에게 유산을 상속시키려는 취지의 의사를 가지고 있었다고 봐야 할 특별한 사정이 없는 한, 그 효력이 발생하지 않는다고 해석하는 것이 상당하다.

전술한 사실관계에 의하면 B는 A의 사망 이전에 사망한 것이며 본건 유언장에는 A의 유산 전부를 B에게 상속시킨다는 취지를 기재한 조항 및 유언 집행자의 지정에 관한 조항의 불과 2개 조항밖에 없고 B가 A의 사망 이전에 사망한 경우에 B가 승계해야 하는 유산을 B 이외의 사람에게 승계시키겠다는 의사를 짐작하게 하는 조항은 없는 이상 본건 유언장 작성 당시, A가 위와 같은 경우에 유산을 승계하는 사람에 대한 고려를 하지 않은 것은 소론도 전제로 하고 있으므로 위와 같은 특별한 사정이 있다고는 할 수 없으며 본건 유언은 그 효력이 발생하는 것은 아니라고 할 수 있다.

6 이상과 같은 취지의 원심 판단은 정당하여 옳다고 인정할 수 있다. 논지는 채용할 수 없다. 따라서 재판관 전원 일치 의견으로 주문과 같이 판결한다.

◇ 재판장 재판관 田原睦夫 재판관 那須弘平 재판관 岡部喜代子 재판관 大谷剛彦 재판관 寺田逸郎

2. 상속인 지위 부존재 확인 소송에서의 합일 확정 요구

본건은 피상고인이 상고인들에 대해서 상고인 Y2가 민법 제891조 제5호 소정의 상속 결격자에 해당한다고 하여 Y2가 A의 상속재산에 대해서 상속인의 지위를 가지지 않는 것의 확인 등을 요구하는 사안이다.

1심은 본건 청구를 기각했기 때문에 피상고인이 이에 불복하여 항소했는데 항소심은 본건 청구를 기각한 1심 판결을 상고인 Y2에 대한 관계에서만 취소한 후 Y2에 대한 본건 청구를 인용하는 한편, Y1에 대한 피상고인의 항소를 항소의 이익이 없다고 하여 각하했다.

최고재판소는 "본건 청구에 관한 소는 공동상속인 전원이 당사자로서 관여하고 그 사이에서 합일에 의해서만 확정할 것을 요구하는 고유 필요적 공동소송으로 해석하는 것이 상당하므로 본건 청구를 기각한 1심 판결 주문 제2항은 피상고인의 상고인 Y1에 대한 청구도 기각하는 것으로 해야 하고 소송 경과에 비추어 보면 피상고인의 상고인 Y1에 대한 항소에 대해서 항소의 이익이 인정되는 것은 분명하다."고 판시하였다. 그리고 "원심(항소심)은 본건 청구를 기각한 1심 판결을 상고인 Y2에 대한 관계에서만 취소한 후, Y2에 대한 본건 청구를 인용하는 한편 상고인 Y1에 대한 항소를 기각한 결과, Y1에 대한 관계에서는 본건 청구를 기각한 1심 판결을 유지한 것이라고 하지 않을 수 없다. 이러한 원심의 판단은 고유 필요적 공동소송에 있어서의 합일 확정의 요청에 반하는 것이다."라고 하였다. 또한 "원고 갑의 피고 을 및 병에 대한 소가 고유 필요적 공동소송인데도 불구하고, 갑의 을에 대한 청구를 인용하고 갑의 병에 대한 청구를 기각한다는 취지의 판결이 된 경우에는 상소심은 갑이 상소 또는 부대상소를 하지 않은 때라고 해도 합일 확정에 필요한 한도에서, 위 판결 중 병에 관한 부분을 병에게 불이익하게 변경할 수 있다고 해석하는 것이 상당하다. 그렇다면 본 재판소는 원판결 중 상고인 Y2에 관한 부분만이 아니라 상고인 Y1에 관한 부분도 파기할 수 있다고 할 수 있다."고 하여 1심 판결 중 Y2 및 Y1에 대한 관계에서 본건 청구를 기각한 부분을 취소한 후 이들의 청구를 인용하였다.

〈민법〉

(상속인의 결격사유)

제891**조** 다음에 제시하는 사람은 상속인이 될 수 없다.

① 고의로 피상속인 또는 상속에 대해서 선순위 혹은 동순위에 있는 사람을 사망에 이르게 하거나 또는 사망에 이르게 하려고 하였기 때문에 형(벌)에 처해진 사람

② 피상속인이 살해된 것을 알고 이를 고발 혹은 고소하지 않은 사람. 다만, 그 사람에게 시비(是非)의 변별능력이 없는 때 또는 살해자가 자신의 배우자 또는 직계혈족인 때에는 그러하지 아니하다.

③ 사기 또는 강박에 의해, 피상속인이 상속에 관한 유언을 하는 것, (이미 한) 유언을 철회하는 것, (이미 한) 유언을 취소하는 것 또는 (이미 한) 유언을 변경하는 것을 방해한 사람

④ 사기 또는 강박에 의해, 피상속인이 상속에 관한 유언을 하도록 시키거나 철회하도록 시키거나 취소하도록 시키거나 변경하도록 시킨 사람

⑤ 상속에 관한 피상속인의 유언장을 위조, 변조, 파기 또는 은닉한 사람

재판연월일 平成22年[126] 3月 16日	**재 판 소 명** 최고재판소 제3소법정
사 건 번 호 平20(オ)999号	**재 판 구 분** 판결
사 건 명 유언 무효 확인 등 청구 사건	**재 판 결 과** 파기자판

주 문

1 원판결을 파기하고 제1심 판결 주문 제2항 중 상고인들에 관한 부분을 취소한다.

2 피상고인과 상고인들 사이에서 상고인 Y2가 A의 상속재산에 대해서 상속인의 지위를 가지지 않는 것을 확인한다.

3 소송의 총 비용은 상고인들이 부담한다.

이 유

제1 상고인 Y2의 대리인 아마노 시게키(天野茂樹) 및 상고인들의 대리인 기타무라 아케미(北村明美)의 각 상고 이유에 대해서

1 민사사건에 대해서 최고재판소에 상고를 하는 것이 허용되는 것은 민사소송법 312조 1항 또는 2항 소정의 경우에 한정되는데 상고인 Y2의 대리인 아마노 시게키의 상고이유는 이유의 미비를 말하지만 그 실질은 사실 오인 또는 단순한 법령 위반을 주장하는 것으로 위 각 항에 규정하는 사유에 해당하지 않는다.

2 상고인들의 대리인 기타무라 아케미의 상고이유는 상고인 Y2의 관계에서는 이를 기재한 서면이 민사소송규칙 194조 소정의 상고이유서 제출 기간 후에 제출된 것이 분명하고 상고인 Y1과의 관계에서는 민사소송법 312조 1항 또는 2항에 규정하는 사유를 주장하는 것이 아님은 분명하다.

제2 직권에 의한 검토

상고인들의 대리인 기타무라 아케미의 소론에 비추어서 직권으로 검토한다.

1 원심이 적법하게 확정한 사실관계의 개요는 다음과 같다.

126) 2010년

(1) A는 2005년 12월 17일에 사망했다.

(2) 상고인 Y2, Y1 및 피상고인은 모두 A의 자녀이다.

(3) 상고인 Y2는 제1심 판결 별지와 같은 A 명의의 유언장을 위조했다.

2 본건은 피상고인이 상고인들에 대해서 상고인 Y2가 민법 891조 5호 소정의 상속 결격자에 해당한다고 하여 Y2가 A의 상속재산에 대해서 상속인의 지위를 가지지 않는 것의 확인 등을 요구하는 사안이다(이하 위 확인 청구를 '본건 청구'라 한다).

3 제1심은 본건 청구를 기각했기 때문에 피상고인이 이에 불복하여 항소했는데 원심은 본건 청구를 기각한 제1심 판결을 상고인 Y2에 대한 관계에서만 취소한 후 Y2에 대한 본건 청구를 인용하는 한편, Y1에 대한 피상고인의 항소를 항소의 이익이 없다고 하여 각하했다.

4 그렇지만 원심의 위 판단은 아래의 (1) 및 (2)의 각 점에서 옳다고 인정할 수 없다. 그 이유는 다음과 같다.

(1) 피상고인의 상고인 Y1에 대한 항소의 적부에 대해서

본건 청구에 관한 소는 공동상속인 전원이 당사자로서 관여하고 그 사이에서 합일에 의해서만 확정할 것을 요구하는 고유 필요적 공동소송으로 해석하는 것이 상당하다[최고재판소 平成15年(受)第1153号 平成16年 7月 6日 제3소법정 판결 · 민집 58권 5호 1319쪽]. 따라서 본건 청구를 기각한 제1심 판결 주문 제2항은 피상고인의 상고인 Y1에 대한 청구도 기각하는 것으로 해야 하고 위 3의 소송 경과에 비추어 보면 피상고인의 상고인 Y1에 대한 항소에 대해서 항소의 이익이 인정되는 것은 분명하다.

(2) 본건 청구에 관한 판단에 대해서

① 본건 청구에 관한 소는 고유 필요적 공동소송으로 해석하는 것이 상당하다는 것은 전술한 대로이고 원심은 본건 청구를 기각한 제1심 판결을 상고인 Y2에 대한 관계에서만 취소한 후, Y2에 대한 본건 청구를 인용하는 한편 상고인 Y1에 대한 항소를 기각한 결과, Y1에 대한 관계에서는 본건 청구를 기각한 제1심 판결을 유지한 것이라고 하지 않을 수 없다. 이러한 원심의 판단은 고유 필요적 공동소송에 있어서의 합일 확정의 요청에 반하는 것이다.

② 그리고 원고 갑의 피고 을 및 병에 대한 소가 고유 필요적 공동소송인데도 불구하고, 갑의 을에 대한 청구를 인용하고 갑의 병에 대한 청구를 기각한다는 취지의 판결이 된 경우에는 상소심은 갑이 상소 또는 부대상소를 하지 않은 때라고 해도 합일 확정에 필요한 한도에서, 위 판결 중 병에 관한 부분을 병에게 불이익하게 변경할 수 있다고 해석하는 것이 상당하다[최고재판소 昭和44年(オ)第316号 昭和48年 7月 20日 제2소법정 판결 · 민집 27권 7호 863쪽 참조]. 그렇다면 본 재판소는 원판결 중 상고인 Y2에 관한 부분만이 아니라 상고인 Y1에 관한 부분도 파기할 수 있다고 할 수 있다.

5 이상에 의하면 위 각 점에 관한 원심의 판단에는 판결에 영향을 미치는 것이 분명한 법령 위반이 있어 원판결은 전부 파기를 면치 못한다. 그리고 위 사실관계에 의하면 상고인 Y2는 민법 891조 5호 소정의 상속결격자에 해당한다고 하여야 하는데 기록에 의하면 Y2 및 Y1은 제1심 및 원심을 통하여 공통의 소송 대리인을 선임하여 본건 청구의 당부에 대해서 완전히 동일한 주장 입증 활동을 해왔음이 명백하여 본건 청구에 대해서는 Y2만이 아니라 Y1의 관계에서도 이미 충분한 심리가 이루어졌다고 할 수 있기 때문에 제1심 판결 중 Y2 및 Y1에 대한 관계에서 본건 청구를 기각한 부분을 취소한 후 이들의 청구를 인용해야 한다.

덧붙여 상고심은 위와 같은 이유로 원판결을 파기하는 취지의 판결을 하는 경우에는 민사소송법 319조와 같은 법 313조 및 297조에 의해 상고심의 소송 절차에 준용되는 같은 법 140조의 규정의 취지에 비추어 반드시 구두 변론을 거칠 필요는 없다고 해야 한다.

따라서 재판관 전원 일치 의견으로 주문과 같이 판결한다.

◇ 재판장 재판관 田原睦夫 재판관 藤田宙靖 재판관 堀籠幸男 재판관 那須弘平 재판관 近藤崇晴

3. 공정증서 유언에서 유언자의 성명이 아닌 성명 기재의 효력

본건은 2004년 2월 23일에 사망한 가부토야마 다로(甲山太郎)(이하 '다로'라 한다)가 1999년 7월 2일에 한 공정증서 유언(이하 이 유언을 '본건 공정증서 유언'이라 하고 이 공정증서를 '본건 공정증서'라 한다)에 대해서 다로의 장녀인 피항소인이 ① 당시 다로에게 유언 능력이 없었다 ② 유언자의 성명이 다로가 아니고 항소인의 성명이 기재되어 있어 요건을 충족하지 않는다고 주장하며 그 무효 확인을 요구한 사건이다.

원판결은, 본건 공정증서에서 다로가 한 서명은 자기 성명이 아니라 항소인의 성명을 기재하였는데 공정증서 유언에서는 본인 확정을 위해서도 정식 성명이 아니면 요건을 충족하지 못하는 것으로서 본건 공정증서 유언은 무효라고 판단했다.

오사카 고등재판소는 "유언자 란에 기재된 하부의 일련의 문자가 판독하기 힘든 것이라 할지라도 최초의 한 글자를 '甲'라고 읽는 것이 가능하고 게다가 전체적으로 성명을 기재한 것임은 분명하며 유언자 본인이 공정증서의 유언자 란에 자기의 성명으로 자서하여 서명의 현장에 입회한 법률 전문가인 공증인과 변호사도 대필이나 다시 쓰도록 하는 것이 가능함을 인식하면서 유언자의 서명임에 의문을 느끼지 못하고 이들 조치를 하지 않았다는 것이므로 본건 공정증서의 유언자 란의 기재는 민법 969조 4호가 규정하는 유언자의 서명의 요건을 충족한다고 해석하는 것이 상당하다."고 판시하여 원판결을 취소하였다.

〈민법〉

(공정증서 유언)

제969조 공정증서에 의해 유언을 하려면 다음과 같은 방식에 따라야 한다.

① 증인 두 사람 이상의 입회가 있을 것

② 유언자가 유언의 취지를 공증인에게 구수(口受)할 것

③ 공증인이 유언자의 구수(口受)를 필기하고 이를 유언자 및 증인에게 읽어 주거나 열람시킬 것

④ 유언자와 증인이 필기가 정확한 것을 승인한 후 각자 이에 서명하고 도장을 날인할 것. 단, 유언자가 서명할 수 없는 경우에는 공증인이 그 사유를 부기하여 서명에 갈음할 수 있다.

⑤ 공증인이 그 증서는 전 각호에 해당하는 방식에 따라 작성한 것이라는 취지를 부기하고 이에 서명하고 도장을 날인할 것

재판연월일 平成21年[127] 6月 9日	**재판소명** 오사카(大阪) 고등재판소
사건번호 平21(ネ)400号	**사건구분** 판결
사 건 명 유언 무효 확인 청구 항소 사건	**재판결과** 취소
상 소 등 상고 수리 신청	

주 문

1. 원판결을 취소한다.
2. 피항소인의 청구를 기각한다.
3. 소송비용은 1, 2심을 통하여 전부 피항소인이 부담한다.

사실과 이유

제1 당사자가 요구하는 재판

1. 항소인

주문과 같은 취지

2. 피항소인

(1) 본건 항소를 기각한다.

(2) 항소비용은 항소인이 부담한다.

제2 사안의 개요

1. 사안의 골자

본건은 2004년 2월 23일에 사망한 가부토야마 다로(甲山太郎)(이하 '다로'라 한다)가 1999년 7월 2일에 한 공정증서 유언(이하 이 유언을 '본건 공정증서 유언'이라 하고 이 공정증서를 '본건 공정증서'라 한다)에 대해서 다로의 장녀인 피항소인이 ① 당시 다로에게 유언 능력이 없었다 ② 유언자의 성명

127) 2009년

이 다로가 아니고 항소인의 성명이 기재되어 있어 요건을 충족하지 않는다고 주장하며 무효 확인을 요구한 사건이다.

원판결은 본건 공정증서에서 다로가 한 서명은 자기 성명이 아니라 항소인의 성명을 기재하였는데 공정증서 유언에서는 본인 확정을 위해서도 정식 성명이 아니면 요건을 충족하지 못하는 것으로서 본건 공정증서 유언은 무효라고 판단했다.

2. 전제 사실, 쟁점 및 쟁점에 관한 당사자의 주장은 다음과 같이 덧붙이고 정정하는 외에는 원판결이 '사실과 이유'란의 제2의2, 3에서 적시하는 대로이므로 이를 인용한다. 덧붙여 인용에 있어서는 '원고'를 '피항소인'으로, '피고'를 '항소인'으로 각 바꾸어 읽는다.

(1) 원판결 4쪽 아래에서 9줄부터 7줄까지를 다음과 같이 고친다.

'① 공정증서 유언에서 유언자의 서명에서도 자필증서 유언의 경우와 마찬가지로 아호(雅号) · 펜네임(pen name) · 예명 · 옥호(屋号) · 통칭을 기재하는 것은 허용된다. 공정증서 유언의 경우에 유언자가 공증인과 안면이 없는 경우에 인감증명서를 제출할 필요가 있는데 그것은 서명이 인감증명서의 기재와 일치해야 함을 의미하는 것은 아니다. 공정증서 유언의 경우는 자필증서 유언과 달리 유언자가 유언을 하는 것 자체는 공증인에 의해 확인되어 공정증서 자체는 공증인이 작성하는 것이고 유언자가 공정증서에 서명하는 의미는 공증인이 필기한 내용에 대해서 정확하다는 것을 승인하기 위해 이루어지는 것이다. 따라서 누가 유언을 했는지가 명확할 필요는 없고 일응 서명으로서의 외관이 있으면 된다고 할 수 있다. 그렇다고는 하지만 표시된 문자를 전혀 판독할 수 없는 경우나 분명히 유언자 이외의 사람의 성명이 기재되어 있는 경우에는 서명으로는 인정되지 않고 방식 위배로 유언이 무효가 된다고 해석된다.

본건 공정증서 유언에 대해서 살펴보면 전술한 것과 같이 본건 서명은 '甲山太郎'라고 읽을 수 있고 그렇지 않다고 해도 '甲山一夫'라고 읽을 수는 없으며 '甲山一·[128]'라고 읽을 수 있는 것에 그치므로 옥호(屋号)로서 '甲一'라고 불린 적도 있는 다로의 통칭을 기재한 것으로 읽을 수 있고 의사표시는 가급적으로 유효하게 되도록 해석해야 하며 사람의 생전의 최종 의사를 존중해야 한다는 이념에서 보면 본건 공정증서 유언을 무효로 해야 할 이유는 존재하지 않는다.'

(2) 원판결 6쪽 2줄의 뒤에 줄을 바꾸어 다음과 같이 덧붙인다.

'만일 항소인이 주장하듯이 공정증서 유언에서 유언자가 하는 서명이 인감증명서의 기재와 일치하지 않아도 공정증서 유언의 요건을 충족한다고 하더라도 항소인의 주장에 의해서도 서명으로 표시

128) 네 번째 글자는 무슨 글자인지 알 수 없다(판독이 불가능하다는 것이다).

된 문자가 유언자 이외의 사람을 나타내는 것이 명확하면 공정증서 유언으로서는 무효라는 것이므로 본건 공정증서 유언의 경우에는 서명의 마지막 글자가 「郞」가 아닌 것은 일견해서 분명하기 때문에 유언자 이외의 사람을 나타내는 것이 명확한 경우에 해당하고 본건 공정증서 유언은 무효이다.'

(3) 원판결 11쪽 14, 15줄을 다음과 같이 고친다.

'본건 공정증서 유언에서 다로가 유언자로서 한 서명들은 대단히 읽기 어려운 것이고 운동기능이 쇠약해져 있음을 보여주고 있지만 전술한 것처럼 그 기재 내용은 자기 이름은 아니고 아들인 一夫라는 것이므로 당시 자신의 이름도 틀릴 정도의 상황으로 유언능력이 없음은 분명하다.'

(4) 원판결 13쪽 아래에서 7줄의 뒤에 줄을 바꾸어 다음과 같이 덧붙이고 아래에서 6줄째 문장의 앞의 'カ'를 'キ'로 고친다.

'カ 요개호(要介護)[129]의 인정을 위한 주치의 의견서나 요개호 인정표 중에는 다로의 상황이 나쁜 것을 보여주는 기재가 있다. 그러나 이들은 개호보험의 요개호도의 인정을 위한 서류이기 때문에 실태보다 나쁘게 기재하는 것이 일반적이고 즉시 그 내용대로였다고 할 수 있는 것은 아니다.'

제3 본 재판소의 판단

1. 본 재판소는 원심과 달리 본건 공정증서 유언은 민법 969조에 규정된 공정증서 유언으로서의 방식에 따른 것이며 또한 당시 다로에게 유언을 할 능력이 없었다고 인정할 증거도 없으므로 본건 공정증서 유언을 무효라고 인정하기는 부족하여 피항소인의 청구는 이유가 없다고 판단한다.

2. 본건 공정증서 유언의 작성 경위

전술한 전제사실 및 <증거 생략>에 의하면 다음의 사실이 인정된다.

(1) 1999년 6월에 다로는 항소인과 함께 오사카부(大阪府) 가이즈카시(貝塚市)의 병원에 다로의 남동생인 B의 병문안을 갔는데 B가 폐암이며 오래 살지 못한다는 이야기를 항소인과 했다.

---

129) 요개호(要介護) : 개호보험제도에서는 피보험자가 지원 혹은 개호(介護)를 필요로 하는 정도에 따라서 가장 가벼운 '요지원(要支援) 1'에서 가장 중증인 '요개호(要介護) 5'까지 7단계를 마련하고 있다. 요지원은 1, 2의 2단계로 나뉘고 요지원보다 심한 수준인 요개호는 1~5까지 5단계로 나뉜다. 각 단계마다 기준시간, 유지 · 개선 가능성이 있는지에 관한 심사 여부, 구분지급한도 기준액이 달리 설정되어 있다[위키피디아 일어판(http://www.wikipedia.org/)의 검색내용].

(2) 이 무렵 다로의 아내인 甲山C(이하 'C'라 한다)가 유언장의 이야기를 하였으므로 다로는 유언장을 작성할 마음이 생겼다. 이 이야기를 다로에게서 들은 항소인은 하타케(畑) 변호사의 사무소[와카야마(和歌山) 합동 법률 사무소]를 방문하여 상담을 하고 절차를 정한 후에 1999년 7월 2일 오후 1시 30분에 하타케 변호사의 사무소에 항소인의 차를 타고 다로 및 C와 함께 갔다. 이 때 다로는 항소인의 어깨를 빌렸으나 엘리베이터를 이용하여 3층에 있는 이 사무소까지 스스로 걸어갔다.

(3) 하타케 변호사는 다로와는 초면이었으므로 다로에게 유언능력이 있는지, 유언의 의사가 있는지에 대해서 확인하는 질문을 하였고 그 중에서 재산의 내용이나 부모 자식 관계 등, 유언을 하는 동기 등을 들었는데 하타케 변호사에게 특히 다로의 능력을 의심할 사정은 없었고 다로가 항소인에게 강요당하여 본의가 아닌 유언을 한다고 의심할만한 사정도 인정되지 않았다.

(4) 그 후 하타케 변호사 및 하타케 변호사 사무소의 사무원인 D가 항소인, 다로, C와 함께 와카야마 합동 공증인 사무소에 갔다. 이 사무소는 빌딩의 3층에 위치하고 있었지만, 다로는 D 사무원에게 몸을 부축 받아 스스로 걸어서 엘리베이터를 타고 이 사무소의 공증인 앞까지 갔다. E 공증인은 다로와 면식이 없었기 때문에 인감증명서를 제출하도록 하여 본인 확인을 했다. 또한 E 공증인은 다로가 다이쇼(大正)[130] O년생으로 당시 83세로 고령이었기 때문에 유언자의 판단능력을 확인하기 위해 재산 내용이나 법정 상속인에는 어떤 사람이 있는지, 상속의 내용과 유류분에 대한 이해 등에 대하여 질문을 하였는데 유언능력과 유언을 하는 것에 대한 자발적인 의사의 존재 등에 대하여 E 공증인이 의문을 가질 점은 없었다.

(5) E 공증인은 다음에 하타케 변호사와의 협의에 따라 이미 작성된 공정증서의 원안에 대하여 그 내용을 구수(口受)하여 확인하고 다로가 틀림없다고 말하여 유언자인 다로가 이 공정증서에 서명하게 되었다. 필기도구는 E 공증인이 통상적으로 사용하는 붓펜으로 했으나 유언자와 증인 세 사람이 인접하는 줄에 연서하는 형태가 되어 기재할 공간이 충분하지 않은 점도 있어 다로가 쓰기 어려운 것 같았다. 그래서 E 공증인은 대필을 하는 편이 좋겠다고 생각하여 "이제 그만두겠습니까?"라고 물었지만 다로는 이를 거절하고 직접 서명 날인을 마쳤다. E 공증인은 지금까지의 공증 실무에서 유언자의 공정증서에의 서명이 서명의 의미를 갖지 않을 때에는 다시 쓸 것을 요구하고 있었지만 본건에서 다로의 서명은 판독하기 곤란한 것이었지만, 공정 실무에서는 달필인 그다지 읽을 수 없는 서명도 때로는 있기 때문에 의문을 느끼고 못하고 다시 쓸 것을 요구하지 않았다. 하타케 변호사도 유언자의 서명

130) 1912~1926년

에 의문이 있으면 다시 쓸 것을 요구하는 것을 인식하고 있었지만 다로의 서명에 의문을 느끼지 못하고 다로의 서명란의 왼쪽 근처에 서명 날인하고 D 사무원도 이어서 서명 날인하였다. 그 후 E 공증인이 서명 날인하여 본건 공정증서 작성을 완료하였다.

(6) 본건 공정증서 유언의 내용은 '유언자는 그 소유하는 전 재산을 장남 · 甲山一夫에게 상속시킨다.'는 간명한 것이다. 또한 다로가 본건 공정증서에 서명한 글자는 원판결 별지 제1과 같으며 상부의 한 글자와 이것과 약간 떨어져 3 내지 4자로 구성되는 듯한 일련의 문자가 기재되어 있다. 상부의 한 문자는 '甲'이라고 읽을 수 있지만 하부의 일련의 문자는 쉽게 판독하기 힘든 것이다. 다만 전체적으로 사람의 성명을 기재한 것으로 인식할 수 있다.

3 공정증서 유언의 방식 준수

(1) 민법 969조에 규정된 공정증서 유언은 증인 두 사람 이상의 입회인이 있을 것, 유언자가 유언의 취지를 공증인에게 구수할 것, 공증인이 유언자의 구술을 필기하고 이를 유언자와 증인에게 읽어주거나 열람시킬 것 및 유언자와 증인이 필기가 정확한 것을 승인한 후 각자 이에 서명하고 도장을 찍을 것 그리고 공증인이 그 증서는 전 각호에 열거하는 방식에 따라 만든 것이라는 취지를 부기하고 이에 서명하고 도장을 찍을 것이 필요하다. 전술한 2에서 인정한 사실 관계에 의하면 본건 공정증서 유언에서는 이러한 방식은 모두 준수되었다고 인정된다.

덧붙여 본건에서는 하타케 변호사가 의뢰하여 공정증서 작성을 위해 미리 원안이 작성되어 E 공증인은 이 내용을 유언자인 다로에게 구수하여 그 내용에 잘못된 점이 없는지 확인하는 형태로 이루어졌지만 이 순서의 차이는 공정증서에 의한 유언 방식에 위반하는 것은 아니다(최고재판소 昭和43年 12月 20日 제2소법정 판결 · 민집 22권 13호 3017쪽 참조).

(2) 피항소인의 주장에 대해서

① 피항소인은 공정증서 유언에서는 본인 확인을 위해 인감증명서를 제출하는 것이 원칙이기 때문에 인감증명서의 기재 내용과 다른 서명을 한 것은 민법 969조 4호의 요건을 충족하지 않는다고 주장한다. 그러나 공정증서 작성에 있어 인감증명서가 제출되는 것은 공증인법 28조 2항이 "공증인이 촉탁인의 이름을 모르거나 안면이 없는 때에는 관공서가 작성한 인감증명서의 제출 기타 이에 준하는 확실한 방법에 의해 그 사람이 틀림없다는 것을 증명하게 할 필요가 있다."라고 규정하고 있는 것에 근거한 것으로 어디까지나 본인 확인의 방법에 불과하여 인감증명서 이외의 증명자료로서 운전면허증, 여권 및 증인의 증언 등에 의한 것도 공증 실무상은 가능하다고 되어 있어서(갑 30), 피항소인의

주장은 전제 사실을 착오하고 있는 것이며 이유가 없다.

② 항소인은 본건 공정증서에서 다로는 유언자 자신의 성명인 '甲山太郎'를 기재한 것이 아니고 상속인인 항소인의 성명인 '甲山一夫'를 기재한 것이므로 민법 969조에 규정된 유언자의 서명에는 해당하지 않아 본건 공정증서 유언은 무효라는 취지로 주장한다.

그래서 검토하는데 공정증서 유언의 경우에는 공증인이 유언자의 본인 확인을 한 후에 작성되기 때문에 유언자의 서명은 본인의 동일성을 판단하는 자료로서의 요소보다는 기재 내용에 대한 정확성을 승인하는 요소로서의 의미가 크다고 생각된다. 이로부터 유언자가 자필하는 성명은 호적상 성명과 동일할 것을 요구하지 않고 통칭, 아호, 펜네임, 예명, 옥호 등이어도 그것에 의해 유언자 본인의 서명임이 분명하게 되는 기재이면 충분하다고 해석된다. 그렇다고는 하지만 '서명'이 아니면 안 되고 단순히 승인을 의미하는 기재를 하면 충분하다는 것은 아니므로 성명이 아닌 기호 등은 충분하지 않다.

본건 공정증서 유언의 경우는 전술한 것과 같이 유언자인 다로가 서명한 것 자체는 분명하고 그 기재된 문자는 원판결 별지 제1과 같다. 전술과 것과 같이 최초의 한 글자는 '甲'라고 읽을 수 있지만 하부의 일련의 글자는 판독하기 힘든 것이다. 항소인 주장처럼 '甲山太郎'라고 읽는 것은 어렵지만 한편, 피항소인 주장처럼 '甲山一夫'라고 읽는 것도 문자를 순순히 눈으로 보아 관찰하는 한 곤란하다. 그러나 유언자 란에 기재된 하부의 일련의 문자가 판독하기 힘든 것이라 할지라도 최초의 한 글자를 '甲'라고 읽는 것이 가능하고 게다가 전체적으로 성명을 기재한 것임은 분명하며 유언자 본인이 공정증서의 유언자 란에 자기의 성명으로 자서하여 서명의 현장에 입회한 법률 전문가인 공증인과 변호사도 대필이나 다시 쓰도록 하는 것이 가능함을 인식하면서 유언자의 서명임에 의문을 느끼지 못하고 이들 조치를 하지 않았다는 것이므로 본건 공정증서의 유언자 란의 기재는 민법 969조 4호가 규정하는 유언자의 서명의 요건을 충족한다고 해석하는 것이 상당하다.

4 다로의 유언 능력

(1) 피항소인은 다로가 본건 교통사고로 뇌좌상 등의 상해를 입고 그 후 만성경막하혈종의 증상도 발생한 것 등에 의해 본건 공정증서 유언 작성 당시 유언을 할 능력이 없었다고 주장한다.

(2) 인용에 관련된 전제사실의 기재대로 다로는 본건 교통사고 후 전두엽 증상이 진행되어 천두혈종 제거술도 받았으나 전두엽 증상은 남아 있어서 당시의 HDS—R의 결과는 상당히 낮았던 점, 또한 그 후 1999년 이후의 요개호 인정에서 요개호 5의 인정을 받고 있었던 점이 인정된다.

(3) 그러나 감정인 F에 의한 감정 결과에 의하면 ① 뇌좌상 등의 기질성 치매에서는 알츠하이머형

치매와 비교하여 인지 기능의 저하가 일률적이지 않고 기능이 남아 있는 부분이 보일 가능성이 있는 점, ② 다로의 HDS—R의 결과는 낮지만 그 내용은 새로운 것을 기억하는 능력의 저하는 일관하고 있지만 시간적인 소재식(所在識)[131]이나 장소적인 소재식에 대한 검사 결과는 반드시 일관하고 있지 않고 늘 이들의 저하가 있었다고 할 수 없는 것, ③ 요개호 인정에 대한 의사의 의견서도 시기에 따라 인지능력의 변동이 있었음을 보여주는 것으로 인정 조사표에서는 2000년 9월 및 2001년 8월의 단계에서 '치매 노인의 일상생활 자립도'가 I로 일상생활은 가정 내 및 사회적으로 거의 자립하고 있다고 판단되는 것에서 보아, 인지기능 전체에 대해서 시기에 따라 변동이 있었음이 인정되고 본건 공정증서 유언의 내용이 장남에게 전부 상속시킨다는 내용의 비교적 간단한 것임을 고려하면 유언장 작성 당시에 다로에게 유언능력이 있었을 가능성이 있다고 인정된다.

(4) 여기에 덧붙여 전술한 2에서 인정한 사실에 의하면 본건 공정증서 유언 작성에 이르기까지의 경과 및 작성 당일의 행동에 있어서, 다로에게 이상한 점은 없고 초면인 하타케 변호사도 E 공증인도 특히 이상한 점을 인정하고 있지 않은 점을 고려하면 본건 공정증서 유언 작성 시점에서 다로에게 유언을 할 능력이 없었다고 인정하기에 부족하다. 덧붙여 하타케 변호사는 본건 소송에서의 항소인 소송 대리인으로 객관적인 입장에 서 있다고는 할 수 없지만 전문적인 직업인으로서 당사자에게 무리한 조력을 하지 않고 부당한 유언 작성에 이르지 않도록 주의를 기울였다는 위 변호사의 증언은 자연스러운 내용이며 믿을 수 있다. 또한 E 공증인의 증언도 특히 의심할 점은 없다. 게다가 증인 甲山C의 증언도 甲山C가 피항소인의 어머니이기도 하므로 항소인에게 대해서만 유리한 증언을 하는 관계는 아니라는 점을 고려하면 충분히 신용할 수 있다.

5 이상에 따라 본건 공정증서 유언이 무효라는 피항소인의 주장은 채용할 수 없고 무효 확인을 요구하는 피항소인의 청구는 이유가 없으므로 기각해야 하며 이것과 다른 원판결은 상당하지 않다. 따라서 원판결을 취소하고 피항소인의 청구를 기각하기로 하여 주문과 같이 판결한다.

◇ 재판장 재판관 一宮和夫 재판관 富川照雄 山下寛

131) 자신이 시간적 · 공간적 · 사회적으로 어떤 위치에 있는가 하는 의식(의식의 이상을 판정하는 근거가 된다)

4. 유류분 감축 청구를 받은 사람이 다른 공동상속인들을 상대로 한 유류분 감축 청구권 확인의 소에서의 확인의 이익

본건은 A의 공동상속인 중 한 사람으로 A의 유언에 따라 그 유산의 일부를 상속으로 취득하여 다른 공동상속인인 피상고인들로부터 유류분 감축 청구를 받은 상고인이, 피상고인 Y1은 A의 상속에 대해서 상고인에 대한 유류분 감축 청구권을 가지지 않는 것의 확인을 구하는 취지 및 피상고인 Y2가 A의 상속에 대해서 상고인에 대해 가지는 유류분 감축 청구권은 2,770만 3,582엔을 초과하여 존재하지 않는 것의 확인을 구하는 취지를 소장에 기재하여 제기한 각 소에 대해서 확인의 이익 유무가 문제된 사안이다.

원심은 ① 피상고인 Y1에 대한 확인 청구는 상고인이 피상고인 Y1의 유류분에 대해서 가액변상을 해야 할 금액이 없음의 확인을 요구하는 것이고 ② 피상고인 Y2에 대한 확인 청구는 상고인이 피상고인 Y2의 유류분에 대해 가액변상을 해야 할 금액이 2,770만 3,582엔을 초과하지 않는 것의 확인을 요구하는 것이라고 해석한 후 본건 각 확인의 소는 확인의 이익을 결여하여 부적법하다고 판단하여 제1심 판결 중, 본건 각 확인의 소가 적법한 것을 전제로 하는 본건 각 확인청구에 관한 부분을 취소하고 본건 각 확인의 소를 각하했다.

최고재판소는 피상고인 Y1에 대한 확인의 소는 "본건 유언에 의한 유산 분할 방법의 지정은 피상고인 Y1의 유류분을 침해하는 것이 아니고 본건 유류분 감축 청구가 되어도 위 지정에 의해 상고인이 취득한 재산에 대해서 피상고인 Y1이 지분권을 취득하는 것은 아니라고 하여 위 재산에 대해 피상고인 Y1이 지분권을 가지고 있지 않는 것의 확인을 구한다는 취지로 나올 것이라고 이해할 수 있다. 그리고 위 취지의 소라면 확인의 이익이 인정되는 것이 분명한데 원판결은 석명권을 행사하지 않았으므로 원판결에는 석명권의 행사를 게을리 한 위법이 있고 이 위법이 판결에 영향을 미치는 것은 분명하다."고 판시하였다.

또한 최고재판소는 "유류분 권리자로부터 유류분 감축 청구를 받은 수유자 등이 민법 1041조 소정의 가액을 변상하는 취지의 의사표시를 했지만, 유류분 권리자로부터 목적물의 현물 반환 청구도 가액 변상 청구도 되지 않은 경우에 변상해야 할 금액에 대해서 당사자 사이에 다툼이 있고 수유자 등이 판결에 의해 이것이 확정된 때에는 신속하게 지불할 의사가 있다는 뜻을 표명하여 변상해야 할 금액 확정을 구하는 소를 제기한 때에는 수유자 등이 전혀 가액을 변상할 능력이 없는 등의 특별한 사정이 없는 한, 위 소에는 확인의 이익이 있다고 할 수 있다."고 판시하였다.

즉 피상고인 Y2에 대한 확인의 소는 "피상고인 Y2의 본건 유류분 감축 청구에 의해 피상고인

Y2에게 귀속하게 된 목적물에 대해 상고인이 민법 1041조의 규정에 근거하여 그 반환 의무를 면하기 위해 지불해야 할 금액이 2,770만 3,582엔인 것의 확인을 구하는 취지라고 해석되므로, 상고인이 위 금액이 판결에 의해 확정된 때에는 이를 신속하게 지불할 의사가 있다는 뜻을 표명하고 있으면 특별한 사정이 없는 한, 위 소에는 확인의 이익이 있다고 할 수 있다. 이와 다른 견해에 서서 피상고인 Y2에 대한 확인의 소를 각하한 원심의 판단에는 판결에 영향을 미치는 것이 분명한 법령 위반이 있다."고 판시하여 원판결 중, 상고인의 피상고인들에 대한 확인 청구에 관한 부분을 파기하고 본건을 원심으로 환송하였다.

재판연월일 平成21年[132] 12月 18日 **재판소명** 최고재판소 제2소법정
사건번호 平21(受)35号 **재판구분** 판결
사 건 명 채무부존재 확인 등, 유언무효 확인 등 청구 사건
재판결과 파기환송

주 문

원판결 중, 주문 제1항 및 제2항을 파기한다.

전항의 부분에 대해서 본건을 도쿄 고등재판소로 환송한다.

이 유

상고대리인 야마다 가즈오(山田和男)의 상고 수리 신청 이유에 대해서

1 본건은 A(이하 'A'라 한다)의 공동상속인 중 한 사람으로 A의 유언에 근거하여 그 유산의 일부를 상속에 의해 취득하여 다른 공동상속인인 피상고인들로부터 유류분 감축 청구를 받은 상고인이, 피상고인 Y1(이하 '피상고인 Y1'이라 한다)은 A의 상속에 대해서 상고인에 대한 유류분 감축 청구권을 가지지 않는 것의 확인을 구하는 취지 및 피상고인 Y2(이하 '피상고인 Y2'라 한다)가 A의 상속에 대해서 상고인에 대해 가지는 유류분 감축 청구권은 2,770만 3,582엔을 초과하여 존재하지 않는 것의 확인을 구하는 취지를 소장에 기재하여 제기한 각 소에 대해서 확인의 이익 유무가 문제된 사안이다.

2 원심이 확정한 사실관계의 개요 등은 다음과 같다.

(1) A(1920년 2월 19일생)는 2004년 12월 7일에 사망했다. 상고인 및 피상고인들은 A의 자녀이다.

(2) A는 1998년 12월 7일, A의 유산에 대해서 유산 분할 방법을 지정하는 공정증서 유언(이하 '본건 유언'이라 한다)을 했다.

(3) 피상고인들은 2005년 12월 2일경, 상고인에 대해서 유류분 감축 청구의 의사표시(이하 '본건 유류분 감축 청구'라 한다)를 하고 상고인은 늦어도 본건 소송 제기를 통해 피상고인들에 대해서 본건

132) 2009년

유언에 의한 유산 분할 방법의 지정이 피상고인들의 유류분을 침해하는 것인 경우에는 민법 1041조 소정의 가액을 변상한다는 취지의 의사표시를 했다.

(4) 피상고인들은 상고인에 대해서 유류분 감축에 근거한 목적물 반환 청구도 가격 변상 청구도 아직 하지 않고 있다.

(5) 본건 소송의 소장에는 청구취지로, ① 피상고인 Y1은 A의 상속에 대해서 상고인에 대한 유류분 감축 청구권을 가지지 않는 것의 확인을 구하는 취지, ② 피상고인 Y2가 A의 상속에 대해서 상고인에 대해 가지는 유류분 감축 청구권은 2,770만 3,582엔을 초과하여 존재하지 않는 것의 확인을 구하는 취지의 기재가 있다(이하, 상고인의 피상고인들에 대한 위 확인 청구를 아울러 '본건 각 확인 청구'라 하고 본건 각 확인청구에 관한 소를 아울러 '본건 각 확인의 소'라 한다).

상고인은 원심의 제1회 구두 변론 기일에서 가액 변상을 할 금액을 확정하고 싶어서 본건 각 확인의 소를 제기한 것이라는 취지를 말했다.

3 원심은 위 사실관계 등 아래에서, ① 피상고인 Y1에 대한 확인청구는 상고인이 피상고인 Y1의 유류분에 대해서 가액변상을 해야 할 금액이 없음의 확인을 요구하는 것이고 ② 피상고인 Y2에 대한 확인청구는 상고인이 피상고인 Y2의 유류분에 대해 가액변상을 해야 할 금액이 2,770만 3,582엔을 초과하지 않는 것의 확인을 요구하는 것이라고 해석한 후, 아래의 이유에 의해 본건 각 확인의 소는 확인의 이익을 결여하여 부적법하다고 판단하여 제1심 판결 중, 본건 각 확인의 소가 적법한 것을 전제로 하는 본건 각 확인청구에 관한 부분을 취소하고 본건 각 확인의 소를 각하했다.

(1) 피상고인들은 상고인에 대해서 유류분 감축 청구를 했으나 아직 가액변상 청구권을 행사하지 않고 있다. 따라서 피상고인들의 가액변상 청구권은 확정적으로 발생하지 않았고 본건 각 확인소송은 장래의 권리 확정을 요구하는 것이며, 현재의 권리관계의 확정을 요구하는 소라고 할 수는 없다.

(2) 만일 상고인에 의한 가액변상의 의사표시가 있음으로 인해 잠재적으로 피상고인들이 상고인에 대해서 가액변상 청구권을 행사하는 것이 가능한 상태가 된 것을 근거로 하여 본건 각 확인의 소를 가지고 현재의 권리 관계의 확정을 요구하는 소라고 해석할 여지가 있다고 해도, 수유자 또는 수증자가 가액 변상을 하여 유증 또는 증여의 목적물 반환 의무를 면하기 위해서는 현실의 이행 또는 이행의 제공을 요하는 것으로, 잠재적인 가액변상 청구권의 존부 또는 그 금액을 판결에 의해 확정하더라도 그것이 현실로 이행될 것이 확실하다고 일반적으로는 말할 수 없다. 그리고 그 금액은 사실심 구두 변론 종결시를 기준으로 확정되는 것이며, 구두 변론 종결시와 위 금액을 확인하는 판결의 확정시의 격차가 생길 여지가 있음을 고려하면 본건 각 확인의 소는 현재의 권리 의무 관계를 확정하여 분쟁을 해결하는 수단으로서 적절하다고는 하기 어렵다.

4 그러나 원심의 위 판단은 옳다고 인정할 수 없다. 그 이유는 다음과 같다.

(1) 피상고인 Y1에 대한 확인의 소에 대해서

전술한 사실 관계 등에 따르면, 피상고인 Y1에 대한 확인의 소는 이를 합리적으로 해석하면, 본건 유언에 의한 유산 분할 방법의 지정은 피상고인 Y1의 유류분을 침해하는 것이 아니고 본건 유류분 감축 청구가 되어도 위 지정에 의해 상고인이 취득한 재산에 대해서 피상고인 Y1이 지분권을 취득하는 것은 아니라고 하여 위 재산에 대해 피상고인 Y1이 지분권을 가지고 있지 않는 것의 확인을 구한다는 취지로 나올 것이라고 이해할 수 있다. 그리고 위 취지의 소라면 확인의 이익이 인정되는 것이 분명하다. 그렇다면 원심은 상고인에 대해서 피상고인 Y1에 대한 확인 청구가 위의 취지를 말하는 것인지에 대해서 석명권을 행사해야만 했다고 하지 않을 수 없으며 이러한 조치를 하지 않고 피상고인 Y1에 대한 확인의 소를 확인의 이익이 없다고 하여 기각한 점에서 원판결에는 석명권의 행사를 게을리 한 위법이 있다고 하지 않을 수 없고 이 위법이 판결에 영향을 미치는 것은 분명하다.

(2) 피상고인 Y2에 대한 확인의 소에 대해서

① 일반적으로 유증에 대해 유류분 권리자가 유류분 감축 청구권을 행사하면, 유증은 유류분을 침해하는 한도에서 실효하고 수유자가 취득한 권리는 위의 한도로 당연히 감축 청구를 한 유류분 권리자에게 귀속하지만, 이 경우 수유자는 유류분 권리자에 대해서 수유자에게 귀속된 유증의 목적물을 반환해야 할 의무를 지지만, 민법 1041조의 규정에 의해 감축을 받아야 하는 한도에서 유증의 목적물의 가액을 변상하거나 또는 그 이행의 제공을 함으로써, 목적물의 반환 의무를 면할 수 있다고 해석된다[최고재판소 昭和53年(才)第907号 昭和54年 7月 10日 제3소법정 판결 · 민집 33권 5호 562쪽 참조]. 이것은 특정 유산을 특정 상속인에게 상속시키는 취지의 유언에 의한 유산 분할 방법의 지정이 유류분 감축의 대상이 되는 본건과 같은 경우에도 다르지 않다(이하, 수유자와 위의 특정 상속인을 아울러 '수유자 등'이라 한다).

그렇다면 유류분 권리자가 수유자 등에 대해서 유류분 감축 청구권을 행사했으나 아직 가액 변상 청구권을 확정적으로 취득하지 않은 단계에서는, 수유자 등은 유류분 권리자에게 귀속한 목적물의 가액을 변상하거나 또는 그 이행의 제공을 하는 것을 해제 조건으로, 위 목적물의 반환 의무를 지는 것으로 할 수 있고 이러한 해제 조건부 의무의 내용은 조건의 내용을 포함하여 현재의 법률관계에 지장이 없고 확인 대상으로서의 적격이 없는 것은 아니라고 할 수 있다.

② 유류분 감축 청구를 받은 수유자 등이 민법 1041조 소정의 가액을 변상하거나 또는 그 이행의 제공을 하여 목적물의 반환 의무를 면하고 싶다고 생각했다 해도 변상해야 할 금액에 대해서 관계 당사자 사이에 다툼이 있는 때에는 유류분 산정의 기초가 되는 유산의 범위, 유류분 권리자에게 귀속

한 지분 비율 및 그 가액을 확정하기 위해서는 재판 등의 절차에서 엄밀한 검토를 추가하지 않으면 안 되는 것이 일반적이고 변상해야 할 금액에 대한 재판소의 판단 없이는 수유자 등이 스스로 위 가액을 변상하거나 또는 그 이행의 제공을 하여 유류분 감축에 근거한 목적물의 반환 의무를 면하는 것이 사실상 불가능하게 될 수 있는 것은 쉽게 상정된다. 변상해야 할 금액이 재판소의 판단에 의해 확정되는 것은, 위와 같은 수유자 등의 법률상의 지위에 실제로 생기는 불안정한 상황을 제거하기 위해 유효하고 적절하며, 수유자 등에 있어서 유류분 감축에 관한 목적물을 반환하는 것과 선택적으로 가액 변상을 하는 것을 인정한 민법 1041조 규정의 취지에 따른 것이다.

그리고 수유자 등이 변상해야 할 금액이 판결에 의해 확정된 때에는 이를 신속하게 지불할 의사가 있다는 뜻을 표명하여 위 액수의 확정을 청구하는 소를 제기한 경우에는 수유자 등이 전혀 가액을 변상할 능력이 없다는 등의 특별한 사정이 없는 한 보통은 위 판결 확정 후 신속하게 가액 변상이 될 것을 기대할 수 있고 한편, 유류분 권리자는 신속히 목적물의 현물 반환 청구권 또는 가액 변상 청구권을 스스로 행사함으로써 위 소에 관한 소송의 구두 변론 종결시와 현실로 가격의 변상이 이루어지는 때 사이에 간극이 생기는 것을 막을 수 있기 때문에 가액 변상의 가액 산정 기준시는 현실로 변상이 이루어지는 때인 것[최고재판소 昭和50年(オ)第920号 昭和51年 8月 30日 제2소법정 판결 · 민집 30권 7호 768쪽 참조]을 고려해도 위 소에 관한 소송에서 이때에 가장 근접한 시점인 사실심의 구두 변론 종결시를 기준으로 하여 그 금액을 확정하는 이익이 부정되는 것은 아니다.

③ 이상에 의하면, 유류분 권리자로부터 유류분 감축 청구를 받은 수유자 등이 민법 1041조 소정의 가액을 변상하는 취지의 의사표시를 했지만, 유류분 권리자로부터 목적물의 현물 반환 청구도 가액 변상 청구도 되지 않은 경우에 변상해야 할 금액에 대해서 당사자 사이에 다툼이 있고 수유자 등이 판결에 의해 이것이 확정된 때에는 신속하게 지불할 의사가 있다는 뜻을 표명하여 변상해야 할 금액 확정을 구하는 소를 제기한 때에는 수유자 등이 전혀 가액을 변상할 능력이 없는 등의 특별한 사정이 없는 한, 위 소에는 확인의 이익이 있다고 할 수 있다.

④ 이를 본건에 대해서 보니 전술한 사실 관계 등에 따르면, 피상고인 Y2에 대한 확인의 소는 피상고인 Y2의 본건 유류분 감축 청구에 의해 피상고인 Y2에게 귀속하게 된 목적물에 대해 상고인이 민법 1041조의 규정에 근거하여 그 반환 의무를 면하기 위해 지불해야 할 금액이 2,770만 3,582엔인 것의 확인을 구하는 취지를 말하는 것이라고 해석되므로, 상고인이 위 금액이 판결에 의해 확정된 때에는 이를 신속하게 지불할 의사가 있다는 뜻을 표명하고 있으면 특별한 사정이 없는 한, 위 소에는 확인의 이익이 있다고 할 수 있다. 이와 다른 견해에 서서 피상고인 Y2에 대한 확인의 소를 각하한 원심의 판단에는 판결에 영향을 미치는 것이 분명한 법령 위반이 있다.

5 이상과 같으므로 논지는 이유가 있고 원판결 중, 상고인의 피상고인들에 대한 확인 청구에 관한 부분(주문 제1항 및 제2항)은 파기를 면치 못한다. 그리고 이 부분에 대해 다시 심리를 다하게 하기 위해 본건을 원심으로 환송하는 것이 상당하다.

따라서 재판관 전원 일치 의견으로 주문과 같이 판결한다.

◇ 재판장 재판관 古田佑紀 재판관 今井功 재판관 中川了滋 재판관 竹內行夫

제17장

상속

1. 유산 공유 지분과 다른 공유 지분이 병존하는 공유물에 대해서 다른 공유 지분권자에게 공유물의 소유권을 취득시키는 분할 방법

피상고회사(피상고인 X1), A, 피상고인 X2(A의 남편)는 본건 토지를 공유하게 되었는데 A가 사망하여 A의 지분이 A의 자녀들과 피상고인 X2에게 상속되면서 상속재산인 본건 토지의 분할 방법이 문제가 된 사안이다. 피상고인들은 본건 토지의 분할 방법으로서 본건 지분을 피상고회사가 취득하고 피상고회사가 A의 공동상속인들에게 본건 지분의 가격 배상으로 466만 4,660엔을 지불하는 전면적 가격 배상의 방법에 의한 분할을 희망하고 있고 피상고회사는 지불 능력이 있다.

원심은 공유물 분할 청구에 관하여 본건 지분에 대해서 전면적 가격 배상 방법이 채용된 경우에는 배상금이 A의 공동상속인들의 공유로 된 다음 그 후에 다른 A의 유산과 함께 유산 분할에 제공되는 것이기 때문에 전면적 가격 배상 방법에 의해서도 A의 공동상속인들의 유산 분할에 관한 이익은 보호된다고 하여 피상고인들이 원하는 대로 전면적 가격 배상 방법을 채용하는 것이 상당하다고 판단하여 본건 토지를 피상고회사가 지분 72분의 33, 피상고인 X2가 지분 72분의 39의 비율로 공유하고 피상고회사에는 A의 공동상속인들에게 466만 4,660엔을 지급하라고 명령했다.

최고재판소는 "유산 공유 지분과 다른 공유 지분이 병존하는 공유물에 대해서 유산 공유 지분을 다른 공유 지분을 가지는 사람에게 취득하도록 하고 그 사람에게 유산 공유 지분 가격을 배상하도록 하는 방법에 의한 분할 판결이 된 경우에는 유산 공유 지분권자에게 지급되는 배상금은 유산 분할에 의해 그 귀속이 확정될 것이므로 배상금을 지급 받은 유산 공유 지분권자는 이를 그 시점에서 확정적으로 취득하는 것은 아니고 유산 분할이 이루어질 때까지 이를 보관할 의무를 진다고 할 수 있다."고 판시하였다.

그리고 "민법 258조에 근거한 공유물 분할 소송은 그 본질에 있어서 비송사건이고 법은 재판소의 적절한 재량권 행사에 의해 공유자 사이의 공평을 유지하면서 당해 공유물의 성질 및 공유 상태의 실정에 적합한 타당한 분할이 실현되기를 기대한 것으로 생각된다는 점에 비추어 보면 재판소는 유산 공유 지분을 다른 공유 지분을 가지는 사람에게 취득시키고 그 사람에게 유산 공유 지분의 가격을 배상시켜 그 배상금을 유산 분할의 대상으로 하는 가격 배상의 방법에 의한 분할 판결을 하는 경우에는 그 판결에서 각 유산 공유 지분권자에게 유산 분할이 이루어질 때까지 보관해야 할 배상금의 범위를 정한 다음, 유산 공유 지분을 취득하는 사람에게 각 유산 공유 지분권자에게 그 보관해야 할 범위에 따른 배상금액을 지불할 것을 명할 수 있는 것으로 해석하는 것이 상당하다."고 판시하였다.

재판연월일 平成25年[133] 11月 29日	**재판소명** 최고재판소 제2소법정
사건번호 平22(受)2355号	**재판구분** 판결
사 건 명 공유물 분할 등 청구사건	
재판결과 일부 상고 기각, 일부 상고 각하	

주 문

1 원판결 중 공유물 분할 청구에 관한 부분에 대한 본건 상고를 기각한다.

2 나머지 본건 상고를 각하한다.

3 상고비용은 상고인들이 부담한다.

이 유

상고대리인 스나가와 유지(砂川祐二)의 상고 수리 신청 이유에 대해서

1 본건 본소는 피상고인들이 상고인들에게 피상고인들과 상고인들이 공유하는 토지(이하 '본건 토지'라 한다)의 공유물 분할을 요구하는 사안이다.

2 원심이 적법하게 확정한 사실관계의 개요 등은 다음과 같다.

(1) 본건 토지는 2006년 9월 당시, 피상고인 X1(이하 '피상고회사'라 한다), 피상고인 X2 및 A가 공유하고 있었고 공유지분은 피상고회사가 72분의 30, 피상고인 X2가 72분의 39, A가 72분의 3이었다.

A는 2006년 9월에 사망했지만 유산분할은 완료되지 않아 A가 가지고 있던 위 공유지분(이하 '본건 지분'이라 한다)은 A의 남편인 피상고인 X2 및 A와 피상고인 X2의 장남인 피상고인 X3, 장녀인 상고인 Y1 및 차남인 상고인 Y2 이렇게 네 사람이 유산을 공유하는 상태이다.

피상고회사는 피상고인 X3이 대표자인 회사이다.

(2) 본건 토지는 면적이 약 240㎡인 택지이며, 본건 토지 위에는 피상고회사 및 피상고인 X2가 소유하는 건물이 있기 때문에 본건 지분에 상당하는 면적은 약 10㎡에 불과하여 본건 토지를 현물로 분할하는 것은 불가능하다.

---

133) 2013년

(3) 피상고인들은 본건 토지 위에 아파트를 신축할 계획이었으나 상고인들과의 사이에서 본건 토지 분할에 관한 협의가 이루어지지 않아서 본건 소송을 제기했다. 피상고인들은 본건 토지의 분할 방법으로 본건 지분을 피상고회사가 취득하고 피상고회사가 A의 공동상속인들에게 본건 지분의 가격 배상으로 466만 4,660엔을 지불하는 전면적 가격 배상 방법에 의한 분할을 희망하고 있다. 피상고회사는 지불 능력이 있다.

3 원심은 공유물 분할 청구에 관하여 본건 지분에 대해서 전면적 가격 배상 방법이 채용된 경우에는 배상금이 A의 공동상속인들의 공유로 된 다음 그 후에 다른 A의 유산과 함께 유산 분할에 제공되는 것이기 때문에 전면적 가격 배상 방법에 의해서도 A의 공동상속인들의 유산 분할에 관한 이익은 보호된다고 하여 피상고인들이 원하는 대로 전면적 가격 배상 방법을 채용하는 것이 상당하다고 판단하여 본건 토지를 피상고회사가 지분 72분의 33, 피상고인 X2가 지분 72분의 39의 비율로 공유하고 피상고회사에는 A의 공동상속인들에게 466만 4,660엔을 지급하라고 명령했다.

4 소론은 본건 지분에 대해서 전면적 가격 배상의 방법에 의한 공유물 분할이 되면 배상금이 확정적으로 각 상속인에게 지급되어 버려서 유산 분할 대상으로 확보되지 않게 되므로 본건에서 전면적 가격 배상 방법을 채용하는 것은 허용되지 않는다는 것이다.

5 (1) 공유물에 대해서 유산 분할 전 유산의 공유 상태에 있는 공유 지분(이하 '유산 공유 지분'이라 하고 이것을 가진 사람을 '유산 공유 지분권자'라 한다)과 다른 공유 지분이 병존하는 경우, 공유자(유산 공유 지분권자를 포함한다)가 유산 공유 지분과 다른 공유 지분 사이의 공유 관계의 해소를 요구하는 방법으로서 재판상 채택하여야 할 절차는 민법 258조에 의한 공유물 분할 소송이고 공유물 분할 판결에 의해 유산 공유 지분권자에게 분급된 재산은 유산 분할의 대상이 되고 이 재산의 공유 관계 해소에 대해서는 같은 법 907조에 의한 유산 분할에 따라야 한다고 해석하는 것이 상당하다[최고재판소 昭和47年(オ)第121号 昭和50年[134] 11月 7日 제2소법정 판결 · 민집 29권 10호 1525쪽 참조].

그렇다면 유산 공유 지분과 다른 공유 지분이 병존하는 공유물에 대해서 유산 공유 지분을 다른 공유 지분을 가지는 사람에게 취득하도록 하고 그 사람에게 유산 공유 지분 가격을 배상하도록 하는 방법으로 분할 판결이 된 경우에는 유산 공유 지분권자에게 지급되는 배상금은 유산 분할에 의해 그 귀속이 확정될 것이므로 배상금을 지급 받은 유산 공유 지분권자는 이를 그 시점에서 확정적으로 취득하는 것은 아니고 유산 분할이 이루어질 때까지 이를 보관할 의무를 진다고 할 수 있다.

134) 1975년

그리고 민법 258조에 의한 공유물 분할 소송은 그 본질에 있어서 비송사건이고 법은 재판소의 적절한 재량권 행사에 의해 공유자 사이의 공평을 유지하면서 당해 공유물의 성질 및 공유 상태의 실정에 적합하고 타당한 분할이 실현되기를 기대한 것으로 생각된다는 점에 비추어 보면 재판소는 유산 공유 지분을 다른 공유 지분을 가지는 사람에게 취득시키고 그 사람에게 유산 공유 지분의 가격을 배상시켜 그 배상금을 유산 분할의 대상으로 하는 가격 배상 방법에 의한 분할 판결을 하는 경우에는 그 판결에서 각 유산 공유 지분권자에게 유산 분할이 이루어질 때까지 보관해야 할 배상금의 범위를 정한 다음, 유산 공유 지분을 취득하는 사람에게 각 유산 공유 지분권자에게 그 보관해야 할 범위에 따른 배상금액을 지불할 것을 명할 수 있는 것으로 해석하는 것이 상당하다.

(2) 원심은 위와 같은 취지의 견해에 서서 본건 토지 분할 방법으로서 본건 지분을 피상고회사에게 취득시키고, 피상고회사에 본건 지분의 가격을 배상하도록 하여 그 배상금을 유산 분할의 대상으로 하는 전면적 가격 배상 방법을 채용한 것으로 해석할 수 있어서 그 판단은 옳다고 인정할 수 있다. 그렇다고는 하지만 원판결 중 배상금을 지불하도록 명하는 주문은 "피상고회사는 피상고인 X2, 피상고인 X3 및 상고인들에게 466만 4,660엔을 지불하라."는 것으로 피상고회사에게 A의 공동상속인들 네 명에게 466만 4,660엔의 4분의 1씩의 금액을 지불하도록 명하는 것으로 해석할 수밖에 없다. 원심은 이유 중에서 A의 공동상속인들에게 지불되는 배상금이 유산 분할의 대상이 된다는 취지를 설시하고 있지만 각 상속인이 이를 그 시점에서 확정적으로 취득하는 것은 아니고 유산 분할이 될 때까지 이를 보관할 의무를 진다는 것을 판결 중에 명기하지 않았다. 또한 A의 공동상속인들의 법정 상속분에 의한 것은 아니고 이와는 다른 위와 같은 비율에 따라 배상금을 지불하도록 명하는 것이 상당하다고 하는 근거에 대해서도 어떠한 설명을 하고 있지 않다. 그러나 원심은 공동상속인 사이의 관계, 분쟁의 실정 등에 비추어 A의 유산 분할이 이루어질 때까지 대립하는 당사자 쌍방에게 단순히 평등한 비율로 배상금을 보관하도록 해 두는 것이 상당하다는 고려에 근거하여 그 취지에서 피상고회사에게 그 비율에 따른 배상금을 지불하도록 명한 것으로 해석할 수 없는 것도 아니어서 결국 원심의 판단에 그 재량의 범위를 일탈한 위법이 있다고까지는 할 수 없다.

6 이상에 의하면 공유물 분할 청구에 관한 원심의 판단은 옳다고 인정할 수 없는 것은 아니다. 논지는 채용할 수 없다. 덧붙여 상고인들은 유산 확인 청구의 반소를 제기하고 이 청구에 관한 부분에 대해서도 상고 수리 신청을 했지만 그 이유를 기재한 서면을 제출하지 않으므로 이 부분에 관한 상고는 각하한다. 따라서 재판관 전원 일치 의견으로 주문과 같이 판결한다.

◇ 재판장 재판관 千葉勝美 재판관 小貫芳信 재판관 鬼丸かおる 재판관 山本庸幸

2. 증여 재산의 가액을 상속재산에 산입하지 않는다는 의사표시와 유류분 감축 청구

A의 상속인으로는 후처인 Y1과 Y1과의 사이의 자녀인 Y2, Y3 그리고 전처 소생의 자녀인 항고인들이 있다. A는 생전에 Y2에게 생계비로 주식, 현금, 예저금 등의 증여(이하 '본건 증여'라 한다)를 함과 동시에 A의 상속 개시 시에 본건 증여에 관련된 재산의 가액을 상속재산에 산입할 필요가 없다는 의사표시(이하 '본건 반환 면제의 의사표시'라 한다)를 했다. A는 2005년 5월 26일 Y1의 상속분을 2분의 1, Y2 및 Y3의 상속분을 각 4분의 1, 항고인들의 상속분을 0으로 지정하는 공정증서 유언(이하 '본건 유언'이라 한다)을 했다. 이에 항고인들은 2006년 7월부터 9월까지 상대방들(Y1, Y2, Y3)에게 유류분 감축 청구권을 행사한다는 의사표시(이하 '본건 유류분 감축 청구'라 한다)를 했다.

원심은 본건 유류분 감축 청구에 의해 ① 본건 유언에 의한 상속분의 지정이 감축되어 법정 상속분을 넘는 상속분이 지정된 상속인의 지정 상속분이 그 법정 상속분의 비율에 따라 수정되는 결과, Y1의 상속분이 2분의 1, Y2 및 Y3의 상속분이 각 40분의 7, 항고인들의 상속분이 각 20분의 1이 되고, ② 본건 반환 면제의 의사표시는 항고인들의 유류분을 침해하는 합계 20분의 3의 한도에서 실효한다고 한 다음 민법 903조 1항의 규정에 의해 본건 증여에 관련된 재산의 가액을 위 한도에서 본건 유산 가액에 가산한 것을 상속재산으로 간주하고 이에 위 ①과 같이 수정된 상속분의 비율을 곱하여 상대방 Y2의 상속분에서 위와 같이 본건 유산 가액에 가산한 본건 증여에 관련된 재산의 가액을 공제하여 항고인들 및 상대방들의 각 구체적인 상속분을 산정하고 본건 유산을 분할했다.

최고재판소는 "유류분 감축 청구에 의해 상속분의 지정이 감축된 경우에는 유류분 비율을 넘는 상속분을 지정 받은 상속인의 지정 상속분이 그 유류분 비율을 넘는 부분의 비율에 따라 수정되는 것으로 해석하는 것이 상당하다. 유류분 감축 청구에 의해 특별 수익에 해당하는 증여에 대해서 이루어진 반환 면제의 의사표시가 감축된 경우, 반환 면제의 의사표시는 유류분을 침해하는 한도에서 실효하고 당해 증여에 관련된 재산의 가액은 위 한도에서 유류분 권리자인 상속인의 상속분에 가산되어 당해 증여를 받은 상속인의 상속분에서 공제되는 것으로 해석하는 것이 상당하다."고 판시하였다.

그리고 "본건 유류분 감축 청구에 의해 본건 반환 면제의 의사표시가 항고인들의 유류분을 침해하는 한도에서 실효하고 본건 증여에 관련된 재산의 가액을 위 한도에서 유류분 권리자인 항고인들의 위 상속분에 가산하는 한편, 본건 증여를 받은 상대방 Y2의 위 상속분에서 공제하여 각각의 구체적인 상속분을 산정하게 된다."고 판시하면서 원심의 판단에는 재판에 영향을 미친 것이 분명한 법령 위반이 있어 파기하고 본건을 원심으로 환송하였다.

〈민법〉

(유증 또는 증여의 감축 청구)

제1031**조** 유류분 권리자 및 그 승계인은 유류분을 보전하는 데 필요한 한도에서 유증 및 전조에 규정하는 증여의 감축을 청구할 수 있다.

재판연월일 平成24年135) 1月 26日	**재판소명** 최고재판소 제1소법정
사건번호 平23(許)25号	**사건구분** 결정
사 건 명 유산 분할 심판에 대한 항고심 변경 결정에 대한 허가항고 사건	
재판결과 파기환송	**상 소 등** 확정

주 문

원결정을 파기한다.

본건을 오사카(大阪) 고등재판소로 환송한다.

이 유

항고대리인 야마다 슌스케(山田俊介), 세키네 료헤이(関根良平)의 항고 이유에 대해서

1 본건은 A의 공동 상속인인 항고인들과 상대방들이 A의 유산 분할을 신청한 사건이다.

2 원심이 확정한 사실 관계의 개요는 다음과 같다.

(1) 상대방 Y1은 A의 처이고 상대방 Y2 및 Y3은 A와 Y1 사이의 자녀이며 항고인들 세 사람은 A와 전처 사이의 자녀이다.

(2) A는 2005년 12월 23일에 사망했다. A의 법정 상속인은 상대방들 및 항고인들이다.

(3) 본건에서 유산 분할의 대상인 A의 유산(이하 '본건 유산'이라 한다)은 현금 3,020만 엔과 원원심판 별지 유산 목록에 기재된 주식 및 보석 장식품이다.

(4) A는 2004년 10월부터 2005년 12월에 걸쳐 상대방 Y2에게 생계비로 주식, 현금, 예저금 등의 증여(이하 '본건 증여'라 한다)를 함과 동시에 A의 상속 개시 시에 본건 증여에 관련된 재산의 가액을 상속재산에 산입할 필요가 없다는 의사표시(이하 '본건 반환 면제의 의사표시'라 한다)를 했다.

(5) A는 2005년 5월 26일 상대방 Y1의 상속분을 2분의 1, 나머지 상대방들의 상속분을 각 4분의 1, 항고인들의 상속분을 0으로 지정하는 공정증서 유언(이하 '본건 유언'이라 한다)을 했다.

---

135) 2012년

(6) 항고인들은 2006년 7월부터 9월까지 상대방들에게 유류분 감축 청구권을 행사한다는 의사표시(이하 '본건 유류분 감축 청구'라 한다)를 했다.

3 원심은 위 사실 관계 아래에서 본건 유류분 감축 청구에 의해 ① 본건 유언에 의한 상속분의 지정이 감축되어 법정 상속분을 넘는 상속분이 지정된 상속인의 지정 상속분이 그 법정 상속분의 비율에 따라 수정되는 결과, 상대방 Y1의 상속분이 2분의 1, 나머지 상대방들의 상속분이 각 40분의 7, 항고인들의 상속분이 각 20분의 1이 되고, ② 본건 반환 면제의 의사표시는, 항고인들의 유류분을 침해하는 합계 20분의 3의 한도에서 실효한다고 한 다음 민법 903조 1항의 규정에 의해 본건 증여에 관련된 재산의 가액을 위 한도에서 본건 유산 가액에 가산한 것을 상속재산으로 간주하고 이에 위 ①과 같이 수정된 상속분의 비율을 곱하여 상대방 Y2의 상속분에서 위와 같이 본건 유산 가액에 가산한 본건 증여에 관련된 재산의 가액을 공제하여 항고인들 및 상대방들의 각 구체적 상속분을 산정하고 본건 유산을 분할했다.

4 그러나 원심의 위 판단은 옳다고 인정할 수 없다. 그 이유는 다음과 같다.

(1) 전술한 사실 관계에 의하면 본건 유언에 의한 상속분의 지정이 항고인들의 유류분을 침해하는 것은 분명하므로 본건 유류분 감축 청구에 의해 위 상속분의 지정이 감축된다. 상속분의 지정이 특정한 재산을 처분하는 행위가 아니고 상속인의 법정 상속분을 변경하는 성질의 행위인 점, 유류분 제도가 피상속인의 재산 처분의 자유를 제한하고 상속인이 피상속인의 재산의 일정 비율을 취득하도록 보장하는 것을 그 취지로 하는 것임을 감안하면, 유류분 감축 청구에 의해 상속분의 지정이 감축된 경우에는 유류분의 비율을 넘는 상속분을 지정 받은 상속인의 지정 상속분이 그 유류분 비율을 넘는 부분의 비율에 따라 수정되는 것으로 해석하는 것이 상당하다[최고재판소 平成9年(オ)第802号 平成10年 2月 26日 제1소법정 판결 · 민집 52권 1호 274쪽 참조].

(2) 그런데 유류분 권리자의 유류분액은 피상속인이 상속 개시 때에 가지고 있던 재산의 가액에 증여한 재산의 가액을 더하고 그 중에서 채무 전액을 공제하여 유류분 산정의 기초가 되는 재산액을 확정하고 여기에 유류분 비율을 곱하는 등 하여 산정하여야 하는데(민법 1028조 내지 1030조, 1044조), 전술한 유류분 제도의 취지 등에 비추어 보면 피상속인이 특별 수익에 해당하는 증여에 대해서 당해 증여에 관련된 재산의 가액을 상속재산에 산입할 필요가 없다는 의사표시(이하 '반환 면제의 의사표시'라 한다)를 한 경우에도 위 가액은 유류분 산정의 기초가 되는 재산액에 산입되는 것으로 해석된다. 따라서 전술한 사실 관계 아래에서는 위 (1)과 같이 본건 유언에 의한 상속분의 지정이 감축되어도 항고인들의 유류분을 확보하기에는 부족한 것이다.

본건 유류분 감축 청구는 본건 유언에 의해 상속분을 0으로 하는 지정을 받은 공동 상속인인 항고인들로부터 상속분 전부의 지정을 받은 다른 공동 상속인인 상대방들에 대해서 이루어진 것임에서 보면, A의 유산 분할에서 항고인들의 유류분을 확보하는 데 필요한 한도에서 상대방들에 대한 A의 생전 재산 처분 행위를 감축하는 것을 그 취지로 하는 것으로 해석된다. 그렇다면 본건 유류분 감축 청구에 의해 항고인들의 유류분을 침해하는 본건 반환 면제의 의사표시가 감축되게 되는데 유류분 감축 청구에 의해 특별 수익에 해당하는 증여에 대해서 이루어진 반환 면제의 의사표시가 감축된 경우, 반환 면제의 의사표시는 유류분을 침해하는 한도에서 실효하고 당해 증여에 관련된 재산의 가액은 위 한도에서 유류분 권리자인 상속인의 상속분에 가산되어 당해 증여를 받은 상속인의 상속분에서 공제되는 것으로 해석하는 것이 상당하다. 반환 면제의 의사표시가 위의 한도에서 실효된 경우에 그 한도에서 당해 증여에 관련된 재산의 가액을 상속재산으로 간주하여 각 공동 상속인의 구체적 상속분을 산정하면, 위 가액이 공동 상속인 전원에게 배분되어 유류분 권리자는 유류분 상당액의 재산을 확보할 수 없게 되어 위 유류분 제도의 취지에 반하는 결과가 되는 것은 분명하다.

(3) 이를 본건에 대해서 보면 본건 유류분 감축 청구에 의해 본건 유언에 의한 상속분의 지정이 감축되어 상대방들의 지정 상속분이 각각의 유류분 비율을 넘는 부분의 비율에 따라 수정되는 결과, 상대방 Y1의 지정 상속분이 52분의 23, 나머지 상대방들의 지정 상속분이 각 260분의 53, 항고인들의 지정 상속분이 각 20분의 1이 되고 본건 유산의 가액에 위 수정된 지정 상속분의 비율을 곱한 것이 각각의 상속분이 된다.

다음으로 본건 유류분 감축 청구에 의해 본건 반환 면제의 의사표시가 항고인들의 유류분을 침해하는 한도에서 실효하고 본건 증여에 관련된 재산의 가액을 위 한도에서 유류분 권리자인 항고인들의 위 상속분에 가산하는 한편, 본건 증여를 받은 상대방 Y2의 위 상속분에서 공제하여 각각의 구체적인 상속분을 산정하게 된다.

(4) 이와는 다른 원심의 전술한 판단에는 재판에 영향을 미친 것이 분명한 법령 위반이 있다고 하여야 있다. 논지는 위 취지를 말하는 것으로서 이유가 있고 원결정은 파기를 면치 못한다. 그리고 위와 같이 설시한 바에 따라 다시 심리를 다하게 하기 위해 본건을 원심으로 환송하기로 한다.

따라서 재판관 전원 일치 의견으로 주문과 같이 결정한다.

◇ 재판장 재판관 白木勇 재판관 宮川光治 재판관 桜井竜子 재판관 金築誠志 재판관 横田尤孝

3. 망부(亡父)의 내연녀에 대한 망부 소유의 건물 명도 청구 및 망부 명의 예금 환급에 대한 손해배상 청구 혹은 부당이득 반환 청구

본건은 B의 외동딸이자 B를 상속한 항소인이 B 소유의 본건 건물에 B와 함께 살고 있다가 B가 사망한 후에도 이 건물에 거주하는 피항소인(B의 내연녀)에게 소유권에 근거하여 본건 건물의 명도 및 명도 유예 기한의 다음날인 2009년 1월 1일 이후 1개월당 12만 엔의 비율에 의한 임대료 상당의 손해금 지불을 요구하는 외에 피항소인이 B가 사망하기 직전 약 2주일 동안에 B 명의의 예금 계좌에서 예금 합계 800만 엔(본건 금원)의 환급을 받은 것(이하 '본건 환급'이라 한다)에 대해서 그것이 B에게 알리지 않고 이루어진 것으로 피항소인에게는 불법행위 또는 부당이득이 성립한다고 주장하여 불법행위에 의거한 손해배상 청구 또는 부당이득 반환 청구로서 위 800만 엔의 반환을 요구한 사안이다.

피항소인은, B와 피항소인은 2004년경 내연의 처인 피항소인이 사망할 때까지 본건 건물을 무상으로 사용할 수 있다는 취지의 사용대차 계약(이하 '본건 사용대차 계약'이라 한다)을 묵시적으로 체결했고 만일 본건 사용대차 계약의 성립을 인정할 수 없다고 해도 건물명도 청구는 권리 남용에 해당한다고 하였다. 그리고 본건 환급에 대해서는 B가 본건 환급에 관한 권한과 환급금의 취득 권한을 부여하였다고 주장하여 항소인의 청구를 다투고 있다.

원심은 본건 사용대차 계약의 성립을 부정하고 항소인의 건물명도 청구가 권리 남용에 해당한다고 인정하였다. 그리고 본건 환급에 대해서 피항소인의 불법행위 성립을 부정하여 항소인의 청구를 모두 기각했다.

오사카 고등재판소는 B가 피항소인이 죽을 때까지 무상으로 본건 건물에 계속 거주하도록 하는 뜻을 가지고 있던 것으로 인정하여 피항소인이 본건 건물에 대해서 본건 사용대차 계약에 근거한 점유 권원을 가지기 때문에 항소인의 피항소인에 대한 본건 건물명도 청구 및 임대료 상당 손해금 청구는 모두 이유가 없다고 판시하였다.

또한 B가 위 잔고가 있는 계좌의 돈을 피항소인이 환급을 받아 취득하는 것을 승낙하였다고 인정하여 피항소인은 본건 환급을 하여 그 환급금(본건 금원)을 취득할 권한을 가지고 있었으므로 본건 환급에 관하여 피항소인에게 불법행위나 부당이득이 성립한다고 인정할 수 없다고 판시하였다.

재판연월일 平成22年[136] 10月 21日	**재판소명** 오사카(大阪) 고등재판소
사건번호 平22(ネ)1679号	**사 건 명** 가옥명도 등 청구 항소사건
사건구분 판결	**재판결과** 항소기각
상 소 등 확정	

주 문

1 본건 항소를 기각한다.

2 항소인의 본 심에서의 추가 청구를 기각한다.

3 본 심에서의 소송비용은 모두 항소인이 부담한다.

사실과 이유

제1 항소인의 항소 취지

1 원판결을 취소한다.

2 피항소인은 항소인에게 원판결 별지 물건 목록 기재 2의 건물(이하 '본건 건물'이라 한다)을 명도하라.

3 피항소인은 항소인에게 2009년 1월 1일부터 본건 건물명도일까지 1개월당 12만 엔의 비율에 의한 돈을 지불하라.

4 피항소인은 항소인에게 800만 엔 및 이에 대한 2009년 3월 29일부터 다 갚는 날까지 연 5%의 비율에 의한 돈을 지불하라.

5 소송비용은 1, 2심 모두 피항소인이 부담한다.

6 제3항부터 제5항까지에 대해 가집행 선언

제2 사안의 개요

(약어는 특별히 기재하지 않는 한 원판결의 용법에 의한다)

136) 2010년

1 요지

(1) 본건은 B(1923년생, 2008년 7월 17일 사망)의 외동딸이자 B를 상속한 항소인이 B 소유의 본건 건물에 B와 함께 살고 있다가 B가 사망한 후에도 이 건물에 거주하는 피항소인에게 소유권에 근거하여 본건 건물의 명도 및 명도 유예 기한의 다음날인 2009년 1월 1일 이후 1개월당 12만 엔의 비율에 의한 임대료 상당의 손해금 지불을 요구하는 외에 피항소인이 B가 사망하기 직전의 약 2주일 동안에 B 명의의 예금 계좌에서 예금 합계 800만 엔(본건 금원)의 환급을 받은 것(이하 '본건 환급'이라 한다)에 대해서 그것이 B에게 알리지 않고 이루어진 것으로 피항소인에게는 불법행위 또는 부당이득이 성립한다고 주장하여 불법행위에 의거한 손해배상 청구 또는 부당이득 반환 청구로서 위 800만 엔 및 소장 송달일의 다음날인 2009년 3월 29일 이후 연 5%의 지연 손해금의 지불을 요구한 사안이다. 덧붙여 부당이득 반환 청구는 본 심에서 추가된 것이다.

피항소인은, B와 피항소인은 2004년경 내연의 처인 피항소인이 사망할 때까지 본건 건물을 무상으로 사용할 수 있다는 취지의 사용대차 계약(이하 '본건 사용대차 계약이라 한다)을 묵시적으로 체결했고 만일 본건 사용대차 계약의 성립을 인정할 수 없다고 해도 건물명도 청구는 권리 남용에 해당한다고 하고 본건 환급에 대해서는 B가 본건 환급에 관한 권한과 환급금의 취득 권한을 부여하였다고 주장하여 항소인의 청구를 다투고 있다.

(2) 원심 재판소는 본건 사용대차 계약의 성립을 부정하고 항소인의 건물명도 청구가 권리 남용에 해당한다고 인정하였다. 그리고 본건 환급에 대해서 피항소인의 불법행위 성립을 부정하여 항소인의 청구를 모두 기각했다.

(3) 그래서 이에 불복하는 항소인이 본건 항소를 제기했다.

2 '다툼 없는 사실 등', '쟁점' 및 '쟁점에 대한 당사자의 주장의 요지'

원판결의 '사실과 이유' 중 제2의 2에서 4까지와 같으므로 이를 인용한다.

다만 원판결 3쪽 2줄의 '갑 17'의 다음에 '24'를 추가하고 같은 쪽 12줄을 '(3) 본건 환급에 대해서 피항소인에게 불법행위 또는 부당이득이 성립하는지'로, 4쪽 10줄을 '(3) 쟁점 3(본건 환급에 대해서 피항소인에게 불법행위 또는 부당이득이 성립하는지)'로 고친다.

제3 본 재판소의 판단

1 B와 피항소인의 관계

본 재판소도 B와 피항소인이 내연의 관계에 있었던 것으로 판단한다.

그 이유는 원판결 '사실과 이유' 중의 제3의 1의 설시대로이므로 이를 인용한다.

2 쟁점 1(본건 사용대차 계약의 성립 여부)에 대해서

(1) 피항소인은, B와 피항소인은 2004년 경 피항소인이 사망할 때까지 본건 건물을 무상으로 사용할 수 있다는 취지의 사용대차 계약(본건 사용대차 계약)을 묵시적으로 체결하였다고 주장하므로 아래에서 그 주장의 당부를 검토한다.

① 먼저 전술한 인정과 같이 피항소인은 B와 남녀 관계를 맺은 1965년경 이후 2004년까지 40년 가까운 긴 세월에 걸쳐 당초 B의 정부, 이후 내연의 처로서 B의 수발을 들어 왔다. 게다가 그 동안 B의 아이를 두 번 임신했지만 B의 요청도 있어 낙태한 사실이 있었다.

그리고 2004년 당시 피항소인은 B로부터 생활비를 지급받는 외에 특별한 수입이 없었고 이 상태는 그 뒤에도 B가 사망할 때까지 변하지 않았다. 피항소인이 B의 후생연금 · 유족 후생연금을 받게 된 것은 B가 사망한 후인 2009년 10월부터이고 그 액수도 2개월에 31만 9,400엔 정도(보험료 공제 후의 금액. 1개월에 15만 9,700엔 정도)였다.

② 또한 항소인은 B가 피항소인에게 2001년만 해도 생활비와는 별도로 합계 808만 엔을 증여했고 피항소인은 충분한 재산을 형성했다는 취지로 주장한다. 그리고 항소인은 B가 사용하고 있던 2001년의 수첩을 제출하여 이 수첩에는 피항소인을 나타내는 'A' 또는 'A子'의 문자와 함께 수만 엔에서 100만 엔의 금액 등이 기재되어 그 합계가 808만 엔에 이르렀다는 취지로 지적한다. 하지만 항소인과 피항소인 모두 이름이 마찬가지로 'A子'이고 위 수첩의 'A' 또는 'A子'가 피항소인을 지칭하는 것임을 입증하는 정확한 증거는 없다. 또한 항소인에 따르면 수첩에 기재된 'A' 또는 'A子'에게는 2001년 1년 동안 20차례에 걸쳐 합계 808만 엔이 전달되었다는 것이므로 그 'A' 또는 'A子'에게는 당시 상당한 자금이 필요한 사정이 있었을 가능성이 있다고 할 수 있다. 당시 항소인은 할아버지 C의 상속세를 분납하는 중이었고 매년 1,000만 엔이 넘는 (금액을) 납부하고 있었다고 인정되는 점, 피항소인은 할아버지의 상속에 따른 상속세 지불로 곤궁해 있던 항소인이 자주 B에게 돈을 달라고 졸랐다고 주장, 진술하고 있으므로 위 수첩에 기재된 'A' 또는 'A子'는 항소인을 지칭할 가능성을 배제할 수 없으며 이것을 피항소인이 B로부터 많은 돈을 증여 받은 것을 뒷받침하는 증거로서 즉시 채용할 수 없다.

③ 이처럼 피항소인은 2004년 당시 정부, 내연의 처로서 40년의 긴 세월에 걸쳐 B에게 애썼고 그 동안 낙태까지 경험한 반면, 충분한 경제적 기반도 가지지 않은 상태였기 때문에 B가 피항소인의 장래를 염려하여 거처를 확보해 놓고 싶다고 생각하는 것은 지극히 자연스럽다고 할 수 있다. 실제로 전술한 1의 인정(인용하는 원판결 5쪽의 オ)에서와 같이, B는 2004년경 항소인을 일부러 OO의 집에 불러 동행한 E나 피항소인 및 피항소인의 오빠 부부 앞에서 항소인에게, B에게 만약 (무슨) 일이 생기

면 피항소인에게 OO의 집을 주고 거기에서 죽을 때까지 그대로 살게 하고 1,500만 엔을 주고 싶다는 취지로 말했다(이하 '본건 B 진술'이라 한다). 피항소인은 B로부터 병상에 있던 아내 D를 돌봐 달라고 요청받아 1979년경에 몇 개월 간 가정부로서 D의 수발을 든 적이 있었지만 그 무렵 항소인은 피항소인이 B의 정부임을 알고, 이후 일관되게 어머니나 자신으로부터 B를 앗아간 존재로서 피항소인에 대해서 강한 적의, 반감을 품고 있던 것으로 인정된다. B도 그러한 항소인의 심정을 인식하고 있어 피항소인의 장래를 걱정하여 본건 B 진술을 한 것으로 추인할 수 있다. 따라서 본건 B 진술은 적어도 1979년 7월경 이후 25년이 넘는 오랜 세월에 걸쳐 OO의 집에 거주해 온 피항소인이 본건 건물을 떠나야 할 사태에 이르는 것을 B가 피하고 싶다고 생각하고 있었음을 보여 주는 것으로 해석하는 것이 상당하고 B가 피항소인이 죽을 때까지 무상으로 본건 건물에 계속 거주하도록 하는 뜻을 가지고 있던 것으로 쉽게 인정할 수 있다(본건 B 진술은 그러한 의사를 표시한 것으로 해석할 수도 있다).

항소인의 남편인 E도 2008년 7월 9일에 피항소인의 장남 및 차남과 면회했을 때 B가 피항소인을 사랑스럽게 여기고 있고, OO의 집을 피항소인에게 주고 싶다고 했던 것을 몇 번이나 들었다는 사실이나 자신의 사후에는 피항소인이 갈 곳이 없어서 죽을 때까지 OO의 집에 살게 해 달라고 B가 말했음을 이야기하고 있다(을 19의 1 · 2). E의 위 발언은 항소인 측의 사람조차 B의 이러한 의사를 명확히 인식했음을 뒷받침한다. 한편 피항소인에게는 이러한 B의 뜻을 거부할 이유가 전혀 없다고 인정된다.

그렇다면 본건 B 진술이 있던 2004년경에는 B와 피항소인 사이에 묵시적으로 피항소인이 사망할 때까지 본건 건물을 무상으로 사용하도록 하는 취지의 본건 사용대차 계약이 성립했던 것으로 인정하는 것이 상당하다. 따라서 피항소인의 위 주장은 이유가 있다.

(2) 이에 대해서 항소인은 본건 사용대차 계약의 성립을 부인하면서 그 이유로 B가 OO의 집을 피항소인에게 유증한다거나 피항소인에게로의 소유권 이전 등기 절차도 없었고 본건 건물의 점유 권원에 관한 계약서 등의 서면도 전혀 작성하지 않은 점을 지적한다.

분명히 본건 사용대차 계약을 서면화하지 않았지만 B와 피항소인이 내연 관계라는 지극히 친밀한 관계에 있던 점을 감안하면 굳이 서면화까지 하지 않은 것은 충분히 생각할 수 있다. E의 위 발언에도 나타났듯이 B는 위 (1)의 의향을 항소인 측에 몇 차례 전달했고 항소인도 B의 뜻을 인식하고 있던 점에서 B가 항소인과의 관계에서도 피항소인이 사망할 때까지의 사용대차에 한해서는 굳이 서면화까지 할 필요는 없다고 생각했다고 해도 특별히 불합리한 것은 아니다.

또한 B가 생전에 피항소인에게 OO의 집의 등기 명의를 이전하거나 이를 유증하지 않은 것은 B가 항소인에게도 외동딸로서 애정을 지니고 있어서 피항소인이 죽을 때까지 본건 건물을 그 거처로 하는 것을 허락하는 반면, 본건 건물의 소유권까지는 피항소인에게 이전하지 않고 언젠가 피항소인이 사망한 단계에서 항소인에게 본건 건물의 완전한 소유권을 취득시키겠다는 의향을 가지고 B 나름으로 항소인과 피항소인 사이의 OO의 집을 둘러싼 이해관계를 조정한 결과라고 볼 수 있다.

따라서 항소인이 지적하는 위의 사정이 전술한 (1)의 인정을 좌우하는 것은 아니다.

(3) 항소인의 본건 건물명도 청구 및 임대료 상당 손해금 청구의 당부

이상에 의하면 피항소인은 본건 건물에 대해서 본건 사용대차 계약에 근거한 점유 권원을 가지기 때문에 항소인의 피항소인에 대한 본건 건물명도 청구 및 임대료 상당 손해금 청구는 모두 이유가 없다.

3 쟁점 3(본건 환급에 관한 불법행위 등의 성립 여부)에 대해서

(1) '다툼 없는 사실 등'의 (5)와 같이 피항소인은 B가 사망하기 직전인 2008년 7월 2일부터 14일까지 B의 예금 계좌에서 본건 금원을 환급 받았다. 이 점에 대해서 피항소인은, B는 2005년경 B 명의의 예금 통장, 신고 인감 및 현금 카드를 모두 피항소인에게 교부하여 그 무렵부터 입출금 관리를 피항소인에게 맡기고 2006년경부터 앓아눕게 되자 피항소인에게 "돈은 너에게 줄 터이니 내가 세상에 없게 될 때까지 빨리 네 은행 계좌로 옮겨. 딸은 내가 죽기를 기다리고 있으니 그 때 울어도(후회해도) 늦는다는 것 정도는 알아 둬."라고 거듭 말했지만 B가 이렇게 빨리 사망할 줄은 몰라 본건 환급 이전에는 B의 예금을 피항소인의 계좌로 옮기지 않았다는 취지로 주장한다. 그리고 피항소인은 원심에서의 본인 심문과 진술서에서 위 주장에 따르는 진술을 하고 있다.

본건 환급은 B가 피항소인에게 맡겨두고 있던 예금 통장, 신고 인감 및 현금 카드에 관한 각 계좌에서 그 예금의 환급을 받은 것이지만, 위 주장, 진술대로의 사실이 있었다면 B는 본건 환급에 관한 위 계좌 중의 돈을 피항소인이 환급 받아 취득하는 것을 승낙했던 것으로 인정할 수 있다. 그래서 아래에서 위 주장, 진술의 신용성을 검토한다.

(2) 피항소인은 정부, 내연의 처로서 40년이 넘는 긴 세월에 걸쳐 B에게 애썼고 (B가) 와병 생활을 하게 되어도 그 뒷바라지를 계속하면서 충분한 경제적 기반을 갖지 못한 상태였기 때문에 2006년경에 와병 생활 상태에 있어 자신의 임종이 다가오는 것을 자각한 B가 자신의 사후 피항소인의 생활을 걱정하고, 금전적으로 어떤 배려를 하려고 하는 것은 오히려 자연스러운 심정으로 여겨진다. 위 계좌의 본건 환급 전인 2008년 6월 말 현재의 잔액은 합계 1,462만 9,110엔인데 본건 B 진술 때 B는 항소인에게, B에게 만약 (무슨) 일이 생기면 피항소인에게 1,500만 엔을 건네주면 좋겠다고 진술하고 있는 것에 비추어 보면 B가 위 잔고가 있는 계좌의 돈을 피항소인이 환급 받아 취득하는 것을 승낙한 것으

로 충분히 생각할 수 있다. 항소인의 진술에 따르면 B의 유산 상속액은 5,000만 엔대였다는 것이고 위 계좌의 잔액은 피항소인에게 그 취득이 인정된 것으로 항소인의 상속액과 대비해서 특별히 균형을 잃을 정도로 고액인 것도 아니다. 게다가 B는 항소인이 피항소인에게 적의, 반감을 품고 있는 것을 잘 알고 있었던 것으로 피항소인의 장래를 걱정했던 B가 위 주장, 진술처럼 발언을 하는 것은 전혀 부자연스럽지 않다.

이상에 따르면 피항소인의 위 주장, 진술의 신용성은 높은 것이라고 할 수 있고 이에 따르면 피항소인은 본건 환급을 하여 그 환급금(본건 금원)을 취득할 권한을 가지고 있던 것으로 인정된다.

(3) 이에 대해서 항소인은 B가 2008년 7월에 입원한 병원에서 의식을 회복하여 자신의 재킷이 병실에 있는 것을 알고 먼저 말한 것은 주머니에 있는 지갑의 내용물이며, 거의 돈이 들어 있지 않은 것에 깊이 낙담한 뒤 항소인에게 통장과 현금 카드가 있는 곳을 알려 주고 이를 OO의 집에서 가지고 오라고 계속 말했던 것이며, 이러한 사실은 B에게는 피항소인에게 은행 예금을 증여할 의사가 없었다는 것을 의미한다고 주장한다. 그리고 항소인은 B가 항소인에게 통장과 현금 카드가 있는 곳을 알려 주고 이를 OO의 집에서 가지고 오라고 계속 말했다는 증거로서 2008년 7월 15일에 입원한 병실에서 이야기를 하는 B를 촬영한 동영상 기록(갑 26의 1)을 제출한다.

하지만 이 동영상 기록에 의해서도 상당히 건강이 나쁜듯한 상태에 있는 B가 항소인의 물음 등에 대해서 카드인지 무엇인가 물건의 소재를 알리려고 하고 있는 것을 엿볼 수 있는 것에 그치고 그 기록에서 항소인이 주장하는 것과 같은 사실까지는 인정할 수 없으며 달리 그 주장 사실을 뒷받침하는 객관적인 증거는 없다. 또한 만일 그 주장 사실에 부합하는 외형적 사실이 있다고 해도 갑 26의 1의 동영상 촬영이 이루어진 것은 B가 사망하기 이틀 전 임종이 임박하여 상당히 쇠약해진 상태의 때이므로 정상적인 판단력을 갖춘 시기의 언행과 비교하여 무게를 둘 수는 없고 이것이 전술한 (1)의 인정을 즉시 좌우하는 것은 아니다.

따라서 항소인의 위 주장은 채용할 수 없다.

(4) 항소인의 불법행위 또는 부당이득에 근거한 청구의 당부

이상과 같이 피항소인은 본건 환급을 하여 그 환급금(본건 금원)을 취득할 권한을 가지고 있었으므로 본건 환급에 관하여 피항소인에게 불법행위나 부당이득이 성립한다고는 인정할 수 없다.

따라서 항소인의 불법행위 및 부당이득에 근거한 청구는 모두 이유가 없다.

제4 결론

이상과 같이 항소인의 청구는 모두 이유가 없다.

따라서 항소인의 원심 이후의 청구를 모두 기각한 원판결은 결론에 있어서 상당하고 본건 항소는 이유가 없으므로 이를 기각하는 동시에 본 심에서의 항소인의 추가 청구도 기각하기로 하여 주문과 같이 판결한다.

◇ 재판장 재판관 岩田好二 재판관 三木昌之 西田隆裕

4. 추정상속인 폐거[137] 심판 요구 사안

본건은 유언집행자인 원심 신청인이, 피상속인인 C의 조카로서 피상속인의 양녀인 원심 상대방에게 ① 원심 상대방은 1998년에 인도네시아의 g섬으로 이주한 이래, 1년에 1회 정도 일시적으로 귀국하였을 뿐 OO로 인해 수술 및 입 · 퇴원을 반복하고 있던 C의 간병을 위해 귀국한 적은 한 번도 없다는 것, ② 원심 상대방이 별건 건물명도 소송에서 생모인 D에게 적극 가담하고 C에게 불리한 내용의 서면을 제출한다거나 매일 전화해서는 장시간 D와의 화해를 강요한다거나 하는 등 학대라고 할 수 있는 행동을 계속해 온 것, ③ 본건 파양소송에서 원심 상대방은 변호사를 선임하면서 장기간에 걸쳐 위임장을 재판소에 제출하지 않아 소송의 지연을 도모한 것 등이 C에 대한 중대한 모욕 또는 현저한 비행에 해당한다고 주장하여 원심 상대방을 추정상속인으로부터 폐거하는 취지의 심판을 요구하는 사안이다.

원심은, 원심 상대방이 신의에 따라 성실하게 소송을 수행해야 하는 의무에 위반하는 행태로 본건 파양소송 절차를 장난으로 지연시킨 행위는 원고인 C에 대한 중대한 모욕 또는 현저한 비행에 해당한다고 판단하여 원심 상대방을 추정상속인으로부터 폐거하는 취지의 심판을 했다.

도쿄 고등재판소는 "원심 상대방은 1998년부터 10년 가까운 동안, C가 OO로 입원 및 수술을 반복하고 있는 것을 알면서, 1년에 1회 정도 귀국하여 생활비 등으로 C로부터 돈을 수령하는 것 외에는 간병을 위해 귀국하거나 돌보거나 하지 않았던 것, C의 D에 대한 별건 건물명도 소송 및 원심 상대방 자신에 대한 본건 파양소송이 제기되었다는 것을 안 후 연일 C에게 전화를 걸어 C가 컨디션이 안 좋다고 거듭 호소하는 것도 개의치 않고 장시간에 걸쳐 위 각 소송을 취하할 것을 집요하게 압박한 것, 신의에 따라 성실하게 소송을 수행할 의무에 위반하는 행태로 본건 파양소송을 쓸데없이 지연시킨 것 등의 원심 상대방의 일련의 행위를 종합하면, 원심 상대방의 행위는 민법 892조에서 말하는 '현저한 비행'에 해당하는 것이라고 해야 한다."고 판단하여 원심 상대방을 C의 추정상속인으로부터 폐거해야 한다고 한 원심판을 옳다고 인정하고 본건 항고를 기각하는 결정을 하였다.

〈민법〉

(추정상속인의 폐거)

제892조 유류분을 가진 추정상속인(상속이 개시한 경우에는 상속인이 될 사람을 말한다)이 피상속인에게 학대를 하거나 피상속인에게 중대한 모욕을 한 때 또는 추정상속인에게 기타 현저한 비행이 있는 때에는 피상속인은 그 추정상속인의 폐거를 가정재판소에 청구할 수 있다.

137) 추정상속인의 상속권을 박탈함

재판연월일 平成23年[138] 5月 9日	**재판소명** 도쿄 고등재판소
사건번호 平23(ラ)460号	**재판구분** 결정
사 건 명 추정상속인 폐거[139] 심판에 대한 즉시항고 사건	
재판결과 항고기각	**상 소 등** 확정

주 문

1 본건 항고를 기각한다.

2 항고비용은 항고인이 부담한다.

이 유

제1 항고 취지와 이유

본건 항고의 취지와 이유는 즉시항고 신청서 중의 '항고 취지' 및 '항고 이유'란(별지 사본)에 기재된 대로이다.

제2 사안의 개요

1 (1) C(1927년 ×월 ×일생)는 1997년 ×월 ×일 여동생인 D의 장녀인 항고인(당시에는 성이 D1이었다. 1968년 ×월 ×일생. 이하 '원심 상대방'이라 한다)을 자신의 양녀로 입양하였다.

(2) C는 2007년 ×월 ×일 무렵, D에게 무상으로 사용하도록 하였던 아파트의 명도를 청구하는 소(이하 '별건 건물명도 소송'이라 한다)를 e지방재판소에 제기했다[같은 재판소 平成19年(ワ)第×××号 사건].

(3) C는 2007년 ×월 ×일 인도네시아에 거주하는 원심 상대방에게 파양을 청구하는 소(이하 '본건 파양소송'이라 한다)를 f가정재판소에 제기했다[같은 재판소 平成19年(家ホ)第×××号 사건].

(4) C는 2008년 ×월 ×일 상대방(이하 '원심 신청인'이라 한다)을 유언집행자로 지정하는 것, 원심

138) 2011년

139) 추정상속인의 상속권을 박탈함

상대방을 추정상속인으로부터 폐거하는 것 등을 포함한 공정증서 유언을 했다(이하 '본건 유언'이라 한다).

(5) C는 2009년 ×월 ×일에 사망했다.

2 본건은 유언집행자인 원심 신청인이 원심 상대방에게 ① 원심 상대방은 1998년에 인도네시아의 g섬으로 이주한 이래, 1년에 1회 정도 일시적으로 귀국하였을 뿐 OO로 인해 수술 및 입 · 퇴원을 반복하고 있던 C의 간병을 위해 귀국한 적은 한 번도 없다는 것, ② 원심 상대방이 별건 건물명도 소송에서 (생모인) D에게 적극 가담하고 C에게 불리한 내용의 서면을 제출한다거나 매일 전화해서는 장시간 D와의 화해를 강요한다거나 하는 등 학대라고 할 수 있는 행동을 계속해 온 것, ③ 본건 파양소송에서 원심 상대방은 변호사를 선임하면서 장기간에 걸쳐 위임장을 재판소에 제출하지 않아 소송의 지연을 도모한 것 등이 C에 대한 중대한 모욕 또는 현저한 비행에 해당한다고 주장하여 원심 상대방을 추정상속인으로부터 폐거하는 취지의 심판을 요구하는 사안이다.

3 원심은, 원심 상대방이 신의에 따라 성실하게 소송을 수행해야 하는 의무에 위반하는 행태로 본 파양소송 절차를 장난으로 지연시킨 행위는 원고인 C에 대한 중대한 모욕 또는 현저한 비행에 해당한다고 판단하여 원심 상대방을 추정상속인으로부터 폐거하는 취지의 심판을 했다. 이에 대해 원심 상대방이 항고했다.

제3 본 재판소의 판단

본 재판소도 원심 상대방을 피상속인 C의 추정상속인으로부터 폐거하는 것이 상당하다고 판단한다. 그 이유는 다음과 같다.

1 본건 및 f가정재판소 平成19年(家ホ)第×××号 사건의 각 기록 및 절차의 전체 취지에 따르면 아래의 사실이 인정된다.

(1) C는 1927년 ×월 ×일, E 및 F 부부의 둘째 딸로 출생하여 형제자매로 오빠 G(1922년 ×월 ×일생) 및 언니 H(1925년 ×월 ×일생) 그리고 동생들로 I(1929년 ×월 ×일생), J(1932년 ×월 ×일생), K(1934년 ×월 ×일생), D(1937년 ×월 ×일생) 및 L(1940년 ×월 ×일생)이 있다.

(2) C는 쇼와(昭和)[140] 30년대, 쇼와 40년대 및 쇼와 50년대에 세 번 혼인했지만 앞서의 두 번은 모두 이혼하고 세 번째 남편과는 1996년 ×월 ×일에 사별하여 자녀가 없었다.

140) 1926~1989년

(3) C는 1997년 ×월 ×일 여동생인 D의 장녀인 원심 상대방(1968년 ×월 ×일생)을 양녀로 하는 취지의 입양을 했다.

(4) 원심 상대방은 대학을 졸업한 후에도 취직하지 않고 1998년 ×월 ×일, 인도네시아 국적의 남성과 혼인하여 그 무렵 인도네시아로 이주하여 2005년 ×월에는 2004년 ×월 ×일에 C의 주소인 도쿄도 a구 b정목 c번 d호(이하 'C의 집'이라 한다)에서 인도네시아로 전출했다는 취지의 신고가 이루어졌다.

(5) C는 1997년경 이후 OO을 앓고 있으며, 2000년 ×월에 OO으로 입원하여 수술을 한 것을 비롯하여 그 후 2007년경까지 합계 일곱 차례에 걸쳐(이 중 1회는 □□병) 입원하여 수술을 반복하고 있었다.

이 사이 원심 상대방은 대체로 1년에 1회, 1주일 정도 귀국했다가 그 때마다 인도네시아에서의 생활비 등으로 C로부터 50~100만 엔 정도의 돈을 받고 있었지만 원심 상대방이 C의 간호를 위해 귀국하거나 귀국했을 때 C의 수발을 들거나 한 적은 없었다. C도 또한 입원과 수술을 하는 때에 원심 상대방에게 연락 등을 하지 않았다.

(6) C는 2001년 ×월 ×일 무렵, 여동생인 D(원심 상대방의 생모)가 C의 생활을 돌보기로 하는 것을 조건으로 C가 소유한 사이타마(埼玉)현 h시 소재 아파트(이하 '본건 아파트'라 한다)를 D에게 무상으로 사용하게 했지만 그 후, D와의 사이에서 불화가 생겨 사용대차 계약을 2007년 ×월 ×일에 해제했다고 하여 그 무렵 변호사인 원심 신청인에게 위임하여 D(당시에는 성이 D1이었다)에게 본건 아파트의 명도를 청구하는 소(별건 건물명도 소송)를 e지방재판소에 제기했다.

D는 C와의 사이의 신뢰 관계는 파괴되지 않았다는 등으로 그 청구를 다퉜다.

(7) 원심 상대방은 별건 건물명도 소송 계속 중 생모인 D를 통해 C가 제출한 진술서 등을 입수한 후 인도네시아에서 자주 C에게 전화를 걸고는, 장시간에 걸쳐, "대리인인 변호사(원심 신청인)는 이모(C)에 대해서 아무것도 모르고 생각하지도 않고 있다. 하는 짓이 더럽다.", "어머니(D)와 화해하고 보살핌을 받는 것이 제일 좋아." 등으로 말하고 D와 화해하고 별건 건물명도 소송을 취하하도록 압박했다.

(8) C는 D에 대한 별건 건물명도 청구 소송과 병행하여 원심 신청인에게 소송을 위임하여, 2007년 ×월 ×일 인도네시아에 거주하는 원심 상대방에 대해서 파양을 청구하는 소(본건 파양소송)를 f가정재판소에 제기했다.

(9) 원심 상대방은 D로부터 본건 파양소송이 제기된 것을 듣고 2007년 ×월경, 매일 같이 인도네시아에서 C에게 전화를 걸고는, C가 "지금은 컨디션이 나쁘니까."라든지 "머리가 아프니까 그만두었으면 한다." 등으로 호소했음에도 불구하고 매번 5~6시간에 걸쳐 자신이 (하고 싶은) 말과 원심 신청인에 대한 비난을 일방적으로 하고 별건 건물명도 소송 및 본건 파양소송을 취하할 것을 집요하게 압박했다.

(10) 이 사이 원심 상대방은 2005년 ×월 ×일에 C집으로의 전입신고를 하고 주민표를 되돌려 인

도네시아에서의 재판을 거친 후 i주 j고등재판소가 한 이혼 재판이 2007년 ×월 ×일에 확정되었다. 그 신고는 재(在) i총영사에 2008년 ×월 ×일에 되었다.

(11) 본건 파양소송에서 원심 신청인은 C의 소송 대리인으로서 2007년 ×월 ×일자로 피고인 원심 상대방의 송달 장소를 D가 거주하는 본건 아파트로 하도록 수소 재판소에 상신했는데 재판소는 같은 달 ×일 제1회 구두 변론 기일을 같은 해 ×월 ×일로 지정한 후 같은 장소로 원심 상대방에 대한 소장 등의 송달을 시도했으나 수취인 부재를 이유로 같은 해 ×월 ×일에 반송되었다. 그 뒤 같은 달 ×일 휴일 송달로 시도된 재송달도 이전지 불명을 이유로 같은 달 ×일에 반송되었다.

원심 신청인은 같은 날 원심 상대방에게 이른바 국외 송달을 하도록 수소 재판소에 신청했는데 재판소는 다음날인 ×일자로 같은 달 ×일의 기일을 취소하고 외국 송달에 필요한 비용이 보관금으로 제출된 후인 같은 달 ×일, 구두 변론 기일로서 2009년 ×월 ×일 오전 10시 및 같은 달 ×일 오전 10시의 2개 기일을 지정하고 국외 송달을 위해 필요한 관계 서류의 영어 번역문이 갖추어진 2008년 ×월 하순 무렵 이후, 최고재판소를 경유하여 인도네시아 공화국의 관할 재판소에 소장 및 기일 호출장 등의 송달이 촉탁되었다.

(12) C는 2007년 ×월 ×일 k공증사무소에서 자신의 유산을 3등분하여 각각을 자신의 조카이자 원심 상대방의 남동생인 M, 남동생 K 및 오빠 G의 처 N의 세 사람에게 유증하는 동시에 D, 남동생 L 및 원심 상대방에게는 유산을 주지 않는다는 취지의 유언을 하고(이하 '전 유언'이라 한다) 그 유언 집행자로서 원심 신청인을 지정했다.

(13) 원심 상대방이 2008년 ×월 ×일의 별건 건물명도 소송을 방청하러 와서 C집을 방문할 예정이라고 C로부터 파악한 것 등에서, 원심 신청인은 본건 파양소송에 대해서 C의 소송 대리인으로서 같은 해 ×월 ×일의 기일을 지정하는 동시에 같은 해 ×월 ×일에 배달 날짜를 지정하고, C집을 송달처로 송달하도록 같은 달 ×일자로 수소 재판소에 상신하였다. 재판소는 같은 달 ×일 요망대로 기일을 추가 지정하여 소장 및 같은 기일의 호출장 등을 C집에 특별 송달로 발송했다.

원심 상대방 앞으로의 이들 송달 서류는 같은 달 ×일에 K가 C집에서 수령했으나 같은 날부로 D 이름으로 "내 앞으로 배달 온 봉투지만 내용물은 내 것이 아니어서 반송합니다. 또한 본인(원심 상대방)에게 직접 전달하고 싶은 경우에는 g섬의 주소로 부탁드립니다." 등의 취지가 기재된 서한과 함께 봉투는 재판소로 반송되었다.

(14) e지방재판소의 담당관은 2008년 ×월 ×일 원심 상대방의 집을 방문하여 원심 상대방 본인과 면회한 후 본건 파양소송에 관련된 (11)의 송달 서류를 수령할 것을 요청했지만 원심 상대방은 좀 더 상세히 검토하고 싶다 등으로 말하며 서류 수령의 서명을 거부했다.

별건 건물명도 소송에서 피고 D의 대리인이기도 했던 원심 상대방 대리인 변호사 O(이하 'O 변호사'라 한다)는 같은 달 ×일 원심 상대방으로부터 본건 파양소송을 수임할 계획이라고 하여 기일은 이듬해(2009년) ×월 ×일이 틀림이 없는지를 수소 재판소에 확인했다. 그 때, O 변호사는 재판소 서기관으로부터 2008년 ×월 ×일의 기일에 대해서는 알고 있느냐고 질문을 받아서 알지 못한다고 답변한 후 국제 우편 사정 관계로 이날까지 위임장을 받을 수 없고 이날의 기일 출석도 어렵다는 취지로 말했다. 그래서 수소 재판소는 같은 해 ×월 ×일, 같은 해 ×월 ×일의 구두 변론 기일을 취소했다. 그러나 O 변호사는 그 후에도 2009년 ×월이 될 때까지 원심 상대방의 소송 위임장을 수소 재판소에 제출하지 않았다.

(15) 한편 e지방재판소는 2008년 ×월 ×일 C의 D에 대한 건물명도 청구를 인용하는 판결을 선고했다. D는 이에 불복해 항소했지만[I고등재판소 平成20年(ネ)第×××号 사건] 같은 해 ×월 ×일에 항소 기각 판결을 받고 다시 상고 및 상고 수리의 신청을 했는데[최고재판소 平成21年(オ)第×××号 및 平成21年(受)第×××号 사건] 같은 해 ×월 ×일에 상고 기각 겸 불수리 결정이 되었다.

(16) 이 사이 원심 신청인은 본건 파양소송에 대해서 C의 소송 대리인으로 2008년 ×월 ×일자로 같은 해 ×월 ×일 대신 기일의 지정을 요구하는 뜻을 수소 재판소에 상신하고 같은 해 ×월 ×일자로 그 달 ×일에 별건 건물명도 소송의 기일이 예정되어 원심 상대방이 일시 귀국한다는 정보가 있다며 기일 지정과 함께 C집으로 소장 등의 송달을 요구하여 재판소는 같은 해 ×월 ×일, 같은 해 ×월 ×일의 구두 변론 기일을 지정했다. 원심 상대방 앞으로의 이들 송달 서류는 같은 해 ×월 ×일 N이 C집에서 수령했다.

같은 달 ×일의 제1회 구두 변론 기일에는 원고 대리인으로서 원심 신청인만이 출석하고 다음 기일은 지정을 마친 2009년 ×월 ×일인 것이 확인된 후 기일은 연기되었다.

(17) C는 2008년 ×월 ×일 k공증사무소에서 전 유언에서 M으로 했던 부분을 언니 H로 고침과 동시에 원심 상대방을 추정상속인으로부터 폐거하는 취지의 조항을 추가하는 취지의 유언(본건 유언)을 했다.

C는 본건 유언에서 원심 상대방의 폐거에 이르게 된 이유로, ① 원심 상대방이 대학 졸업 후에도 취직하지 않고 인도네시아의 g섬으로 이주하고 몇 년 전에는 현지에 새 집을 건축했지만 집의 사진조차 보내오지 않고, 자신은 2000년 OO을 앓은 이후 수술이나 입·퇴원을 반복하고 있으나 원심 상대방이 간병을 위해 귀국한 적은 한 번도 없고 1년에 1회 정도 일시적으로 집에 와서는 용돈으로 50만 엔에서 100만 엔을 받고는 g섬으로 돌아가는 생활을 10년 이상 계속하고 있고 그 생활 모습은 정상적이지 않은 것, ② 원심 상대방이 별건 건물명도 소송에서 D에게 적극 가담하고 말하고 싶은 대로 C에게 불리한 내용의 서면을 제출하거나 날마다 5시간이 넘게 g섬에서 전화하여서는 D와의 화해를 강요하는 등 폭언만이 아니라 학대라고 할 수 있는 행동을 계속하여 온 것, ③ 본건 파양소송에서 D나

D와 동일한 대리인을 통하여 송달의 사실을 알고 대리인에게 의뢰까지 하면서 위임장을 약 4개월 이상에 걸쳐 재판소에 제출하지 않고 소송 지연을 한 것을 들어 본건 유언에서는 이러한 원심 상대방의 일련의 행동은 C에 대한 모욕 · 학대, 기타 현저한 비행에 해당한다고 생각하기 때문에 본건 파양소송이 만일 늦은 때를 위해서도 원심 상대방에 대한 상속인의 폐거를 신청하는 취지를 부언하고 있다.

(18) 원심 상대방 대리인들은 황금연휴 중인 2009년 ×월 ×일 도착으로 본건 파양소송의 수소 재판소에 2008년 ×월 ×일자의 원심 상대방으로부터의 소송 위임장을 첨부하여 청구 기각을 요구하는 동시에 청구원인에 대한 답변은 추후 하겠다는 취지의 답변서를 제출했다. 수소 재판소는 2009년 ×월 ×일 같은 날 및 같은 달 ×일 오전 10시의 기일을 취소한 후 다시 같은 해 ×월 ×일 오후 1시 30분의 구두 변론 기일을 지정했다.

원심 신청인 및 O 변호사가 출석한 위 구두 변론 기일에서는 소장과 답변서 및 청구원인에 대한 인정 여부만을 하고 피고의 주장을 따라야 한다고 된 피고 준비서면 1이 진술되어 절차는 변론 준비에 부치는 동시에 제1회 변론 준비 절차 기일이 같은 해 ×월 ×일로 지정되었다. 또한 당시 전년에 e지방재판소가 한 국외 송달에 관한 서류는 수소 재판소에의 전달이 시간에 맞게 되지 않아, 본건 파양소송의 소장 및 O호증은 2009년 ×월 ×일 오후 1시 30분에 피고 대리인인 O 변호사에게 다시 교부 송달되었다.

같은 해 ×월 ×일의 제1회 변론 준비 절차 기일에서는 원심 신청인 및 O 변호사가 출석하여 피고의 주장을 명확히 하는 피고 준비서면 2가 진술되었고 같은 날 제출된 증거 설명서에 따라 C의 진술서가 조사되었으며 제2회 변론 준비 절차 기일이 같은 해 ×월 ×일로 지정되었다.

(19) C는 2009년 ×월 ×일에 사망하여 본건 파양소송은 당연히 종료했다. 그 후 같은 달 ×일에 원심 상대방의 진술서 및 피고 본인의 증거 신청서가 수소 재판소에 제출되었다.

(20) 그 무렵 원심 신청인은 본건 유언에 의해 수정된 전 유언의 유언집행자에의 취임을 승낙하여 2009년 ×월 ×일에 본건을 신청했다.

(21) 덧붙여 2010년 ×월 ×일의 본건 심판 기일에서 당사자 간에 본건 유언의 무효 확인 청구 소송을 제기하지 않겠다는 내용의 합의가 이루어졌다.

2 본건은 원심 상대방의 주소지가 외국에 있는 섭외 사건이지만 피상속인인 C의 상속 개시 시의 주소지는 일본 내에 있으므로 일본의 민사소송법 5조 14호가 규정하는 상속에 관한 소송에 대한 재판적이 일본에 있는 것으로 일본에서 재판을 하는 것이 당사자 간의 공평, 재판의 적정 · 신속이라는 이념에 반하는 특별한 사정이 인정되지 않으므로 일본의 재판소는 본건에 대해서 국제 재판 관할을 가진다고 해석된다. 또한 상속은 피상속인의 본국법에 의하고(법의 적용에 관한 통칙법 36조), 유언의

성립 및 효력은 그 성립 당시의 유언자의 본국법에 의하는(같은 법 37조) 것으로 되어 있으므로 본건 유언에 의한 추정상속인 폐거가 가능한지 여부에 대해서는 C의 본국법인 일본법이 준거법이 된다.

3 위 1에서 인정한 사실에 따르면 C는 1997년경 이후 OO을 앓았고 2000년 ×월부터 2007년경까지 OO 등으로 입원하여 수술을 반복하고 있었지만, 원심 상대방은 1998년에 인도네시아 국적의 남성과 혼인하여 인도네시아로 이주한 후, 1년에 1회 정도 귀국해서는 C로부터 생활비를 수령할 뿐이고, 원심 상대방이 C의 간병을 위해 귀국하거나 귀국했을 때 C의 수발을 들거나 하는 일은 없었던 것이다. 게다가 원심 상대방은 C의 D(원심 상대방의 생모)에 대한 별건 건물명도 소송 계속 중 또한 C가 원심 상대방에 대해서 본건 파양소송을 제기한 것을 안 후 인도네시아에서 매일같이 C에게 전화를 걸고는, 매회 5~6시간에 걸쳐 자신이 (하고 싶은) 말과 원심 신청인에 대한 비난을 일방적으로 하고 C가 "지금은 컨디션이 나쁘니까."라든지, "머리가 아프니까 그만두었으면 한다." 등으로 호소해도 개의치 않고 별건 건물명도 소송 및 본건 파양소송을 취하하도록 집요하게 압박하는 것을 반복했다는 것이다.

이에 덧붙여 위 1에서 인정한 사실에 의하면 원심 상대방은 늦어도 2007년 11월에는 D를 통해 C가 원심 상대방에 대해서 본건 파양소송을 제기한 것을 알고 C에게 전화를 걸어 이 소송을 취하하도록 압박하는 한편, 원심 상대방의 귀국 예정에 맞추어 2008년 ×월 ×일에 C집 앞으로 송달된 본건 파양소송의 소장을 K로부터 수령하려고 하지 않고, 재판소에 대해서 인도네시아의 주소로 보내도록 D가 상신하도록 시키면서 같은 해 ×월 ×일에 e지방재판소의 담당관이 원심 상대방의 집에서 직접 원심 상대방을 만나 이 소장 등의 수령을 요구한 때에는 합리적인 이유 없이 서류 수령의 서명을 거절하고 또한 이 시점에서 본건 파양소송의 소장 및 2009년 ×월 ×일 오전 10시 및 같은 달 ×일 오전 10시의 구두 변론 기일 호출장의 적법한 송달이 완료되고 원심 상대방도 2008년 ×월말 무렵에는 O 변호사에게 본건 파양소송을 위임했음에도 불구하고(같은 달 ×일에는 O 변호사가 재판소에 기일을 문의하였다), 2009년 ×월이 되기까지 재판소에 위임장을 제출하지 않고 제1회 구두 변론 기일의 직전인 같은 달 ×일에야 위임장(2008년 ×월 ×일자)과 함께 청구 기각을 요구하는 취지의 답변서만을 제출한 것이다. 그리고 2009년 ×월 ×일에 같은 날 및 같은 달 ×일 오전 10시의 각 구두 변론 기일이 취소되고 같은 달 ×일 오후의 구두 변론 기일이 지정되었는데 이는 O 변호사의 사정에 의한 것으로 추인되지만, O 변호사는 2008년 ×월말 무렵의 시점에서 원심 상대방으로부터 본건 파양소송을 수임하여 제1회 구두 변론 기일이 2009년 ×월 ×일로 지정된 것도 인식하고 있었던 것이므로 그 기일까지 준비를 하는 데 필요한 기간은 충분히 있었다고 생각된다. 그리고 2009년 ×월 ×일의 기일에 출석하는 것도 어렵다면 신속하게 위임장을 제출한 후 재판소와 기일에 대해서 협의하는 등 해야 했는데 그 기일의 직전까지 위임장을 제출하지 않고 방치하고 그 때문에 당초 2008년 ×월 ×일에 추가 지정된 기일에 대해서도 원심 상대방 측의 사정에 의해 이를 취소한 후 이를 대체할 기일 지정에 어려움을 초래한 것으로 인정된다. 이러한 원심 상대방의 태도는 민사소송법 2조에 규정된 신의에 따라 성실하게 소송을 수행해야 하는 의무에 위반하는 행태로 본건 파양소송 절차를 장난으로 지연시키는 것이라고 하지 않을 수 없다.

이 점에 관하여 원심 상대방은, 별건 건물명도 소송의 피고 D의 대리인과 같은 대리인들에게 위임하는 것이 불안하여 최종적으로 위임의 뜻을 굳힌 것은 이 소송의 상고 기각 겸 불수리 결정이 되어 판결이 확정된 2009년 ×월 이후였다고 주장하지만 원심 상대방은 2008년 ×월 ×일의 시점에서 O 변호사에게 의뢰하여 본건 파양소송의 수소 재판소에 기일을 확인하고 있는 것, 2009년 ×월 ×일에 원심 상대방으로부터 제출된 위임장은 2008년 ×월 ×일자인 것, 원심 상대방이 O 변호사 이외의 변호사에게 위임하는 것을 검토했다고 하는 사정은 엿볼 수 없는 것 등에 비추어 원심 상대방의 위 주장은 채용할 수 없다.

또한 원심 상대방은 인도네시아에서의 전 남편과의 이혼 소송 및 재산분할에 관한 분쟁으로 인해 정신을 차릴 수 없을 정도로 바빴기 때문에 본건 파양소송에 대처하지 못했다고도 주장하지만, 만일 그러한 사정이 있다고 해도 원심 상대방이 집에 송달된 소장 등의 수령 서명을 거절하는 정당한 이유가 되지는 않고 또한 본건 파양소송이 제기된 후 원심 상대방이 연일 인도네시아에서 C에게 전화를 걸어 장시간에 걸쳐 본건 파양소송의 취하를 압박했던 사실에 비추어 보아도 이 무렵 원심 상대방이 변호사에게 위임하여 본건 파양소송에 대처하는 것이 어려운 상황에 있었다고는 도저히 인정할 수 없다.

이상과 같이 1998년부터 10년 가까운 동안 C가 OO로 입원 및 수술을 반복하고 있는 것을 알면서 1년에 1회 정도 귀국하여 생활비 등으로 C로부터 돈을 수령하는 것 외에는 간병을 위해 귀국하거나 돌보거나 하지 않았던 것, C의 D에 대한 별건 건물명도 소송 및 원심 상대방 자신에 대한 본건 파양소송이 제기되었다는 것을 안 후 연일 C에게 전화를 걸어 C가 컨디션이 안 좋다고 거듭 호소하는 것도 개의치 않고 장시간에 걸쳐 위 각 소송을 취하할 것을 집요하게 압박한 것, 신의에 따라 성실하게 소송을 수행할 의무에 위반하는 형태로 본건 파양소송을 쓸데없이 지연시킨 것 등의 원심 상대방의 일련의 행위를 종합하면, 원심 상대방의 행위는 민법 892조에서 말하는 '현저한 비행'에 해당하는 것이라고 해야 하는 것이다.

4 따라서 원심 상대방을 C의 추정상속인으로부터 폐거해야 한다고 한 원심판은 상당하고, 본건 항고는 이유가 없으므로 이를 기각하는 것으로 하여 주문과 같이 결정한다.

◇ 재판장 재판관 高世三郎 재판관 森一岳 増森珠美

5. 정액우편저금채권이 유산에 속한다는 확인의 소에서의 확인의 이익 유무

본건은 A의 상속인인 피상고인들이 역시 A의 상속인인 상고인들에게 정액우편저금에 관한 저금채권 등이 A의 유산에 속하는 것의 확인을 요구하는 소를 제기한 사안이다.

상고인들은 정액우편저금채권은 상속 개시와 동시에 당연히 상속분에 따라 분할되어 각 공동상속인의 분할 단독 채권이 되어 유산 분할의 대상이 되지 않는 이상, 정액우편저금채권이 실제로 피상속인의 유산에 속하는 것의 확인을 구하는 소에 대해서는 확인의 이익이 인정되지 않을 것인데 이를 인정한 원심의 판단에는 법령 해석의 잘못이 있다고 주장한다.

최고재판소는 "우편저금법[141]은 정액우편저금에 관한 저금채권의 분할을 허용하는 것이 아니고 이 채권은 예금자가 사망했다고 해서 상속 개시와 동시에 당연히 상속분에 따라 분할되는 것은 아니라고 해야 한다. 그렇다면 이 채권의 최종적인 귀속은 유산 분할 절차에서 결정되어야 할 것이기 때문에 유산 분할의 전제 문제로서 민사소송 절차에서 이 채권이 유산에 속하는지 여부를 결정할 필요성도 인정된다고 할 수 있다. 그렇다면 공동상속인 사이에서 정액우편저금채권이 실제로 피상속인의 유산에 속하는 것의 확인을 요구하는 소에 대해서는 그 귀속에 다툼이 있는 한, 확인의 이익이 있다고 할 수 있다."고 판시하였다.

141) 우편저금법(1947년 11월 30일 법률 제144호)은 우편저금에 관해 규정하고 있는 일본의 법률로서 우정민영화법 등의 시행에 따른 관계 법률의 정비 등에 관한 법률(2005년 법률 제102호) 제2조의 규정에 의해 2007년 10월 1일에 일본우정공사법과 간이생명보험법 등과 함께 폐지되었다[위키피디아 일어판(http://www.wikipedia.org/)의 검색내용].

재판연월일 平成22年[142] 10月 8日	**재판소명** 최고재판소 제2소법정
사건번호 平21(受)565号	**재판구분** 판결
사 건 명 유산 확인 청구 사건	**재판결과** 일부 상고 기각, 일부 상고 각하
상 소 등 확정	

주 문

1 원판결 중 제1심 판결 별지 재산 목록 기재 2의 ⑩ 및 ⑪의 정액우편저금에 관한 저금채권이 A의 유산에 속하는 것의 확인을 요구하는 부분에 대해서 본건 상고를 기각한다.

2 나머지 본건 상고를 각하한다.

3 상고비용은 상고인 X1이 부담한다.

이 유

상고인 X1의 대리인 가미카와 요이치(神川洋一)의 상고 수리 신청 이유에 대해서

1 본건은 피상고인들이 상고인들에게 제1심 판결 별지 재산 목록 기재 2의 ⑩ 및 ⑪의 정액우편저금에 관한 저금채권(이하 '본건 채권'이라 한다) 등이 A의 유산에 속하는 것의 확인을 요구하는 소를 제기한 사안이다.

2 기록에 의해 인정되는 사실관계의 개요 등은 다음과 같다.

(1) 위 정액우편저금의 명의자인 A는 2003년 3월 31일에 사망했다.

(2) 피상고인들 및 상고인들은 A의 자녀이다.

(3) 상고인들은 본건 채권이 A의 유산임을 다투고 있다.

3 소론은 정액우편저금채권은 상속 개시와 동시에 당연히 상속분에 따라 분할되어 각 공동상속인의 분할 단독 채권이 되어 유산 분할의 대상이 되지 않는 이상, 정액우편저금채권이 실제로 피상속인의 유산에 속하는 것의 확인을 구하는 소에 대해서는 그 확인의 이익은 인정되지 않을 것인데 이를

142) 2010년

인정한 원심의 판단에는 법령 해석의 잘못이 있다는 것이다.

4 (1) 우편저금법은 정액우편저금에 대해서 일정한 거치기간을 정하여 분할 환급을 하지 않는다는 조건으로 일정 금액을 일시에 예입하는 것으로 정하고(7조 1항 3호), 예입금액도 일정 금액으로 한정하고 있다(같은 조 2항, 우편저금규칙 83조의 11). 이 법이 정액우편저금을 위와 같은 제한 하에 예치되는 저금으로 정하는 취지는 다수의 예금자를 대상으로 한 다량의 사무 처리를 신속하고 획일적으로 처리할 필요상 예입금액을 일정액에 한정하여 저금의 관리를 용이하게 하고, 정액우편저금에 관한 사무의 정형화, 간소화를 도모하는 것에 있다. 그런데 정액우편저금채권이 상속에 의해 분할된다고 해석하면 그에 따른 이자를 포함한 채권액의 계산이 필요하게 되는 사태를 발생시킬 수 있고 정액우편저금에 관한 사무의 정형화, 간소화를 도모한다는 취지에 반한다. 한편, 이 채권이 상속에 의해 분할된다고 해석한다고 해도 이 채권에는 위 조건이 부과되어 있는 이상, 공동상속인은 공동으로 전액의 환불(반환)을 요구하지 않을 수 없어 단독으로 이를 행사할 여지는 없기 때문에 그렇게 해석하는 의의는 부족하다. 이러한 점을 감안해 보면 이 법은 이 채권의 분할을 허용하는 것이 아니고 이 채권은 그 예금자가 사망했다고 해서 상속 개시와 동시에 당연히 상속분에 따라 분할되는 것은 아니라고 해야 한다. 그렇다면 이 채권의 최종적인 귀속은 유산 분할 절차에서 결정되어야 할 것으로 되기 때문에 유산 분할의 전제 문제로서 민사소송 절차에서 이 채권이 유산에 속하는지 여부를 결정할 필요성도 인정된다고 할 수 있다.

그렇다면 공동상속인 사이에서 정액우편저금채권이 실제로 피상속인의 유산에 속하는 것의 확인을 요구하는 소에 대해서는 그 귀속에 다툼이 있는 한, 확인의 이익이 있다고 할 수 있다.

(2) 전술한 사실관계에 의하면 본건 소 중 본건 채권이 A의 유산에 속하는 것의 확인을 요구하는 부분에 대해서는 확인의 이익이 있다고 할 수 있다. 이 부분에 대해서 확인의 이익을 인정한 원심의 판단은 결론에서 옳다고 인정할 수 있다. 소론 인용의 판례[최고재판소 昭和27年(オ)第1119号 昭和29年 4月 8日 제1소법정 판결 · 민집 8권 4호 819쪽]는 본건에 적절하지 않다.

논지는 채용할 수 없다.

덧붙여 상고인 X1은 제1심 판결 별지 재산목록 기재 1의 각 부동산이 A의 유산에 속하는 것의 확인을 요구하는 부분에 대해서도 상고 수리의 신청을 했지만 그 이유를 기재한 서면을 제출하지 않으므로 이 부분에 관한 상고는 각하한다.

따라서 재판관 전원 일치 의견으로 주문과 같이 판결한다. 덧붙여 재판관 후루타 유키(古田佑紀), 지바 가쓰미(千葉勝美)의 보충의견이 있다.

재판관 후루타 유키의 보충의견은 다음과 같다.

나는 정액우편저금채권에 대해서 아래와 같이 생각하니 보충적으로 의견을 말해 두고 싶다.

정액우편저금은 분할 환급을 하지 않는 것이 법률상 조건으로 되어 있는 저금이고 분할 환급을 하지 않는 것은 정액우편저금계약의 내용 혹은 그 전제를 이루는 것이기 때문에, 정액우편저금채권은 저금계약에서 분할 행사를 할 수 없고 각 예입 금액별로 전체가 하나로서 취급되는 것으로 되어 있는 채권이라고 할 수 있다. 상속은 그 대상이 되는 권리에 대해 그 성질, 내용을 그대로 승계하는 것이 원칙이며 위 저금채권에 대해서 상속이 발생함에 따라 전체가 하나로서 취급되는 성질이 없어진다고 해석할 이유는 없다고 생각한다.

재판관 지바 가쓰미의 보충의견은 다음과 같다.

나는 법정의견이 우편저금법은 정액우편저금채권의 분할을 허용하는 것이 아니고 이 채권은 그 예금자가 사망했다고 해서 상속개시와 동시에 당연히 상속분에 따라 분할되는 것은 아니라고 하고 있는 점에 대해서 다음과 같이 의견을 보충해 두고 싶다.

일반적으로 채권이 복수의 사람에게 귀속하는 경우의 법률관계는 준공유(민법 264조)로 되지만 채권의 공유적 귀속에 대해서 민법의 채권총칙 중의 '제3절 다수당사자의 채권 및 채무 제1관 총칙'에서는 분할채권관계를 원칙적으로 규정하고 있다(민법 427조). 따라서 만일 정액우편저금채권이 원칙대로 분할채권이라고 하면 상속에 의해 상속인에게 분할 승계되게 되어 이제 유산분할의 대상으로는 되지 않게 된다.

그런데 분할채권의 속성으로서 각 채권자는 자기에게 분할된 부분에 대해서 독립하여 이행 청구를 할 수 있다는 점이 기본적인 것이며 그렇다면 분할된 채권별로 상계, 면제, 경개 등의 대상이 되고 소멸시효의 완성 유무도 개별적으로 판단되는 것으로 될 것이다. 그래서 정액우편저금채권에 이러한 속성을 인정할 수 있을지가 문제된다.

이 점에 대해서 법정의견은 정액우편저금에는 법령상 분할 환급을 하지 않는다는 조건이 부과되어 있어서 공동상속인이 공동으로 전액의 환급을 요구하는 수밖에 없고 각 상속인이 분할 승계한 부분이 있다고 해석했다고 해도 그것을 단독으로 행사할 여지는 없다고 하고 있다. 또한 이 취지에서 보면 각 상속인은 분할 승계한 부분을 자동 채권으로 하여 상계를 하는 것도 불가능하고 게다가 그 소멸시효에 대해서도 거치 기간 경과 후 예입일로부터 기산하여 10년이 경과할 때까지는 각 예금자가 그 부분에 대한 권리 행사가 가능했는지 아닌지 하는 관점에서 생각하는 것은 불가능하게 될 것이다. 이와 같이 정액우편저금채권은 법령상 예입일로부터 기산하여 10년이 경과할 때까지는 분할 환급이 되지 않는다고 하는 조건이 부과된 결과 분할채권으로서의 기본적인 속성을 결여하기에 이르렀다고 할 수 있다.

이상에 의하면 정액우편저금채권은 분할채권으로 취급할 수 없고 민법 427조를 적용할 여지가 없다. 그렇다면 예금자가 사망한 경우 공동상속인은 정액우편저금채권을 준공유(각각 상속분에 따른 지분을 가진다)하는 것으로 되고 이 채권은 공동상속인 전원의 합의가 없어도 여전히 분할되지 않은 것으로서 유산 분할의 대상이라고 생각해야 한다.

덧붙여 정액우편저금채권이 유산의 중요한 부분이 되고 있는 사안은 적지 않을 것으로 생각되지만 유산 분할을 하는 데 있어서 이를 대상으로 함으로써 유산 분할의 원활한 진행을 도모할 수 있을 것이다.

◇ 재판장 재판관 千葉勝美 재판관 古田佑紀 재판관 竹内行夫 재판관 須藤正彦

6. 장례비용의 부담자

망 E의 형제로서 망 E의 장례비용을 부담한 항소인 B가 망인의 자녀들인 피항소인들이 망 E의 장례에 소요된 비용을 부당이득 하였다고 주장하면서 피항소인들을 상대로 그 반환을 청구한 사안이다.

나고야 고등재판소는 "망인이 미리 자신의 장례에 관한 계약을 체결하는 등 하지 않고 또한 죽은 사람의 상속인과 관계자 사이에서 장례비용의 부담에 대한 합의가 없는 경우에는 추도의식에 필요한 비용에 대해서는 이 의식을 주재한 사람, 즉 자기의 책임과 계산으로 이 의식을 준비하고 (장소 등을) 마련하는 등을 하고 거행한 사람이 (그 비용을) 부담하고 매장 등의 행위에 필요한 비용에 대해서는 죽은 사람의 제사 승계자가 (그 비용을) 부담하는 것으로 해석하는 것이 상당하다."고 전제하였다.

그리고 이를 본건에 대해서 보면 망 E는 미리 자신의 장례에 관한 계약을 체결하는 등 하지 않았고 또한 망 E의 상속인인 피항소인들과 관계자인 항소인들 사이에서, 장례비용의 부담에 대한 합의가 없는 상황에서, 항소인 B가 망 E의 추도의식을 준비하고 그 규모를 결정하고 상주도 맡은 것이므로, 항소인 B가 망 E의 추도의식의 주재자였다고 인정되어 항소인 B가 망 E의 추도의식의 비용을 부담해야 한다고 하였다.

한편 망 E의 유해, 유골의 매장 등의 행위에 필요한 비용에 대해서는, 망 E의 제사를 주재해야 할 사람이 부담해야 하지만, 망 E의 제사를 주재해야 할 사람에 대해서는 망 E가 이를 지정한 사실은 인정되지 않으므로 민법 897조 1항 본문에 의해 관습에 따라 정해져야 한다고 하였다. 하지만 망 E에게는 두 자녀인 피항소인들이 있지만 20년 이상 부자의 교섭이 끊긴 상황인 반면(덧붙여 망 E의 장남인 피항소인 A는 망 E의 장례에도 참석하지 않았다), 형제인 항소인들과의 사이에서는 비교적 친밀한 교류를 한 사정이 인정되는 것도 감안하면, 망 E의 제사를 주재해야 할 사람을 망 E의 자녀인 피항소인들 또는 그 하나로 하는 것이 관습상 명백하다고 단정할 수 없고, 결국 본건의 증거를 가지고는 망 E의 제사를 주재해야 할 사람을 누구로 할 것인지에 관한 관습은 분명하지 않다고 하는 수밖에 없다고 하였다. 결국 나고야 고등재판소는 가정재판소에서 민법 897조 2항에 따라 망 E의 제사 승계자가 정해지지 않는 한, 망 E의 유해 등의 매장 등의 행위에 필요한 비용을 부담해야 할 사람이 정해지지 않았다고 하지 않을 수 없다고 하였다.

나고야 고등재판소는 결국 항소인 B가 피항소인들에게 장례비용을 청구할 법적 근거는 없다고 판단하고 이에 반하는 항소인들의 주장은 모두 채용할 수 없다고 판시하였다.

〈민법〉

(제사에 관한 권리의 승계)

제897조 계보(系譜), 제구(祭具) 및 분묘의 소유권은 전조의 규정에 불구하고 관습에 따라 조상의 제사를 주재해야 할 사람이 승계한다. 단, 피상속인의 지정에 따라 조상의 제사를 수행할 사람이 있는 때에는 그 사람이 승계한다.

2 전항 본문의 경우에 관습이 분명하지 않은 때에는 동항의 권리를 승계해야 할 사람은 가정재판소가 정한다.

재판연월일 平成24年[143] 3月 29日	**재판소명** 나고야(名古屋) 고등재판소
사건번호 平23(ネ)968号	**사건구분** 판결
사 건 명 대금 반환 등 청구 항소 사건	**재판결과** 항소 기각

주 문

1 본건 항소를 모두 기각한다.

2 항소비용은 항소인들이 부담한다.

사실과 이유

제1 당사자가 요구한 재판

1 항소인들

(1) 원판결을 다음과 같이 변경한다.

(2) 피항소인 A는 항소인 B에게 147만 4,724엔 및 이에 대한 2010년 7월 8일부터 다 갚는 날까지 연 5%의 비율에 의한 돈을 지불하라.

(3) 피항소인 C는 항소인 B에게 147만 4,724엔 및 이에 대한 2010년 7월 8일부터 다 갚는 날까지 연 5%의 비율에 의한 돈을 지불하라.

(4) 피항소인 A는 항소인 D에게 200만 엔 및 이에 대한 2010년 7월 8일부터 다 갚는 날까지 연 5%의 비율에 의한 돈을 지불하라.

(5) 피항소인 C는 항소인 D에게 200만 엔 및 이에 대한 2010년 7월 8일부터 다 갚는 날까지 연 5%의 비율에 의한 돈을 지불하라.

(6) 소송 비용은 제1, 2심 모두 피항소인들이 부담한다.

(7) 가집행 선언

143) 2012년

2 피항소인들

주문과 같은 취지

제2 사안의 개요

1 항소인들의 청구 내용 및 소송 경위[144)]

본건은 ① 항소인 B가, 망 E의 장례비용 등을 지출했다고 주장하여 망 E의 자녀인 피항소인들에게 부당이득 반환 청구권에 근거하여 각각 91만 5,450엔 및 이에 대한 최고 기간 경과 후인 2010년 7월 8일부터 다 갚는 날까지 민법 소정의 연 5%의 비율에 의한 지연 손해금의 지불을, ② 항소인 B가, 망 E가 체결하고 있던 임대차 계약을 해약하고 원상회복 비용으로 10만 1,588엔을 지출했다고 주장하여 피항소인들에게 사무 관리에 따른 비용 상환 청구권에 근거하여 각각 5만 794엔 및 이에 대한 최고기간 경과 후인 2010년 7월 8일부터 다 갚는 날까지 민법 소정의 연 5%의 비율에 의한 지연 손해금의 지불을, ③ 항소인 B가, 망 E의 채무를 대신 지불했다고 주장하여 피항소인들에게 각각 8,458엔 및 이에 대한 최고기간 경과 후인 2010년 7월 8일부터 다 갚는 날까지 민법 소정의 연 5%의 비율에 의한 지연 손해금의 지불을, ④ 항소인 B가, 망 E에 대해서 2회에 걸쳐 합계 100만 엔을 빌려 주었다고 주장하여 금전소비대차 계약에 근거하여 피항소인들에게 각각 50만 엔 및 이에 대한 최고기간 경과 후인 2010년 7월 8일부터 다 갚는 날까지 민법 소정의 연 5%의 비율에 의한 지연 손해금의 지불을, ⑤ 항소인 D가, 망 E에게 400만 엔을 빌려 주었다고 주장하여 금전소비대차 계약에 근거하여 피항소인들에게 각각 200만 엔 및 이에 대한 최고기간 경과 후인 2010년 7월 8일부터 다 갚는 날까지 민법 소정의 연 5%의 비율에 의한 지연 손해금의 지불을 요구한 사안이다.

원심은, 항소인 B의 청구 가운데, 위 ②의 사무 관리에 근거한 비용 상환 청구권 및 위 ③의 체당금 반환 청구권을 인용하고, 나머지를 기각하며 항소인 D의 청구를 기각했는데 항소인들이 항소인들 패소 부분에 불복하여 본건 항소에 이르렀다.

따라서 본 심에서의 심리 대상은 위 ①의 부당이득 반환 청구권에 근거한 청구, 위 ④, ⑤의 대금 반환 청구권에 근거한 청구이며, 위 ②의 사무 관리에 근거한 비용 상환 청구 및 위 ③의 체당금 청구는 본 심의 심리 대상이 되지 않는다.

이하 약자는 특히 미리 말하지 않는 한, 원판결의 예에 따른다.

---

144) 이 차례는 필자가 추가한 것이다.

2 다툼 없는 사실과 증거 및 변론의 전체 취지에 의해 쉽게 인정되는 사실

(1) 망 E(1943년 6월 8일생)는 2009년 12월 10일에 사망했는데 그 상속인은 장남인 피항소인 A(1968년 11월 16일 생) 및 차남인 피항소인 C(1971년 10월 7일생)로 각자의 법정 상속분은 각각 2분의 1이다(갑 1의3).

항소인 B, 항소인 D 및 망 E는 형제이다(갑 1의 1, 2).

(2) 항소인 B는 상주로서 망 E의 장례 등을 주재하고 2009년 12월 16일에 철야를, 같은 달 17일에 장례, 화장 및 초이레의 법요를 실시했다(갑 11).

3 항소인들의 주장

(1) 항소인 B의 피항소인들에 대한 장례비용 등의 부당이득 반환 청구

① 항소인 B는 장례비용 등으로서 원판결 별지 비용 목록 1 내지 8과 같이 합계 183만 900엔을 지출했다.

② ㉮ 장례는 망인 · 피상속인의 생활의 청산, 인생의 종지부라는 의미를 가진 것이기 때문에 장례비용은 피상속인의 상속재산 · 유산에서 부담해야 한다. 이 점에서 민법 규정에서도 장례비용은 상속재산 · 유산에서 지출되는 것이 예정되어 있다(민법 306조, 309조). 따라서 망 E의 유산을 상속한 피항소인들이 망 E의 장례비용을 부담해야 한다. 또한 피항소인들은 망 E의 유족 연금을 수급하고 있다.

㉯ 또한 장례비용 부담자는 상속인이라는 견해에 따르더라도 피항소인들이 망 E의 장례비용을 부담해야 하는 것이다.

㉰ 장례비용 부담자는 장례의 주재자라고 하는 견해도 있지만 이 견해에 의해서도 망인이 생전에 자기의 장례에 관한 채무를 부담하고 있었다는 등의 특별한 사정이 있는 경우에는 상속인이 장례비용을 부담해야 하는 것으로 되어 있다. 즉, 생전에 피상속인이 스스로 자기의 재산에서 장례에 관한 비용을 지출하기를 바라며, 그 의사가 명확하게 되었다는 사정이 있는 경우에는 장례를 주재한 사람이 상속재산 · 유산에서 이 비용이 마련될 것이라고 기대하는 것은 자연스럽기 때문이다.

본건에서 망 E는 항소인 B에게 자신이 사망한 때에는 장례비용 등은 자신의 연금에서 지출할 수 있기 때문에 항소인들에게 폐가 되지 않을 것이라고 항상 말했다. 따라서 항소인 B는 망 E가 사망한 때에는 망 E의 상속재산에서 장례비용 등이 지급되는 것으로 인식하고 있었다. 실제로 망 E는 2009년 10월 무렵에 자신의 근무처인 a주식회사의 협동조합에 가입했고 항소인 B에게 연금 지불 통지서와 수급증을 제시했다(갑 8의 1, 2). 이러한 사정에서 보면 망 E는 항소인들에게 자신의 장례비용 및 기타

사망에 따른 처리 비용을 부담시키지 않고 자신의 재산 · 유산에서 이 비용을 염출하기를 바라는 강한 의사를 가지고 있었던 것으로 생각된다.

따라서 본건에서는 바로 망인이 생전에 자기의 장례에 관한 채무를 부담하고 있었다는 등의 사정이 있고 단순히 장례의 주재자가 이 비용을 부담하여야 하는 것이 아닌 '특별한 경우'에 해당하고, 망 E의 장례비용은 상속 채무가 되어 망 E의 재산 · 유산에서 장례 비용이 지출되어야 할 것이다.

㉱ 제사의 주재자가 망 E의 시신 · 유골의 처리에 필요한 비용을 부담한다는 견해도 있을 수 있지만 관습에 따르면 망 E의 제사 주재자는 망 E의 상속인이기 때문에, 망 E의 상속인인 피항소인들이 제사 주재자로서 전술한 비용을 부담해야 하는 것이다.

그리고 위 비용은 항소인 B가 망 E의 시신 처리에 소비한 비용인 별지 '시신의 처리 흐름 및 필요한 비용' 기재의 합계 59만 2,250엔이므로 이 비용은 제사 주재자인 피항소인들이 부담해야 한다.

㉲ 항소인 B는 피항소인들에게 2010년 6월 11일자 서면(늦어도 같은 해 6월 말일까지 도달)에서 위 장례 비용 등 183만 900엔을 이 서면 도달 후 7일 이내에 지불하도록 최고하였다.

(2) 항소인 B의 피항소인들에 대한 망 E에 관한 대여금 반환 청구

① 항소인 B는 망 E에게 2009년 2월 10일에 50만 엔, 같은 해 3월 11일에 50만 엔 합계 100만 엔을 모두 기한의 정함 없이 대여하였다.

② 항소인 B는 피항소인들에게 2010년 6월 11일자 서면(늦어도 같은 해 6월 말일까지 도달)에서 위 대여금을 이 서면 도달 후 7일 이내에 지불하도록 최고하였다.

(3) 항소인 D의 피항소인들에 대한 망 E에 관한 대여금 반환 청구

① 항소인 D는 망 E에게 2007년 4월 8일에 400만 엔을 기한의 정함 없이 대여하였다.

② 항소인 D는 피항소인들에게 2010년 6월 11일자 서면(늦어도 같은 해 6월 말일까지 도달)에서 위 대여금을 이 서면 도달 후 7일 이내에 지불하도록 최고하였다.

4 피항소인 A의 주장

(1) 항소인들의 주장(1)①은 알지 못한다.

항소인들의 주장(1)②, ③은 다툰다. 피항소인 A는 망 E의 예저금 잔액 범위 및 시정촌으로부터의 보조금을 고려하여 가족장 또는 화장만을 하기로 결정하고 있었다. 항소인 B는 피항소인들이 장례를 치를 권리를 침해한 후 세상 시세보다 고액의 청구를 하는 것으로 부당하다. 시신을 처리하는 데 필요한 비용은 7만 9,750엔으로, 이것에서 항소인 B가 공적 보조 비용으로 수령한 5만 엔을 공제하면 2만

9,750엔이 된다.

(2) 항소인들의 주장(2)①은 부인한다.

(3) 항소인들의 주장(3)①은 부인한다.

5 피항소인 C의 주장

(1) 항소인들의 주장(1)①은 알지 못한다.

항소인들의 주장(1)②, ③은 다툰다. 항소인 B는 피항소인들의 양해 없이 장례 내용을 결정하여 수행한 것으로 피항소인들이 그 비용을 부담해야 할 근거는 없다. 장례를 실시하는 데 필요 최소한의 비용은 사체 검안서료 5,250엔과 b마치(町)[145]의 장례식장 계획의 10만 7,000엔 총계 11만 2,250엔에 그친다.

(2) 항소인들의 주장(2)①은 부인한다.

(3) 항소인들의 주장(3)①은 부인한다.

제3 본 재판소의 판단

1 본 재판소도 항소인 B의 피항소인들에 대한 장례비용 등의 부당이득 반환 청구, 항소인 B의 피항소인들에 대한 망 E에 관한 대여금의 반환 청구 및 항소인 D의 피항소인들에 대한 망 E에 관한 대여금 반환 청구는 모두 이유가 없다고 판단하는데 그 이유는 다음과 같다.

2 항소인 B의 피항소인들에 대한 장례비용 등의 부당이득 반환 청구에 대해서

(1) 증거(갑 1의 3, 갑 3의 1~10, 갑 11, 12, 을 4) 및 변론의 전체 취지에 의하면 다음의 사실이 인정된다.

① 망 E와 F(2008년 8월 21일 사망)는 1967년 3월 23일에 혼인한 부부이며 그 사이에서 피항소인들이 출생했지만 1987년 이전에 망 E는 F 및 피항소인들과 별거하고 이후 F 및 피항소인들과 만나는 일도 없었다.

② 항소인 B는 망 E와 평소 교류가 있어 2009년 12월 14일에는 b마치(町) 개호센터의 직원으로부터 망 E의 상태가 이상하다는 연락을 받았다.

항소인 B는 이날 망 E의 아파트로 가서 E가 사망한 것을 확인했다.

경찰관 및 의사에 의한 망 E의 사인 조사가 이루어진 뒤 경찰관이 항소인 B에게 바로 장례식장을

145) 행정구역의 하나

준비하여 시신을 후송하고 싶다고 말했다.

그 때문에 항소인 B는 주식회사 c(c 장례식장)에 연락을 하고 시신을 운반할 준비를 하고 의사에게 사망 진단서를 작성하도록 하여 이를 받았다.

항소인 B는 그 후 c 장례식장과의 사이에서 망 E의 장례에 대해 계약을 하고(갑 3의 10), 망 E의 철야는 같은 달 16일에, 장례는 같은 달 17일에 열리게 되었다.

③ 항소인 B는 F에게 전화로 연락을 하려고 했지만 전화가 연결되지 않았기 때문에 항소인 D에게 F의 주소지까지 가 달라고 했다. 항소인 D는 같은 달 15일, F의 집에 갔다가 인근 사람으로부터 F가 사망한 것을 듣고 F의 집 현관에 항소인 D의 연락처를 기재한 종이를 붙이고 돌아왔다.

피항소인 C는 같은 날 오후 9시 30분경 위 종이를 보고 항소인 D에게 전화를 했고, 항소인 D로부터 망 E가 사망한 것, 장례식장, 집합 시각의 연락을 받았다.

피항소인 C는 같은 날 오후 9시 50분경 피항소인 A에게 전화를 하여 망 E가 사망한 사실을 전하고 장례에 참석할지를 물었는데 피항소인 A는 장례에 참석할 의사가 없다는 취지로 말해서, 같은 날 오후 10시경 항소인 D에게 전화를 하여 피항소인 A는 장례식장에 가지 않는다고 연락했다.

④ 피항소인 C가 같은 달 16일 오후 3시 30분경 장례식장에 가서 항소인들로부터 망 E의 상주를 하도록 요청 받았지만 피항소인 C는 이를 거절했다.

그래서 항소인 B가 망 E의 철야, 장례의 상주를 맡았다.

⑤ 항소인 B는 망 E의 장례 등에 대해서 2009년 12월 14일에 d 클리닉에 사체 검안서 작성 비용으로 5,250엔(갑 3의 1)을, 같은 달 17일에 나고야시에 화장 비용 및 휴게실 이용료로 5만 4,500엔(갑 3의 2, 3)을, 같은 달 19일에 e사(사찰)에 시주로 25만 엔(갑 3의 4)을, 같은 달 17일에 주식회사 c에 헌화비로 2만 100엔(갑 3의 5) 및 공양물비로 4만 2,000엔(갑 3의 6~8)을, 같은 달 25일에 주식회사 c에 장례비용으로 72만 3,720엔(단, 이 외에 사전에 항소인 B가 회비로 내고 있던 48만 엔이 장례비용에 충당되었다. 갑 3의 9, 10)을 각각 지불하였다.

(2) 그런데 장례비용이란 망인의 추도의식에 필요한 비용 및 매장 등의 행위에 필요한 비용(시신 검안에 필요한 비용, 사망 신고에 필요한 비용, 시신 운반에 필요한 비용 및 화장에 필요한 비용 등)으로 해석되지만 죽은 사람이 미리 자신의 장례에 관한 계약을 체결하는 등 하지 않고 또한 죽은 사람의 상속인과 관계자 사이에서 장례비용의 부담에 대한 합의가 없는 경우에는 추도의식에 필요한 비용에 대해서는 이 의식을 주재한 사람, 즉 자기의 책임과 계산으로 이 의식을 준비하고 (장소를) 마련하는 등을 하고 거행한 사람이 부담하고 매장 등의 행위에 필요한 비용에 대해서는 죽은 사람의 제사 승계자가 부담하는 것으로 해석하는 것이 상당하다.

왜냐하면 죽은 사람이 미리 자신의 장례에 관한 계약을 체결하는 등 하지 않고 또한 죽은 사람의 상속인과 관계자 사이에서 장례비용의 부담에 대한 합의가 없는 경우에는 추도의식을 할지 여부, 이 의식을 하더라도 의식의 규모를 어느 정도로 하고 얼마나 비용을 쓸 것인지에 대해서는 오로지 이 의식의 주재자가 그 책임으로 결정하고 실시하는 것이므로 이 의식을 주재하는 사람이 이 비용을 부담하는 것이 상당하다. 한편, 유해 또는 유해의 소유권은 민법 897조에 따라 관습상 망인의 제사를 주재해야 할 사람에게 귀속하는 것으로 해석되므로(최고재판소 平成元年 7月 18日 제3소법정 판결 · 가재월보 41권 10호 128쪽 참조) 그 관리, 처분에 필요한 비용도 제사를 주재해야 할 사람이 부담해야 한다고 해석하는 것이 상당하기 때문이다.

이를 본건에 대해서 보면 위 (1)의 인정 사실에서 보면, 망 E는 미리 자신의 장례에 관한 계약을 체결하는 등 하지 않았고 또한 망 E의 상속인인 피항소인들과 관계자인 항소인들 사이에서 장례비용의 부담에 대한 합의가 없는 상황에서, 항소인 B가 망 E의 추도의식을 준비하고 그 규모를 결정하고 상주도 맡은 것이므로, 항소인 B가 망 E의 추도의식의 주재자였다고 인정되어 항소인 B가 망 E의 추도의식의 비용을 부담해야 한다고 할 수 있다.

한편 망 E의 유해, 유골의 매장 등의 행위에 필요한 비용에 대해서는, 망 E의 제사를 주재해야 할 사람이 부담해야 하지만, 망 E의 제사를 주재해야 할 사람에 대해서는, 망 E가 이를 지정한 사실은 인정되지 않으므로 민법 897조 1항 본문에 의해 관습에 따라 정해져야 한다. 하지만 망 E에게는 두 자녀인 피항소인들이 있지만 위 (1)에서 인정한 대로 20년 이상 부자의 교섭이 끊긴 상황인 반면(덧붙여 망 E의 장남인 피항소인 A는 망 E의 장례에도 참석하지 않았다), 형제인 항소인들과의 사이에서는 비교적 친밀한 교류를 한 사정이 인정되는 것도 감안하면 망 E의 제사를 주재해야 할 사람을 망 E의 자녀인 피항소인들 또는 그 하나로 하는 것이 관습상 명백하다고 단정할 수 없고 결국, 본건의 증거를 가지고는 망 E의 제사를 주재해야 할 사람을 누구로 할 것인지에 관한 관습은 분명하지 않다고 하는 수밖에 없다. 그렇다면 가정재판소에서 민법 897조 2항에 따라 망 E의 제사 승계자가 정해지지 않는 한, 망 E의 유해 등의 매장 등의 행위에 필요한 비용을 부담해야 할 사람이 정해지지 않았다고 하지 않을 수 없다.

따라서 항소인 B가 피항소인들에게 장례비용을 청구할 법적 근거는 없다고 할 것이고 이에 반하는 항소인들의 주장은 모두 채용할 수 없다.

(3) 이 점에 관해서 항소인 B는 장례비용은 상속재산 · 유산에서 지출되는 것이 예정되어 있으므로(민법 306조, 309조) 망 E의 유산을 상속한 피항소인들이 망 E의 장례비용을 부담해야 한다고 주장한다.

그러나 민법 306조, 309조는 장례비용이 선취 특권이 된다는 취지를 규정한 것일 뿐, 누가 장례비용을 부담해야 하는지를 정한 규정은 아니므로 항소인 B의 이 주장은 채용할 수 없다. 또한 항소인 B는 망 E의 상속인인 피항소인들이 장례비용을 부담해야 한다고 주장한다. 그러나 장례비용은 상속개시 후에 생긴 채무이므로 상속인이라고 해서 즉시 장례비용을 부담해야 하는 것으로는 해석되지 않고 항소인 B의 이 주장은 채용할 수 없다.

또한 항소인 B는 망 E가 항소인 B에게 자신이 사망한 때에는 장례비용 등은 자신의 연금에서 지출할 수 있기 때문에 항소인들에게 폐가 되지 않을 것이라고 항상 말했다고 주장한다. 그러나 망 E가 항소인 B에게 연금 지불 통지서와 수급증서를 제시했다고 해도(갑 8의 1, 2) 이 사실을 추인할 수 있다고는 말하기 어렵고 달리 이 사실을 인정할 만한 명확한 증거는 없다. 따라서 항소인 B의 이 주장은 채용할 수 없다.

3 항소인 B 및 항소인 D의 피항소인들에 대한 망 E에 관한 대여금 반환 청구에 대해서

항소인들의 주장 (2)①의 사실 및 (3)①의 사실은 이를 인정할 만한 증거가 없다.

이 점에 관한 본 재판소의 설명은 원판결 7쪽 11줄의 '확실히'에서 17줄 말미에 기재된 대로이기 때문에 이를 인용한다.

4 이상과 같기 때문에 항소인 B의 장례비용 등의 부당이득 반환 청구, 항소인 B 및 항소인 D의 대여금 반환 청구는 모두 이유가 없어 이를 기각해야 한다.

제4 결론

따라서 원판결은 상당하고 본건 항소는 모두 이유가 없으므로 이를 기각하는 것으로 하여 주문과 같이 판결한다.

◇ 재판장 재판관 長門栄吉 재판관 内田計一 재판관 中丸隆

※ 별지 '시신의 처리 흐름 및 필요한 비용' … 첨부 생략

제18장

인신보호 결정에 관한 불복

1. 인신보호 청구 기각 결정에 대한 허가항고 가능 여부

최고재판소는 인신보호법에 의한 석방의 청구를 각하 또는 기각한 고등재판소의 결정은 허가항고의 대상은 아니라고 판시하였다.

〈민사소송법〉

(허가항고)

제337**조** 고등재판소의 결정 및 명령(제330조의 항고 및 다음 항의 신청에 대한 결정 및 명령을 제외한다)에 대해서는 전조 제1항의 규정에 의한 경우 이외에 그 고등재판소가 다음 항의 규정에 의해 허가한 때에 한하여 최고재판소에 특히 항고를 할 수 있다. 단, 그 재판이 지방재판소의 재판이라고 한 경우에는 항고를 할 수 있는 것인 때에 한한다.

2~6 (생략)

2. 인신보호법 제11조 1항의 '청구의 이유가 없는 것이 명백한 때'의 의미

최고재판소는 민사 사건에 대해서 특별항고를 하는 것이 허용되는 것은 민사소송법 336조 1항 소정의 경우인 헌법 위반이 있는 것을 이유로 하는 때에만 가능하다고 판시하였다.

또한 인신보호법 11조 1항에 해당하는 '청구의 이유가 없는 것이 명백한 때'란 인신보호규칙 21조 1항 1호부터 5호까지에 규정하는 경우 및 이에 준하는 정도로 청구에 이유가 없는 것이 명백한 경우(이 조항 6호)에 한한다고 하면서 본건은 자녀의 아버지인 항고인이 자녀를 구속하고 있는 어머니 및 그 부모인 상대방들에 대해서 인신보호법에 근거하여 자녀의 인도 등을 요구하는 사안인데 피구속자를 청구인의 감호 아래에 두는 것이 구속자의 감호 아래에 두는 것에 비해 자녀의 행복의 관점에서 현저하게 부당한 것임이 일견하여 명백하다고 할 수 없으므로 원심은 본건 청구에 대해서 결정에 의해 이를 기각하지 않고 심문 절차를 거친 후에 판결에 의해 그 판단을 해야만 했다고 판시하였다.

〈민사소송법〉

(특별항고)
제336조 지방재판소 및 간이재판소의 결정 및 명령으로 불복을 제기할 수 없는 것 및 고등재판소의 결정 및 명령에 대해서는 그 재판에 헌법 해석의 잘못이 있는 것 기타 헌법 위반이 있는 것을 이유로 하는 때에 최고재판소에 특히 항고를 할 수 있다.
2~3 (생략)

〈인신보호법〉

제11조 준비조사의 결과, 청구 이유가 없는 것이 명백한 때에는 재판소는 심문 절차를 거치지 않고 결정으로 청구를 기각한다.
2 전항의 결정을 하는 경우에는 재판소는 먼저 한 전조의 처분을 취소하고 피구속자에게 출두를 명하여 이를 구속자에게 인도한다.

재판연월일 平成22年[146] 8月 4日	**재 판 소 명** 최고재판소 제2소법정
사 건 번 호 平22(許)7号	**재 판 구 분** 결정
사 건 명 인신보호 청구 기각 결정에 대한 허가항고 사건	
재 판 결 과 항고 각하	

주 문

본건 항고를 각하한다.

항고비용은 항고인이 부담한다.

이 유

인신보호법에 의한 석방의 청구를 각하 또는 기각한 지방재판소의 결정에 대해서는 이에 대한 불복신청에 대해서 인신보호법 및 인신보호규칙에 특별한 규정을 두고 있지 않고, 인신보호법에 의한 석방의 청구를 각하 또는 기각한 고등재판소의 결정은 허가항고의 대상은 아니라고 할 수 있다(민사소송법 337조 1항 단서).

따라서 본건 청구를 기각한 원결정에 대한 본건 항고는 부적법하여 각하를 면치 못한다.

따라서 재판관 전원 일치 의견으로 주문과 같이 결정한다.

◇ 재판장 재판관 千葉勝美 재판관 古田佑紀 재판관 竹内行夫 재판관 須藤正彦

146) 2010년

재판연월일 平成22年147) 8月 4日	**재판소명** 최고재판소 제2소법정
사건번호 平22(ク)376号	**사건구분** 결정
사 건 명 인신보호 청구 기각 결정에 대한 특별항고 사건	
재판결과 항고 기각	**상 소 등** 확정

주 문

본건 항고를 기각한다.

항고비용은 항고인이 부담한다.

이 유

항고대리인 이케다 다카시(池田崇志) 외의 항고이유에 대해서

민사 사건에 대해서 특별항고를 하는 것이 허용되는 것은 민사소송법 336조 1항 소정의 경우에 한정되는데 본건 항고이유는 위헌을 말하지만 그 실질은 원결정의 단순한 법령 위반을 주장하는 것으로 이 조항에 규정하는 사유에 해당하지 않는다.

또한 인신보호법 11조 1항에 해당하는 '청구의 이유가 없는 것이 명백한 때'란 인신보호규칙 21조 1항 1호부터 5호까지에 규정하는 경우 외, 이에 준하는 정도로 청구에 이유가 없는 것이 명백한 경우(이 조항 6호)에 한한다. 본건은 자녀의 아버지인 항고인이 자녀를 구속하고 있는 어머니 및 그 부모인 상대방들에 대해서 인신보호법에 근거하여 자녀의 인도 등을 요구하는 사안인데 항고인은 미국 위스콘신(Wisconsin)주 밀워키(Milwaukee)군 순회 재판소의 확정 판결에 의해 자녀의 단독 감호권자로 지정되어 원결정에 의하면 위 확정 판결은 민사소송법 118조 각호 소정의 외국 판결의 승인 요건을 충족하고 있다는 것으로 기타 당사자의 주장 내용 등에 비추어 보아도 피구속자를 청구인의 감호 아래에 두는 것이 구속자의 감호 아래에 두는 것에 비해 자녀의 행복의 관점에서 현저하게 부당한 것임이 일견하여 명백하다고 할 수 없다[최고재판소 平成6年(オ)第1437号 平成6年 11月 8日 제3소법정 판결 · 민집 48권 7호 1337쪽 참조]. 그렇다면 원심은 본건 청구에 대해서 결정으로 이를 기각하지 않고 심문 절차를 거친 후에 판결에 의해 그 판단을 해야만 했다고 하지 않을 수 없다. 그러나 원결정에

147) 2010년

이러한 문제가 있는 경우라 해도 상급심에서 이를 시정하지 않고 다시 청구가 이루어진 때에 이를 심리하는 재판소에서 심문 절차를 거친 판단을 하는 것이 법이 예정하는 바이다.

따라서 재판관 전원 일치 의견으로 주문과 같이 결정한다.

◇ 재판장 재판관 千葉勝美 재판관 古田佑紀 재판관 竹内行夫 재판관 須藤正彦

제19장

유부남이라는 사실을 알면서 그와 간통을 한 여성의 위자료 청구 허용 여부

본건은 원고 B가 피고에게 자신과 피고 사이의 자녀인 원고 A의 인지를 요구함과 동시에 원고 B가 피고에게, 피고가 ① 피고의 아내와의 혼인이 파탄에 이르러 이혼하고 원고 B와 결혼할 의사가 있다는 거짓말을 하여 임신 · 교제를 계속하도록 한 후 원고 A의 출산을 적극 지원하였고 ② 그럼에도 불구하고 그 후 태도를 바꾸어 원고들의 인지 청구 등에 대해서 불성실한 대응으로 일관하였고 ③ 피고의 아내가 원고 B를 제소한 별건 소송에서 원고 B를 공연히 비방하는 내용의 진술서를 제출했다고 하여 불법행위로 인한 손해배상청구권에 근거하여 위자료 300만 엔의 지불을 요구하는 사안이다.

나가노 재판소 스와 지부는 "배우자가 있는 사람의 혼인 외 성관계는 일부일처제라는 선량한 풍속에 반하는 행위이며, 정을 통한 여성은 남편의 처에 대한 정조 의무 위반에 가담한 공동 불법행위 책임을 진다. 따라서 유부남임을 알면서도 정교 관계를 맺은 여성이 그 때문에 손해를 입었다고 해도 그 복구로서의 위자료 등을 청구하는 것은 일반적으로는 민법 708조에 나타난 법의 정신에 반하여 허용되지 않는다."고 전제하였으나 "그렇다고는 하지만 여성이 남성에게 아내가 있음을 알면서도 정교관계를 맺었다고 해도 정교의 동기가 주로 남성 측의 거짓말을 믿은 것에 기인한 경우에, 정교 관계를 맺은 동기, 거짓말의 내용 정도 및 그 내용에 대한 여성의 인식 등 제반 사정을 참작하고, 여성 측의 동기에 내재하는 불법의 정도에 비해, 남성 측의 위법성이 현저하게 큰 것으로 평가할 수 있는 때에는 정조 등의 침해를 이유로 하는 여성의 남성에 대한 위자료 청구는 허용된다."고 판시하였다.

사안에서는 유부남인 피고가 독신녀인 원고 B에게 피고의 처와의 부부 관계가 파탄에 이르렀으며 이혼을 반드시 한다고 하는 거짓말을 하여 그 환심을 산 후 원고 B와의 성관계 시에 원고 B가 피임을 하자고 하여도 원고 B와의 결혼을 생각하고 있고 아이도 있었으면 한다고 하는 감언을 하면서 피임하지 않은 채 성관계에 응하도록 하여 원고 B를 임신시킨 후 아내와 이혼하고 원고 B와 결혼해서 아이를 함께 키우겠다는 등으로 임신 전과 마찬가지의 언행을 반복하면서 원고 B와의 교제를 계속하였는데 그 과정에서 원고 B가 거듭 낙태를 제안하여도 거부하고 원고 A의 출산을 적극적으로 지원한 사실이 인정되었다.

그런데 피고는 원고 B의 출산 직전에 태도를 바꾸어 원고들과의 연락을 끊어 연락 불통이 되었고 원고들의 거듭된 인지 요구에도 응하지 않고, 별건 소송에서 자신을 보호하기 위해, 연락 불통이 되기 전에는 지적한 적이 없는, 원고 B와 피고 외의 남성과의 성관계 의혹을 지적하고 원고 A가 피고의 아이가 아닐 가능성을 은근히 시사하는 내용의 진술서를 제출한다거나 본안 소송에서 DNA 감정에 의해 원고 A가 피고의 아이임이 분명하게 된 후에도 양육비를 포함한 포괄 해결이 되지 않는 한, 임의 인지에는 응하지 않는다는 태도를 취하는 등, 그동안의 언행과 모순에 찬 거동으로 일관하고 있었다.

재판소는 이러한 제반 사정을 감안하고 피고와의 정교 관계에 대해서 원고 B에게도 위법성이 인정되는 것을 위자료액 산정 시의 한 사정으로 고려하여 피고가 원고 B에게 지급해야 할 위자료액을 75만 엔의 한도에서 인정하였다.

재판연월일 平成23年[148] 12月 13日	**재 판 소 명** 나가노(長野) 가정재판소 스와(諏訪) 지부
사 건 번 호 平22(家ホ)9号	**재 판 구 분** 판결
사 건 명 인지 등 청구 사건	

주 문

1 원고 A가 피고의 자녀임을 인지한다.

2 피고는 원고 B에게 75만 엔 및 이에 대한 2010년 6월 27일부터 다 갚는 날까지 연 5%의 비율에 의한 돈을 지불하라.

3 원고 B의 나머지 청구를 기각한다.

4 소송비용은 원고 A에게 발생한 비용 전부와 원고 B에게 발생한 비용의 4분의 1과 피고에게 발생한 비용의 2분의 1을 피고가, 원고 B에게 발생한 나머지 비용과 피고에게 발생한 나머지 비용을 원고 B가 각각 부담한다.

5 이 판결은 제2항에 한하여 가집행할 수 있다.

사실과 이유

제1 청구

1 주문 제1항과 같은 취지

2 피고는 원고 B에게 300만 엔 및 이에 대한 2010년 6월 27일부터 다 갚는 날까지 연 5%의 비율에 의한 돈을 지불하라.

제2 사안의 개요

1 본건은 원고 두 사람이 피고에게 원고 A의 인지를 요구함과 동시에 원고 B가 피고에게 ① 피고는 피고의 아내와의 혼인이 파탄에 이르러 이혼하여 결혼할 의사가 있다는 거짓말을 하여 임신 · 교제를 계속하도록 한 후 원고 A의 출산을 적극 지원하였고 ② 그럼에도 불구하고 그 후 태도를 바꾸어

---

148) 2011년

원고들의 인지 청구 등에 대해서 불성실한 대응으로 일관하였으며 ③ 피고의 아내가 원고 B를 제소한 후술하는 별건 소송에서 원고 B를 공연히 비방하는 내용의 진술서를 제출했다고 하여 불법행위로 인한 손해배상청구권에 근거하여 위자료 300만 엔(지연손해금의 기산일은 소장 송달일의 다음날)의 지불을 요구하는 사안이다.

2 전제 사실

(1) 피고(1978년생)와 C(1965년생. 이하 '피고의 처'라 한다)는 2007년 O월에 혼인한 부부이며 두 사람 사이에는 같은 해 O월에 장남이 태어났다. 또한 피고는 피고의 처와 전 남편 사이의 아이 둘을 입양하였다(변론의 전체 취지).

(2) 원고 B(1973년생)는 2008년 초 무렵, 휴대전화 사이트를 통해 피고를 알게 되어 같은 해 8월, 피고에게 처자가 있는 것을 알면서 피고와 처음 육체관계를 갖고 그 후에도 피고와 육체관계를 계속했다(변론의 전체 취지).

(3) 원고 B는 2009년 O월 O일 원고 A(여아)를 출산했다(변론의 전체 취지).

(4) 2009년 7월 27일, 피고의 처는 원고 B에게 부정행위에 따른 위자료 지불 청구 소송을 제기했다(나가노 지방재판소 스와 지부 平成21年 第O号. 이하 '별건 소송'이라 한다)(변론의 전체 취지).

(5) 2010년 6월 18일 원고들은 피고에게 본건 소송을 제기했다(현저한 사실).

3 쟁점 및 쟁점에 관한 당사자의 주장

(1) 인지 청구 : 원고 A와 피고 사이에 혈연상의 부자 관계가 존재하는지

원고들은 원고 A가 피고의 자녀라고 주장하고 있고 피고는 임신했다고 하는 날부터 출산일까지를 산출하면 통상의 임신 기간과 비교하여 조산으로 자신의 아이는 아니라는 등으로 주장하고 있다.

(2) 원고 B의 피고에 대한 불법행위 청구

① 불법행위 책임의 유무

[원고 B의 주장]

㉮ 피고는 원고 B의 환심을 사기 위해 원고 B에게 피고의 처와의 혼인관계가 파탄에 이르렀다고 속이고 피고의 처와 이혼하고 원고 B와 결혼할 의사가 있다고 하면서 원고 B와 피임하지 않고 정교관계를 가졌다.

㉯ 그리고 피고는 원고 B가 임신했다고 알리자 환영하였고 피고의 처와 이혼하고 원고 B와 결혼하여 같이 아이를 키우자는 취지의 언행을 반복하며 원고 B와의 정교 관계를 지속시켰다. 원고 B가

몇 번인가 낙태를 제안한 적도 있었지만 피고는 이를 거부하고 출산에 대한 강한 압력을 가했다.

㉰ 그럼에도 불구하고 피고는 출산 직전이 되자 태도를 바꾸어 원고들과의 관계를 끊고 원고들의 거듭된 인지 청구에도 응하지 않는다.

㉱ 그 뿐만 아니라 피고는 별건 소송에 제출한 진술서에서 원고 B의 주장을 망상이라고 단정한 다음 원고 B가 이 시기에 피고 이외의 남성과 성관계를 가진 것처럼 말하여 원고 A가 피고의 아이가 아닐 가능성을 은근히 시사하고 있다. 피고가 위 진술서를 별건 소송에 제출한 것은 자신을 지키기 위해 원고 B를 함부로 비방한 것이며 소송 행위로서 도저히 정당화될 수 없고 독립한 불법행위를 구성한다.

[피고의 주장]

㉮ 원고 B와 피고의 만남은 성인 사이트 내의 마작 스레드(thread)[149]를 통해서이고 원고 B와 피고는 이 스레드 내 각각의 문제가 계기가 되어 알게 되었는데 문자 메시지를 주고받거나 전화 통화를 하게 되면서 자연스럽게 친해져서 직접 만나게까지 되었고 마침내 남녀 관계에 이르러 아이의 인지 문제로까지 발전하는 관계가 되었다.

㉯ 피고는 사이트 내의 세계를 실제가 아닌 가상현실의 세계로 인식하고 있었다. 그리고 그 안에서 이용자 사이의 대화는 일종의 말장난에 불과한 것으로 암묵적으로 양해가 되어 있어 거짓말을 해도 괜찮다고 이해하고 있었다.

피고는 원고 B와의 관계에 대해서도 사이트 내의 세계의 연장으로 인식하고 있었던 것으로 위 암묵적인 양해 내지 그 연장이라는 인식이었다.

㉰ 피고는 피고의 처의 소송대리인이 작성해 달라고 요구하여 진술서를 작성했지만 그것을 별건 소송에 제출한 것은 피고의 처의 소송대리인이다. 진술서에서, '망상'이라는 표현을 사용한 것은 원고 B가 당초 별건 소송의 답변서에서 피고에게 처자가 있는 것을 알지 못했다고 주장한 것에 깜짝 놀랐기 때문이다. 또한 피고는 원고 B가 사이트 내의 다른 남성과 만났다고 자신에게 이야기를 하였기 때문에 원고 B를 의심하여 원고 B가 지적하는 것과 같은 표현을 하게 된 것이다.

② 손해액

[원고 B의 주장]

피고는 임신한 원고 B에게 출산하도록 촉구하는 무수한 허위 발언을 거듭했다. 그리고 그 언동으로 인해 원고 B는 중절이라는 선택지도 있었지만 원고 A를 출산하기에 이르렀고 그 후 (친족을 포함

149) 인터넷상에서 토론 그룹의 멤버들이 올린 메시지에 대한 일련의 응답

한 사람들에게 의절 당해) 고립무원의 상황 속에서 혼자 아이를 키우고 있다. 그런데 다시 그 고통에 더하여 피고의 처에게 손해배상 청구 소송을 제기 당하고 그러한 가운데 피고의 언행 등에 의해 엄청난 정신적 고통을 입은 것이며 이를 위자하려면 300만 엔이 상당하다.

[피고의 주장]

다툰다.

제3 본 재판소의 판단

1 인정 사실

전술한 전제 사실에 증거[갑 1(가지번호를 포함한다), 갑 2(가지번호를 포함한다), 갑 3~갑 9, 갑 11, 갑 13, 을 2, 을 3, 원고 B 본인, 감정 촉탁] 및 변론의 전체 취지를 종합하면 다음과 같은 사실이 인정되고 괄호 안의 증거 중 이 인정에 어긋나는 부분은 채용할 수 없으며 달리 이 인정을 좌우할 만한 증거는 없다.

덧붙여 별건 소송(갑 3, 갑 10) 및 본건 소송(을 5, 피고 본인)에서의 피고의 각 진술은 후술하는 (피고와 원고 B가) 주고받은 문자 메시지 등 객관적 자료 · 경과와 어긋난다는 점, 질문에 대한 진술 태도가 성실성이 없고 몸을 사리는 자세가 보이는 것 등에 비추어 보아 신용성이 결여되어 채용할 수 없고(증거에 갑 3을 게시한 것은 그러한 내용의 진술서를 피고가 작성하여 별건 소송에 제출한 사실을 인정하기 위해서일 뿐이다), 반대로 원고 B의 진술(갑 8, 갑 9, 원고 B 본인)은 객관적인 자료 · 경과와 일치하고 있어 신용성이 높다고 판단했다.

(1) 피고와 피고의 처는 2006년 O월경부터 동거를 시작하여 2007년 O월에 혼인하고 그 해 O월에는 그 사이에서 장남이 태어났다.

그 무렵부터 피고는 야간에 소방단의 술자리, 온바시라 마쓰리(御柱祭)[150]의 훈련, 취미인 마작으로 집을 비우는 일이 많았다.

2008년 초 무렵부터 피고는 위와 같은 것들에 더해서 휴대전화 사이트에 몰두하게 되어 가정을 돌보지 않았다.

피고의 처는 육아 · 가사로 인한 부담을 무겁게 느끼고 있었는데 피고가 위와 같이 가정을 돌보지 않게 된 것도 있어서 같은 해 3월경부터 생리 불순 · 우울 상태가 되어 병원에 통원하게 되었다.

또한 그 무렵부터 피고와 피고의 처 사이에는 피고가 휴대전화 사이트에 빠져 있던 것이나 다른

150) 나가노(長野)현 스와(諏訪) 지방에서 열리는 축제이다.

사소한 일로 자주 다툼이 있었다.

그러나 피고와 피고의 처의 혼인관계와 관련하여서는 (두 사람은) 그 후에도 별거하지는 않았고 부부 관계도 하는 등 후술하는 것과 같이 피고와 원고 B가 처음으로 정교 관계를 가진 같은 해 8월 당시에도 통상적인 부부 생활의 범주였다.

(2) 피고와 원고 B의 정교 관계 시작

① 피고가 휴대전화 사이트에 몰두하게 된 2008년 초 무렵으로 피고는 원고 B와 마작 스레드에서 알게 되었다.

그 무렵부터 피고는 마작 스레드에 사랑 없는 생활은 싫다, 이혼하고 싶다 등으로 자주 글을 쓰고 있었으며 원고 B도 이를 보고 있었다.

② 그 후 원고 B와 피고는 스레드 내의 문제를 계기로 같은 해 3월경에는 문자 메시지를 주고받게 되었다.

그 무렵 피고는 마작 스레드에 다른 여성과 약혼했는데 피고의 처가 짓궂은 짓을 하여 그 약혼자가 정신적으로 이상하게 되었다, 점점 망가지는 약혼자를 보는 것이 괴로웠다, 자신은 약혼자와 함께 가슴이 아팠지만 약혼자의 부모에게서 더 이상 연락을 하지 말아 달라는 이야기를 듣고 헤어지게 되고 말았다, 피고의 처가 약혼자를 괴롭힌 것을 알게 된 것은 결혼 후이고 피고의 처도 이를 인정하고 있다는 등으로 허위 사실을 기재하고 원고 B도 이를 보았다.

③ 같은 해 5월경, 피고는 원고 B에게 만나고 싶다고 문자 메시지를 보냈다. 원고 B가 피고에게는 아내가 있으므로 만나지 않겠다는 취지의 답장을 했는데, 피고는 원고 B에게 아내와는 이미 관계가 없다는 내용의 문자 메시지를 보냈다.

④ 같은 해 6월, 7월 무렵부터 피고와 원고 B는 전화 통화를 하게 되었다. 그 무렵 피고는 전화통화를 하면서 원고 B에게 피고의 처와의 결혼 생활이나 부부 관계에 대해서 다음과 같은 허위 사실을 알렸다.

㉮ 피고의 처와는 만남 사이트에서 만났는데 당시 피고에게는 교제 상대가 있었지만 피고의 처로부터 가볍게 만나 즐기기만 하는 사이도 괜찮다는 이야기를 듣고 만났다. 그런데 임신하자 피고의 처가 아이를 지운다면 살인자라거나 모체가 견디지 못한다거나 해서, 부득이 아이가 태어나기 직전에 피고의 처를 피고의 호적에 올렸다. 그러한 이유로 결혼식도 하지 않았다. 피고의 처에게 아이가 둘이 있다는 것은 임신 후에 알았다. 이들 자녀에 대해서도 피고의 처로부터 이야기를 듣고 부득이 피고의 호적에 두 아이를 입적시켰다.

㉯ (피고는) 피고의 처에게 애정이 없고 (두 사람 사이에) 성관계도 없다. 식사는 아침은 집에서

먹지 않고, 낮에는 편의점 등에서 사 먹고 밤에도 거의 집에서는 먹지 않는다.

④ 그 해 7월 10일, 피고와 원고 B는 처음 만났다. 그 때 피고가 원고 B를 덮쳤지만 원고 B가 (성관계를) 거부했기 때문에 정교 관계를 갖지는 못 했다.

⑤ 그 뒤에도 피고는 원고 B에게 돌아봐 줄 때까지 원고 B를 절대로 포기하지 않는다는 취지로 문자 메시지를 계속 보냈다.

⑥ 같은 해 8월 19일, 피고는 원고 B와 만났고 합의한 다음 처음으로 정교 관계를 가졌다. 그 때, 피고는 원고 B가 피임을 요구하자 원고 B와의 결혼을 생각하고 있고 아이도 가지고 싶으니 피임은 안 하겠다는 취지의 말을 하여 피임을 하지 않는 채 성관계에 응하게 했다.

(3) 피고와 원고 B의 교제 발각과 그에 대한 피고의 대응 등

① 같은 달 22일, 피고의 처는 피고와 원고 B의 교제를 알고 피고로 하여금 원고 B에게 전화 및 문자 메시지로 교제를 그만둔다고 전하게 했다.

그러나 바로 피고는 원고 B에게 아까의 전화나 문자 메시지는 피고의 처가 지시하여 따른 것이라고 설명하는 동시에, 원고 B와의 교제가 발각되어 피고의 처와의 이혼 교섭이 불리하게 되어 버렸지만, 원고 B와는 헤어지지 못하고, 피고의 처와는 반드시 헤어질 것이니 잠시 기다려 달라는 등으로 말하고 원고 B와의 교제를 지속시켰다.

② 같은 달 23일, 피고는 원고 B에게 피고의 처에 대해서는 인정(人情)밖에 없고[151] 이혼 해결사라든가 어떤 더러운 방법을 써서라도 가급적 최소한으로 (위자료 등을) 지불하고 1년 반 후에는 헤어지고 싶다는 생각이라는 내용의 문자 메시지를 보냈다.

③ 같은 달 26일, 피고는 원고 B에게 피고와 원고 B 사이의 아이에 대해서 여자 아이가 좋고 원고 B가 질투할 정도로 그 아이를 귀여워한다는 내용의 문자 메시지를 보냈다.

④ 같은 해 9월 12일, 피고는 원고 B에게 둘이서 산 반지를 아침부터 저녁까지 어제도 오늘도 끼고 있다, 다음에 만날 때에는 언제까지나 함께 있을 수 있었으면 하는 염원을 담은 (물건을) 둘이서 신사에 바치고 싶다는 내용의 문자 메시지를 보냈다.

(4) 원고 B의 임신으로부터 연락불통이 될 때까지 피고의 대응

같은 달 중순 무렵 피고는 원고 B로부터 임신했다는 말을 들었다.

원고 B의 임신 후에도 피고는 적어도 월 1회는 원고 B의 집에 들렀고 원고 B와의 정교 관계도 계속 가지고 있었다.

---

151) 이성으로서의 애정은 없고 오랫동안 함께 살면서 생긴 인정밖에 없다는 의미이다.

또한 그 동안 피고는 원고 B에게 순산을 기원하는 부적을 주었고 함께 순산을 기원하러 가고 출산 시에도 입회하고 싶다며 출산 입회를 위한 서류에 서명하기도 했다.

그러나 2009년 5월 20일 이후 갑자기 피고는 원고 B와 연락을 끊어 연락불통이 되었다.

원고 B의 임신으로부터 연락불통이 되기까지의 사이, 피고는 원고 B와의 사이에서 아래의 ①~⑨와 같이 문자 메시지를 교환하고 있다.

① 2008년 9월 25일, 피고는 원고 B에게 회사에서 해고되면 원고 B의 집으로 가고 (피고의 처와는) 반드시 전부 청산하고 갈 테니까 기다려 주기 바란다, 태어나는 아이에게도 슬픈 생각을 하게하고 싶지 않다는 내용의 문자 메시지를 보냈다.

② 같은 달 29일 및 같은 달 30일, 피고는 원고 B가 중절에 대해서 상담을 해 오자 왜 그런 말을 들어야 하는가, 피고가 지우라는 말을 하는 일은 절대 없다, 낳기를 바란다, 무슨 일이 있어도 생기게 만든 책임으로부터 도망 칠 생각은 전혀 없다, 원고 B와 계속 함께 있고 싶다, 절대 미혼모로 만들지 않는다, 죽도록 사랑하고 있다는 내용의 문자 메시지를 보냈다.

③ 같은 해 10월 4일, 피고는 원고 B가 산부인과에서 5주 3일이라는 진단을 받았다는 사실을 태아의 초음파 사진을 첨부하여 문자 메시지를 통해 알리자 임신을 기뻐하는 내용의 문자 메시지를 답장으로 보냈다.

④ 같은 달 21일, 피고는 원고 B에게 아이에게 붙일 이름의 안(案)을 문자 메시지로 보냈다.

⑤ 그 해 11월 상순부터 중순까지 원고 B는 피고에게 중절을 할 생각도 있다고 다시 이야기를 하였는데 피고는 만삭 때까지 (피고의 처와) 이혼하지 못하면 전부 버리고 원고 B의 집으로 갈 것이고 원고 B와의 일을 추억할 생각은 없으며 쭉 계속해서 나아가겠다는 내용의 문자 메시지를 답장으로 보냈다.

⑥ 그 해 12월, 피고는 원고 B에게, 원고 B에게 웨딩드레스를 입혀 주고 싶다, 태어나는 아이를 사생아로 만들고 싶지 않다, 이혼해도 반년 동안에는 호적에 입적할 수 없지만 인지는 가능하다, 진심으로 원고 B를 사랑하고 있다, (원고 B)의 모든 것을 좋아하고 좋아서 어쩔 수 없다, 사실은 당장이라도 함께 있고 싶다, 전에도 말했지만 무슨 일이 있어도 중절한다는 서류에 서명 · 날인은 하지 않는다, 사랑하는 사람과 계속 있고 싶다, 이혼하지 않아도 된다고 말하지만 이혼은 전부터 확정하고 있다, 피고의 처와의 사이에서 (출생한) 아이는 원래부터 원치 않은 아이였다, 피고의 처의 임신이 판명된 때 피고의 처는 중절하면 모체가 견디지 못 하기 때문에 (자신이) 죽게 되는데 주위에 자신을 죽인 것은 피고라고 퍼뜨리겠다고 신나게 위협했다, 피고의 처는 피고의 부모도 순순히 인정하지 않고 헤어지려면 빨리 헤어지라고 생각하고 있다, 그래서 결혼식도 피로연도 하지 않고 있다는 내용의 문자 메시지를 보냈다.

⑦ 2009년 2월, 피고는 아기 용품의 선정에 적극적인 관심을 보이거나 원고 B, 태어나는 아이와의 세 사람의 생활을 전제로 하는 내용의 문자 메시지를 원고 B에게 보냈다.

⑧ 같은 해 3월, 원고 B는 피고에게 원고 B와의 사이에서 아이가 있어서 좋은 것인지, 사실은 싫거나 귀찮은 것은 아닌지, 그렇다면 그런 까닭에 생각한다고 하면서 본심을 따져 물었는데 피고는 이제 와서 무슨 말을 하는 것이냐, 좋은 게 당연하다, 낳기를 원치 않으면 피임하지 않고 성행위를 하지 않는다, 원고 B 이외에 마음이 서로 통하는 최고의 사람은 없다는 내용의 문자 메시지를 보냈다.

⑨ 그 해 4월, 피고는 원고 B에게 아이에게 붙일 이름의 안(案)을 문자 메시지로 보냈다.

(5) 피고가 연락불통이 된 후의 경위

① 원고 B는 지인에게 피고의 본가의 소재를 알아봐 달라고 부탁하였고 출산 1주일 전에 피고의 본가가 어딘지 알게 되었기 때문에 같은 해 5월 말경 그 지인을 피고의 본가에 가게 했다.

이로 인해 원고 B의 출산이 임박하였다는 사실을 처음으로 피고의 본가와 피고의 처가 알게 되었고 원고 B는 피고가 주위에 아무것도 알리지 않은 것을 알게 되었다.

그리고 피고 및 피고의 아버지가 원고 B의 집을 찾아와 의논을 하게 되었으나 의논을 하기로 예정되어 있던 날 아침에 피고가 자살을 시도하였다가 미수에 그쳐 의논은 좌절되었다.

② 원고 B는 같은 해 O월 O일에 원고 A를 출산했다.

출산 후 곧바로 원고 B는 피고의 아버지를 통해 피고에게 원고 A의 인지를 요구했지만, 피고의 아버지가 다른 남성과도 정교 관계가 있었던 것은 아닌가, 피고는 낙태를 요구했는데도 원고 B가 마음대로 낳았다고 말한다, DNA 감정은 돈이 들어서 안 한다고 하면서 상대하려 하지 않았다(같은 달 16일에 피고의 아버지가 3만 엔을 송금하였다).

또한 그 무렵 원고 B가 피고에게 직접 문자 메시지를 보낸 적도 있었지만 피고로부터의 연락은 전혀 없었다.

③ 같은 해 7월 15일 원고 B는 피고에게 원고 A의 인지, 양육비 등의 지불을 요구하는 통고서를 보냈지만 답변이 없었고 그 달 30일에도 같은 내용의 FAX를 송부했지만 역시 피고로부터 대답은 없었다.

한편 그 무렵 피고의 처는 원고 B에게 별건 소송을 제기했다.

④ 그 해 8월, 원고 B는 별건 소송에서 교제 당초 피고에게 처자가 있는 것을 몰랐다는 취지로 기재한 답변서를 제출했다.

그 해 11월 원고 B는 별건 소송에서 교제 당초부터 피고에게 처자가 있는 것을 알고 있었다고 주장을 정정했다.

⑤ 2010년 1월 7일, 원고들 소송대리인은 피고에게 원고 A의 인지를 요구하는 통지를 보냈다.

⑥ 그 해 3월 무렵 별건 소송에서 일방적으로 위협하는 인지 등을 할 필요도 없다는 내용이 기재된 피고의 진술서가 제출되었다. 또한 그 진술서에서 피고는 원고 B의 주장을 망상이라고 진술한 다음 원고 B가 다른 남성과도 성관계가 있었던 것은 아닌가, 몇 년 전에 임신할 수 없는 몸이라고 (병원에서) 진단 받은 것으로 알고 있어서 속은 것은 자기 쪽이라고 진술하고 있다.

⑦ 원고 B는 피고에게 원고 A를 위해서도 호적에 재판 인지라는 기재를 남기고 싶지 않다는 생각에서 위 ②, ③, ⑤와 같이 임의 인지를 요청해 왔으나 위 ⑥과 같은 내용의 피고의 진술서를 읽고 이제 임의 인지를 받을 수 없다고 판단하여 전제 사실대로 본건 소를 제기하였다.

⑧ 같은 해 10월 14일 본안 소송에서 피고가 원고 A의 아버지일 확률이 99.998%라는 DNA 감정 결과가 제출되었다.

⑨ 2011년 3월 23일, 별건 소송에서 원고 B에 대해서 피고의 처에게 위자료 150만 엔을 지불하도록 명하는 판결이 선고되었지만 원고 B는 이에 불복하여 항소했다.

⑩ 그 후 별건 소송의 항소심에서 재판부가 ㉮ 피고가 원고 A를 인지하고 ㉯ 피고가 원고 A의 양육비로 상당액을 지불하고 ㉰ 본안 소송과 별건 소송 모두 위자료에 대해서는 주고받지 않는다는 내용의 화해안을 제시하였으나 원고 B가 난색을 표명하여 화해 협의가 결렬되었다.

현재 피고는 별건 소송 · 본건 소송의 위자료 및 원고 A의 양육비도 포함한 포괄 해결이 아니면 임의 인지에 응할 수 없다는 태도를 보이고 있다.

2 쟁점(1)(인지 청구 : 원고 A와 피고와의 사이에 혈연상의 부자 관계가 존재하는가)에 대해서

전술한 인정 사실대로 DNA 감정에 따라 피고가 원고 A의 아버지일 확률이 99.998%라는 결과가 나온 것, 전술한 인정 사실에 의하면 원고 B가 원고 A를 임신한 무렵, 피고와 원고 B 사이에 정교 관계가 있었던 것, 피고가 원고 B의 임신 중 원고 A에 대해서 자신의 자식임을 인정하는 언동으로 일관한 것이 인정되고 이들에 더해 원고 B가 임신 당시 다른 남성과의 정교 관계는 없었다고 진술하고 있고, 이를 뒤엎는 사정도 보이지 않는 것을 아울러 감안하면 원고 A와 피고 사이에 혈연상 부자 관계가 존재한다고 인정된다.

3 쟁점(2)①(원고 B의 피고에 대한 불법행위 청구 : 불법행위 책임의 유무)에 대해서

(1) 배우자가 있는 사람의 혼인 외 성관계는 일부일처제라는 선량한 풍속에 반하는 행위이며, 정을 통한 여성은 남편의 처에 대한 정조의무 위반에 가담하는 공동 불법행위 책임을 진다. 따라서 남성에게 처가 있음을 알면서도 정교 관계를 맺은 여성이 그 때문에 손해를 입었다고 해도 그 복구로서의

위자료 등을 청구하는 것은 일반적으로는 민법 708조에 나타난 법의 정신에 반하여 허용되지 않는다고 생각된다.

그렇다고는 하지만 여성이 남성에게 아내가 있음을 알면서도 정교 관계를 맺었다고 해도 정교의 동기가 주로 남성 측의 거짓말을 믿은 것에 기인한 경우에, 정교 관계를 맺은 동기, 거짓말의 내용 정도 및 그 내용에 대한 여성의 인식 등 제반 사정을 참작하고, 여성 측의 동기에 내재하는 불법의 정도에 비해, 남성 측의 위법성이 현저하게 큰 것으로 평가할 수 있는 때에는 정조 등의 침해를 이유로 하는 여성의 남성에 대한 위자료 청구는 허용된다(최고재판소 제2소법정 昭和44年 9월 26일 · 민집 23권 9호 1727쪽).

(2) ① 전술한 인정 사실 및 변론의 전체 취지에 의하면 원고 B는 피고와의 교제 중 피고가 처자가 있는 집으로 귀가하고 이혼하지 않은 채 원고 B와 육체관계를 수반하는 교제를 계속해 온 것, 피고의 처가 피고와 원고 B의 교제를 그만두게 하려고 한 것 등 혼인이 파탄에 이르렀다는 피고의 언동에 의문을 가질 수 있는 사정을 인식하고 있었음이 인정된다.

이에 의하면 원고 B가 피고의 처에게 피고와 함께 공동 불법행위 책임을 지는 것은 분명하기 때문에 전술한 대로, 원고 B의 피고에 대한 위자료 청구는 민법 708조에 나타난 법의 정신에 비추어 기본적으로 허용되지 않는다.

② 그러나 전술한 인정 사실에 의하면, 피고는 원고 B에게 완전한 허위 사실과 에피소드를 전달하여 피고의 처와의 부부 관계가 파탄에 이르렀으며 이혼을 반드시 한다고 하는 거짓말을 하여 그 환심을 산 후 (원고 B가) 피임을 하자고 한 때에도 결혼을 생각하고 있고, 아이도 있었으면 한다고 하는 감언을 하면서 피임하지 않은 채 성관계에 응하도록 하여 원고 B를 임신시켰다.

또한 전술한 인정 사실에 의하면 그 후에도 피고는 원고 B에게 실제로는 피고의 처와의 사이에서 이혼 이야기 등이 전혀 없는데도 완전한 허위 사실이나 에피소드를 전하여 부부 관계는 이미 파탄에 이르렀고, 이혼하고 원고 B와 결혼해서 아이를 함께 키우겠다는 등으로 임신 전과 마찬가지의 언행을 반복하여 원고 B와의 교제를 지속시킨 뒤 거듭된 원고 B로부터의 중절 제안도 거부하고 출산을 적극적으로 지원하고 있다.

이러한 일련의 경과에 비추어 보면 원고 B가 피고와 남녀 관계를 계속한 것은 피고의 거짓말을 믿었기 때문이며, 그 거짓말의 내용 정도도 완전한 허위 사실과 에피소드를 포함하는 등 현저하다고 할 수 있기 때문에 정교 관계를 맺고 지속시킨 것에 관하여 원고 B의 위법의 정도에 비해 피고의 위법성이 현저하게 크다고 평가할 수 있다.

③ 따라서 원고 B의 피고에 대한 위자료 청구는 정조권 등의 침해를 이유로 하여 허용되어야 한

다. 또한 원고 B는 정교 관계 해소 후에 이루어진 피고의 불성실한 대응을 독립한 불법행위로서 주장하지만 이것에 대해서는 위자료액 산정 시 하나의 사정으로 고려하는 것이 상당하다고 생각된다.

④ 피고의 주장에 대해서

㉮ 피고는 원고 B가 부부관계에 대해 질문을 하자 전화 통화를 하면서 평범하다고 대답했다고 주장하지만 전술한 인정 사실의 문자 메시지 등으로부터 피고의 주장은 채용할 수 없다.

㉯ 피고는 원고 B와 처음으로 정교 관계를 가진 때 원고 B로부터 몇 년 전에 임신할 수 없는 몸이라고 산부인과에서 진단을 받았다는 고백을 이미 받았으므로 피임하지 않았다고 주장하지만 피고 본인 심문의 결과에 의하면 피고의 기억은 애매하여 피고의 주장은 채용할 수 없다.

㉰ 피고는 원고 B로부터 임신했다는 이야기를 들은 후 주로 전화로 몇 번 낙태를 권했다고 주장하지만 전술한 인정 사실의 주고받은 문자 메시지 등에서 피고의 주장은 채용할 수 없다.

㉱ 피고는 원고 B에게 허구의 사실을 포함하는 거짓말을 한 것에 대해서 원고 B와의 관계를 사이트 내의 허구의 가상현실 세계의 연장으로 인식하고 있었다는 등으로 주장하지만 독자적인 가치관으로 도저히 거짓말을 정당화하는 이유가 될 수 없다.

(3) 이상에 의하면 피고는 원고 B에게 그 정조를 침해한 것에 대해서 불법행위 책임을 지게 된다.

4 쟁점(2)②(원고 B의 피고에 대한 불법행위 청구 : 손해액)에 대해서

(1) 원고 B는 전술한 판단대로 피고의 거짓말에 농락당하고 피고와 정교 관계를 가져 임신한 것으로 피고가 출산을 촉구하는 무수한 허위 발언을 거듭 하였기 때문에 중절이라는 선택지도 있었는데 원고 A를 출산하게 된 후 현재까지 (친족을 포함한 사람들에게 의절 당해) 고립무원의 상황에서 혼자서 육아를 면치 못하고 있다(원고 B 본인).

(2) ① 게다가 전술한 인정 사실에 의하면, 피고는 출산 직전에 태도를 바꾸어 원고들과 연락을 끊고 원고들의 거듭된 인지 요구에도 응하지 않았으며 별건 소송에서 자신을 보호하기 위해 연락불통이 되기 전에는 지적한 적이 없는, 원고 B와 피고 이외의 남성과의 성관계 의혹을 지적하고 원고 A가 피고의 아이가 아닐 가능성을 은근히 시사하는 내용의 진술서를 제출한다거나 본안 소송에서 DNA 감정에 의해 원고 A가 피고의 아이임이 분명하게 된 후에도 양육비를 포함한 포괄 해결이 되지 않는 한, 임의 인지에는 응하지 않겠다는 태도를 취하는 등 그 동안의 언행과 모순에 찬 거동으로 일관하고 있다고 하지 않을 수 없으므로, 이러한 피고의 대응도 위자료액 산정 시의 하나의 사정으로 고려하는 것이 상당하다.

② 이 점에 대해서 피고는 별건 소송에 진술서를 제출한 것은 피고의 처의 소송대리인이고 자신에게는 책임이 없다고 주장하지만, 피고 본인 심문 결과에 의하면 별건 소송에 제출되는 것을 이해하고 진술서를 작성하여 피고의 처의 소송대리인에게 맡겼다는 것으로 책임을 면할 이유가 되지 않는다.

또한 피고의 별건 소송에서 진술서 제출 및 본안 소송의 인지에 대한 대응은 그동안의 언행과 심하게 모순되는 행동이라는 의미에서는 소송 외의 행위와 차이가 없고 소송상의 것이기 때문에 위자료 산정 시에 고려해서는 안 된다고 할 것은 아니라고 생각한다.

(3) 이렇게 원고 B가 받은 정신적 고통은 크다고 할 수 있지만 한편 민법 708조에 나타난 법의 정신에 비추어 피고와의 정교 관계에 대해서 원고 B에게도 위법성이 인정되는 것을 위자료액 산정 시의 하나의 사정으로 고려할 필요도 있다.

(4) 그래서 본 재판소는 전술한 각 사정 및 기타 본건 구두 변론에 나타난 일체의 사정을 감안하여 피고가 원고 B에게 지급해야 할 위자료액을 75만 엔의 한도에서 인정하기로 한다.

5 따라서 원고들의 인지 청구는 이유가 있으므로 인용하고 원고 B의 불법행위에 근거한 손해배상 청구는 75만 엔 및 이에 대한 소장 송달일의 다음날인 2010년 6월 27일부터 다 갚는 날까지 민법 소정의 연 5%의 비율에 의한 지연 손해금의 지불을 요구하는 한도에서 이유가 있으므로 인용하며 나머지는 이유가 없으므로 기각하는 것으로 하여 주문과 같이 판결한다.

◇ 나가노 가정재판소 스와 지부 재판관 佐藤久貴

홍남희

서울대 농학과를 졸업, 서울시립대학교 법학전문대학원을 거쳐 같은 대학교 일반대학원 법학과(박사 과정)에 재학 중이다. 또한 방송대 일본학과를 졸업, 같은 대학교 대학원 일본언어문화학과(석사 과정)에 재학 중이다.

현재, 변호사로 일하고 있다.

보건복지부가 발주한 <성년후견인제 도입에 따른 정신건강 관련 법제도 개선방안>을 비롯한 여러 연구용역사업에 서울시립대학교 산학협력단의 일원으로 참여하였다.

논문으로는 「이혼 시 퇴직금과 연금의 분할 문제에 대한 고찰 －대법원 2014. 7. 16. 선고 2013므2250 및 2012므2888 전원합의체 판결을 중심으로－」(『법학논고』 제49집, 경북대학교 법학연구원) 등이 있다.

방송대 대학원 경영학과 11기 동기들과 함께 만든 『가슴으로 여는 경영』(공저, 동인)에 필진으로 참여했으며, 방송대 일본학과 선배들과 함께 일본 역사소설을 번역하여 『일본 도자기의 신, 사기장 이삼평』(공역, 지식과감성#)을 출간하였다.

일본 법학의 전도사를 자처하며 『일본 성년후견 판례의 이해』(동인)를 펴내기도 했다.

2009~2014년 **일본 가족법(친족상속법) 주요 판례 개관 :** 판례 전문 번역 및 해설

초판 1쇄 발행일 2015년 7월 15일
홍남희 **편역**

발행인 이성모
발행처 도서출판 동인
주 소 서울시 종로구 혜화로3길 5 118호
등 록 제1-1599호
TEL (02) 765-7145 / FAX (02) 765-7165
E-mail dongin60@chol.com
ISBN 978-89-5506-661-6
정 가 35,000원